D1484503

Zu diesem Buch

Wenige Bereiche im öffentlichen Leben der DDR waren für die Partei und das Ministerium für Staatssicherheit so bedeutsam wie die Literatur. Man traute ihr besondere Fähigkeiten der Bewußtseinsbildung zu, maß ihr eine Schlüsselfunktion bei, wenn es darum ging, das von der Partei gewünschte Lebensgefühl in der sozialistischen Gesellschaft nicht nur zu formulieren, sondern auch zu formen. Für die Bevölkerung im «Leseland DDR» wiederum war die Literatur immer auch ein Seismograph, an dem sich gesellschaftliche und politische Entwicklungen, verborgene Konflikte, Fortschritte und Rückschritte ablesen ließen. Insofern kam Hermann Kant, von 1978 bis März 1990 Präsident des Schriftstellerverbandes der DDR, eine gesellschaftliche und politische Schlüsselfunktion zu. Er war ein Multifunktionär, kaum ein wichtiges Gremium unterhalb des Politbüros wollte auf ihn verzichten.

Seine offizielle und öffentlich wahrnehmbare Karriere, die dem auch im Westen viel gelesenen Autor der *Aula* zu zahlreichen Kontakten und Auftritten in der Bundesrepublik und im westlichen Ausland verhalf, war mit einer geheimen Karriere verwoben, die in vielen Einzelheiten von ihm selbst bis heute bestritten wird, und die schon früh, in den fünfziger Jahren, begann. Seit Sommer 1957 wurde Hermann Kant im MfS als Kontaktperson geführt, 1963 avancierte er nach dem üblichen «Vorlauf» zum «Geheimen Informator» (GI), wie die Inoffiziellen Mitarbeiter zunächst hießen. 1976 durfte das Ministerium für Staatssicherheit ihren inzwischen zum IMS umregistrierten Topspitzel nicht länger als Inoffiziellen Mitarbeiter führen, weil er innerhalb der Partei inzwischen in die Berliner Bezirksleitung der SED aufgestiegen war. Die Akte Kant aber wurde mindestens bis ins Jahr 1984 weitergeführt.

Es geht in diesem Band, einer ausführlich annotierten Dokumentensammlung mit wissenschaftlichem Anspruch, nicht darum, Hermann Kant als «IM Martin» zu enttarnen. Dies ist längst geschehen, wenn auch zahlreiche Einzelheiten seiner Tätigkeit für das MfS hier zum ersten Male sichtbar werden. Es geht vielmehr darum, am Beispiel eines Schlüssel-Funktionärs, wie es in der DDR nur wenige gab, ein exemplarisches Schlaglicht auf die Struktur, Mechanik und Funktionsweise des SED-Staates zu werfen. Die Dokumente lassen erkennen, wie stark die vier Karrieren des Hermann Kant miteinander verwoben waren: die Parteikarriere, die Verbandskarriere, die schriftstellerische Karriere und schließlich die IM-Karriere. Ebenso wird erkennbar, in welchem Dilemma sich gerade die hochkarätigen Angehörigen der DDR-Funktionselite, nicht nur Hermann Kant, immer wieder aufs neue befanden, weil sie größte Widersprüche auszuhalten hatten: zwischen Gestaltungsfreiheit und Parteisoldatentum, zwischen Kritikfähigkeit und ideologischer Disziplin, zwischen Spitzeln und Bespitzeltwerden, zwischen Teilhabe an der Macht und Ohnmacht.

Karl Corino, Jahrgang 1942; Literaturwissenschaftler und Journalist, ist Leiter der Literaturabteilung im Hessischen Rundfunk; er moderierte von 1973 bis 1990 das Magazin *Transit. Kultur in der DDR*; zahlreiche Veröffentlichungen; u. a. *Intellektuelle im Bann des Nationalsozialismus* (1981), *Autoren im Exil* (Hg., 1981), *Genie und Geld. Vom Auskommen deutscher Schriftsteller* (1987), *Robert Musil Leben und Werk in Bildern und Texten* (1988), *Gefälscht* (1992).

Karl Corino (Hg.)

Die Akte Kant

**IM «Martin», die Stasi und
die Literatur in Ost und West**

*Fortsetzung der deutschen
Misere ...
Für Peter Müller
herzlich vom
Herausgeber;
Berlin, 20. V. 98*

Karl

Rowohlt

rororo aktuell
Herausgegeben von
Rüdiger Dammann und Frank Strickstrock

Originalausgabe
Veröffentlicht im Rowohlt Taschenbuch Verlag GmbH,
Reinbek bei Hamburg, September 1995
Copyright © 1995 by Rowohlt Taschenbuch Verlag GmbH,
Reinbek bei Hamburg
Alle Rechte vorbehalten
Umschlaggestaltung Susanne Heeder/Philipp Starke
(Foto: Anita Schiffer-Fuchs/Ullstein)
Satz aus der Times (Linotronic 500)
Gesamtherstellung Clausen & Bosse, Leck
Printed in Germany
2490-ISBN 3 499 13776 3

Inhalt

I. EINFÜHRUNG

Karl Corino

Zuverlässig, verschwiegen, einsatzbereit

IM Martin alias Hermann Kant
als Mitarbeiter der Stasi

«Es gilt wohl zu keiner Zeit als unbeträchtlich, ob jemand Spion oder keiner war, aber gegenwärtig wird besonders streng darauf geachtet, daß einer nicht als Späher, Spitzel oder Spanner in geheimen Diensten stand. Mir ist das verständlich, und es sollte verständlich sein, wenn ich bei jenen Punkten meiner Geschichte etwas länger verharre, aus denen sich zu erklären scheint, warum sie mich bei den Kundschaftern oder Missionären am Ende doch nicht wollten. Am Ende, was besagt, daß es Anfänge gab. Versuche zu Anfängen hin. Aber ich bestand wohl die Prüfungen nicht.»
(Hermann Kant, «Abspann. Erinnerung
an meine Gegenwart», S. 230)

«In aller Offenheit – das könnte der Arbeitstitel dessen sein, was ich nun schreiben muß». So Hermann Kant, von 1978 bis März 1990 Präsident des DDR-Schriftstellerverbandes, im *Neuen Deutschland* vom 27. Oktober 1992 über seine Pläne, sich mit seiner – fiktiven? imaginären? bloß behaupteten? «mega-konspirativen»? – Vergangenheit als inoffizieller Mitarbeiter des Ministeriums für Staatssicherheit der DDR auseinanderzusetzen. Seit dem ausführlichen Bericht im *Spiegel* Nr. 41/1992 war jedem, der lesen konnte, klar, daß Kant zwischen 1957 und 1976 für die Stasi als «Kontakt-Person», «Geheimer Informator» und «Inoffizieller Mitarbeiter Sicherheit» gearbeitet hatte, auch wenn ihm diese Begriffe nicht bekannt waren. Die Beweise waren, trotz einiger Irrtümer des *Spiegel*, erdrückend, und die vielleicht einzig erlösende Reaktion des Enttarnten wäre gewesen, den Berg an Belastungsmaterial durch ein Eingeständnis halbwegs von sich zu wälzen. Dies versagte sich Kant – wie mancher andere prominente Mitarbeiter des MfS. In einer Vielzahl von Stellungnahmen leugnete er ausdrücklich, «jemals Inoffizieller Mitarbeiter des in Rede stehenden Ministeriums gewesen» zu sein (*Frankfurter Allgemeine Zeitung* vom 6. 10. 1992). Und fast treuherzig fügte er hinzu (*Neues Deutschland* vom 27. 10. 92):

> «Niemals in meinem Leben hat sich mir jemand mit der Behauptung genähert, er sei mein Führungsoffizier, und nie hat mich ein Offizier oder ein anderer Offizieller zu seinem Formellen oder Informellen Mitarbeiter ernannt – selbst mit den Begriffen wurde ich erst bekannt, als hierzulande die Gauckelei begann.»

Richtig ist daran, daß sich die Offiziere des MfS wohl nur in den allerseltensten Fällen (oder nie) ausdrücklich als «Führungsoffiziere» vorstellten (sie benutzten häufig genug, auch im Umgang mit Kant, sogar Decknamen), und sie eröffneten ihren «Blauen», ihren inoffiziellen Mitarbeitern, die nach der Farbe der Aktendeckel so genannt wurden, nicht, auf welcher Stufe der internen Rangleiter sie jeweils angelangt waren. Beförderungsfeiern mit, sagen wir: neuen Achselklappen und zusätzlichen Sternen auf dem Kragenspiegel waren nicht üblich, wenn jemand von der Kontakt-Person zum Geheimen Informator oder weiter ‹aufstieg›. Charakteristisch der Sprachgebrauch des MfS: jemanden «aufklären» hieß eben, alles über ihn zu erfahren, ihn selbst aber darüber im dunkeln zu lassen.

Für den ‹Außenmitarbeiter› des MfS konnte sich unter Umständen als (harmloses?) Kontinuum darstellen, was in den Augen von Erich Mielkes Offizieren eine Karriere war. Vor allem dann, wenn sie, wie bei Kant, wegen des langjährigen vertrauten Umgangs auf eine schriftliche Verpflichtungserklärung verzichteten und wenn der inoffizielle Mitarbeiter seine Berichte in der Regel mündlich lieferte. Freilich konnte aufgrund solcher Gespräche über die Jahre hin eine dicke Akte entstehen. Im Falle Kants waren es acht Bände mit insgesamt 2254 Blatt.

Was der IM bei seinen ‹Treffs› mit den Offizieren alles preisgab – und dessen Details er im Lauf der Zeit oft vergaß –, was die Stasi von Notizblöcken mit der Maschine ins reine schreiben oder von Tonbändern abtippen ließ (orthographisch, grammatisch und stilistisch oft sub omni canone!), das bildete eine Art von materialisiertem individuellem Unbewußtem, und manch einer mag sich im nachhinein wundern, was die Stasi in ihrem horrenden Sammelfleiß alles von ihm und über ihn zusammengetragen hat, wenn er dieses Materials denn ansichtig wird. Die Stasi weihte alle ihre Mitarbeiter, ob ‹festangestellt› oder ‹freischaffend›, sorgfältig in die Gesetze der Konspiration ein, aber sie verwandte diese, getreu dem alten Frunse-Prinzip, auch gegen ihre Kämpfer an der geheimen Front: sie sollten nicht mehr wissen, als sie für die Erfüllung ihrer Aufgabe unbedingt wissen mußten. Die innere Organisation des MfS, taktische und strategische Absichten, Gründe für den Wechsel von Führungsoffizieren, Speicherung und Verwendung der Informationen – all dies sollte für den Informanten des Apparats ein böhmisches Dorf bleiben. Neugier (wie im Falle Kants) wurde abgewehrt. Das Ministerium in der Normannenstraße glich wohl in den Augen vieler Kombattanten einem schwarzen Loch, in dem verräterische Materie, Verrats-Materie aufgesaugt wurde und spurlos verschwand – es sei denn, daß ‹Zersetzungsmaßnahmen› sichtbar oder Bespitzelte gar verhaftet wurden. Kant hat derlei erlebt, und insofern wurde er schon früh mit den Folgen seines Handelns konfrontiert. Illusionen über die Harmlosigkeit seiner Tätigkeit für das MfS konnte er sich nicht machen – überrascht konnte er wohl nur sein, als der *Spiegel* verlautbarte, wieviel Material sich von ihm in den Archiven angesammelt hatte und daß es beim Ende der DDR nicht durch die Reißwölfe gejagt worden war.

Angesichts der konkreten Beispiele aus seiner geheimdienstlichen Arbeit, die im Oktober 1992 bekannt wurden, ähnelt Kants Verhalten einem Blindekuh-Spiel. Vornehmer, in der Sprache der Psychologie ausgedrückt: einer Reduktion von kognitiver Dissonanz. Einer Fortsetzung des langgeübten konspirativen Schweigens. Einer Imitation des erfolgreichen Leugnens, wie es andere prominente IM übten.

Ein von Kants Spitzeltätigkeit Betroffener wie Wolf Biermann reagierte auf Kants Strategie so: «Also gut: ein Messer ist ein Löffel, und eine Ratte ist eine Nachtigall. Schalck-Golodkowski ist ein Ehrenmann, Erich Mielke war immer ein Menschenfreund. Hermann Kant war nie und nimmer eine Kreatur des Staatssicherheitsdienstes. Ja, und Wolf Biermann bleibt ein Träumer, weil er über die aggressive Heuchelei dieser Verbrecher immer wieder staunt.»

(*FAZ* vom 7. 10. 92)

Und Günter Kunert, ebenfalls von Kant ausgespäht, diagnostizierte:

«Jetzt sind die Beweise vorhanden, und der Enttarnte reagiert wie jeder gewöhnliche Kriminelle: Abstreiten, alles abstreiten! Angesichts der Beweislast wirkt solche Unverschämtheit bereits bedenklich. Wir haben es offensichtlich mit einer Person zu tun, deren Realitätsverlust über das normale Maß hinausgeht. (...) Falls Hermann Kant ernstlich glaubt, er sei, entgegen den vorliegenden Dokumenten, kein Spitzel gewesen, dann ist für ihn nur noch der Psychiater zuständig. Und seine Drohung mit einem neuen Buch, welches er seiner ‹glücklichen Feinde und seiner unglücklichen Freunde› wegen schreibe, scheint eine medizinische Diagnose zu bestätigen: krankhafte Rechtfertigungssucht, wo es nichts mehr zu rechtfertigen gibt.» (*FAZ* vom 7. 10. 92)

Die Reaktion Kants auf die Enthüllung der Stasi-Kontakte von Heiner Müller grenzt wirklich schon fast ans Schizophrene. Kant kommentierte sie so: «Das ist für mich hoch erstaunlich. Er hat das offenbar bisher sehr gut verbergen können. Für die Kultur der ehemaligen DDR, wie sie sich noch bewahrt hat, ist das ein fürchterlicher Schlag» (*FAZ*, 13. 1. 1993). Die Parallelität ihrer Fälle und seine Mitbetroffenheit wollten Kant anscheinend nicht in den Kopf!

Seine Ankündigung, nun, unter den Voraussetzungen des Leugnens, «in aller Offenheit» über seine Kontakte zum MfS zu schreiben, macht es notwendig, einen Auszug der wichtigsten Dokumente aus seiner Akte vorzulegen. Die Öffentlichkeit sollte ein Korrektiv in der Hand haben, wenn Kant über autobiographische Helden à la «Kormoran» und noch schrägere Vögel berichtet. (Nicht von ungefähr ist der Kormoran – welch symbolischer Name – ein Vogel, der sich vom Menschen zum Fischfang abrichten läßt und die Beute apportiert, die er gefangen hat). Zu lehrreich ist vielleicht dieser Fall, wie ein führender Schriftsteller und Literaturfunktionär der DDR mit dem Geheimdienst seines Landes paktiert (gab es im Ostblock einen zweiten vergleichbaren Fall?). Man stelle sich als Pendant im Westen vor, ein Heinrich Böll oder Günter Grass hätte sich mit dem BND oder dem CIA eingelassen!

Mag ein ehemaliges Opfer des MfS wie Manfred Bieler von einem spitzelnden Schriftsteller-Kollegen auch als von einer «Stasiwitzfigur» sprechen – Hermann Kant, kein Zweifel, ist eine Figur der Zeitgeschichte, und das macht den Casus so bedeutsam. Er war ein Multifunktionär – kaum ein wichtiges Gremium in der DDR wollte auf ihn verzichten. Seit 1969 war er Mitglied der Akademie der Künste, vom selben Jahr bis 1978 Vizepräsident des Schriftstellerverbandes, von 1978 bis zum März 1990 dessen Präsident, von 1974 bis 1979 Mitglied der Bezirksleitung der SED in Berlin, von 1981 bis 1990 Abgeordneter der Volkskammer, von 1986 bis 1989 Mitglied des Zentralkomitees der SED. Einen solchen Mann von den fünfziger Jahren an zur Wachsamkeit erzogen und angehalten, mit Aufgaben betraut zu haben, war für das MfS bedeutsam, auch wenn er die letzten 13 Jahre der DDR nicht mehr an der kurzen Leine geführt wurde.

Der Schriftstellerverband war einer der wichtigsten Verbände überhaupt. Ganz hat sich das sozialistische Lager nie von der stalinschen These verabschiedet, die Schriftsteller seien die Ingenieure der Seele. Man traute ihnen im Rahmen der marxistisch-leninistischen Psychotechnik besondere Fähigkeiten der Bewußtseinsbildung zu. Sollte es je gelingen, den neuen Menschen zu erziehen, dann mit Hilfe der Literatur. «Lockende Vorbilder, wie man Mensch sein kann» – diese Formel Musils hätte man wohl allzu gern für ideologische Zwecke nutzbar gemacht: der positive Held des sozialistischen Realismus als Schablone für den sozialistischen Staatsbürger.

In einer geschlossenen Gesellschaft vom Typus der DDR mit einer langweiligen Tagespresse, faden Illustrierten, gleichgeschalteten elektronischen Medien, einer kümmerlichen Unterhaltungsindustrie blieb den halbwegs Interessierten fast nichts anderes übrig, als Bücher zu lesen. Die Auswirkungen eines Mangels, nämlich des Fehlens einer bürgerlichen Öffentlichkeit, halfen, die alten Bildungsideale der Arbeiterschaft zu konservieren, die noch aus dem 19. Jahrhundert stammten. Ein klassenbewußter Arbeiter war ein lesender, ja, zu Zeiten des Bitterfelder Wegs, ein schreibender Arbeiter. Und umgekehrt: der Umgang mit dem Wort stärkte wiederum das Klassenbewußtsein.

Der Schriftsteller als Transmissionsriemen der Partei – diese leninistische Vorstellung wurde in der DDR nie außer Kraft gesetzt. Im Lauf der Zeit hat man nur die plumpe mechanische Agitation eliminiert, die eisernen Räder der ideologischen Maschinerie wurden, um es mit einem Bild zu sagen, zierlicher, die Treibriemen mit Mustern versehen. Einer, dessen gußeiserner Schwung mit getriebenen (durchtriebenen?) rhetorischen Blümchen ornamentiert schien, war Hermann Kant. Das Verhältnis der Übersetzung war bei ihm stets geschickt gewählt und nicht immer 1:1, die Buchsen wurden mit Ironie geschmiert. Das ist wohl das Geheimnis seines literarischen Erfolgs.

Als Kulturfunktionär ging Kant oft unverblümter und direkter zu Werk. Hier unterstand er einem direkteren Antrieb durch die Partei als bei der literarischen Produktion. Kein Zweifel, er wollte die Macht, und er genoß sie auch immer wieder. Die Ausbürgerung Biermanns im November 1976, die ihn überraschte wie viele andere, brachte ihn durch geschicktes Krisen-Management an die Spitze seines Verbandes. Bis dahin galten, wie Karl-Heinz Jakobs bemerkt, «Erwin Strittmatter und Christa Wolf als die beiden einzig möglichen Kandidaten für den Posten des Präsidenten der Schriftsteller».

Die Nachfolge auf dem Stuhl der großen Anna Seghers – das hieß natürlich auch: auf die Reputation achten. Der Präsident Kant konnte sich nicht mit dem Ministerium für Staatssicherheit in Zusammenhang bringen lassen. Als Joachim Seyppel dies 1983 ohne handfeste Beweise tat, wurde ihm vom Landgericht Hamburg die Behauptung verboten, Kant «bekleide das Amt eines Oberstleutnants des Ministeriums für Staatssicherheit und erfülle deshalb die Voraussetzungen einer Anklage wegen Agentenschaft für den ‹Stasi›». Kant wird die Entscheidungsgründe der Richter Dr. Johannsen, Dr. Neuschild und Schmidt wohlwollend zur Kenntnis genommen haben:

«Die Behauptung, der Kläger bekleide ‹das hohe Amt eines Oberstleutnants des Ministeriums für Staatssicherheit›, verletzen [sic] den Kläger [Kant] in seinem selbst definierten sozialen Geltungsanspruch. Sie verletzt ihn in seinem Ansehen als Schriftsteller und Vorsitzender des Schriftstellerverbandes der DDR. Es ist davon auszugehen, daß vielen Kollegen und Lesern des Klägers die Zugehörigkeit zu einem Abwehr- und Geheimdienst bzw. zu einem Sicherheitsdienst mit der Tätigkeit eines freien Schriftstellers unvereinbar erscheint. Die angegriffene Behauptung erscheint nicht zuletzt deshalb beeinträchtigend, weil die Tätigkeit von derartigen Diensten vielfach mit Überwachung im Sinne von Bespitzelung und der Unterdrückung eigenverantwortlicher politischer Betätigung gleichgesetzt wird und nicht zuletzt Erinnerungen an Einrichtungen wie etwa die ‹Geheime Staatspolizei› oder der ‹Sicherheitsdienst› im ‹Dritten Reich› oder an Geheimdienste anderer totalitärer Staaten wachruft. (...) Daß durch diese Äußerung [Seyppels] der Kläger Gefahr läuft, sowohl bei den Schriftstellerkollegen – insbesondere in seinem Verband –, als auch bei seinen Lesern in Mißkredit zu geraten, daß ihm Isolierung droht, liegt ebenso auf der Hand, wie die Gefahr daraus resultierender wirtschaftlicher Verluste etwa durch stagnierenden Absatz seiner Werke.»

Wie wahr, möchte man derlei richterliche Weisheiten kommentieren. Und zugleich darüber staunen, wie leicht es war, vor Hamburger Gerichten einen solchen Prozeß zu gewinnen, wenn man nur, wie Kant (am 12. 8. 1983) erklärte, «er habe zu keinem Zeitpunkt Funktionen innerhalb des Ministeriums für Staatssicherheit innegehabt.»

Damals, als seine Prozeßgegner aufgrund der deutschen Teilung in Beweisnot waren, operierte Kant mit der listigen Formel ‹keine Funktion innerhalb des Ministeriums für Staatssicherheit›, die genau genommen den Gedanken an eine geheimdienstliche Funktion außerhalb dieses Ministeriums offenließ. Heute, da fast zweieinhalbtausend Blatt Akten über ihn gefunden sind, versteigt er sich zu der pauschalen Behauptung: «Ich bin kein Mitarbeiter dieser Institution geworden und es auch nicht gewesen, war es nicht und bin es nicht.» Aber gleichzeitig dementiert er jeden moralischen Skrupel, falls man denn von seiten des MfS an ihn herangetreten wäre: «Ich wollte diese DDR, ich wollte sie sehr, ich hab' an ihr mitgewirkt, daß sie entstünde, entstehe, und ich wollte sie bewahren, und hätte man meiner bedurft, hätte ich sie auch mit diesen [i. e. geheimdienstlichen] Mitteln bewahrt.» So Kant bei einer Podiumsdiskussion am 20. Oktober 1992 in Marburg.

Dies ist bemerkenswert. Es gibt Beispiele von DDR-Schriftstellern, die ihre Bereitschaft erklärt hatten, für das MfS zu arbeiten, dann aber innerhalb kürzester Zeit begriffen, daß eine schriftstellerische und eine geheimdienstliche Existenz sich für sie ausschlossen, und die deshalb ihre schriftliche Verpflichtungserklärung in aller Form zurücknahmen – etwa mit folgender Begründung (sie befindet sich in der Akte der OPK «Strauß» in der Arbeitsstelle Halle der Gauck-Behörde):

«Im Verlauf der vergangenen Woche ist mir klar geworden, daß ich einer solchen Mitarbeit weder in psychologischer, noch in moralischer als auch technischer Hinsicht gewachsen bin. Im Gegenteil bin ich zu der unverrückbaren Überzeugung gelangt, daß meine Mitarbeit beim MfS zu einer persönlichen Katastrophe führen würde. Im Verlauf der vergangenen Woche litt ich an Konzentrationsschwäche, Kontaktscheu, Arbeitsunlust und tiefen Skrupeln. Es war mir unmöglich, meiner schriftstellerischen Tätigkeit nachzukommen, die ich als gesellschaftliche Verpflichtung betrachte. Durch ein Doppelleben, das ich unweigerlich führen würde, wäre meine Ehe in stärkstem Maße gefährdet, und ich würde in ein Eremitendasein gedrängt werden, mein Talent, meine Arbeitsfähigkeit, meine Gesundheit, ja mein Leben wären stark bedroht. Mein Platz in der Gesellschaft ist unteilbar und öffentlich, und mein Talent als (...) Lyriker etwa wird in hohem Maße gebraucht und stellt einen gesellschaftlichen Wert dar, der nicht gefährdet werden darf. Dies ist zugleich meine Verantwortlichkeit gegenüber der Gesellschaft. Sollte ich bei den Genossen des MfS hierfür kein Verständnis finden und tiefer in die geschilderten Konflikte gedrängt werden, sehe ich keine andere Möglichkeit für mich, als den Parteisekretär und den Vorstand des Bezirksverbandes von meiner Situation in Kenntnis zu setzen.»

Eine solche Stellungnahme führte zur sofortigen Entpflichtung – die Androhung der Dekonspiration war eine absolut wirksame Waffe gegen das MfS, und sie hätte in den Händen Kants nicht anders funktioniert. Gerade deshalb rühmen seine Führungsoffiziere immer wieder, er wahre die Verschwiegenheit, und wenn es denn zu Dekonspiration kam, dann ging sie von anderen aus, von Alfred Kantorowicz in seinem «Deutschen Tagebuch», von Günther Zehm in einem Artikel der *Welt* oder von Kants Ost-Berliner Schriftstellerkollegen Herbert Nachbar, der ihn eines nicht näher bezeichneten Tages «in Halles Hotel ‹Roter Ochse› aus sehr, sehr blauem Himmel zum Geheimen ernannte» («Abspann», S. 488). Es ist vermutlich so: wenn geheimdienstliche Kontakte, in welcher Form auch immer, sich alles in allem vielleicht über einen Zeitraum von Jahrzehnten erstrecken, dann geht die Konspiration in Fleisch und Blut über, sie wird Teil der Person und ist schier unauflösbar.

Das Ministerium für Staatssicherheit der DDR wurde am 8. Februar 1950 gegründet. Es scheint, als hätten die Kontakte Hermann Kants zu Mitarbeitern dieses (oder des ‹befreundeten› sowjetischen) Ministeriums schon bald nach seiner Etablierung begonnen, wenn auch vielleicht nur in sporadischer Form. Kant war damals Student der Arbeiter- und Bauernfakultät Greifswald, an der sich junge Männer und Frauen auf dem DDR-spezifischen zweiten Bildungsweg auf das Abitur vorbereiteten. Selbstverständlich war diese ‹pädagogische Provinz› an der Ostsee, wo u. a. ehemalige Hitlerjungen, Flakhelfer und Soldaten der Wehrmacht noch einmal die Schulbank drückten, auch Schauplatz heftiger politischer Kämpfe – Kant vermittelt in seinem Roman «Die Aula» nur ein blasses Bild davon. Deshalb ist es naiv zu glauben, die ABF Greifswald sei nicht von Spitzeln des Sicherheitsapparates durchsetzt gewesen. Ein gravierendes Beispiel liefert der Fall des späteren Theologen Johannes Krikowski, geb. am 14. April 1930 in Gumbinnen, der Klassenkamerad Hermann Kants war und per eidesstattlicher Erklärung Folgendes zu Protokoll gibt:

«Ich studierte von Oktober 1949 bis zum Herbst 1951 an der Arbeiter- und Bauernfakultät der Universität Greifswald (...). In der Nacht vom 31. Oktober zum 1. November 1951 wurde ich verhaftet und in das SSD-Gefängnis in Greifswald eingeliefert. Ungefähr 10 Tage später (10.11.51) übergab mich der Staatssicherheitsdienst der sowjetischen NKWD, die mich nach Schwerin brachte. Dort wurde ich zusammen mit sieben weiteren Personen vor ein sowjetisches Militärtribunal gestellt und am 9. März 1952 nach den § § 58, 6, 10 und 11 zu 25 Jahren + 10 Jahren Zwangsarbeit verurteilt. Einige Tage später ging der Transport mit anderen Verurteilten in das Gefängnis Berlin/Magdalenenstraße und dann weiter nach Moskau. Hier wurde das Todesurteil gegen drei der mit mir in Schwerin verurteilten Personen bestätigt und vollstreckt. Ich selbst wurde in das am Eismeer gelegene Zwangsarbeitslager Workuta, Schacht 6, deportiert. Im Dezember 1955 konnte ich aufgrund der unter Konrad Adenauer mit der sowjetischen Regierung ausgehandelten Amnestie für die kriegs- und zivilinternierten Deutschen zurückkehren. In West-Berlin traf ich am 12. Dezember ein.

Von Mitte November 1951 bis Januar 1952 erfolgten in Schwerin die Verhöre durch die NKWD unter schwersten Bedingungen (Dunkelhaft, Nachtverhöre, Schlafentzug, Wasserzelle, Verhöre als nackt ausgezogene Person). Diese Verhöre waren eine permanente Indoktrination mit dem Ziel, Verbrechen zu gestehen, die mir nicht bekannt waren und derer ich mich nicht schuldig fühlte. Dabei wurde ich von dem Untersuchungsrichter aufgefordert, eine Aussage von Hermann Kant, mit dem ich an der ABF in einer Klasse war, zu bestätigen, daß ich von freien und demokratischen Wahlen gefaselt hätte. In dem mündlich verlesenen Protokoll, auf dessen Grundlage ich verurteilt wurde, hieß es dann, Krikowski sei ein Feind der DDR. Dieser Anklagepunkt neben anderen führte schließlich zu meiner Verurteilung.

Ich möchte noch einmal ausdrücklich betonen, daß in der Untersuchungshaft, in der aus Sicht der sowjetischen Behörden meine feindliche Einstellung zur DDR und die in diesem Zusammenhang betriebene antisowjetische Propaganda bestätigt werden sollte, der Name Hermann Kants als Gewährsperson für meine ‹feindliche Einstellung› zur DDR gefallen ist. In welchem Maß seine mich belastende Aussage zur Höhe meiner Verurteilung durch das sowjetische Militärtribunal beigetragen hat, ist nicht feststellbar. Eine schriftliche Urteilsbegründung wurde mir – selbstverständlich – damals nicht ausgehändigt und liegt auch heute nicht vor.

Nach meiner Rückkehr schilderte mir mein Vater seine Bemühungen, etwas über mein spurloses Verschwinden in Erfahrung zu bringen. Anfänglich sei er aufgefordert worden, sich ruhig zu verhalten und abzuwarten. Später habe er dann von der ABF die Aufforderung erhalten, einen Koffer mitzubringen, um meine Sachen abzuholen, die zu einem Bündel geschnürt bereitlägen. In Anwesenheit der Universitätsleitung bat mein Vater noch einmal um Informationen über meinen Aufenthalt, denn es könne doch nicht sein, daß sein Sohn spurlos verschwunden sei. Zu diesem Gespräch wurde – so der Bericht meines Vaters – Hermann Kant, der allem Anschein nach als Vertrauensperson der Studenten galt, hinzugezogen. Er habe auf die Bemerkung meines Vaters über das ‹spurlose Verschwinden› seines Sohnes sinngemäß erwidert, daß in der DDR niemand spurlos verschwinde. Vielmehr solle mein Vater doch mal überlegen, ob ich mich nicht der

Fremdenlegion angeschlossen hätte. Derartiges solle vorkommen – so die höhnische Entgegnung Hermann Kants auf die Frage nach einem, über dessen Verlangen nach freien und demokratischen Verhältnissen er doch zu berichten wußte.»

Der Zynismus Kants, der damals bereits Dozent an der ABF und aufgrund seiner Zuverlässigkeit in die Universitätsleitung aufgestiegen war, ist bemerkenswert. Tausende verschwanden in der SBZ und in den frühen Jahren der DDR in sowjetischen Schweigelagern, zum Teil ‹umgewidmeten› deutschen Konzentrationslagern – Krikowski war keineswegs der einzige Greifswalder, dem das widerfuhr –, und da hatte Kant als Gewährsmann der Anklage die Stirn zu behaupten, in der DDR verschwinde niemand spurlos, und den ratlosen Vater des Opfers an die Fremdenlegion zu verweisen. Solche Kaltschnäuzigkeit prädestinierte für höhere Aufgaben.

Es ist dabei von einiger Ironie, daß Kant um jene Zeit in seiner eigenen Familie erfuhr, was der Stalinismus in Aktion war. Um Ostern 1951 begann ein Verfahren gegen seinen (ihm verhaßten) Stiefvater Ernst Steinbeiß, der als ehemaliger KZ-Häftling in Parchim zum Parteisekretär aufgestiegen war, dann entmachtet wurde, über die «deutsch-sowjetische Studiengesellschaft» zur «Gegenseitigen Bauernhilfe» abstieg und zu schlimmer Letzt wegen vorgeblich unbefugter Kredite an «großbäuerliche Elemente» zu sechs Jahren Zuchthaus in der Strafanstalt Bützow verurteilt wurde. Kants Mutter hat man zunächst ebenfalls verhaftet, «und als sie nach Tagen wieder in ihre Wohnung kam, fand sie die von Amts wegen ausgeräumt. Sie nächtigte bei Freunden; das Gericht verwies sie an die Partei, die Partei an das Gericht. Das schien mir eine Parchimer Fassung von Rechtlichkeit zu sein, und ich fuhr zur Landesleitung», schreibt Kant im «Abspann» (S. 53). «Ich wurde von einem Sekretär angehört, immerhin und eines Gesprächs wurde ich gewürdigt, das so verlief: ‹Weshalb bist du hier?› – ‹Wegen meiner Mutter.› – ‹Was bist du zur Zeit?› – ‹ABF-Student.› – ‹Was ist deine gegenwärtige Aufgabe?› – ‹Ich soll studieren.› – ‹Und studierst du hier?› – Ende der Aussprache mit Karl Mewis, Ende dessen, was ich für meine Mutter erreichen konnte; ihre nächste Nachricht kam aus dem Flüchtlingslager Schöneberg in Westberlin.»

Schwer zu entscheiden ist, ob Kant im Fall seines Kommilitonen Krikowski den Zynismus jenes Karl Mewis, des 1. Sekretärs der SED-Landesleitung Mecklenburg-Vorpommern, bewußt nachahmte oder ob er sozusagen ‹naturwüchsig› war.

Nach dem 17. Juni 1953 wurde jedenfalls für geflohene DDR-Bürger eine Amnestie erlassen: «Sie bekämen ihre Wohnung zurück, hieß es, ihre Arbeit auch, und alles solle vergeben sein. Ich radelte», berichtet Kant in seinen Memoiren, «eilends nach Lichterfelde und brachte meiner Mutter die Botschaft Grotewohls. Sie hat sie nur zu gern geglaubt und ist nach Parchim gefahren. Parchim lachte sie aus. Da ist sie ein zweites Mal davongelaufen, diesmal bis Hamburg, und all meine Parteilichkeit hat nicht vermocht, ihr das im geringsten zu verübeln». «Gelegentlich ist (oder war bis eben) in einem Fragebogen anzugeben, wer von den Familienangehörigen illegal in den Westen gegangen sei. Ich setzte da meine Mutter ein und ließ offen, bei wem das Illegale war» («Abspann», S. 59 und 54).

Zumindest die letzte Behauptung entspricht nach den Fragebögen und Lebensläufen in Kants MfS-Akte nicht den Tatsachen. Dem MfS in Berlin war das Faktum der zweimaligen «Republikflucht» von Kants Mutter noch beim Vorschlag zu seiner Werbung als GI (Geheimer Informator) am 26. November 1962 nicht bekannt: «Die verwandtschaftlichen Verhältnisse sowie die allseitigen Verbindungen nach Westdeutschland sind noch nicht restlos aufgeklärt.»

Die illegale Übersiedlung seiner Mutter in den Westen bildete so für Kant zumindest in den fünfziger Jahren (solange das Delikt noch frisch war) einen wunden Punkt, der aber offenbar bei ihm zu einer gesteigerten Loyalität führte.

An der Humboldt-Universität Berlin, wo sich Kant im September 1952 für Germanistik einschrieb, avancierte er rasch zum Parteisekretär der Grundorganisation der Germanisten und zum Mitglied der Universitäts-Parteileitung, dann zum Verantwortlichen für die West-Arbeit der Universität und schließlich zum wissenschaftlichen Assistenten von Prof. Alfred Kantorowicz am Germanistischen Institut.

Es gibt Berichte, die belegen, daß Kant damals einer der Scharfmacher an der Humboldt-Universität war. Eine Reihe von Studenten war nach dem 17. Juni 1953 aus dem Ostteil Berlins in den Westteil geflüchtet und hatte das Studium an der Freien Universität aufgenommen. Zu Weihnachten schickten sie ihren ehemaligen Kommilitonen im Osten Pakete. Es kam zu einer Untersuchung in der Seminargruppe der Germanisten, bei der Kant als ‹Großinquisitor› auftrat. Die Empfänger der ‹Liebesgaben› wurden mit der Verschickung in die Produktion bedroht, weil sie die Waren nicht der Allgemeinheit zur Verfügung gestellt hatten. Gestandene Burschen sollen nach der Verhandlung geweint haben wie kleine Kinder. Die Drohung wurde zwar nicht verwirklicht, aber es herrschte ein Klima der Angst. Manche Studierende der HU von damals erklären noch heute: Wären sie bei einem gelegentlichen Kino-Besuch in Westberlin Hermann Kant begegnet (der laut «Abspann» manchen Film in den westlichen Vorstadt-Kinos sah), dann wären sie wohl angesichts der befürchteten Konsequenzen gleich in den Sektoren der Amerikaner, Briten und Franzosen geblieben.

Aus der Tatsache, daß er im Geruch stand, «ein besonders schlimmer Roter» gewesen zu sein, versuchte Kant ein Alibi zu konstruieren. So als hätte jemand, der ein berüchtigt scharfer Hund war, nicht zugleich ein heimlicher Schnüffler sein können. Durchaus wäre möglich gewesen, daß Kant, wie Kantorowicz in seinem «Deutschen Tagebuch» (Zweiter Teil, S. 35) behauptet, «vom Hochschulsekretariat des SED-Apparats als Spitzel» auf ihn angesetzt war – ob es so war, wird endgültig erst der Einblick in die für die Witwe noch ungeöffnete Akte Kantorowiczs zeigen. Das MfS datiert den Beginn der Zusammenarbeit mit Kant in Berlin auf den 6. August 1957 – am 20. August floh Kantorowicz in die West-Sektoren. Das macht eine Mittäterschaft Kants in diesem Fall sehr unwahrscheinlich.

Im Oktober 1957 erschien die erste Nummer der Zeitschrift «tua res», die die Politik der DDR den westlichen Studenten nahebringen sollte, offiziell vom Studienkreis für Berliner Hochschulfragen herausgegeben, hinter den Kulissen aber von Hermann Kant gemacht wurde – er dürfte hinter manchem der dort obligatorischen Pseudonyme stecken. Genau den Zeitpunkt, von dem an das MfS Kant als Kontaktperson (KP) führte, den Sommer 1957, markiert Kant in seiner Autobiographie als die Phase, in der er angeblich von drei östlichen Geheimdiensten zugleich umworben wurde:

«Allsogleich setzt es in meiner Redaktion Besucher, die weniger auf Publizistik und Publizität als vielmehr auf deren Gegenteil bedacht waren. In den inzwischen längst abgerissenen Behelfsbau Ecke Friedrich- und Behrenstraße über steile Treppen hinauf in den 5. Stock quälten sich an drei verschiedenen Tagen drei Männer, welche der akademischen Jugend, an die mein Blatt sich wenden wollte, sichtlich und hörbar nicht zugehörten. Wohl waren sie nicht alt, aber für meine Studentenzeitung und fünf Etagen auch nicht jung genug. Als weitere Gemeinsamkeit schien ihnen ein Interesse an redaktionellem Abfall eigen. Angesichts des beschränkten Umfangs meiner hochinteressanten Zeitschrift, so ungefähr sprachen sie alle drei, sei ein Überfluß an Informationen zu vermuten, und ob ich nicht statt dem Papierkorb ihnen alles geben wolle, was sich als unverwendbar für mein Heft erweise. Mit dem ersten ging es schnell; das war einer von den eigenen. Ich erzählte ihm wahrheitsgemäß, es sei eine bindende Abmachung zwischen meinen Auftraggebern und mir, daß die Zeitschrift ‹tua res› ausschließlich der Aufklärung im Sinne von Kant, Leibniz und John Locke zu dienen habe und daher alles vermeiden müsse, was ihre Mitarbeiter, die zum Ausgang des Menschen aus seiner selbstverschuldeten Unmündigkeit beitragen wollten, in ihrer selbsterkämpften Mündigkeit behindern könne. Als der Besuch zwar nickte, aber ob der einen oder anderen Vokabel auch ein wenig befremdet schien, suchte ich die mecklenburgische Undurchdringlichkeit über mein östliches Gesicht zu ziehen und wiederholte knapp, man habe mich diesbezüglich mit einem klaren Dienstauftrag versehen.

(...) [Das] war (...) ein verständliches Wort, und der Mann verschwand aus meinem Leben, wie die Stätte unserer Begegnung später vom Gebäudedach verschwand.»

Offenbar ein frommes Märchen, das nur haltbar war, solange Kants IM-Akte und die Dossiers der Opfer nicht gefunden waren. Aus einem Bericht der Hauptabteilung V/6/II vom 12.11.1958 geht nämlich hervor, daß die Redaktion von «tua res» auch für konspirative Treffen mit der Kontaktperson Kant benutzt wurde. Man kann sich des Eindrucks nicht erwehren, daß Kant in seinen Memoiren weiter an der Verklärung, um nicht zu sagen: an der Legendierung seiner Vergangenheit arbeitet und daß es ihm hier mehr darum geht, Schwejkiaden zu erzählen als die Wahrheit. Er will nämlich gleichzeitig noch vom polnischen und vom sowjetischen Geheimdienst angesprochen worden sein und will die beiden Herren – auch noch mit ihren Gattinnen! – zur gleichen Zeit in das Lokal Zenner in Treptow eingeladen haben, so daß die Konspiration schon im Ansatz geplatzt gewesen sei und sich die beiden nie mehr hätten sehen lassen.

Daß sich die Sbirren vom MfS im Sommer 1957 nach dem Refus von Kant auf Nimmerwiedersehen verabschiedet hätten, ist vielleicht ein nachträglicher Wunschtraum. Die Akten zeigen, daß Kant damals mit einer ganzen Reihe von MfS-Offizieren Umgang hatte, und zwar mit solchen aus der Hauptabteilung II, die für Spionage(-abwehr) zuständig war, und solchen aus der Hauptabteilung V, die die Kunst und Kultur kontrollierten.

Der Mittelsmann Kants zur Hauptabteilung II war ein gewisser Henry Otto, der Kant unter dem Decknamen Richter bekannt war. Bezeichnenderweise war Otto (laut Personal-Bogen) vom Juli 1956 bis Oktober 1960 «OibE bei befreundeter Dienststelle», d. h. wohl, er arbeitete als MfS-Offizier im besonderen Einsatz für den sowjetischen Geheimdienst – aus jener Zeit stammte laut Aktenvermerk vom 3.11.1960 seine Verbindung zu Hermann Kant, und weil Kant (nach Leutnant Paroch) zunächst für den Genossen Otto und – vielleicht ohne Wissen – für dessen sowjetische Auftraggeber tätig war, blieb er im «Zentralen Speicher» des MfS einstweilen unerfaßt. Die Kant betreffenden Akten der HA II (geschweige des KGB) sind bisher nicht aufgetaucht – ein Vermerk des Leutnants Paroch der HA V/1/IV vom 15. November 1960 deutet jedoch an, Kant habe schon im letzten Drittel der fünfziger Jahre einen Decknamen («Martin») angenommen und mit ihm «seine Berichte» für die HA II unterschrieben. Für jemanden wie Kant, der seinen Vornamen nach eigenem Bekenntnis «nicht ausstehen kann» («Abspann», S. 16), war es anscheinend recht willkommen, den von Eltern und Taufpaten oktroyierten Namen zeitweilig abzuwerfen und sich statt dessen selbst einen zu wählen, der ihm neue Identität und geheime Bedeutung gab. Es war ein Akt der Selbstbestimmung, der ihn freilich gleich darauf in fatale Abhängigkeit führte. Seine (mündliche) Verpflichtung als Informant des MfS erfolgte auf der Basis «der politisch-ideologischen Überzeugung». Diese politisch-ideologische Überzeugungsbasis war neben der «Basis der materiellen und sonstigen Interessiertheit» und der «Basis divergierender Interessen» (im MfS-Jargon auch «Unter fremder Flagge» genannt, weil die Stasi-Offiziere ihre Mitarbeiter dabei über ihre Herkunft aus dem Hause Mielke täuschten) eine von drei Grundformen der Zusammenarbeit, wie sie in der Richtlinie 2/79 festgehalten waren. «Man ging stets davon aus, daß die Basis der politisch-ideologischen Überzeugung die stabilste sei und daher auch immer anzustreben war.» (Heinz Günther, Wie Spione gemacht wurden. Berlin o. J., S. 100). Die Kollaboration Kants beruhte also von Anfang an auf dem solidesten und beliebtesten Fundament und berechtigte sozusagen zu den schönsten Hoffnungen.

Die Herren von der Hauptabteilung V (aus der später die berüchtigte Hauptabteilung XX hervorging, zuständig für den Staatsapparat, die Kunst, die Kultur und den dazugehörigen Untergrund), die Kant ab 1957 kontaktierten, waren zahlreich. In den Protokollen tauchen die Namen Krüger, Nistler, Dreier, Kotek, Seiss, Riedel und Paroch auf.

Der erste Bericht des Offiziers Krüger vom 5.7.1957 spricht noch vom «Genossen Kant», nicht von der «Kontaktperson» – dazu avanciert Kant aber schon im Lauf der nächsten drei Monate (s. etwa den Treffbericht Krügers vom 14. 10. 1957). Den ersten für ihn gefertigten schriftlichen Bericht der «KP Kant» über neun das MfS interessierende Personen datiert Offizier Krüger auf den 13. 2. 1958. In diesem ersten, von ihm wohlweislich nicht unterschriebenen Bericht formuliert Kant seine Psycho- und Soziogramme noch relativ vorsichtig. Im mündlichen Bericht legt er solche Hemmungen bald ab und wirkt ausgesprochen denunziatorisch. So hält etwa der Unterleutnant Zielske am 13. 2. 1958 nach Bericht Kants fest:

«Die ⟨...⟩ muß als ausgesprochenes Flittchen eingeschätzt werden. Sie hat immer Bekanntschaften mit älteren Herren. Einer dieser Männer war 20 Jahre älter als sie. Er wurde wegen Unterschlagung gerichtlich belangt (...).

⟨...⟩ kann die Finger nicht von Weibern lassen. Außerdem ist er mit 2 Homosexuellen bekannt. Einer ist von der Defa, der andere vom Berliner Ensemble. Jetzt ist er engstens befreundet mit einer Frau ⟨...⟩ Er war lange befreundet mit einer ⟨Mitarbeiterin⟩ des Verlages ‹Rütten u. Löning› namens ⟨...⟩, die ‹außer sex nichts hatte›.

(...)

⟨...⟩ soll füh[r]end am Donnerstagskreis Harrichs [= Wolfgang Harich] beteiligt gewesen sein.

Seine Liebschaften sucht sich ⟨...⟩ immer in besseren Kreisen.»

Solch drastische und operativ nutzbare Aussagen weckten natürlich die Begehrlichkeit der Stasi-Offiziere. Sie trafen sich deshalb mit Kant mal im Pressecafé, im Café Praha, mal in seiner Wohnung, mal in der Redaktion seiner Zeitschrift «tua res». Dort sprach Leutnant Dreier seine Kontaktperson Kant am 12. 11. 1958 vorsichtig auf eine schriftliche Verpflichtung an. Kant erinnert sich heute an diese Situationen, in denen er um einen förmlichen Pakt gebeten wurde, folgendermaßen:

«Ich war Parteifunktionär, Journalist und Schriftsteller und wollte mich in diesen Eigenschaften durch keine geheimdienstliche Tätigkeit einengen oder gefährden lassen. – Dies habe ich bei gelegentlichen Werbungsversuchen gesagt und war immer der Meinung, es sei respektiert worden» (*FAZ*, 6. 10. 1992).

Der Treffbericht des Leutnants Dreier vom 12. 11. 58, offenbar unmittelbar nach dem Ereignis zu Papier gebracht, hält die Reserve Kants fest, aber auch seine grundsätzliche Bereitschaft zur konspirativen Zusammenarbeit:

«Als ich eine schriftliche Verpflichtung von seiner seite andeutete, war er der Meinung, dass das nicht notwendig sei. Er habe von seiten der Partei sowieso eine Vertrauensstellung und er gibt uns auch ohne Verpflichtung alles, was wir brauchen, das hat er schon den Genossen Krüger einmal gesagt.

Wir kamen dann auf seine Redaktion, ‹tua res› und ihre Arbeitsweise in Westberlin zu sprechen. Es kam dabei zum Ausdruck, dass die KP Angst hat, wenn sie uns etwas über die Redaktion mitteilt, dass wir uns in die Arbeit der Redaktionsmitglieder oder deren Verbindungen nach drüben einschalten könnten und dann die Verbindung mit uns bekannt werden könnte. Als er seine jetzige Aufgabe übernommen hat, wurde ihm vom Gen. [Hans] Singer [1. Sekretär der SED-Parteileitung an der Humboldt-Universität] eingeschärft, nichts mit uns zu unternehmen, was die Arbeit der Zeitschrift in Westberlin gefährden könnte. Desgleichen hat ihm Singer damals gesagt, dass er, wenn man von uns aus an ihn herantritt, er nichts Schriftliches geben soll.

Von sich aus hat er aber gegen eine grundsätzliche Zusammenarbeit mit uns nichts einzuwenden, er hofft dabei, das auch für seine Redaktion ein Nutzen herausspringt in den Fragen der Absicherung und evl. in der Frage von Material für den Abdruck. Ich erläuterte ihm, das wir tun werden was wir können und das das aber auf Gegenseitigkeit beruht. Dabei wies ich eindringlich daraufhin, dass es aus Gründen der Sicherheit, besonders seiner Person, notwendig ist, das niemand von unserer Zusammenarbeit erfährt, auch der Gen. Singer nicht. Er versprach das einzuhalten.»

Mit der ihm von seinem Mentor Hans Singer dringlich angeratenen Verweigerung der schriftlichen Verpflichtung glaubte Kant sich offenbar salviert – das MfS verzichtete in bestimmten Fällen denn auch auf eine Unterschrift, falls der Kandidat zur konspirativen Zusammenarbeit bereit war. Und so hatte Kant keine entscheidenden Hemmungen, die Mitarbeiter seiner Redaktion zu benamsen und die geheimen Verbindungen zu angeblichen Mittelsmännern der Freien Universität in West-Berlin offenzulegen.

Man setzte Kant zunächst u. a. dazu ein, brieflich eine gewisse Verbindung zu seinem früheren Lehrer Alfred Kantorowicz im Westen zu halten. Ob das ein sinnvoller operativer Ansatz von Leutnant Dreier war, mag dahingestellt sein. Denn schon in der ersten Nummer seiner Zeitschrift «tua res» vom Oktober 1957 hatte Kant unter der Überschrift «Seltsame Bettgefährten» quasi als Bauchredner ein Interview mit sich geführt («Ein tua res-Gespräch mit dem ehemaligen persönlichen Assistenten von Alfred Kantorowicz») und dabei wüst gegen seinen ehemaligen Lehrer polemisiert. Weitere, anonyme, Angriffe folgten in Heft 3 vom Januar 1958, etwa unter dem Stichwort «Karriere» (a. a. O., S. 10): «Nach einem etwas hektisch geratenen Absprung vom ostberliner Schanzentisch und anschließender Segelfahrt in leichtgekrümmter Haltung, setzte der bekannte Weitenjäger Kantorowicz bei dem berüchtigten Nacht-und-Nebel-Springen um den Dreißig-Silberlinge-Pokal in der Lektorenbox des DESCH-Verlages auf. Er überschlug sich nur dreimal. Der Kirstsche Hausverlag hat, wie ‹CHRIST UND WELT› berichtet, dem berühmten Forscher die Edierung der 121. Auflage des Monumentalwerkes ‹O8/15 – Die seltsamen Erlebnisse des Soldaten Cash› – übertragen. K. hat also zur hohen Literatur zurückgefunden.» Die Verrenkungen, die Kant nach solchen Attacken beim Versuch einer Wiederannäherung an Kantorowicz machte, wären gewiß sehens- und lesenswert – in Kantorowiczs Nachlaß hat sich nichts erhalten, und es ist kein Wunder, daß er, Kant – Treffbericht des Leutnants Dreier vom 7.1.59 – «vergaß», dem Führungsoffizier die Abschrift seines Briefes mitzubringen, und daß Kantorowicz nicht zu antworten schien.

Erfolgversprechender war es, Kant auf eine Gruppe – MfS-Jargon – anzusetzen, die das MfS aus Hans-Joachim Staritz, Dieter Borkowski, Andreas Simonides und ihrem Freundeskreis konstituierte.

Joachim Staritz, der sich heute im brieflichen Rückblick «das revoluzzerhafte Theaterstudentchen aus dem Westen» nennt, das «die gewaltige Partei... mit donnerndem Unrecht so ernst nahm», wurde als erster aus dieser Gruppe verhaftet und im Oktober 1958 wegen «Boykotthetze» zu acht Jahren Zuchthaus verurteilt. Daraufhin floh Andreas Simonides, Kommilitone Kants an der Humboldt-Universität, dann Mitarbeiter an der Akademie der Wissenschaften der DDR, mit seiner Frau nach West-Berlin. Dort, sinnigerweise in der Paris-Bar in der Kant-Straße, trafen sich die Gesinnungsgenossen aus Ost und West in der Folgezeit, weil sie dachten, sie seien dort unbeobachtet. Allerdings waren zwei Spitzel unter ihnen: Wolfgang Behse und Hermann Kant. Am 17. Dezember 1958 berichtete Hermann Kant den Leutnants Dreier und Seiß von der HA V/6 über den «Kreis von Simonides», wobei es der Stasi nach Auskunft von Dieter Borkowski darum ging, Simonides nach Ost-Berlin zu locken und dort, zusammen mit Borkowski, zu verhaften. Es wäre ein gravierender Irrtum zu glauben, bei Kants Auskünften handle es sich um unverbindlichen Literatenklatsch. ‹Schwankende politische Haltung›, ‹Anarchismus›, Redseligkeit unter Alkohol als die kolportierten Charakteristika Manfred Bielers – das waren Stichworte für operative Ansätze des

MfS. Und bei Borkowski trugen die Denunziationen von seiten Kants und anderer à la «wilder Mann», «ständig negative Bemerkungen wie ‹VEB Terror›, ‹VEB Mielke›, ‹Spitzbart›», «sehr viele Verbindungen zu allen möglichen Leuten» zu ernsten Konsequenzen bei. Am 9. Juni 1960 wurde Borkowski vom MfS verhaftet und «wegen fortgesetzter staatsfeindlicher Hetze» zu zwei Jahren Zuchthaus verurteilt, die er bis zum letzten Tag verbüßen mußte. Borkowski fand Kants Spitzeleien über seine ‹konterrevolutionären Reden› nach der Wende in seiner Akte. Ob Kant sich angesichts solcher Tatbestände auf die Standard-Ausrede überführter IM stützen kann, man habe ja mit der Stasi nur geredet und niemandem geschadet, bleibt dem Leser überlassen. Wie es ihm auch überlassen bleibt, sich sein Urteil über Peter Hacks' Aussagen zu bilden:

«Die Stasi wußte von allem und machte von nichts Gebrauch. Die Stasi tat doch keinem was, das wird doch immer vergessen. Es wird immer geschimpft, daß sie lauschte und spionierte, aber sie tat keinem was. Jetzt rede ich nicht von der Zeit der Revolution und der ‹Wer-Wen-Periode›, des Übergangs. Ich rede nicht vom Jahr 1950, aber in den ‹golden sixties› war es in der DDR nicht möglich ins Gefängnis zu kommen. Sie konnten machen was sie wollten, sie kamen nicht ins Gefängnis.» (*Elisabethbühne*-Magazin, Salzburg; Nr. 83, Dez. 1992, S. 14,)

Exakt zwei Monate nach Borkowskis Verhaftung, am 9. August 1960, legte die HA V/1 eine IM-Vorlauf-Akte an mit dem Ziel, Hermann Kant von der Kontaktperson (KP) zum Geheimen Informator (GI) zu befördern. Nahziel: «Der Kandidat wird zur Absicherung der Kongressvorbereitung des D[eutschen] S[chriftsteller-]V[erbands] auf der Linie Schriftsteller zur Werbung vorbereitet.»

Kant hatte am 20. September 1959 seine Aufnahme in den Schriftstellerverband der DDR beantragt und wurde Mitglied Nr. 723. Einer seiner Fürsprecher war Stephan Hermlin. Im Mai 1960 wurde Kant freiberuflicher Mitarbeiter des DSV. Er sollte die Arbeitsgruppe Analyse zur Vorbereitung der Delegiertenkonferenz leiten, die «Literaturperiodisierung, die von der Humboldt-Universität erarbeitet wurde», das Material, «das zu bestimmten Themen bei den Instituten und Universitäten» lag, prüfen und die «Einzelthemen auf Grundlage der Beschlüsse der ersten Arbeitsgruppentagung» festlegen. Für ein Monatshonorar von 700 Mark verpflichtete sich Kant, «das Dienstgeheimnis zu hüten und die Interessen des Deutschen Schriftstellerverbandes zu wahren.» Die Stasi hatte den Arbeitsvertrag Kants mit dem DSV bei ihren Unterlagen; sie pflegte ihre eigene Auffassung von der Wahrung des Dienstgeheimnisses und sah Hermann Kant rasch zu ihrer Interpretation bekehrt. Während sie ihn am 30. November 1960 endgültig von der Spionageabwehr, HA II, zur HA V transferierte, hielt sie fest:

«Dem Schriftsteller K.[ant] wurde bei der Vorstellung gesagt, daß Unterzeichneter [Leutnant Paroch] (...) vom MfS als Verbindungsmann zum Deutschen Schriftstellerverband fungiert. Dem K.[ant] wurde weiter erklärt, daß besonders in Vorbereitung des Kongresses, der im Frühjahr 1961 stattfindet, eine Reihe von Fragen interessieren, die im Einzelnen dann noch zu besprechen sind.

Gen.[osse] K[ant] erklärte sich ohne Zögern bereit, solche Auskünfte zu geben.»

Damit waren die Loyalitäten klar: in dubio pro MfS. In einem Land, in dem der Gegensatz zwischen Geist und Macht angeblich beseitigt war und der Schriftstellerverband denselben Interessen diente wie der Sicherheitsapparat, war das Dilemma für einen Autor vom Schlage Kants offenbar klein. Probleme sah die Stasi bei ihrem Kandidaten laut Aktenvermerk vom 26.11.1960 nur, wenn es um seinen engsten Kreis ging. So notierte der Offizier Treike:

«Bei Treffs gibt der Kandidat Auskunft, hat jedoch noch Hemmungen bei Auskünften über die ihm sehr nahestehenden Personen. Nach Auffassung des Unterzeichneten werden sich bei einer ständigen systematischen Zusammenarbeit mit dem Kandidaten die Hemmungen legen. Für unsere Diensteinheit hat der Kandidat bisher nicht schriftlich berichtet. Die bisher von dem Kandidaten gegebenen Auskünfte haben operativen Wert, da der Kandidat Kontakt zu Personen hat, die unter op.[erativer] Kontrolle stehen.»

Nach der Aktenlage hegte das MfS mit Kant Absichten, die über den Schriftsteller-Kongreß vom Frühjahr 1961 weit hinausgingen. Man wollte mit Kants Hilfe seinen literarischen Bürgen beim Eintritt in den Autorenverband, Hermlin, an Fäden knüpfen, die ebenso unsichtbar wie kräftig sein sollten. Nüchtern hält ein Plan der HA V/1/ IV vom 10. August 1960 fest:

«Der Kandidat hat eine persönliche Verbindung zu dem Schriftsteller Stephan Hermlin, der auf Grund seiner negativen Haltung zur Kulturpolitik unserer Partei operativ bearbeitet wird. Nach genauer Überprüfung des Freundschaftsverhältnisses wird bei Eignung der Kandidat an die genannte operativ zu bearbeitende Person angesetzt.»

Angesetzt wie ein Blutegel. Angesetzt wie ein Fährtenhund – es ist die Sprache eines Apparats, für den Freundschaft nichts weiter bedeutet als eine Möglichkeit der Instrumentalisierung zum Nutzen des Staates. Über Hermlin legte das MfS einen umfangreichen operativen Vorgang, den «OV Leder» an – der Deckname ist eine Anleihe beim bürgerlichen Namen dieses Schriftstellers –, der für die Öffentlichkeit bis auf weiteres nicht zugänglich ist und vom Observierten selbst nicht angefordert wird – so läßt sich eine Reihe von Illusionen noch bewahren. Es wird eines fernen Tages eine interessante Aufgabe für die Forschung sein, die Treffberichte aus der Täterakte Kants und die Auswertung, die Maßnahmepläne in der Opferakte Hermlins miteinander zu vergleichen. In der Akte Hermann Kants ist der Name Hermlin jedenfalls ein stetig wiederkehrender Bezugspunkt. Es gehört zu den Merkwürdigkeiten eines solchen Überwachungssystems, daß Täter und Opfer in einer engen Symbiose leben können, sei es, daß sie befreundet, sei es, daß sie gar verheiratet sind (wie im Fall von Knud und Vera Wollenberger), ohne daß dies zum Hinderungsgrund für die Spitzeltätigkeit würde. Vielmehr kann gerade sie zum Bestandteil einer einigermaßen perversen freundschaftlichen oder ehelichen Fürsorge werden: in Abstimmung mit dem Großen Bruder in der Normannenstraße kann man als IM ja dazu beitragen, daß der Partner nicht so schnell auf Abwege und die schiefe Bahn gerät. Die Loyalität gegenüber dem Ministerium für Staatssicherheit integriert die Verletzung der Loyalität gegenüber dem vertrauten Menschen.

Auch im Hinblick auf Hermlin war die Stasi zuversichtlich, ihren Kandidaten Kant, wie das die Verhaltenstherapie formulieren würde, ‹in vivo› zu desensibilisieren, seine altmodischen moralischen Bedenken zu zersetzen, sie in Ausforschungs- und Lenkungsenergien umzupolen. Und sie war mit dem Ergebnis des sogenannten Vorlaufs, der alles in allem zweieinhalb Jahre dauerte, zufrieden. In dem sieben Maschinenseiten umfassenden «Vorschlag zur Werbung eines G[eheimen] I[nformators]» vom 26. November 1962 hielt Oberleutnant Treike fest:

«Der Kandidat macht einen offenen und ehrlichen Eindruck und ist bereit, mit dem MfS konspirativ zusammenzuarbeiten. (…)

Da mit dem Kandidaten bereits ein guter Kontakt vorhanden ist und er den Decknamen ‹Martin› bereits angenommen hat, wird vorgeschlagen, den Kandidaten (…) in seiner Wohnung zu verpflichten.

Nach der Verpflichtung erfolgt noch einmal die Erläuterung der Notwendigkeit der Einhaltung der Konspiration sowie die Aufgabenstellung auf der Linie Schriftsteller und Journalisten. (...) Die Treffs werden vorläufig in der Wohnung des Kandidaten durchgeführt; in der Perspektive besteht die Absicht, die Treffs in der K[onspirativen] W[ohnung] durchzuführen.»

So nimmt die Zusammenarbeit zwischen Kant und der HA V ihren Lauf. (Daneben läuft die mit der HA II, die sich vorläufig nicht in Einzelheiten dokumentieren läßt, weiter.) Am 19. Januar 1963 spendiert das MfS dem Kandidaten Kant im Restaurant «Tischlein deck dich» ein Essen – bandstiftender Ritus zum Preis von 20 Mark inclusive Trinkgeld für zwei Gedecke. Der eigentliche Akt der ‹Beförderung› zum GI, der Umregistrierung, ist eine Sache von zwei Formularseiten (18. 2. 1963). Oberleutnant Treike ist in der Folgezeit sichtlich darauf aus, seinen neuen inoffiziellen Mitarbeiter kräftig in die Pflicht zu nehmen.

Es ist aufschlußreich, für einen bestimmten Zeitraum, das erste Halbjahr 1963, eine Statistik zu erstellen über die Häufigkeit, die Dauer und den Ort der konspirativen Treffs:
14. 1. 63, 19.00 bis 21.00 Uhr, Wohnung des GI
19. 1. 63, 14.30 bis 15.30 Uhr, Konspirative Wohnung Casino
01. 2. 63, 13.00 bis 14.30 Uhr, Wohnung des GI
28. 2. 63, 14.30 bis 16.15 Uhr, Wohnung des GI
20. 3. 63, 10.30 bis 12.30 Uhr, KW Casino
25. 3. 63, 20.00 bis 20.40 Uhr, Wohnung des GI
28. 3. 63, 9.00 bis 10.30 Uhr, Wohnung des GI
08. 4. 63, 10.15 bis 12.15 Uhr, Wohnung des GI
29. 4. 63, 9.15 bis 11.15 Uhr, Wohnung des GI
31. 5. 63, 9.00 bis 10.00 Uhr, Wohnung des GI
12. 6. 63, 16.00 bis 17.30 Uhr, Wohnung des GI
04. 7. 63, 12.00 bis 13.00 Uhr, KW Casino

Das sind summa summarum binnen sechs Monaten zwölf Treffs von ca. 18 Stunden Dauer, im Durchschnitt also zwei pro Monat zu je anderthalb Stunden. Die Treff-Häufigkeit dieser Phase wurde in der Folgezeit nur noch selten erreicht, vor allem, wenn die zahlreichen Reisen Kants ins westliche Ausland dazwischenkamen. Gleich blieb nur die Größenordnung der Spesen. Sie bewegten sich nach den sorgfältig abgehefteten Unterlagen zwischen 4 DM (11.6.64) und 49 DM (11.4.63), je nachdem, ob das MfS seinem inoffiziellen Mitarbeiter westliche Zigaretten oder eine Luftpistole Modell 54 samt 24 Schachteln Munition, Marke Diabolo, offerierte – «als Anerkennung für die bisherige Zusammenarbeit mit dem MfS». (Kant war ein großer Waffenliebhaber, und das blieb der Stasi natürlich nicht verborgen.) In diesem finanziellen Rahmen bewegte es sich auch, wenn Kant anläßlich der Rückkehr aus dem Krankenhaus am 25. Februar 1965 ein Bildband über die Nationale Volksarmee der DDR zum Preis von 21,80 Mark der Deutschen Notenbank überreicht wurde.

Es ist bezeichnend, daß Kant, falls die Akten korrekt sind (und warum sollte das MfS sich konspirativ in die Tasche lügen!), schon sehr früh Ausschluß-Politik befürwortet und alles andere als ein Freund innerparteilicher Demokratie ist. Als der Schriftsteller Franz Leschnitzer, der bis 1959 in der Sowjetunion gelebt hatte, nach dem VI. Parteitag der SED im Januar 1963 darauf bestand, auch in der DDR habe es, wie in der SU, «Personenkult» gegeben, befürwortete Kant seinen Ausschluß aus der Partei. Diese Einstellung hielt er durch bis zu Klagen über die fatale «Demokratie» in der Akademie der Künste (im Zusammenhang mit Ulrich Plenzdorf) und bis zu den Ausschlüssen aus dem Schriftstellerverband im Juni 1979.

Nicht von ungefähr hat das MfS die Zusammenarbeit mit Hermann Kant im Frühjahr des Jahres 1963 intensiviert. In der Folge des VI. Parteitags der SED (15. – 21.1.1963) war eine ganze Reihe von Schriftstellern wie Peter Hacks, Günter Kunert und Stephan Hermlin in Bedrängnis geraten: Hacks wegen seines Stücks «Die Sorgen und die Macht», Kunert wegen seiner Gedichte, wegen «Fetzers Flucht» und des «Monologs für einen Taxifahrer». Hermlin mußte nach seiner Lesung in der Akademie der Künste vom Dezember 1962 seinen Posten als Sekretär der Akademie aufgeben und übte öffentliche Selbstkritik, vor allem an seinem Engagement für Wolf Biermann. Ulbricht höchstpersönlich hatte in seiner Parteitagsrede über die Entwicklung der sozialistischen Nationalkultur die unbotmäßigen Autoren (wenn auch ohne Namensnennung) angegriffen:

«Es gab unlängst eine Auseinandersetzung mit einigen Schriftstellern und Künstlern, weil sie ihren Formalismus und Schematismus zum Beispiel in der Dramaturgie, bei der Gestaltung einer Fernsehoper und in der Dichtkunst zu einer neuen Richtung erheben wollten. Das heißt: Jeder hat das Recht zu bestimmen, was er macht, das ist die neue Richtung der Kunstentwicklung. Sie forderten also die Freiheit, ihren eigenen Irrweg als Richtung des Kunstschaffens in der DDR festzulegen. Das ist zwar etwas viel Überheblichkeit, aber es war leider so. Dabei gehen sie davon aus, daß ihre individualistische Auffassung höher stehe als die Auffassung der Gemeinschaft.»

Das MfS betrachtete es nach einer solchen Attacke, bei der allen Eingeweihten klar war, auf wen sie zielte, als seine Aufgabe, die Reaktionen der Gerügten zu registrieren und sie nach Möglichkeit wieder auf Kurs zu bringen. So wurde Kant nach Hiddensee ans Krankenlager von Kunert geschickt, um ihm ideologisch den Puls zu fühlen. Kant sollte die «Meinungen und Stimmungen zur Kulturpolitik der Partei und Regierung» ausbaldowern, und deswegen lautete die Weisung am 29. April 1963 zum Beispiel klipp und klar: «Fortsetzen der Besuche bei Hermlin u. Kunert, Festigen der Kontakte». Bei Kunert gelang das nicht auf Dauer, bei Hermlin war eine Steigerung der Intimität kaum möglich – die Freundschaft Kants zu ihm währte schon seit der Mitte der fünfziger Jahre. Der Großbürgersohn Hermlin, der früh in die KP eingetreten, dann von den Nazis in die Emigration getrieben worden war, der auf dem Umweg über die Westzonen in die SBZ übersiedelte – und der gelernte Elektriker Kant, aus einer von den Nazis gedrückten Familie stammend, kurze Zeit Soldat, dann lange Gefangener in Polen: sie trafen sich in der sozialistischen Ideologie, und sie pflegten gemeinsam ihre Marotten, bis hin zu den Schießwettkämpfen in Hermlins Keller unter dem Motto ‹Internationale Brigaden gegen Deutsche Wehrmacht› («Abspann», S. 498). So war Kant durchaus bemüht, Hermlin in seinen Berichten an das MfS nicht ‹abzuschießen›. Bei seiner «Einschätzung und [dem] Vorschlag zur Umregistrierung» zum IMS (zum Inoffiziellen Mitarbeiter Sicherheit) am 26. November 1968 stellte Oberleutnant Schönfelder fest:

«Der GI ist beruflich und persönlich stark liiert mit einem namhaften DDR-Schriftsteller, welcher unter operativer Kontrolle gehalten wird, da dieser eine ablehnende Haltung in den Fragen der Kulturpolitik der Partei und Regierung einnimmt. Der GI kennt den Standpunkt dieses Schriftstellers, als dessen Zögling sich der GI betrachtet. In seiner Berichterstattung bemüht sich der GI daher, stets so zu berichten, daß keine Belastung für diesen Schriftsteller entsteht.»

Was freilich nicht hinderte, daß Kant – nach den Notaten seines Aushorchers – anhand von Ondits wüst über Hermlins neue russische Frau hergezogen zu haben scheint.

Je mühsamer Hermlins eigene Produktion wurde, desto mehr fühlte er sich als Förderer der jungen Talente. Zu ihnen gehörte Wolf Biermann, und daß Hermlin sich für ihn einsetzte, führte, wie erwähnt, Anfang 1963 zu seinem Rücktritt als Sekretär der Akademie. Dies bedeutete nicht, Hermlin hätte deswegen Biermann in der Folgezeit fallenlassen oder gar einen scharfen Trennstrich gezogen. Letztlich hielt seine kritische Sympathie bis zur Ausbürgerung Biermanns im November 1976, als Hermlin die Protestresolution initiierte. Hermlin war es auch, der Biermann als PEN-Kandidaten vorschlug und so ganz wesentlich dazu beitrug, daß er künftig den Schutz dieser internationalen Autorenorganisation genoß. Genau dies alarmierte SED und MfS und führte zu entsprechenden Aufträgen für Kant. Die ersten von der Stasi überlieferten Reaktionen Kants auf Biermann erinnern ein wenig an die Solidarität eines Hamburger Jungen, der in der Fremde nicht allzuviel auf einen Landsmann kommen lassen will. Nach dem Treffen vom 30. März 1965 notieren Hauptmann Paroch und Oberleutnant Treike in der ihnen eigenen Sprache, die vor Pleonasmen nicht zurückscheut:

«Der GI hält Biermann für ein begabtes Talent, in politischen Fragen jedoch relativ dumm. (...) In den Grundfragen stehe Biermann nach der Einschätzung des GI zur Politik der Partei und Regierung und sei ‹unser Mann›.

Sehr positiv werde das Auftreten Biermanns in Westdeutschland eingeschätzt. Biermann habe in WD mehrfach zum Ausdruck gebracht, daß er Kommunist sei. Diese Tatsache habe sowohl in WD als auch in der DDR starke Beachtung gefunden.»

Schon ein halbes Jahr später hat sich jedoch das Blatt gewendet. Hatte sich Kant zunächst noch gegen die weitverbreitete (und später auch von Reiner Kunze kritisierte) Formel gewandt, Biermann sei «ihr Mann», d. h. der Mann der ‹Klassenfeinde›, so beugte er sich nun der Parteiräson. Am 16. September 1965 notierte Oberleutnant Treike über die Wahl Biermanns zum Mitglied des PEN-Zentrums im Monat April:

«Der GI Martin berichtet dazu wie folgt: Er war an dieser Sitzung anwesend, konnte jedoch nicht feststellen, wer den Vorschlag zur Aufnahme des B.[iermann] in das PEN-Zentrum Ost-West gemacht hat.

(...) Die Wahl erfolgte wie bei allen anderen Kandidaten in geheimer Abstimmung. Vor der Wahl erfolgte eine kurze Aussprache der Genossen der Partei. Auf dieser Aussprache wurde beschlossen, gegen die Kandidatur Biermanns auf Grund seines in der Vergangenheit gezeigten Verhaltens zu stimmen.

Da jedoch die Genossen im PEN-Zentrum nicht in der Mehrheit sind, konnte es vorkommen, daß B.[iermann] als Mitglied gewählt wurde.»

Eindeutig wertete das MfS die Wahl Biermanns in den PEN als Fauxpas. Es billigte dieser Mitgliedschaft innerhalb der DDR zwar «mehr repräsentative Bedeutung» zu, aber vom «Ausland her» werde ihr «höhere Bedeutung beigemessen, auf Grund der Kontakte zu Mitgliedern anderen ausländischen PEN-Zentrums [sic], wie z. B. den westdeutschen, den englischen oder den österreichischen.»

Die SED verschärfte in den folgenden Monaten ihren Kampf gegen Biermann. Im *Neuen Deutschland* vom 5.12.1965 veröffentlichte Klaus Höpcke, damals *ND*-Kulturredakteur, einen langen Artikel gegen ihn, in dem es etwa hieß:

«Er greift auch in den Draht seiner Harfe, um gehässige Strophen gegen unseren antifaschistischen Schutzwall und unsere Grenzsoldaten erklingen zu lassen. Unter Einsatz ihres Lebens erfüllen die Genossen an den Grenzen unseres Staates ihre Pflicht des sozialistischen Patriotismus. Auch Biermanns Frieden und Wohlbefinden werden so behütet. Er aber gießt im Mantel der Ironie Haß über sie aus. (...) Unsere Grenzsoldaten dienen dem Sozialismus und dem Frieden. Wem aber dient Biermann mit solchem Machwerk?»

Höpcke warnte davor, daß Geduld der staatlichen Organe gegenüber problematischen Künstlern in Duldsamkeit und Versöhnlertum umschlage und «zu Selbstlauf» führe. Mehr Angriffsgeist gegen Positionen ideologischer Koexistenz sei erforderlich.

Dies war selbst dem seit Studententagen scharfmacherischen Kant zu scharfmacherisch. In einem Protest-Telegramm an Höpcke vom 5.12.1965 teilte er mit, «VERMISSE ERSTAUNT DAS WORT PINTSCHER», mit dem bekanntlich kurz zuvor Ludwig Erhard gegen Rolf Hochhuth polemisiert hatte. Just darauf hatte Höpcke auch in seinem Artikel angespielt und behauptet, Biermann komme den Westdeutschen gerade recht, um «die antidemokratische ‹Maulhalten!›-Kampagne des Monopolkapitals abzudecken.»

In den nächsten Wochen setzte sich die Position Höpckes durch, und nicht die Kants, der wegen seines Telegramms in der Partei einige Schwierigkeiten bekam. Man war der Meinung (Bericht vom

5. 2. 1966), «daß er sich gegen einige Fragen der Kulturpolitik der Partei gestellt habe», und erst ein Gespräch mit Hermann Axen «hat alles wieder richtig gestellt». Dem Artikel Höpckes gegen Biermann im *ND* folgte das berüchtigte 11. Plenum des ZK der SED vom 16. bis 18. Dezember 1965. Schon im Vorfeld polemisierte Alexander Abusch scharf gegen Biermann: «ein junger Dichter, der seine Kloakenbegriffe benützt zur Besudelung der Partei der Arbeiterklasse, für deren hohe Ziele sein eigener Vater von den Faschisten ermordet wurde!» (*ND* vom 14. 12. 1965). Und wenige Tage später echote Erich Honecker:

«Im Namen eines schlecht getarnten spießbürgerlich-anarchistischen Sozialismus richtet er scharfe Angriffe gegen unsere Gesellschaftsordnung und unsere Partei. Mit seinen von gegnerischen Positionen geschriebenen zynischen Versen verrät Biermann nicht nur den Staat, der ihm eine hochqualifizierte Ausbildung ermöglichte, sondern auch Leben und Tod seines von den Faschisten ermordeten Vaters.» (*ND* vom 16. 12. 1965)

Andere wie Horst Sindermann, Paul Fröhlich oder Wilhelm Girnus äußerten sich ähnlich kritisch. Das kulturpolitische Klima war nach Mitte Dezember 1965 für alle Künstler, die nicht haarscharf auf der Linie lagen, eisig geworden. Um so wichtiger die ‹Temperaturmelder› des MfS in den Künstlerverbänden und in den Parteigruppierungen. Am 4. Februar 1966 fand eine Parteimitglieder-Versammlung des Berliner Schriftstellerverbands statt, auf der sich Hermlin dafür zu verantworten hatte, weshalb er Biermann «in den PEN lanciert habe».

GI Martin informierte das MfS über diese Vorwürfe und daß der gerügte Hermlin entgegnete,

«er halte Biermann für ein Talent, obwohl er selbst beim Zusammensein mit Biermann ständig parteiliche Auseinandersetzungen gehabt habe.

Mit der Befürwortung der Aufnahme des Biermann als PEN-Mitglied wollte er erreichen, daß Biermann erzogen und gefördert wird, als Talent im Sinne unserer DDR.

Keinesfalls wollte er sich gegen die Partei stellen. Zum Zeitpunkt der Aufnahme des Biermann in den PEN war die Biermann-Frage auch nicht so aktuell wie gegenwärtig.»

Der GI sagte laut Stasi-Protokoll, daß Biermanns Förderer «in der Diskussion eine sehr schlechte Haltung einnahm, vor allen Dingen dadurch, daß er [Hermlin] sagte, ‹zu den Fragen der Schriftsteller

habe er eine andere Auffassung, aber er beuge sich der Parteidisziplin.›

Durch diese falsche Haltung», so sagte der GI, habe Hermlin «die
Versammlung gegen sich gehabt.»

Bis zum Ende der Ulbricht-Ära änderte sich die Politik der SED
gegenüber Wolf Biermann nicht mehr – seine Freundschaft zu dem
führenden philosophischen Kopf der Opposition in der DDR, zu
Robert Havemann, tat das Ihrige. In der Schlußphase von Ulbrichts
Herrschaft verschärfte sich der Kurs noch einmal. Am 2.4.1970 fand
eine Generalversammlung des PEN statt, in deren Verlauf ventiliert
wurde, ob man Biermann aus dem PEN entfernen könne. In einer
«Beratung mit den Genossen des ZK» erklärte Kant laut Treffbericht
vom 3.4.1970,

«daß es nicht möglich ist, auf Grund der Zusammensetzung der Teilnehmer, die
nach dem Statut erforderliche 2/3 Mehrheit an Stimmen für einen Ausschluß von
Biermann aus dem PEN-Zentrum der DDR zu erreichen. (...) Deshalb solle der
Generalversammlung der Vorschlag unterbreitet werden, daß sich das Präsidium
mit Biermann befaßt und vom Präsidium die Frage des weiteren Verbleibs Biermann im PEN-Zentrum DDR geklärt wird.»

Biermann ist sich nach Einblick in seine Akten sicher, daß im Juli 1970
sein Ausschluß aus dem PEN betrieben wurde – unter Mithilfe des GI
Martin:

«Hermann Kant versuchte mit allen Mitteln, die Mitglieder des DDR-PEN dazu zu
bringen, den Staatsfeind Biermann aus dem noblen Literatenverein zu feuern.
Dank der Tapferkeit einiger Kollegen konnte er diesen Auftrag nicht durchpeit-
schen. Für mich aber bedeutete die Mitgliedschaft im PEN einen wenn auch geringen Schutz gegen die Herrschenden. Kant war ihr intellektueller Büttel» (*FAZ*,
7.10.1992).

In diesem Rahmen alle Auseinandersetzungen um Wolf Biermann
nachzuzeichnen, ist nicht möglich. Vielleicht noch die Vorwegnahme
des vorläufigen Endes: nach seinem Kölner Konzert im November
1976 wurde Biermann ausgebürgert. Auf Initiative Hermlins unterschrieben Erich Arendt, Jurek Becker, Volker Braun, Fritz Cremer,
Stefan Heym, Heiner Müller, Sarah Kirsch, Günter Kunert, Rolf
Schneider sowie Christa und Gerhard Wolf eine Resolution, in der
sie baten, die beschlossenen Maßnahmen gegen Biermann zu überdenken. Kant wußte offenbar von dem Treffen in Hermlins Wohnung
und fuhr mit seiner damaligen Frau Vera Oelschlegel zu der ihm

wohlbekannten Adresse. «Hermann murmelte etwas von einer Zusammenkunft. Aber ganz im Gegensatz zu sonstigen Gepflogenheiten öffnete Hermlin nicht die Tür. Wir standen auf der Straße und sahen, daß sich im beleuchteten Zimmer hinter den Gardinen Menschen bewegten.» (Vera Oelschlegel, «Wenn das meine Mutter wüßt … ». Selbstportrait, Frankfurt/Main, Berlin 1991, S. 59) Nach Kants eigenem Zeugnis («Abspann», S. 461) wollte Hermlin ihm Konflikte ersparen, weil Kant in der Bezirksleitung der SED in Berlin war und weil es die zusätzliche Pikanterie gab, daß Konrad Naumann, der einen «Löwenanteil» an der «Bereinigung des Falles Biermann» hatte (Oelschlegel, «Selbstportrait», S. 62), Kants persönlicher Rivale war und kurze Zeit später Vera Oelschlegel heiratete.

Auffällig ist, daß die Formulierungen von Kants IM-Kollegen Gerhardt Holtz-Baumert, Günter Görlich, Uwe Berger und – aparterweise – auch die von Vera Oelschlegel in ihrer Beifallserklärung zum Ausbürgerungsbeschluß gegen Biermann (Oelschlegel, «Selbstportrait», S. 61) wesentlich schärfer sind als Kants eigene Stellungnahme (*ND* vom 20./21. 11. 1976). Er wollte nicht «verhehlen, dies rasch zu sagen, daß [er] Herrn Biermann ganz gut ausgehalten habe und auch weiterhin ausgehalten hätte». Ihn, Kant, «brauchte man nicht vor ihm zu schützen». Gleichzeitig betonte er, er glaube nicht, «daß die DDR Wolf Biermann zu Zwecken der ständigen Selbstreinigung nötig» habe. Kants Kritik richtete sich vor allem dagegen, daß sich seine Kollegen «kapitalistischer Übermittlungs- und Verstärkeranlagen» bedient hätten. «Man nimmt nichts von denen», forderte unter Berufung auf Brechts Atti – keine sehr glaubwürdige Position von einem, der so oft wie kaum ein anderer DDR-Schriftsteller im Westen umherreiste und Honorare kassierte. Die Unglaubwürdigkeit von Kants Position auch im Hinblick auf den mißbilligten Gebrauch der «kapitalistischen Verstärkeranlagen» durch DDR-Bürger blieb manchen Lesern des *ND* nicht verborgen. Das MfS heftete in Kants Akte den Brief eines zum Hilfsarbeiter degradierten Chemie-Ingenieurs aus Magdeburg ab, in dem es hieß:

«Ihr Schreiben im Verband mit den anderen ist eine Ergebenheitsadresse an eine zu gern ihre Machtmittel gebrauchende Regierung. Sie fragen doch nicht im Ernst, warum sich soz. Künstler kapit. Verstärkeranlagen bedienen, wenn sie dieser Regierung eine unbequeme Mitteilung machen wollen? Was wäre, wenn sie es nicht gemacht hätten: Brief in Papierkorb, Künstler mundtod [sic]! Oder??»

Die Einstellung, man nehme vom ‹Klassenfeind› nichts, geschweige denn, daß man ihm etwas gebe, die Kant und Hermlin im November 1976 trennte, hatte sie im Frühjahr 1963 anscheinend noch verbunden. Damals ging es darum, ob der in Ungnade gefallene und als Chefredakteur von *Sinn und Form* abgelöste Peter Huchel einen westlichen Literaturpreis entgegennehmen dürfe. Hermlin hatte dazu laut Bericht des IM Martin vom 29. April 1963 eine eindeutige (wenn auch heute bestrittene) Position. In der charakteristischen, grammatisch verunglückten Version der Stasi:

«Hermlin hält die Auszeichnung Peter Huchels von der Westberliner Akademie der Künste mit dem ‹Fontane-Preis› als eine Provokation. Hermlin vertritt den Standpunkt, daß Peter Huchel die Annahme der Auszeichnung ablehnen muß, sollte er dieses nicht tun, dann muß man Peter Huchel aus der Akademie [der Künste der DDR] ausschließen, zumal bekannt ist, daß der mit Huchel ausgezeichnete Komponist Paul Hindemith seinen Preis 10000 WM, den ‹Politisch verfolgten Sowjetzonenflüchtlingen› (...) zur Verfügung gestellt hat.»

So steht es in der Täterakte «Martins», so als Aktennotiz in Peter Huchels Opferakte und so möglicherweise ein drittesmal im «OV Leder», der Akte Hermlins: Indiz für die operative Auswertung der Kantschen Informationen. Nicht immer hat freilich die Speicherung und Verteilung des Materials perfekt funktioniert.

Da konnte es passieren, daß selbst ‹Staatsakte› und informelle Auszeichnungen durch allerhöchste Gunstbeweise im Dossier eines freudig Betroffenen nicht registriert wurden. So geruhte Walter Ulbricht im Dezember 1963, die Schriftsteller Günter Görlich, Helmut Baierl und Hermann Kant zu einem Kabarettbesuch in der Ost-Berliner «Distel» einzuladen. Görlich, bekanntlich unter dem Decknamen Wegener inoffizieller Mitarbeiter des MfS, berichtete seinem Führungsoffizier, die Gäste waren «von der Freundlich[keit] und Herzlichkeit der Genossen der Partei und Regierung tief beeindruckt. Sie alle (...) haben sehr viel positives aus dieser Veranstaltung mitgenommen.»

Erstaunlich, daß ein Schriftsteller wie Kant, der mit seinem Erzählungsband «Ein bißchen Südsee» gerade ein einziges Buch publiziert hatte, vom ersten Mann der Partei einer solchen Einladung gewürdigt wurde, und fast genauso erstaunlich, daß sich in seiner eigenen Akte nichts darüber findet, wie er an jenem 16. Dezember 1963 zur Entourage des ersten Mannes im Staate zählte. (Und dies, obwohl Görlich und Kant mit Oberleutnant Treike denselben Führungsoffizier hatten ...). Nicht erstaunlich ist hingegen, wenn Kant in seinen Memoiren die Begegnung mit «dem Großen Gelehrten WU» in der «Distel» nachdrücklich vergißt («Abspann», S. 322).

Schon ein knappes halbes Jahr später hätte die MfS-Karriere Kants zu Ende sein können. Es passierte nämlich das Schlimmste, was einem Mitarbeiter dieses Ministeriums passieren konnte: die Dekonspiration. Zwar wurde Kant nicht von der westdeutschen Abwehr vorübergehend verhaftet, wie das dem Schriftsteller Heinz Kahlau im Oktober 1964 wegen Spionageverdachts widerfuhr, aber die Zeitung *Die Welt* verbreitete in der Ausgabe vom 3. April 1964 ein paar hunderttausendmal den Artikel «Gespräche», in dem der Vorwurf Kantorowiczs vom Spitzel Kant aufgegriffen und am Schluß gefolgert wurde: «Und wie die Dinge stehen, wäre Kant bestenfalls der geeignete Gesprächspartner für einen Beamten des Kölner Amtes für Verfassungsschutz, niemals aber der Partner für einen Dichter.»

Am 7. April 1964 traf Kant die Oberleutnante Schindler und Treike und besprach sich mit ihnen, wie man anachronistisch formulieren könnte, über diesen ‹GAU›, den ‹größten anzunehmenden Unfall›, aus:

«Mit dem GI wurde über den Artikel in der ‹Welt› vom 3. 04. 1964, Redakteur Günther Zehm, gesprochen, in dem der GI verleumdet wird. Der GI brachte zum Ausdruck, daß er bereits bei Prof. Kaul gewesen ist und die Absicht hat, die Zeitung ‹Die Welt› zu verklagen. Auf Grund dessen arbeitete der GI bereits an einem Artikel für das ND, wo er die haltlosen Angriffe der ‹Welt› zurück weist. Der GI vertritt den Standpunkt, daß [von] seiner Zusammenarbeit mit dem MfS niemand etwas weiß, daß er sich nirgen[d]s Dekonspiriert [sic] hat. Auch seine Aufträge bezüglich Westdeutschland, sind immer so gewesen, daß eine Dekonspiration nicht erfolgen konnte. Auch hat der GI niemals, auf seinen Reisen nach Westdeutschland, operative Materialien mit sich geführt bzw. hat er keine Personen angesprochen, die daraus Schluß folgern konnten, daß der GI Kontakt zum MfS hat. (...) Unterzeichner [Oberleutnant Treike] brachte ebenfalls zum Ausdruck, daß von Seitens des MfS keinerlei Dekonspiration in Fragen der Zusammenarbeit erfolgt ist.»

Es ist denkbar (und erst nach Öffnung der Akte Kantorowicz im Detail zu entscheiden), daß die Rolle Kants gegenüber Alfred Kantorowicz von diesem selbst in seinem «Deutschen Tagebuch» wie in Zehms Artikel falsch dargestellt wurde, im übrigen aber spielten die Stasi-Leute, die hauptamtlichen wie die nebenamtlichen, offenbar miteinander Blindekuh. Sie mußten doch am besten wissen, daß die zentrale Aussage von Zehms Artikel, Kant sei Mitarbeiter des MfS, ins Schwarze traf und keine Verleumdung darstellte. Zu einer Klage gegen die *Welt* kam es nicht; jedoch setzte sich Kant in einem sechsspaltigen Artikel, «Wie ich ein Türke wurde», im *Neuen Deutschland* vom 22. April 1964 ausführlich mit Zehm auseinander, wies nach, daß «die Sachdarstellungen» der *Welt* und ihres «Gewährsmannes» Kantorowicz «hinten und vorne nicht stimmen» und klagte scheinheilig: «die Behauptung, ich sei ‹ein Spitzel der Staatsmacht› gewesen, ist damit jedoch nicht widerlegt. Sie ist auch nicht zu widerlegen; sie ist ihrer Natur nach ebenso unwiderlegbar, wie es etwa die Behauptung wäre, ich sei in Wirklichkeit der Mann im Mond oder ein stiller Bewunderer von Alfred Kantorowiczens Stilkunst.»

In der Tat waren solche Fragen vor der Öffnung der Akten nicht zu klären. Der Held als Opfer von Behauptungen, die weder zu verifizieren noch zu falsifizieren waren – das wäre ein großes Thema gewesen. Für einen Autor freilich, nicht für einen Spitzel. Da Kant seinerzeit an seinem Roman «Die Aula» arbeitete, nutzte er die Gelegenheit für die literarische Flucht nach vorne. Es gibt in der «Aula» die Figur des Quasi Riek, der unter ungeklärten Umständen von der Arbeiter- und Bauernfakultät Greifswald verschwindet und als Gastwirt in Hamburg auf- oder untertaucht. Lange Jahre wurde darüber gerätselt, ob Kant dieser Figur damit eine Kundschafter-Tätigkeit andichte. Die wahre Geschichte der Figur Quasi Riek sollte bei anderer Gelegenheit wohl einmal ausführlicher erzählt werden. In Kants «Aula» gehört Quasi Riek zu den «nur dreien, die fortgelaufen sind, und er war der einzige ohne Grund, ohne einen ersichtlichen Grund» («Aula», S. 187).

Das Vorbild für die Figur Riek war nach Auskunft zahlreicher Kommilitonen Kants ein gewisser Reinhold Felgentreu – er trug tatsächlich den Spitznamen Quasi. Er ist am 28.1.1930 in Podejuch, Kreis Randow, geboren, stammte aus einer Arbeiterfamilie, absolvierte nach dem Besuch der Volksschule eine Lehre als Zimmermann (nicht als Klempner, wie Kant mit dem Recht des Romanciers fingiert) an der Bauhütte Gartz/Oder und war dann von 1949 bis 1952 Student an der ABF Greifswald (naturwissenschaftlicher Zweig). Nach Studienabschluß zog er laut Auskunft der Hansestadt Greifswald «ohne Angabe der Wohnanschrift nach Westdeutschland» und tauchte 1953 wieder in der DDR auf, zog von seinem Heimatort Gartz am 31.8.1953 nach Kaulsdorf, ohne daß in den Unterlagen der Zuzugsort aus der Bundesrepublik festgehalten wäre. Diese Geheimniskrämerei läßt sowohl den Schluß zu, daß Felgentreu sich unerlaubt aus der DDR abgesetzt hatte (er hatte in der Bundesrepublik einen Onkel), als auch den, daß er einen Auftrag im Westen ausführte. Allerdings halten die Personalunterlagen des MfS nichts dergleichen fest: sie fixieren lediglich, daß er 1947/48 Verwandte aus Westdeutschland «in die DDR geholt» habe und daß er 1954, während seines Studiums in der Ingenieurschule, mit Parteiauftrag in West-Berlin eingesetzt gewesen sei.

Unmittelbar nach Studienabschluß, nämlich am 15.8.1956 trat Quasi-Felgentreu als Statiker in die Dienste des MfS Berlin und blieb bis zum 31.12.1968 Zivilist. Am 1.Januar 1969 avancierte er zum Hauptsachbearbeiter im Range eines Oberleutnants und blieb es bis zu seinem Unfalltod am 19.10.1975. Zuletzt scheint er für das Bauwesen im Funktionärsgetto Wandlitz zuständig gewesen zu sein.

Wenn Iswall, Kants Held, also sich die Liste der Berufe ansieht, in denen die früheren ABF-Studenten tätig sind, und auf einen «Mitarbeiter, hm, Mitarbeiter im MfS ... im wo? im Ministerium für Staatssicherheit» stößt, so könnte er damit durchaus auf die wahre Karriere seines Quasi anspielen. Allerdings scheint Kant ihn zumindest in einem Punkt übertroffen zu haben: Quasi-Felgentreu erhielt im Februar 1973 bloß die «Medaille der Waffenbrüderschaft» in Bronze, nicht in Silber, wie sie dem Schriftsteller zu seinem 50. Geburtstag und anläßlich seines Ausscheidens aus der inoffiziellen Mitarbeiterschaft zugedacht war.

Charakteristisch wäre bei der Behandlung des Falls Quasi-Felgentreu die Mystifikation, die Kant angeblich vornahm, um an dieser Romanfigur die «Unaufklärbarkeit ihrer Handlungsmotive» zu demonstrieren und um «uns alle vorm allzu schnellen Urteil über Menschen» zu warnen («Abspann», S. 496). Realiter waren die Handlungsmotive Quasi-Felgentreus wohl sehr viel trivialer. Er trat quasi in ein Familienunternehmen ein. Auch seine Mutter (Jg. 1905) war bei den rückwärtigen Diensten des MfS tätig. Und seine Schwiegermutter – schließlich, von Oktober 1964 bis Dezember 1967, seine eigene Frau ...

Dabei wurde unter Umständen übersehen, daß der Protagonist, Kants Spiegelbild Robert Iswall, selbst auf höchst prekäre Weise mit

Spionage in Zusammenhang gebracht wird, und zwar – das ist pikant –
vom Mann seiner Schwester, einem Hamburger Gastwirt.

«Hermann Grieper, der lebenserfahrene Schwager, lag auf seinem Sofa, randvoll,
und war philosophisch gestimmt. ‹Ich habe dich mir durch den Kopf gehen lassen›,
sagte er, ‹und ich bin zu der Überzeugung gekommen: Du bist ein Spion. Du
brauchst es nicht zuzugeben, denn wenn du es zugeben würdest, würdest du nur
beweisen, daß du einer bist, weil du damit erreichen wolltest, daß ich denke, du bist
keiner. Und du brauchst es auch nicht abzustreiten, denn wenn du es abstreiten
würdest, dann nur, damit ich denke, du gibst es zu, und damit wären wir wieder da,
wo wir waren, als ich sagte, wo wir wären, wenn du es zugeben würdest. Unter uns
Kopfmenschen muß also über diese Dinge gesprochen werden. Außerdem sind
alle, die von drüben hierherkommen und wieder rüberfahren, Spione. Und außer
denen, die wieder rüberfahren, sind auch welche Spione, die nicht wieder rüberfahren.
    Außerdem sind alle Zeitungsmenschen Spione. Das hat mir ein Zeitungsmensch
gesagt (...) Außerdem war ein Polizeimensch hier, der sich nach dir erkundigt
hat.›
    ‹Wann?› fragte Robert.
    ‹Aha›, sagte Hermann Grieper, ‹jetzt weiß ich genau, daß du ein Spion bist. Ich
werde dir auch erklären, warum. Weil du dir deinen Schreck nicht anmerken läßt.
Du bist darauf geschult, dir keinen Schreck anmerken zu lassen. Außerdem hast du
erwartet, daß man sich nach dir erkundigt. Du bist also auf das geschult, was du
hier zu erwarten hast. –»

Es ist eine raffinierte Immunisierungsstrategie, wenn Kant zeigt, sein
Robert Iswall gerate, wie jeder Journalist aus der DDR, im Westen in
eine Beziehungsfalle. Er gelte als Spion, ganz gleich, ob er es zugibt
oder leugnet. Das ist eine sozusagen besonders abgefeimte kapitalistische Variante der Dialektik, die jeden Emissär von drüben ins Unrecht setzt, wie er sich auch verhalten mag. Daß diese ‹Entlarvung›
dem Hermann Grieper in den Mund gelegt wird, einem raffinierten
Kriminellen, der es verstanden hat, trotz all seiner Gaunereien nie
einen Tag ins Kittchen zu kommen – dies soll dafür sorgen, daß Iswall
samt seinem Schöpfer Kant vom Leser in Schutz genommen wird –
ganz zu Unrecht, wie die Akten nun belegen.
    Die Akten zeigen auch, daß Kant auf den Rückhalt der Stasi rech-
nen konnte, wenn ihn der Westen angriff und dekonspirierte, daß
diese Hilfe aber versagt wurde, wenn Kant mit der Partei und ihrem
Kulturapparat, mit der Zensur in Konflikt geriet. Musterfall: die Auseinandersetzung um den Roman «Das Impressum», dessen Vorabdruck auf höhere Weisung 1969 abgebrochen und dessen Erscheinen

als Buch rund drei Jahre lang verhindert wurde. Kant schrieb dieses Werk während der ersten Zeit seiner Beziehung zu der Schauspielerin Vera Oelschlegel. Die Stasi nahm in einer Aktennotiz vom 16. Januar 1967 diese neue Liaison per inoffizieller Nachricht aus dem Schriftstellerverband zur Kenntnis, dann setzte eine lange Informationslücke ein, die rund drei Jahre dauerte. Erst am 31. Oktober 1969 nahm Kant wieder Beziehung zum MfS auf, weil er glaubte, bei einer Lesereise durch die Bundesrepublik von einem Agenten westlicher Geheimdienste angesprochen worden zu sein. Es handelte sich zwar lediglich um einen Kommilitonen von der ABF Greifswald, aber es ist bezeichnend für Kants Projektionen, wie er in diesem ehemaligen Klassenkameraden, einem angehenden Landarzt, den Spitzel sah und wie ihn dies wieder dem MfS zuführte.

Bei seinem Treff vom 31. Oktober 1969 schilderte er die ihn irritierenden Vorkommnisse in Bonn ausführlich, aber «über die Probleme der Schwierigkeiten bei der Herausgabe seines neuen Buches» – so die typische Formulierung des Leutnants Pönig – ließ sich Kant nicht aus. Daraufhin schickte das MfS Major Brosche zum Genossen Bruno Haid, dem stellvertretenden Kulturminister, um Erkundigungen über «Das Impressum» einzuziehen. Am 12. November 1969 gab Brosche in einer Mischung aus Krüppeldeutsch und Parteichinesisch zu Protokoll:

«Der Inhalt des Buches soll ausdrücken, wer und wie ein Bürger in der DDR Minister wird. Dabei legt der Autor einige Aspekte der bisherigen Entwicklung, auch durchgeführte parteierzieherische Probleme, die er über den Genossen Hermann vom Staatssekretariat für westdeutsche Fragen in Erfahrung brachte, seinem Buch zugrunde. Dabei wurden von ihm wesentliche Punkte seiner positiven Entwicklung weggelassen und negative Seiten subjektiv betrachtet und besonders verzerrt herausgestellt. Dadurch erhielt der Gesamtcharakter des Buches einen für die Deutsche Demokratische Republik nicht typischen, unrichtigen und schädlichen Inhalt.»

Es ist schon verwunderlich, wie mitunter das Zusammenspiel der ideologisch Wachsamsten, der getreuen Mitarbeiter des MfS, eine Krise produzierte. In diesem Fall war es das gemeinsame Wirken von IM Martin alias Hermann Kant und IM Kant alias Dr. Fritz Voigt, dem Leiter des Aufbau-Verlags, der sich aparterweise den Decknamen von einem seiner Autoren borgte. Der eine schrieb nach Meinung der Behörden ein schädliches Buch, der andere drang auf völlig ungenügende Änderungen, erlaubte einen Vorabdruck in der DDR und gab diese Texte an den westdeutschen Luchterhand-Verlag weiter. In seiner Autobiographie «Abspann» hat Kant wohl recht wahrheitsgetreu über den Casus berichtet und gezeigt, wie borniert die ideologische Kritik an Kunstwerken sein konnte. Die Zensoren begriffen den Bau des Buches nicht, nicht die Spannung zwischen dem ersten Satz des Chefredakteurs David Groth («Ich will aber nicht Minister werden!») und seinem letzten («(...) ich jedenfalls – das bleibt wohl noch zu sagen, ich käme»), auf den das ganze Buch zugeschrieben ist. Der Text von gut 500 Seiten ist nichts anderes als eine Revision des ersten Satzes. Und da schlugen graue Eminenzen des Kulturapparats wie Johanna Rudolph dem Autor vor, den Anfang zu ändern und damit die ganze Struktur des Werkes zu zerstören – ein sozialistischer Roman solle ja wohl doch nicht allen Ernstes mit einer negativen Aussage beginnen, einer negativen Aussage, die auch noch politisch sei und sich auf den Staat beziehe! («Abspann», S. 299)

Kant blieb bei seinem ersten Satz und damit für geraume Zeit im Abseits. Gravierend kam hinzu, daß er im Bonner *Vorwärts* vom 6. November 1969 ein Interview hatte drucken lassen, in dem er die neue Regierung Brandt-Scheel für einen Fortschritt hielt und erklärte, er halte die völkerrechtliche Anerkennung der DDR «für eine verständliche Zielsetzung seitens der DDR-Regierung», nicht für eine unabdingbare Voraussetzung von Verhandlungen zwischen den beiden deutschen Staaten.

Damit mischte sich Kant nach Meinung seiner Oberen in die Außenpolitik ein. Das war ein «so dicker Hund, daß sich das Politbüro mit ihm befaßte und beschloß, die zeitweilige Unterbrechung eines Romanabdrucks zum Dauerzustand zu erheben und nun auch der Buchfassung desselben Werkes ein Ende zu setzen. Ein Hund von solcher Korpulenz, daß der Minister für Kultur und Lehrkörper einer angesehenen Hochschule nur raten konnte, sich lieber in die Büsche zu schlagen, als dem Interviewgeber [Kant] Gastgeber zu sein. Denn der Interviewte war – hier kommt der Hund – auf die Brandt-Linie übergelaufen» («Abspann», S. 300).

Kant behauptet, nachdem man ihn im Mai 1969 noch zum Vizepräsidenten des Schriftstellerverbands gewählt hatte, sei ihm bei der Anreise zu einer Lesung in Ilmenau die Tür vor der Nase zugeschlagen worden, und der allzeit wendige Kulturminister Klaus Gysi soll den

Wink dazu gegeben haben. In solchen Fällen half auch keine Stasi. Sie begriff sich bei kulturpolitischen Konflikten als dienendes Organ von Partei und Regierung und stellte sich nicht schützend vor ihre IMs – das hätte ja gleichzeitig ihre Dekonspiration bedeutet. In den folgenden Jahren, in denen Kant auf das amtliche Imprimatur zu seinem «Impressum» wartete, gerierte er sich den Offizieren des MfS als guter Genosse, nicht nur als «Parteibuchträger». Er focht mit beim Kampf gegen Biermann im PEN, er setzte sich für seinen Freund Erwin Strittmatter ein, wetterte laut gegen den Nobelpreis für Solschenizyn (*Sonntag*, 8. 11. 1970) und heimlich gegen Scholochow, weil der in seinem Kampf gegen Solschenizyn zu lasch sei (Bericht vom 22. 4. 1971). Derlei sei auch eine indirekte Ermunterung der «feindlichen Kräfte» in der DDR à la Biermann.

Nach der Veröffentlichung seines «Impressums» (1972) wurde er, der wußte, wie selbst milde Maßregelungen wirkten, nicht milder. Anfang September 1973 beschwerte er sich (laut Information vom 4. 9. 1973) hinter den Kulissen über die milden Urteile gegen die Moskauer Dissidenten Pjotr Jakir und Viktor Krasin – 3 Jahre, 3 Monate Zuchthaus. Für solche Abstrafungen von sowjetischen Autoren hatte er offenbar zwei Meinungen. Eine für das MfS und eine für die westliche Öffentlichkeit. Denn als Anfang 1968 drei junge Schriftsteller in der Sowjetunion längere Freiheitsstrafen anzutreten hatten, äußerte Kant im Republikanischen Club Hamburg, er sei dagegen, «daß eine literarische Diskussion oder eine Diskussion mit Vertretern der Literatur vor Gerichtshöfen geführt wird» (*Die Zeit* vom 19. 1. 1968). *Die Zeit* nannte das eine «beispielhafte Antwort» – es war wohl eher eine beispielhafte Bewußtseinsspaltung.

Der wichtigste literaturpolitische Kampf in der DDR bis zu Biermanns Ausbürgerung im November 1976 war der gegen die Veröffentlichung einer Autoren-Anthologie mit Berliner Geschichten. Klaus Schlesinger, Ulrich Plenzdorf und Martin Stade wollten mit einer Art von freier Organisation der Beiträger das übliche Zensur-Modell vorsichtig in Frage stellen. Kant wirkte 1975/76 fleißig und erfolgreich daran mit, potentielle Teilnehmer wie Rolf Schneider oder seinen eigenen Bruder Uwe abspenstig zu machen und die Initiatoren Schlesinger und Plenzdorf zu disziplinieren. Wäre Kant der leidenschaftliche Vorkämpfer der Demokratisierung gewesen, als den er sich post festum darstellte – bei der Berliner Autoren-Anthologie hätte er sich bewähren können, anstatt ihre «politische Hinterhältigkeit und den feindlichen Charakter» anzuprangern (Treffbericht vom 15. 12. 1975). Die Initiative von Günther de Bruyn und Christoph Hein gegen die «herrschende Druckgenehmigungspraxis» auf dem X. Schriftstellerkongreß der DDR im November 1987, die Kant vorsichtig unterstützte, kam um mehr als zehn Jahre zu spät.

Das Jahr 1976 stellte für Kant insofern einen wichtigen Einschnitt in seiner Stasi-Karriere dar, als er aufgrund seines Aufstiegs in die Berliner Bezirksleitung der SED, der schon zwei Jahre zuvor erfolgt war, nicht länger inoffizieller Mitarbeiter des MfS sein konnte. Von Genossen, die in der Hierarchie so hoch kletterten, durfte die Truppe des Generals Mielke keine IM-Berichte mehr anfordern, sie durfte sie nicht mehr zu Treffs in konspirative Wohnungen bestellen, die Benutzung von Decknamen war zu unterlassen.

Im Hinblick auf Kants ‹Emeritierung› als IM ordnete der Leiter der HA XX/7, Oberstleutnant Brosche, am 31. März 1976 an und formulierte als Dienstanweisung:

«Bei Notwendigkeit können offizielle Gespräche mit [Kant] geführt werden, wenn er diese wünscht, z. B. zu Problemen der Einschätzung der Lage unter Schriftstellern und Verlagsmitarbeitern, zu Tendenzen des feindlichen ideologischen Angriffs in kulturellen Bereichen, zu Kontaktbestrebungen westlicher Journalisten, zu Einschätzungen literarischer Arbeiten und Tendenzen in der Literaturentwicklung u. ä. Diese Maßnahme ist so durchzuführen, daß der IM diese richtig versteht und sein Vertrauensverhältnis zum MfS nicht gestört wird.»

Durch zwei hochrangige Offiziere, den besagten Oberstleutnant Brosche und Hauptmann Pönig, dürfte Kant im Frühjahr die Beendigung seines bisherigen Status und die Fortsetzung seiner Zusammenarbeit mit dem MfS auf anderer Ebene bekannt gemacht worden sein. Anläßlich seiner Abdankung als IMS überlegte die Stasi, wie sie sich bei Hermann Kant bedanken könne. Mit einem Blumenstrauß, Westzigaretten, einem Essen oder einem Buch war es diesmal nicht getan. Die «Medaille für Waffenbrüderschaft» in Silber sollte es sein! Hauptmann Pönig begründete dies mit Schreiben vom 24. März 1976:

«Der IM arbeitet seit 1957 auf der Basis der Überzeugung inoffiziell mit dem MfS zusammen. In der Zusammenarbeit bewies der IM seine Zuverlässigkeit, Verschwiegenheit sowie hohe Einsatzbereitschaft und Ehrlichkeit. Der IM ist bei Aktionen zur Sicherung von Schwerpunkten im Rahmen der Hauptabteilung XX/7 eingesetzt. Er wurde so qualifiziert, daß er an Vorgängen und O[perativer] P[ersonen-]K[ontrolle] arbeitete. Der IM erarbeitete operativ wertvolle Informationen zu Situationen unter den operativ angefallenen Personenkreisen. Er hält diszipliniert die Treffs und die Regeln der Konspiration ein. Er ist immer einsatzbereit und dem MfS treu ergeben. Die vorgesehene Auszeichnung soll die bisherige Gesamtleistung für das MfS würdigen.»

Ein glänzendes Abgangszeugnis. Oder sollte man sagen: Zwischenzeugnis? Am 14. Juni 1976 feierte Kant seinen 50. Geburtstag. Zu diesem runden Wiegenfest wollten ihm die Offiziere den Orden ans Revers heften. Zu ihrem Bedauern sollten sie das silberne Ehrenzeichen aber erst zum 27. Jahrestag der DDR im Oktober 1976 bekommen. Offenbar gab es Engpässe in der volkseigenen Industrie, und es scheint, als hätte Kant dieses Motiv in seiner Erzählung «Bronzezeit» benutzt. Dort geht es unter anderem um den VEB Ordunez, den volkseigenen Betrieb für «Orden und Ehrenzeichen». Sein Direktor überlegt, wie er ein zersägtes Bronzedenkmal in Medaillen umgießt, denn der Materialmangel ist groß, und in der Branche herrscht «seit jeher die Ansicht, fürs vaterländische Dekor seien nur heimische Rohstoffe und hausgemachte Zutaten verwendbar» («Bronzezeit», S. 109). Wenn schon die Bronze rar war, wie dann erst das Silber ... Falls die Dekorierung tatsächlich im Oktober 1976 stattfand – ein Protokoll darüber ist bislang nicht aufgetaucht –, dann fiel sie in die Kampagne gegen Reiner Kunze wegen der «Wunderbaren Jahre» kurz vor der Ausbürgerung Biermanns. Am 13. 10. 1976 meldete ein treuer Paladin, der Verbandssekretär Gerhard Henniger, laut MfS, Hermann Kant sei «der Ansicht, daß ... es Zeit wäre, Kunze aus der DDR auszuweisen.» Kant bestritt das im nachhinein per Gerichtsbeschluß, aber damals ließ er sich in puncto Klassenwachsamkeit nicht lumpen: Etwa einen Monat später verteidigte er bei einer Veranstaltung in West-Berlin den Ausschluß Reiner Kunzes aus dem Schriftstellerverband der DDR, attackierte und verleumdete den Autor der «Wunderbaren Jahre» samt seiner Tochter (s. Sibylle Wirsings Artikel in der *FAZ* vom 12. 11. 76, «Kant zu Kunze. Ein ‹Nicht-Freund›» und Kunzes Antwort an Kant vom 25. 11. 1976, «Ich kenne die Mechanismen»). Seltsamerweise hat das MfS diese Meriten Kants in seinem eigenen Dossier nicht erfaßt – sie sind nur bruchstückhaft in Reiner Kunzes Opferakte, dem OV «Lyrik», dokumentiert.

Kants Akten der Jahre 1976 bis 1984 sind spärlicher als die vorausgehenden. Die Auswerter in der Berliner Normannenstraße sammel-

ten zwar weiter, es waren aber vor allem Berichte Dritter, Zeitungs-
äußerungen und Mitschnitte aus dem Rundfunk – Vollständigkeit war
indes nicht gewährleistet, nicht einmal bei den leicht beschaffbaren
Objekten der Begierde wie Zeitungsartikeln. Selbst bei einem Heer
von damals 60000 oder 70000 hauptamtlichen Mitarbeitern war die
Effektivität des MfS längst nicht hundertprozentig.

Mancher ehemalige IM könnte das beklagen. Denn nicht immer
sind die gespeicherten Materialien ehrenrührig. Als Erich Loest für
seinen Roman «Es geht seinen Gang oder Mühen in unserer Ebene»
im Jahr 1978 keine Nachauflage bekommen sollte, drohte Kant als
frischgebackener Schriftstellerverbandspräsident mit seinem Rücktritt, weil er sonst wie ein Messer ohne Klinge dastehe und bei künftigen Auseinandersetzungen niemand mehr auf ihn hören werde. Erst
ein Gespräch mit Honecker, der von einer Fahnenflucht Kants
sprach, führte dazu, daß Loests Buch eine Neuauflage von 10000 Exemplaren erhalten sollte und daß Kant von seiner Drohung Abstand
nahm. Der Einsatz für Loest hatte aber nicht mit heftiger Sympathie
für den bedrängten Autor oder mit einer neu erwachten Liebe zur
publizistischen Freiheit zu tun – er entsprang eher taktischen Überlegungen. Es galt für Kant, einen Kredit zu schaffen, von dem er in
Krisenzeiten wieder zehren konnte.

Ein halbes Jahr später exekutierte Kant den Ausschluß von neun
Autoren aus dem DDR-Schriftstellerverband, nämlich von Kurt
Bartsch, Adolf Endler, Stefan Heym, Karl-Heinz Jakobs, Klaus Po-
che, Klaus Schlesinger, Rolf Schneider, Dieter Schubert und Joachim
Seyppel. Sie hatten unerlaubt im Westen publiziert wie Heym seinen
Stasi-Roman «Collin», sie hatten in einem Brief an Honecker die
Knebelung Oppositioneller in der DDR kritisiert oder sich ähnlicher
‹Vergehen› schuldig gemacht. Kant und die übrigen Vorstandsmit-
glieder hatten im Juni 1979 aller Wahrscheinlichkeit nach einen entschiedenen Partei-Auftrag, die widerspenstigen Schriftsteller mit der
Begründung ‹Verletzung der Statuten› aus dem Verband zu werfen –
so, wie es in dem Gespräch Honeckers mit der Verbandsspitze am
3. März 1978 im Rahmen einer allgemeinen Strategie-Debatte angelegt worden war (die Aufzeichnungen Erich Mielkes über dieses Gespräch bilden m. E. ein Schlüsseldokument für die Kulturpolitik der
Folgezeit). Kant, im Frühjahr 1979 auf Vermittlung seines Staats-
oberhaupts in Moskau medizinisch behandelt, fühlte sich seinem

Gönner damals besonders verpflichtet. Andererseits litt er aus privaten, erotischen Gründen unter gespaltener Loyalität. Bei der fraglichen Versammlung im Roten Rathaus von Ost-Berlin trat er kalt und schneidend auf und ließ sich äußerlich nicht einmal dadurch irritieren, daß Stefan Heym ihm vieldeutig-eindeutig bescheinigte, er, Kant, verstehe die Sprache der Geheimdienste «sehr gut» (Joachim Walther et al., Protokoll eines Tribunals. Die Ausschlüsse aus dem DDR-Schriftstellerverband 1979, S. 46). Hinter den Kulissen freilich zeigt er sich ziemlich unsicher. Der Schriftstellerverbandssekretär Henniger und die Stasi machten dafür Kants neue Freundin, seine spätere dritte Frau, verantwortlich. Sie war mit Oppositionellen wie Bettina Wegner befreundet und konfrontierte Kant entsprechend nachdrücklich mit kritischen Positionen – so wie sie ihn später auch davon abzuhalten versuchte, sich ins Zentralkomitee der SED wählen zu lassen («Abspann», S. 398).

In den achtziger Jahren wuchsen die Zweifel an Kants Amtstauglichkeit. So schrieb am 26. November 1980 (also schon nach rund zweieinhalb Jahren von Kants Amtszeit als Präsident) der stellvertretende Minister für Kultur, Klaus Höpcke, an die Hauptabteilung XX des MfS, er persönlich gelange immer mehr zu der Auffassung, «daß Hermann Kant beim nächsten Verbandskongreß nicht wieder als Präsident des Schriftstellerverbandes der DDR vorgeschlagen werden sollte. Zu dieser Auffassung ist», wie das MfS festgehalten hat,

«Genosse Höpcke durch eine Reihe von Begebenheiten und öffentliche Auftritte von Kant gelangt. (...) Darüber hinaus gibt es noch eine ganze Reihe von Praktiken und Verhaltensweisen von Kant, z. B. sein unkritisches Engagement für Loest, Kunert, Christa Wolf u. a. politisch-negative Schriftsteller, sein ständiges Beschwichtigen und Vermittelnwollen zwischen Schriftstellern und Staat bzw. Partei, sein ‹blinder› Einsatz für Erwin Strittmatters neuen Roman, die die berechtigte Frage aufkommen lassen, was für eine bzw. wessen Politik verfolgt Kant überhaupt.»

Immer wieder spielte Kant in der Folgezeit mit dem Gedanken, sein Amt als Präsident des Verbandes niederzulegen. Allzu oft sprach er davon, als daß es unbemerkt geblieben wäre. Seine Kollegen Günter Görlich und Gerhard Holtz-Baumert, beide langgediente IM, rügten es, und nötigenfalls wurde Honecker eingeschaltet, der Kant ermahnte und auf seinen Parteiauftrag verpflichtete. So am 27. März 1981. Die Unterredung mit dem Staatsoberhaupt stimmte ihn für den

Moment «optimistisch». Schon 14 Tage später jedoch zweifelte er erneut, ob es noch Sinn habe, an seinem Amt festzuhalten. Die Stasi notierte am 13. April 1981:

«Hermann Kant vertritt die Auffassung, daß Partei- und Staatsführung der DDR ihm als Präsidenten des Schriftstellerverbandes mißtrauen und er auf der ‹Abschußliste› stehe. Er könne sehen, wohin er will, überall habe er Feinde. Er sei nur noch eine ‹Gallionsfigur›. Am liebsten wollten Partei- und Staatsführung den Vorsitzenden des Berliner Schriftstellerverbandes, Günter Görlich, als Präsidenten des Verbandes haben, ‹denn dann hätte man das Niveau, das man brauche›. (...) Daß sich Kant in einer solchen Lage ‹wiederfinde›, sei das ‹Verdienst› der Partei- und Staatsführung der DDR, die ihn von vornherein nicht genügend unterstützt hätten. So habe es kommen können, daß er heute nicht als Verbandspräsident akzeptiert werde und viele sich über ihn lustig machten.»

Der frühere Scharfmacher als Lachnummer, vielfältig beargwöhnt und angefeindet, oft zwischen allen Stühlen: den kritischen Autoren ein Apparatschik, den Apparatschiks ein unsicherer Kantonist. Nichtsdestotrotz, trotz allen Gemunkels hinter den Kulissen, trotz allen Schwankens: Kant blieb im Amt bis zum jähen Ende der DDR.

Sinnigerweise bezieht sich eines der letzten Dokumente, das sich in der Akte des IM Martin gefunden hat, auf seine Erzählung «Plexa», die erstmals im Mai/Juni-Heft 1984 der Zeitschrift *Sinn und Form* erschien. Kant handelt darin von den Bemühungen des Buchhalters Farßmann, den Formularkram für zwei sowjetische Staatsbürgerinnen zu erledigen, die er zu Besuch in die DDR eingeladen hat. Die Stasi textete dazu am 13. Juni 1984:

«Die Erzählung von Kant ist laut vorliegenden Einschätzungen objektiv geeignet, feindlich-negativen Kräften bei ihren Angriffen gegen die Schutz- und Sicherheitsorgane, gegen die staatlichen Beziehungen zwischen der UdSSR und der DDR und den provokativen Forderungen (...) nach ‹Reisefreiheit› Vorschub zu leisten.»

Kant, vorgeschlagen für die silberne Medaille der Waffenbrüderschaft, als subversives Element – das hat tragikomische Züge. Sein Held Farßmann in der bewußten Erzählung bekommt nach langem Warten von einer Volkspolizistin die Erlaubnis, die Gründe für die Einladung sowjetischer Bürger nach eigenem Ermessen einzutragen. Das wird für ihn zum Wendepunkt der Geschichte, zum Signal für das Absterben des Staates, das die marxistischen Klassiker am Ende des Kommunismus weissagten:

«Ich war von einem Ende der Zeuge oder von einem Anfang. (...) Amtliches blanko, das war das Tier, das sich selber frißt. Das war das Ende. Und was den Anfang betrifft, schien mir, ich könnte just in jenem Augenblick bei staatlicher Stelle gewesen sein, als ein gewisses Absterben begann. (...) Ein Unterlassen hier, Versagen dort, Vergeßlichkeit woanders, versickernde Gepflogenheiten, Bräuche, die zu Dunst vergehen, mir summiert sich das. Ich weiß, was nun in Gang gekommen ist, und weiß auch, wo sein Anfang war.»

Gut möglich, daß Kant schon um die Mitte der achtziger Jahre ahnte, sein Staat sei dabei, sich zu verflüchtigen. Vielleicht war das als Kompliment gedacht, als Huldigung an die Weitsicht der kommunistischen Gründerväter. Es kam dann freilich anders, als er es in «Plexa» andeutete. Der November 1989 ähnelte doch dem «jähe[n] Kollaps und urplötzliche[n] Stillstand des Atems», er brachte das Ende jener «wachen Wachsamkeit» und des «Verschlußsachencharakters persönlicher Gespräche» und damit auch jener geheimen Institution, der Kant so lange gedient hatte. Anzunehmen, Kant sei mit seinem Lavieren zwischen Staat und Autoren salviert gewesen, ist falsch. Das beweisen Reaktionen der kritischen Köpfe vom Schlage Franz Fühmanns. Fühmann erklärte Anfang 1981, daß er «keinerlei Vertrauen mehr zum Präsidenten des Schriftstellerverbands der DDR Hermann Kant besitzt und auf dessen Bekanntschaft keinerlei Wert mehr legt. Ohne es näher zu begründen bezeichnete Fühmann den Kant als hinterhältig und in seiner Haltung und Rolle gegenüber den Autoren als doppelzüngig.» Von daher ist es nur logisch, wenn sich Fühmann das Erscheinen Kants (und von dessen Adlatus Henniger) an seinem Grabe testamentarisch verbat.

Zwei der von Kant Mit-Denunzierten, die es zusammen auf rund sechs Jahre verbüßter Haft brachten, sind keineswegs milder gestimmt, weil er es bis zum heutigen Tag beflissen versäumte, sich bei ihnen wenigstens zu entschuldigen und mit ihnen ins reine zu kommen. Ein Dritter, der von Kant in einem politischen Prozeß belastet worden war (Urteil: acht Jahre), flüchtet sich nun, nach dem Ende der DDR und der Karriere Kants, in die Ironie: «... der satanische Schimmer, der mir H. K. lange umgab, ist längst dahin. Zu meinem Kummer. Ich hätte lieber einen alten Feind von Format, von Ruch und Biß behalten, statt des neunmal-klugen Obertui, der nachts oft schweißgebadet aufgefahren sein muß, weil ihm träumte, er habe gegen sich selber intrigiert.»

Kant selbst tröstet sich seit dem Debakel, das im Oktober 1992 offenbar wurde, mit dem Glauben, seine Leser hätten Bücher bekommen, die, «obwohl redlich, nicht langweilig waren». Die Redlichkeit, den Wirklichkeitsgehalt der Kantschen Bücher wird man in den kommenden Jahren genauer untersuchen müssen. Nach einigen Recherchen zur ‹wahren Geschichte› der Greifswalder Arbeiter- und Bauernfakultät steht für mich schon heute fest: Kants «Aula» gehört zu den Potemkinschen Dörfern des sozialistischen Realismus. Dieses Buch, das in Ost und West zur Schullektüre gehörte und mancherorts schon Goethes «Faust» ersetzte, hat den Terror der späten vierziger und frühen fünfziger Jahre, die Beteiligung der ABF am ‹Bauernlegen› bei der Kollektivierung der Landwirtschaft, die brutale ideologische Gleichschaltung der Studenten, die rigorose Relegationspraxis und den politischen Widerstand skrupellos ausgeblendet. Das läßt sich sogar in Zahlen belegen. Während in Kants Roman lediglich drei Kommilitonen die Anstalt, die DDR verlassen oder verlassen müssen, wurden die ABFler tatsächlich halbdutzendweise zu langjährigen Zuchthausstrafen verurteilt und flohen dutzendweise in den Westen. Vor diesem Hintergrund ist es einigermaßen makaber, wenn in der «Aula» ausführlich über das Verhalten des Helden Robert Iswall reflektiert wird, der dazu beiträgt, daß die Kommilitonen Gert Trullesand und Rose Paal einander heiraten und mit einem Stipendium für sieben Jahre nach China gehen. Mag da der eisige Iswall auch einen Nebenbuhler um Vera Bilfert elegant aus dem Weg geräumt haben – die moralische Roman-Schuld ist ein Nichts, gemessen an dem, was dem christlichen ABF-Studenten Johannes Krikowski in Wirklichkeit angetan wurde: vier Jahre Bergwerk in Workuta, Wintertemperaturen bis zu 65 Grad unter Null, eine Körperbeschädigung von 70 Prozent. Dabei wußte Kant von Augenzeugen, was Sibirien bedeutet. Die polnische Antifa-Lehrerin Wanda in seinem Werk schwärmte mit gutem Grund «kein bißchen vom Klima in Workuta» («Die Aula», S. 251). Und es nutzt dem Autor nichts, wenn er sich mit dem Kunst-Vorbehalt dagegen wehren sollte, daß man seine Prosa an der Wirklichkeit mißt. Er hat die Ansprüche selbst formuliert, denen er sich zu stellen hat: «Die Wahrheit aber ist nicht nur die Tat, sondern auch deren Folge, nicht nur Motiv, sondern auch Wirkung, ist Vorsatz und Ergebnis; die Wahrheit sind auch die anderen» («Aula», S. 409).

Bleibt die Frage, inwieweit auch Kants übriges Werk von seiner

Tätigkeit für das MfS infiziert ist – über das Ende der eigentlichen IM-Tätigkeit hinaus. Bei der starken ideologischen Bindung des Autors an das gegebene politische System ist ein solches Œuvre unvermeidlich von Vermeidungsstrategien, von Auslassungen und Retuschen charakterisiert. Es gibt – vor allem in den Erzählungen – einen Hang zum Unverbindlichen, zum endlosen Ausschmücken von Anekdotischem, zum scheinbar «weltbewegenden Histörchen» (J. Staritz). Bestimmte Stoffe – sagen wir: ökologischer Natur – kommen bei ihm im Unterschied zu Monika Maron («Flugasche») oder Hans Cibulka («Swantow») nicht vor, ebenso wenig sicherheitspolitische Themen wie in Volker Brauns «Unvollendeter Geschichte» oder in Reiner Kunzes «Wunderbaren Jahre» («Schießbefehl»). Letale Gefahren an der Grenze gibt es bei Kant nur in Gestalt des Makabren und der Farce («Eine Übertretung»): eine steinalte Greisin, die sein Held vom Grenzpunkt Ost zum Grenzpunkt West mitnehmen soll, fällt im deutsch-deutschen Niemandsland, obszöne Schnaderhüpfl singend, in rasch vorübergehenden Scheintod. Von den gesunden jungen Leuten, die vor dem Stacheldrahtverhau von den Kugeln der Grenzsoldaten niedergemäht wurden – bei Kant ist davon keine Rede, und wenn andere wie Kunze davon sprachen, war es ihm eine «ganz widerwärtige üble Lüge» (*FAZ*, 25. 11. 1976).

Einher geht solche kynische Methode, solche ‹Hundephilosophie› («Das Impressum», S. 255) mit einer ganz eigenen Periphrastik, in der Schußwaffen mit «Feuerzeug» («Eine Übertretung», S. 122), die Grenzanlagen gegen Westen hin mit «Zaun gegen Wolf und Mitschnackeronkel» (ebda., S. 76) umschrieben und menschliche Lückenfüller im Publikum bei Fernsehübertragungen als «nationale Einsitzreserve» tituliert werden – dies in einem Staat, in dem Menschen leicht einsitzen mußten, um sich aus der Haft in die Bundesrepublik verkaufen zu lassen und die Währungsreserven der DDR aufzubessern. Es ist dies eine Form des indirekten Sprechens, von der Kants Held David Groth mit Grund sagt, daß sie ihm «nicht nur Spaß machte, sondern auch Schutz bot, Deckung gegen andere und vor sich selber» («Das Impressum», S. 96).

Mögen Texte Kants wie «Der Aufenthalt» oder, auf niedrigerem Niveau, «Der dritte Nagel» vielleicht überdauern – es ist zu befürchten oder eher noch zu hoffen, «daß diese Sorte steinbrüstiger Denunzianten keine große Dichtung produzieren könne – sie haben zuviel mit der Rationalisierung ihrer Verrätereien zu tun, zu viel (...) moralische Selbstaufrüstung zu betreiben, um Unverbogenes aufs Papier zu bringen. Das Schlimmste für jeden produktiven Prozeß ist ja der Auseinanderfall von Denken, Tun und äußerer Darstellung. Nicht der Verrat ist – unter dem Aspekt der Produktion – die Falle (es gab hochkarätige Verräter, mit Genet sogar einen poetischen Hohepriester des Verrats), sondern der Verrat unter Leugnung des Verrats, die Vernichtung von Kollegen, Freunden oder Partnern unter dem Vorwand eines übergeordneten Auftrags, Idiotie in sich, die jedes politische System vergiftet und die eigene Innenwelt unwiderruflich verschmutzt.» (Stefan Tomas)

II. DIE AKTEN

Editorische Bemerkung

Die folgenden Dokumente sind der Versuch einer möglichst ‹objektiven› Auswahl aus der Akte des IM «Martin», die vom MfS die Registriernummer XV 5909/60 und von der Behörde des Bundesbeauftragten für die Unterlagen des Staatssicherheitsdienstes der ehemaligen DDR die Archivnummer AIM 2173/70 erhielt. Diese Akte umfaßt acht Bände mit 2254 Blatt.

Die wissenschaftliche Arbeit an dem vom MfS hinterlassenen Material zeigt eine tendenziell hohe Zuverlässigkeit und Faktentreue, weil aussichtsreiche operative Maßnahmen nur möglich waren anhand zutreffender Informationen. Klar ist, daß die Texte der Akte in der Regel nicht aus der Feder (oder Schreibmaschine) Hermann Kants stammen – bis auf die wenigen Fälle, in denen er Berichte mit seinem Decknamen Martin unterschrieb oder – dritte Variante – auf Tonband sprach. Die Verfasser der Akte sind die Offiziere des MfS – und jeder hatte seinen sozusagen «persönlichen Brechungsfaktor», analog seiner Auffassungsgabe, seinem Gedächtnis, seinen Fähigkeiten, Gesprächsinhalte in Langschrift oder Stenographie festzuhalten. Gelegentliche Hörfehler, Verwechslungen, zunehmende Unschärfe vom Typ ‹stille Post› bei Informationen aus zweiter oder dritter Hand sind dabei nicht ausgeschlossen. Jedoch wurden für den Herausgeber erkennbare Irrtümer der Berichterstattung in den Anmerkungen richtiggestellt.

Mitunter wurden Kant betreffende Dokumente eingefügt, die aus den Akten anderer inoffizieller Mitarbeiter, aus denen von Opfern des MfS, aus dem Büro des Ministers Mielke oder weiteren Quellen stammen. Das Bild von Kants inoffizieller Mitarbeit wird dadurch komplexer. Die schriftlichen Zeugnisse zeigen u. a. die fortwährende Überprüfung und Ergänzung des Materials aus unterschiedlichen Quellen seitens des MfS.

Die Anmerkungen und bibliographischen Angaben sind jeweils auf die Zeit bezogen, aus der das jeweilige Dokument stammt; so erklären sich auch gelegentliche Wiederholungen, die zugleich als Erinnerungsstützen beim Lesen der Dokumente gedacht sind. Die Dokumente wurden chronologisch geordnet, Orthographie und Grammatik wurden nicht verbessert. Zahlreiche Namen, die in den Akten vorkommen, mußten durch vielfältige Formen der Recherche wiederhergestellt werden, bisweilen auch Informationen, die auf die Identität von vorkommenden Personen verweisen, da sie in den zur Verfügung stehenden Akten-Kopien geschwärzt waren. Dieser Prozeß ist in den Dokumenten durch spitze Klammern kenntlich gemacht. Bisweilen waren solche Rekonstruktionen trotz aller Bemühungen nicht möglich, in anderen Fällen wurde aus Gründen des Persönlichkeitsschutzes bewußt darauf verzichtet. Diese Auslassungen sind in den Dokumenten mit ⟨...⟩ gekennzeichnet. Inhaltliche Auslassungen in den Dokumenten werden, wie allgemein üblich, mit (...) deutlich gemacht. Sie erfolgten, um Wiederholungen zu vermeiden, ebenfalls um Persönlichkeitsschutz zu wahren (zum Beispiel in den nicht seltenen Fällen, wo die Akten nähere Informationen über die Privatsphäre von Personen enthalten), in einzelnen Fällen auch, wenn durch die Unmöglichkeit der Rekonstruktion von Namen einzelne Absätze nach Inhalt und Bedeutung nicht mehr genau einschätzbar waren. Verschiedene Einfügungen in die Dokumente, die in eckige Klammern gesetzt sind, verweisen – wie ebenfalls allgemein üblich – auf kurze Hinweise des Herausgebers, die der besseren Verständlichkeit dienen, aber eine eigene Anmerkung nicht gerechtfertigt hätten. Kursiv Gesetztes ist in den Akten handschriftlich erfolgt. Die Numerierung der Dokumente und die auf die Nummern folgenden stichwortartigen Überschriften stammen vom Herausgeber; sie sollen zusätzlich zum Namensregister am Schluß des Bandes die Arbeit mit dem vorliegenden Buch erleichtern.

Vom Oberassistenten zum Chefredakteur – die «Kontaktperson» Kant

1. Bericht:
Vermittlung eines Informanten an die Stasi (5. 7. 57)

Abteilung V/6[1]   Berlin, den 5. 7. 1957

Bericht[2]

Betr.: ⟨...⟩
Durch den 1. Sekretär der Universitäts-Parteileitung, Gen. Singer[3] wurde bekannt, daß sich an den Redakteur der Zeitung für die Freie Universität und Technische Universität in Westberlin[4] (Herausgeber Humboldt-Universität) ein ehemaliger Student gewandt[5] hat und seine Mitwirkung an dieser Zeitung angeboten hat. Bei dem Redakteur der Zeitung handelt es sich um den Genossen Hermann Kant. Mit diesem wurde am 3. 7. 57 in der Universitäts-Parteileitung ein Gespräch geführt. Der Gen. Kant erklärte zu dieser Sache folgendes:

Durch eine ihm bekannte Genossin[6] wandte sich der Student der Freien Universität Berlin, ⟨Hans-Joachim Staritz⟩[7] an den Genossen Kant und bot diesem an, gegen Entgelt Informationen aus der Freien Universität zu liefern.[8] Der Gen. Kant traf sich mit ⟨Staritz⟩ in der Wohnung der Genossin in Karlshorst und erklärte dem ⟨Staritz⟩, daß er keinerlei Spionageinformationen sondern lediglich Nachrichten über das studentische Leben in Westberlin erwarte. Ob er dem ⟨Staritz⟩ dafür Geldbeträge zahlen kann, könne er noch nicht genau sagen, da er der Redakteur einer Studentenzeitung sei, die sich aus sich selbst finanziere. ⟨Staritz⟩ brachte bereits eine Mitteilung über die beabsichtigte Bildung eines Komitees an der Freien Universität gegen die Atomversuche.[9]

Der Gen. Kant schätzt den ⟨Staritz⟩ folgendermaßen ein:

⟨Staritz⟩ ist im Grunde genommen ein großes unfertiges Kind. Er hat eine Neigung zum Angeben und stellt die größten Spintisiereien an. ⟨Staritz⟩ ist sehr am Geld interessiert und liebt den Pomp. Er brachte u. a. zum Ausdruck, daß er durch seine Mitarbeit an der Studentenzeitung seine begangenen Fehler wieder gut machen möchte[10], um später eine Anstellung in der Deutschen Demokratischen Republik finden zu können.

Mit dem Gen. Hermann Kant wurde folgendes vereinbart:

Der Gen. Kant bestellt über die ihn bekannte Genossin den ⟨Staritz⟩ zu einer neuen Zusammenkunft am 9. 7. 1957 um 17.30–18.00 Uhr zum Pressecafé[11] zu bestellen. Dort wird durch den Gen. Kant der Gen. Krüger[12] als Mitarbeiter des Amtes für Informationen[13] vorgestellt. Das Erscheinen des Gen. Krüger wird der Gen. Kant damit erklären, daß er zu der Meinung gekommen sei, daß die Verbindung des ⟨Staritz⟩ zum Amt für Informationen nützlicher sei.

Die Linie des Gesprächs mit ⟨Staritz⟩ wird folgende sein:

Das Amt für Informationen ist an brauchbaren Nachrichten aus Westberlin interessiert, außerdem auch an Nachrichten aus studentischen Kreisen. ⟨Staritz⟩ wird aufgefordert über seine Möglichkeiten zu sprechen, wobei die uns bekannten Dinge von ihm mit zur Sprache gebracht werden müssen. ⟨Staritz⟩ wird Geld angeboten. Die Frage nach einer Arbeitsstelle in der DDR kann erst dann behandelt werden, wenn ⟨Staritz⟩ bewiesen hat, daß er es ehrlich meint.

(Krüger)

---

1 Die Hauptabteilung V war in den fünfziger Jahren der Vorläufer der späteren Hauptabteilung XX, zuständig für die Überwachung des Staatsapparats, der Kunst, der Kultur und des Untergrunds.

2 Der komplette Bericht befindet sich in der Akte von Jochen Staritz, AOP 553/58. Die S. 2 des Berichts (beginnend mit dem Satz «Der Gen. Kant bestellt über die ihn bekannte Genossin den ⟨Staritz⟩ ...») war auch in Kants Akte abgeheftet.

3 Hans Singer war innerhalb des Parteiapparats ein Vertrauter Kants. Er fungierte 1959 als einer der Bürgen bei der Aufnahme Kants in den Schriftstellerverband der DDR (s. sein Schreiben vom 28. 9. 1959).

4 Gemeint ist die von Kant redigierte Studentenzeitschrift «tua res», die ab Oktober 1957 zu erscheinen begann.

5 Staritz betont, daß die Kontaktsuche von Kant ausging.

6 Es handelt sich dabei um Ulla Hoffmann-Ostwald, * 1931, † 1986, Publizistin, 1966–1976 Lektorin im Henschel-Verlag, 1952–1957 mit Daniel Hoffmann-Ostwald verheiratet, danach – und schon zum Zeitpunkt des fraglichen Treffens – mit Wolfgang Behse.

7 Hanns-Joachim Staritz, * 12.11.1932. Staritz wurde wegen Eintretens für die FDJ von West-Berliner Gymnasien verwiesen, schloß seine Schulausbildung 1953 in Ost-Berlin ab, studierte danach an der Humboldt-Universität Theaterwissenschaft. Im Oktober 1955 aus der SED ausgeschlossen und vom Studium relegiert. Sollte sich ein Jahr in der Produktion bewähren. Ging nach Hannover und Paris (Sorbonne). Nach dem 20. Parteitag der KPdSU Rückkehr nach West-Berlin, Studium an der Freien Universität. Mitgliedschaft im SDS. Freundschaft mit Edgar Guhde, der einen kritischen «Offenen Brief eines jungen Genossen an seine Partei», die SED, veröffentlichte, am 12.12.1957 verhaftet und im Juli 1958 zu 9 Jahren Zuchthaus verurteilt wurde.

Am 14.3.1958 wurde Staritz in Ost-Berlin verhaftet, am 23.9.1958 wegen angeblichen Staatsverrats zu acht Jahren Zuchthaus verurteilt. Das folgende Dokument belegt, daß das MfS im Sommer 1957 mit der Hilfe Kants (und gegen dessen ursprüngliche Intention) plante, Staritz für eine geheimdienstliche Tätigkeit zu gewinnen.

8 Jochen Staritz bestreitet entschieden, daß er Spionage-Informationen anbot – es ging ihm um Mitarbeit an «tua res». Er hatte vorher schon für «Die Weltbühne» und die «Berliner Zeitung» geschrieben.

9 Staritz erinnert sich, daß er Kant insgesamt zwei Beiträge für «tua res» in die Redaktion brachte, jeweils ca. zwei Schreibmaschinenseiten über die Unterschriftensammlung unter den Appell der «Göttinger 18» (Wissenschaftler gegen die atomare Bewaffnung der Bundeswehr) sowie über die Vorbereitungen des Anti-Atom-Kongresses an der FU. Die Manuskripte wurden aber nicht gedruckt.

Aufgrund dieser Tatsache konnte Kant als Zeuge im Prozeß gegen Staritz den Kontakt zwischen «tua res» und dem Angeklagten leugnen. Staritz hatte die Ladung Kants verlangt, weil er dokumentieren wollte, wer eine Beziehung zu «tua res» eingegangen sei, könne kein Feind der DDR sein.

Dadurch daß Kant Staritz' Angebote an «tua res» als «Spintisiererei» abtat, wurde er aus einem Entlastungszeugen zu einem Belastungszeugen. Ein GI der HA V/6/II gab zu diesem Problem laut Bericht des Leutnants Seiß vom 12.9.1960 zu Protokoll: «Persönlich ist er [Kant] feige, dies zeigte sich auch beim Prozess gegen Jochen Staritz, dieser sollte für K. arbeiten, bei dem Prozeß hat er hierüber nichts gesagt, um seine eigene Karriere nicht zu schaden.»

10 Staritz merkt dazu an: «Ich habe, dessen bin ich sicher, bei dieser Gelegenheit auch nicht nur andeutend von ‹wiedergutzumachenden Fehlern› gesprochen. Warum auch? Ich wußte mich politisch im Recht und hatte keinen Anlaß, schon gar nicht vor Kant, zu Kreuze zu kriechen. Gewiß aber habe ich von meiner Hoffnung gesprochen, später einmal auch da arbeiten zu können, wo ich Theaterarbeit gelernt hatte, in Ostberlin nämlich.»

Laut Anklageschrift gegen Staritz vom 21.7.1958 entwickelte er sich während seines Studiums an der HU «zum ausgesprochenen Individualisten und wurde dadurch stark überheblich. Er suchte den Verkehr mit jungen bürgerlichen Künstlern und Studenten, vernachlässigte sein Studium und verlor immer mehr die Bindung zur Partei. Entgegen dem Willen der Partei, führte er Reisen in die NATO-Länder durch und war auch in moralischer Hinsicht labil. Auf Grund dieses Sachverhaltes und da er sich der Parteidisziplin nicht unterordnen wollte, wurde er im Oktober 1955 aus der Partei ausgeschlossen.»

Wie Jochen Staadt vom «Forschungsverbund SED-Staat» an der FU Berlin inzwischen publizierte («Im Umkreis der Antiautoritären hatte die Stasi keinen Agenten. Aus den DDR-Unterlagen über Infiltrationsmaßnahmen von SED, FDJ und MfS an der Freien Universität Berlin», Frankfurter Rundschau, 30.3.1995, S. 12), wurde Jochen Staritz vom MfS vor April 1965 als «GM Robert» geworben. Laut brieflicher Mitteilung Staadts vom 6.4.1995 will das «MfS selbst die Verbindung zu Robert im Jahre 1971 abgebrochen haben».

11 Das Pressecafé befand sich im ehemaligen Admiralspalast in unmittelbarer Nähe des Bahnhofs Friedrichstraße – ein beliebter Ort für Stasi-Treffs. Staritz betont, daß er Kant erst bei seinem Prozeß vor Gericht wiedergesehen habe. Eine Begegnung mit einem Mitarbeiter eines «Amtes für Information» habe es für ihn weder im Pressecafé noch sonstwo gegeben.

12 Horst Krüger, *17.4.1929, seit 30.6.1954 Sachbearbeiter in der Abt. V des MfS, seit 31.1.1956 im Rang eines Leutnants.

Staritz bemerkt, daß ihm ein Herr Krüger nie begegnet sei.

13 Ein «Amt für Informationen» gab es 1957 überhaupt nicht – wahrscheinlich Mystifikation für eine Dienststelle des MfS, die für West-Spionage zuständig war. Bis Ende 1952 hatte es ein «Amt für Information» gegeben, aus dem dann das «Presseamt beim Ministerpräsidenten» als Organ des Ministerrats hervorging.

2. Vermerk über einen Kontaktversuch mit Hans-Joachim Staritz (19. 8. 57)

Berlin, den 19. 8. 57

Vermerk
Trotz mehrfacher Einladungen ist ⟨Staritz⟩ nicht beim Gen. Kant erschienen.

Dadurch war es auch nicht möglich, den Kontakt zu ⟨Staritz⟩ herzustellen.

⟨Staritz⟩ ist während der Zeit der Weltfestspiele mit in Moskau gewesen.[1]

Er ist offensichtlich durch eine Bekanntschaft mit ⟨...⟩ zu dieser Reise gekommen.

Gen. Kant wird weiterhin mit ⟨Staritz⟩ Verbindung halten.

Krüger

---

1 Analog dazu heißt es in einem «Zwischenbericht» zum Fall Jochen Staritz der Abt. V/6 vom 26. 2. 1958: «In Moskau, während der VI. Weltfestspiele, kam St. mit einem Funktionär der sozialistischen Arbeiterpartei Amerikas zusammen. Über den Inhalt dieses Gesprächs ist nichts bekannt.»

3. Treffbericht:
Nach der Flucht von Alfred Kantorowicz
(14.10.57)

Abteilung V/6   Berlin, den 14.10.1957
KP[1] Kant
Zeit: 11.10.57
       14,00–16,00 Uhr
Ort: Arbeitszimmer
Mitarbeiter: Krüger

Treffbericht

Über erfüllte Aufgaben konnte die Kontaktperson nichts berichten. Da die KP Assistent am Germanistischen Institut[2] ist, behandelte das Gespräch in erster Linie Fragen zum Problem ⟨Kantorowicz⟩[3]. Die KP konnte folgendes mitteilen: ⟨K.⟩ ist auf großen Umwegen verwandt mit dem schon bekannten ⟨Bieler⟩[4]. Diese Verwandtschaft ist aber nicht von Bedeutung gewesen für den Verkehr der beiden Personen miteinander. Enge Bindungen zwischen ihnen oder überhaupt andere Beziehungen, als die zwischen Lehrer und Lernendem, haben nicht bestanden.

Seine Wertsachen hat ⟨K.⟩ angeblich bei einem Freund in Westberlin untergebracht. Dabei handelt es sich wahrscheinlich um ⟨Richard Drews⟩[5], der Mitglied des Pen-Zentrums ist.

Weiterhin soll ⟨K.⟩ eine Liebschaft gehabt haben mit einer Studentin ⟨...⟩. Näher ist diese Studentin nicht bekannt.

Die ehemalige Hausangestellte von ⟨K.⟩ war in der letzten Zeit bei ⟨Lore Kaim⟩[6], ebenfalls als Hausangestellte tätig. Da ⟨Lore Kaim⟩ irgend eine Abneigung gegen die Hausangestellte hegt, trägt diese sich jetzt mit dem Gedanken, bei der VP eine Beschäftigung aufzunehmen. Von ⟨Kantorowicz⟩ selbst wurde geäußert, im Beisein unserer KP, daß er finanziell runter wäre, was darauf zurückzuführen sei, weil er sich ein Haus gekauft hat.[7]

Von ⟨K.⟩ wurde zu unserer KP gesagt, daß er aus Tradition und Liebe bei der Sache wäre. Früher wäre er noch Kommunist gewesen.

Zur Situation bei den Germanisten berichtet die KP, daß es im wesentlichen 2 Gruppen gibt. Eine Gruppe, die die Linie der Partei vertritt und offen und ehrlich auftritt, die zweite Gruppe, die offensichtlich mit 〈Kantorowicz〉 sympathisiert, aber nach außen hin den neutralen oder fortschrittlichen spielt. Am deutlichsten zeigt sich dies bei den Studenten, wo klar zu erkennen ist, daß sie zwar für 〈K.〉 keine positiven Äußerungen abgeben, aber doch seine Weisungen, die er über den Rundfunk oder über Publikationsorgane[8] gegeben hat, befolgen.

Die Gruppenbildung unter den Wissenschaftlern umfasst einmal als negative Gruppe den größten Teil der parteilosen Dozenten und reicht auch bis in die Reihen der Genossen. So ist man sich z. B. über die Haltung der Genossin 〈...〉 völlig unklar. Die maßgebenste Rolle unter den negativen Kräften spielen die parteilosen Wissenschafter 〈Schneider〉[9] und 〈Wruck〉[10]. Sie äußern sich zwar nicht offen, aber es ist deutlich zu erkennen, daß sie lenken. 〈Dr. Erwin Arndt〉[11] ist der Meinung, daß die Rede von 〈K.〉 über die westlichen Rundfunksender seine beste war, die er überhaupt gehalten hat.

Zur Vorbereitung der Kulturkonferenz[12] teilte der GI noch mit, daß im allgemeinen unter Schriftstellern, Künstlern, Germanisten usw. Angst besteht vor dem sogenannten neuen Dogma. Unter den bürgerlichen Wissenschaftlern bei den Germanisten wird befürchtet, daß von nun an nur noch die sozialistische Literatur erscheinen wird und bürgerliche Menschen mit ihren Ansichten überhaupt nicht mehr zu Wort kommen.

Der Schriftsteller 〈Joho〉[13] äußerte sich bei einer vorbereitenden Konferenz zur Kulturkonfernz, was hier vorgetragen wird, ist ein Katalog von Forderungen. Er meinte damit die Ansichten der Partei über die Aufgaben der Kultur und vertrat die Meinung, daß man keineswegs damit einverstanden sein könne.

Nach Ansicht der KP ist 〈Joho〉 nicht der Einzige der diese Meinung vertritt, sondern unter den Schriftstellern ist weithin die Ansicht verbreitet, daß man sich damit abfinden muß, wenn die Partei Wirtschafts- und Staatspolitik bestimmt, aber in der Kultur hat die Partei nicht mitzureden, denn das sei Aufgabe der dazu berufenen Kräfte.

Im Anschluß wurde mit der KP noch über viele persönliche Fragen gesprochen, wobei die KP auch die Mitglieder der Redaktion der Zeitung für die TU und FU bekannt gab. Es handelt sich um die Genossen 〈...〉, 〈...〉, 〈...〉, 〈...〉, 〈...〉, 〈...〉, 〈...〉.[14]

Maßnahmen:
Auszüge an Gen. Kotek und Lehmann sowie an die Hauptabteilung.
Nächster Treff wird telefonisch vereinbart.

Krüger

---

1 KP = Kontaktperson des MfS.
2 Laut «Abspann», S. 249, hatte Kant seine Assistentenstelle schon im
  Juni 1957 aufgegeben, «weil Chefredakteursamt und Journalismus
  auf mich warteten».
3 Alfred Kantorowicz, *12. 8. 1899, †27. 3. 1979, Schriftsteller und Literaturwissenschaftler. Kantorowicz war von 1936–38 Offizier der Roten Brigaden im spanischen Bürgerkrieg. Den Zweiten Weltkrieg
  überdauerte er im New Yorker Exil als Chef der Abteilung Auslands-
  nachrichten bei Radio CBS und als Mitarbeiter des «Aufbau». Seit
  1946 in Ost-Berlin, 1947–49 Herausgeber der Zeitschrift «Ost und
  West», seit 1950 Professor an der Humboldt-Universität, seit 1955
  Direktor des Germanistischen Instituts und des Heinrich-Mann-Ar-
  chivs. Nach dem ungarischen Volksaufstand vom Herbst 1956 fühlte
  sich Kantorowicz selbst bedroht. Er weigerte sich, eine Ungarn-Reso-
  lution zu unterschreiben, und bat, da er eine Haussuchung fürchtete,
  am 22. 8. 1957 in West-Berlin um politisches Asyl. Seine Publikationen in der DDR: «Portraits» (1947), «Spanisches Tagebuch»
  (1948), «Suchende Jugend» (1949), «Vom moralischen Gewinn der
  Niederlage» (1949), «Deutsche Schicksale» (1949), «Die Verbünde-
  ten» (1951), «Heinrich und Thomas Mann» (1956), «Meine Kleider»
  (1957). Das «Problem Kantorowicz» bestand in seiner Flucht aus der
  DDR und in dem Aufsehen, das sie erregte.
4 Manfred Bieler, *3. 7. 1934, der spätere Autor, hatte an der Humboldt-Universität u. a. bei Alfred Kantorowicz Germanistik studiert
  und ein Examen als Diplom-Germanist abgelegt. Kant war mit Bieler
  aus dem germanistischen Seminar bekannt. S. «Abspann», S. 335:
  «Obwohl oder weil mich mit Manfred Bieler eine etwas gespannte und
  sehr amüsante Freundschaft verband, solange wir in derselben Häu-
  serzeile der Pankower Dietzgenstraße wohnten und in derselben Seminargruppe das Studium der Germanistik betrieben, versuchte ich
  stets, etliche Bahnen früher als er in die Stadt zu kommen, weil sonst
  unseres ungenierten Schwadronierens kein Ende und meinem literarischen Sinnieren kein Anfang war.»
  Die Verwandtschaft Alfred Kantorowiczs mit Manfred Bieler ist
  eine reine Erfindung.

5 Richard Drews, *17.3.1902, † nach 1981, Publizist, «Gesänge an Gott» (1931), «Nebengeräusche» (1931), «Ewiges Sternbild» (1934), «Der bezaubernde Gatte» (1942), «Alle Tage neue Freuden» (1944), «Mit gesträubter Feder» (1949), «Gottfried Keller» (1953).

Kantorowicz erwähnt ihn in seinem «Deutschen Tagebuch» mehrfach, weil er mit ihm 1947 bei Ullstein-Kindler einen Band «Verboten und Verbrannt» herausgegeben hat: «Richard Drews, ein guter Literaturkenner und Publizist, der ehrenhaft im Lande überdauert hat, soll die Namen und Textproben der inneren Emigration so vollständig wie möglich zusammenstellen; ich die der exilierten Schriftsteller» («Deutsches Tagebuch», Erster Teil, Berlin 1978, S. 321).

Drews war nicht Mitglied des PEN.

6 Lore Kaim war offenbar eine Mitarbeiterin des Verlags Rütten und Loening. Kant erwähnt sie im «Abspann», S. 103: «Lore Kaim, in der langen und ruhmreichen Reihe von Verlagsmitarbeiterinnen, welche sich meiner hilfreich angenommen haben, die allererste (...)».

7 S. «Abspann», S. 250: «Am Anfang des Sommers, gegen dessen Ende er die Staaten wechseln sollte [1957], tauschte er [Kantorowicz] seine Wohnung, zog in ein großes Haus in Niederschönhausen, und ich half ihm beim Einräumen seiner Bücher.»

8 Kantorowicz gab unmittelbar nach seiner Flucht, am 22.8.1957, im Sender Freies Berlin eine Erklärung über die Gründe seiner Flucht ab. Diese Erklärung wurde vom Berliner «Tagesspiegel» am folgenden Tag in voller Länge abgedruckt.

9 Gerhard Schneider, *1.12.1929, war von 1954 bis 59 Lehrbeauftragter für «Deutsche Philologie» an der HU.

10 Peter Wruck, *1932, war Assistent am Germanistischen Institut der HU.

11 Dr. Erwin Arndt, *28.2.1929, Assistent und Lehrbeauftragter für «Deutsche Philologie» an der HU.

12 Die Kulturkonferenz der SED fand am 23. und 24.10.1957 statt. Zu dem Referat von Alexander Abusch, der Selbstkritik von Bodo Uhse und dem Referat von Wilhelm Girnus s. «Dokumente zur Kunst-, Literatur- und Kulturpolitik der SED», hg. von Elimar Schubbe, Stuttgart 1972, S. 489–511. Die erste Forderung von Abusch lautete: «Die ideologische Offensive für die Ideen des Marxismus-Leninismus muß von allen Genossen verstärkt entwickelt werden, um bei allen Kulturschaffenden Klarheit über die historische Rolle unseres Arbeiter- und Bauernstaates und über unsere große sozialistische Perspektive zu schaffen ... » (a.a.O., S. 494).

13 Wolfgang Joho, *6.3.1908, †12.2.1991, Erzähler, Essayist, Literatur-

kritiker, 1947–1954 Redakteur des «Sonntag», seit 1954 freier Schriftsteller, «Die Hirtenflöte» (1948), «Jeanne Peyrouton» (1949), «Aller Gefangenschaft Ende» (1949), «Die Verwandlungen des Dr. Brad» (1949), «Zwischen Bonn und Bodensee» (1954), «Wandlungen» (1955), «Traum von der Gerechtigkeit. Die Lebensgeschichte des Handwerksgesellen, Rebellen und Propheten Wilhelm Weitling» (1956).

14 Von sieben hier genannten Mitarbeitern von «tua res» wurden später anscheinend nur Klaus Korn und Harald Wessel bekannter; s. dazu Anm. 4 und 5 zum Treffbericht vom 12.11.1958.

4. Ermittlungsbericht über Hermann Kant (29.10.57)

Regierung der   Geheim
Deutschen Demokratischen Republik
Ministerium für Staatssicherheit
Verwaltung
Hauptabteilung VIII[1]
Referat II   Berlin, den 29.10.1957
(...)

An die Abteilung V/6/II Sachbearb. Nistler[2]
                    Ermittlungsbericht

Es sollte ermittelt werden: Kant, Hermann, Bln.-
                            Hohenschönhausen,
                            Gottfriedstr. 23

                            Laut Auftrag!

Es wurde ermittelt: Kant, Hermann, Paul, Karl
                    geb. am 14.6.1926 in Hamburg/Altona
                    Familienst.: verheiratet
                    Beruf: Elektriker
                    Staatsangeh.: Deutschland

wohnhaft seit 13.10.55 Bln.-Hohenschönhausen,
Gottfriedstr. 23
bei ⟨...⟩ vorher: von Greifswald, Str. d. Nat. Einheit 38
seit 15.9.52 Bln.-Niederschönhausen, Uhlandstr. 6 ⟨...⟩
seit 8.9.53 Bln.-Niederschönhausen, Dietzgenstr.

Laut Auftrag ist der Kant als wiss. Assistent im Germ. Institut der Humboldt-Universität beschäftigt.[3] Nach Angaben der Kartenstelle ist er als Mitarbeiter bei der Sozialistischen Einheitspartei Deutschlands in der Bezirksleitung in Berlin W 8, Behrendstr. tätig.

Kant ist Mitglied der SED und hat eine positive Einstellung zum Arbeiter- und Bauernstaat. Wie die Befragte mitteilte, hat er im Wohngebiet geäußert, daß er dem Staat dankbar ist, daß er studieren durfte. Im Wohngebiet besucht er sehr selten die Versammlungen, da er beruflich sehr in Anspruch genommen wird. Bei Diskussionen kommt stets seine positive Einstellung hervor. Bei Sammlungen beteiligt er sich ständig und gibt meist einen Betrag von ca. 2,– bis 4,– DM.

Im Wohngebiet hat er einen sehr guten Leumund. Etwas Nachteiliges über ihn ist nicht bekannt geworden. Er lebt sehr zurückgezogen und pflegt keinen engeren Kontakt zu den Bewohnern, außer zu der Familie ⟨...⟩. Herr ⟨...⟩ ist wohnhaft in Bln.-Hohenschönhausen, ⟨...⟩.

Er ist angehender Arzt und Mitglied der SED. Seine Einstellung ist positiv und er diskutiert auch in diesem Sinne. Beide Familien sind miteinander befreundet und verkehren zusammen.

Andere Verbindungen sind nicht bekannt geworden.

Zu den Mietern ist der Kant stets freundlich.

Er ließ sich bisher noch nichts zu schulden kommen. Seine finanziellen Verhältnisse werden als sehr gut geschildert. Ob er über seine Verhältnisse lebt, ist den Befragten nicht bekannt, da er zur Untermiete mit seiner Frau wohnt.

Übers Wochenende fährt er meist mit seiner Frau in die Nähe von Eberswalde, wo sich das Kind bei den Eltern der Ehefrau aufhält. Sie fahren sonnabends weg und kehren montags zurück.

Über Westverbindungen[4] ist den Befragten nichts bekannt.
(...)

Sarge[5]
Referatsleiter
– Leutnant –

---

1 Die Hauptabteilung VIII war zuständig für Beobachtung / Ermittlung.
2 Die Hauptabteilung V war in den fünfziger Jahren der Vorläufer der späteren HA XX, die für den Staatsapparat, die Kunst, die Kultur und den Untergrund zuständig war.
   Wilhelm Nistler, *31.5.1931, seit 7.2.1957 Referatsleiter in der HA V, Abt. 6, Referat 2 im Rang eincs Oberleutnants.
3 Kant war zum fraglichen Zeitpunkt (29.10.1957) schon nicht mehr Assistent am Germanistischen Institut der Humboldt-Universität. In seinem «Abspann» (S. 249) berichtet er, er habe «zwei Monate» vor dem Verschwinden seines Lehrers Alfred Kantorowicz in den Westen, also um den 20.Juni 1957, «die Assistentenstelle zurück und die Wissenschaftslaufbahn» aufgegeben, «weil Chefredakteursamt und Journalismus auf mich warteten». Die Nummer 1 der von Kant redigierten Studenten-Zeitschrift «tua res» erschien im Oktober 1957.
4 Hermann Kants Mutter lebte aufgrund der Verhaftung ihres zweiten Mannes, Ernst Steinbeiß, und eigener kurzer Haft sowie der Beschlagnahmung ihrer Parchimer Wohnung damals schon seit ca. vier Jahren in Hamburg (s. «Abspann», S. 59).
5 Edeltraud Sarge, *26.7.1931, seit 7.2.1957 stellvertretende Referatsleiterin der Abt. VIII/2.

5. Aktenvermerk:
Ein Brief an Kantorowicz
(15.7.58)

Hauptabteilung V/6/II   Berlin, den 15.7.58

Aktenvermerk

Am 15.7.58 fand eine Zusammenkunft mit dem ehemaligen Oberassistenten des ⟨Kantorowicz⟩ und jetzigen Chefredakteur Kant,

Hermann im Café «Praha» statt. Diese war durch den Gen. ⟨Miethke⟩[1], Berl. Verw. vermittelt worden.

Es nahm noch der Gen. ⟨Nistler⟩ daran teil.

Wir sprachen über ⟨Kantorowicz⟩.

Kant berichtete, dass er wahrscheinlich von allen die besten Beziehungen zu ⟨K.⟩ unterhalten hat und er von diesem auch besonders gefördert wurde. Er habe z. b. von ⟨K.⟩ immer Bücher geschenkt bekommen, worin negative Stellen von ihm unterstrichen waren mit dem Hinweis, dass man sich das besonders merken müsse. Zu den ehemaligen Freunden des ⟨K.⟩ sagte er, dass dieser unter den Studenten niemanden gehabt hätte. Freundschaften des K. sei ihm besonders zu ⟨...⟩ und ⟨...⟩ bekannt. Wer j[e]tzt noch aus der DDR Verbindung zu K. hat weiss er nicht. Er selbst hat nach der Flucht des ⟨K.⟩ ebenfalls keine gehabt. Er kennt aber Studenten von der FU[2], die öfter zu ⟨K.⟩ fahren. Von diesen ist er erst vor kurzem gefragt worden, wie heute die offiziellen Stellen in der DDR zu ⟨K.⟩ stehen.

Kant erklärte sich bereit, uns in der Sache ⟨K.⟩ zu unterstützen und in unserem Auftrag Briefverbindung zu ihm herzustellen. Wir sprachen noch darüber, was der 1. Brief zu ⟨K.⟩ beinhalten soll. Kant ist bereit einen Entwurf bis morgen fertigzustellen. Er erklärte sich mündlich bereit über die Angelegenheit zu schweigen.

Wir vereinbarten eine neue Zusammenkunft in seiner Redaktion[3] am 16. 7. 58, 10 Uhr.

Ni[4]   *Dreier*[5]

---

1 Herbert Miethke, *4.2.1931, war seit Nov. 1956 operativer Mitarbeiter der Abt. V bei der MfS-Verwaltung von Groß-Berlin.
2 Freie Universität in West-Berlin.
3 Die Redaktion von «tua res» war im fünften Stock eines «inzwischen längst abgerissenen Behelfsbau[s] Ecke Friedrich- und Behrenstraße» in Ost-Berlin untergebracht (s. «Abspann», S. 245).
4 Namenskürzel des Sachbearbeiters Nistler von der Abt. V/6/II.
5 Lothar Dreier, *21.3.1931, seit 1.1.1956 Sachbearbeiter der HA V/6/ 2 im Rang eines Leutnants.

6. Aktenvermerk:
Ein Brief an Kantorowicz
2 (17. 7. 58)

Hauptabteilung V/6/II   Berlin, den 17. 7. 58

Aktenvermerk

Am 16. und 17.7.58 fanden in der Redaktion der Zeitschrift «Tua res» weitere Zusammenkünfte mit der KP Kant statt.

Am 16. übergab mir die KP nur einen Briefentwurf[1] an ⟨Kantorowicz⟩, den ich ihm am 17.7. zurückbrachte und ihm sagte, dass wir mit diesem Entwurf einverstanden. Er wird diesen Brief am 18.7. an ⟨K.⟩ abschicken und zwar über den Kindler-Verlag München.[2]

Ich wies nochmal daraufhin, dass er über diese Angelegenheit unbedingt schweigen muss, was er auch versprach.

Während der Gespräche mit der KP, dass er mir, dass man dem Gen. Singer, Parteisekretär der HU, sagen müsste, dass er in unserem Auftrag an ⟨K.⟩ schreibt. Er befürchtet, dass Gen. Singer das erfahren könnte und es sonst zu Komplikationen führen könne, z. b. wenn ⟨K.⟩ den Brief in Westdeutschland veröffentlicht oder erwähnt. Ausserdem sei er von der Partei in seine jetzige Tätigkeit eingesetzt.[3] Ich erklärte ihm, dass das nicht angebracht ist und wenn Gen. Singer das doch erfährt, dann ist immer noch Zeit, dass wir ihm das mitteilen. Er solle sich keine Sorgen machen und wenn es tatsächlich zu Komplikationen kommt werden wir das schon bereinigen. Ausserdem hat die Sache mit ⟨Kantorowicz⟩ nicht mit seiner jetzigen Arbeit zu tun.

Wir sprachen noch über ehemalige enge Freunde des ⟨K.⟩, wobei er der Meinung ist, dass man die, ⟨...⟩ und ⟨Dietzel, Ulrich⟩[4] nicht trauen kann.

Wir vereinbarten noch, dass wir uns in etwa 3 Wochen anrufen oder wenn der Brief eher beantwortet wird soll er mich gleich anrufen.

Vom 3.–27. 8. hat die KP Urlaub.

Er hat die Telefon-Nr. 22 25 67   *Dreier*

1 Das MfS suchte Kantorowicz nach seiner Flucht durch ehemalige Mitarbeiter und Bekannte brieflich ‹unter Kontrolle zu halten›. Kants Briefe (und die Entwürfe dazu) haben sich anscheinend nicht erhalten, wohl aber ein Entwurf Dieter Schlenstedts in dessen IM-Vorlauf-Akte, der Rückschlüsse auf die Strategie des MfS zuläßt. Schlenstedts Briefentwurf hat folgenden Wortlaut:

Sehr geehrter Professor ⟨Kantorowicz⟩,
ich will es gleich zu Beginn sagen: Dieser Brief wird mir nicht leicht werden. Noch ist das Papier leer – es soll aufnehmen, was besser nicht notiert, in der ungefähren Schwebe der Gedanken bliebe. Allzu widerstrebend und ungewiß sind Begebnisse und Gefühle, die zum Schreiben zwingen – unmöglich, sie hier ganz auszusprechen, unmöglich auch, sie ordentlich zu formieren. Ich fürchte für die Klarheit meines Wollens; ich kann nur hoffen, Sie werden mich verstehen – mich, der von Ihnen, K., lernte, der Sie, K., verehrte; mich auch, der Sie verdammte und aus der Erinnerung strich. Das war leichter gewollt als getan. Nun schreibe ich und will weder Solidarität bekunden, noch will ich anklagen, ich will einfach fragen.

   Gibt es ein Recht darauf? Ich glaube ja, weil es eine Anfrage ist, die aus der Hilflosigkeit herrührt, aus dem Zorn über eine Welt, die Eindeutigkeit so schwer macht, aus dem Versuch, dem tödlichen Widerspruch des eigenen Ich zu entrinnen. Ich glaube ja, weil sie aus der Hoffnung herrührt, auf bedenkenlos ehrliche Äußerung menschliche Antwort zu erhalten; Antwort, die aus tiefem schmerzhaftem Erleben stammt, Antwort von einem, der aus dem Widerstreit von Ideal und Wirklichkeit eine Konsequenz gezogen, dem schwebenden, traumhaften Warten auf irgendein Später ein Ende bereitet hat.

   Ich erinnere mich noch gut an jenen Artikel Thomas Manns, den Sie Ihrem Briefband «Suchende Jugend» programmatisch voransetzten. Seine Worte haben mich damals – tief berührt, und sie sind bis heute gültiger Ausdruck der großen Aufgabe geblieben, die immer noch nicht zu lösen war: ein lebenswürdiges Gleichgewicht zwischen Freiheit und Gleichheit zu finden; zwischen der anarchischen, räuberischen Gefährdung, die der Freiheit, und dem Ansatz zum Despotismus, der der Gleichheit innewohnt. Ist es doch so, daß die hier signalisierten Gefahren sich in Deutschland staatlich fixierten und ihre Tendenz zum Unmenschlichen auf bedrohliche Weise entfalten.

   Hier strebt auseinander, was zusammengefügt werden sollte, und es ist keine Zuversicht, den Ausgleich zu erreichen. Wie soll sich da der einzelne verhalten, der das Bewußtsein besserer Zukunft in sich bewahren möchte, der an einem Sozialismus hängt, welcher die Rechte des Individuums (so ähnlich, glaube ich, lautete das Credo Manns in seinem Artikel) behütet? Ist dieses Gleichgewicht zu verwirklichen, ist die Forderung danach überhaupt ansprechbar in der Reglementierung, ja Aufhebung der Freiheit wie der Gleichheit hier und dort? Erheben doch beide Pole Anspruch auf Unbedingtheit, reißen sie doch das in Untätigkeit verzweifelnde Mittelfeld durch die Übermacht ihrer Ströme auseinander, machen es so schmal, daß ein einziger Schritt genügt, es zu verlassen. Aber kann man so leben?

Will man sich nicht bewähren, handeln? Man tut es. Ich versuche es in einem Beruf, der unentschiedene Rücksicht auf technische Handfertigkeit nicht zuläßt, der Bekenntnisse verlangt. Also bekenne ich mich, aber immer im Zweifel, immer mit dem Wissen um den großen Fehler in diesem Tun und zugleich in der Erkenntnis, daß ein anderer Weg verschlossen ist.

Verschlossen? Auch Sie handelten, und lebten Sie nicht vor, was einzig hier zu tun ist? Öffneten Sie nicht ein Tor? Ich weiß es nicht, ich ahne nur, daß Sie es endgültig zugeschlagen haben, daß Sie nicht ein nachahmenswertes Beispiel gaben, sondern ein abschreckendes; daß Ihr Schritt demonstrierte: die ersehnte, gefürchtete Befreiung gibt es nicht. Da Sie den Grat verbreitern wollten, auf dem Sie – und nicht nur Sie, wir alle – stehen, haben Sie gezeigt, daß er unbegehbar ist.

Dreimal wurde ich in der letzten Zeit von außen an Sie erinnert: durch einen Rundfunkvortrag und zwei Zeitungsartikel – halb durch Zufall geschah es und halb gesucht und Sie wissen, wie selten hier solcher Zufall und wie schwer solche Suche ist. Ich habe Ihr Buch nicht gelesen (noch nicht, leider habe ich es mir noch nirgendwo ausleihen können). Ich mache mir ein Bild aus Anzeichen, und ich hoffe, es ist ähnlich. Das ergibt sich nun: Da sind Sie – von den einen, mit denen Sie auf vertrackte Art von einer tief verwurzelten Sympathie zur Sache verbunden sind, als Verräter verschrien; von den anderen aber, von denen Sie vielleicht nichts anderes wollten als das Recht auf freie, ungegängelte Äußerung, nicht in Ruhe gelassen und gezerrt, ihrem ganzen Leben – nicht nur seinen Formen, auch seinem Inhalt – abzuschwören.

Werden Sie nicht gemahnt, es genüge nicht, nur den Auswüchsen abzusagen, es müsse nun die Verdammung all dessen folgen, was Ihnen gut erschien? Werden Sie nicht angeklagt, daß Sie keine Beichte ablegen, nicht um Verzeihung bitten? Wird Ihnen nicht prophezeit, gedroht, es werde deshalb auch keine Absolution gegeben? Viel Erwartung wird nun gehegt, wie der zweite Abschnitt Ihres Tagebuches aussehen wird, und es wird verlangt, daß Sie sich zur Gegenseite schlagen, um anerkannt zu werden.

Werden Sie es tun? Jetzt schon? Werden Sie es tun, wenn der letzte Brief von Thomas Mann verkauft sein wird? Oder aber: haben Sie es nicht schon getan? Haben Sie nicht, indem Sie sich im Niemandsland ansiedeln wollten, schon den Graben gewechselt? Sind Sie nicht ungewollt zur Waffe geworden in der Hand von Leuten, deren Absichten allzudeutlich sind? und nicht die Ihren?

Ich muß einhalten, ich merke, daß ungerecht wird, was ich sage. Aber lassen Sie es mich aussprechen und verzeihen Sie mir. Zu groß ist die Bitterkeit schon geworden, als daß sie glatten Ton vertrüge. Die Einsamkeit, in der die Zerrissenheit unseres Landes die Seele quält, ist zu leer, als daß sie nicht einmal zersprengt werden müßte mit der Frage: Was also soll man tun?

Es grüßt Sie Ihr

2 Im Ullstein-Kindler-Verlag hatte Kantorowicz 1947 den Band «Verboten und Verbrannt» herausgegeben.

3 Vgl. die entsprechende Passage in «Abspann» (S. 246), laut der Kant einem Emissär des MfS bei einem Werbeversuch erklärt haben will,

man habe ihn hinsichtlich «tua res» «mit einem klaren Dienstauftrag versehen».

4 Ulrich Dietzel, Literaturwissenschaftler. Er merkte zu dieser Passage an: «Mich übernahm Kantorowicz nach dem Examen 1955 in das von ihm geleitete Heinrich-Mann-Archiv der Deutschen Akademie der Künste. Er wollte zwar, daß ich am Institut bleibe, d. h. in eine Aspirantur gehe, aber das wollten andere nicht, ich auch nicht. (...) Ich war nicht gewillt, die Stasi zu bedienen, als sie mich auf Kantorowicz nach seiner Flucht ‹ansetzen› wollte (...)».

7. Treffbericht:
Information über Andreas Simonides
(30. 10. 58)

Abteilung V/6   Berlin, den 30. 10. 1958
KP Kant   Mitarbeiter: Kotek[1]
30. 10. 1958
8,30–9,00 Uhr
Wohnung der KP

Treffbericht

Am 20. 10. 1958 rief die KP an und teilte mit, daß sie eine wichtige Information habe. Aufgrund dessen wurde für den 30. 10. ein Treff vereinbart.

Die KP teilte mit, daß sie durch den ⟨Behse, Wolfgang⟩[2], Westberliner Fotograf, Genosse der SED, folgendes erfahren hat. Der ⟨Behse⟩ war am Montag mit der ⟨Hoffmann, Ulla⟩[3] bei der Mutter der ⟨...⟩. Dort erschien der republikflüchtige ⟨Simonides, Andreas⟩[4]. Er teilte mit, daß er bei seinem Schwiegervater in Westberlin wohnt und bei diesem auch arbeitet (Siemensstadt). Er war beim Senator für Flüchtlingsfragen und dieser hat ihm gesagt, ob er denn zum Amerikaner gehen will. Aufgrund dessen ist er zum amerikanischen Geheimdienst in die Clay-Allee 145 und eine andere Stelle gegangen. Er war dort 3 Tage hintereinander, wahrscheinlich Mittwoch, Donnerstag und Freitag vergangener Woche. Dort hat er umfangreiche

75

Aussagen gemacht. Als die besten Freunde hat er ⟨Borkowski, Dieter⟩[5] (Schriftsteller) und ⟨...⟩ angegeben.

Am Abend des gleichen Tages waren sie bei der Familie ⟨Simonides⟩ in Westberlin. Dort waren weiterhin anwesend die Frau des ⟨...⟩, ⟨...⟩, ehemals Student für Germanistik, jetzt Berliner Rundfunk, ⟨...⟩, Akademie der Wissenschaften und ein gewisser ⟨...⟩ o. ä., Westberliner.

Nähere Angaben über diese Personen konnte uns die KP nicht geben. Am gestrigen Abend sollten sie alle wieder zusammenkommen. Diese Zusammenkunft sollte in der Wohnung des Simonides stattfinden. Der ⟨Behse, Wolfgang⟩ wollte auf dieser Zusammenkunft mit dem ⟨Simonides⟩ brechen. Er wurde aber von der KP beauftragt dort hin zu gehen, um ihn über die Gespräche berichten zu können.

Der KP wurde gesagt, daß dieses richtig war.

Aufgaben:
Sofort nach Bekanntwerden weiterer Einzelheiten bei uns anrufen, um einen Treff durchzuführen.

Maßnahmen:
1. Es ist zu entscheiden, ob die Angelegenheit von der HA V oder von uns bearbeitet werden soll.
   ⟨...⟩ liegt für die HA V ein, da er von dort als GI angeworben wurde.
   ⟨...⟩ wurde von uns im Zusammenhang mit dem Vorgang [...] bearbeitet.

Bei der Entscheidung, daß wir die Sache ⟨S.⟩ bearbeiten, sind folgende Maßnahmen sofort durchzuführen:
1. Anlegen eines neuen ÜV[6]
2. Aufklärung aller Personen die um ⟨Simonides⟩ verkehren.
3. Aufklärung des ⟨...⟩, Kontakt aufzunehmen zu ihm, um mit dessen Hilfe eine Festnahme des ⟨Simonides⟩ durchzuführen.

Kotek
Unterleutnant

1. Maßnahme
Mit HA V/6 Gen. Dreyer[7] klären wer bearbeitet.
Diesbezüglich Rücksprache hier bei mir.
Zu ⟨...⟩ : Mir persönlich bekannt; aus
einer Äußerung von ihm ist
mir bekannt, daß er bereits
Aufträge für das MfS erledigt hat,
bezw. mit einem Mitarbeiter
des MfS zusammenarbeitet.

[Unterschrift]

KP «Kant» ist KP des Gen. Dreyer – Gen. Herbert Müller kennt ihn
persönlich.

[Unterschrift]

---

1 Gerhard Kotek, *14.5.1934, seit 1.10.1955 Hilfssachbearbeiter in der Abt. V im Rang eines Unterleutnants.
2 Wolfgang Behse laut der Akte Dieter Borkowskis seit ca. 1958 als «IM Otto» inoffizieller Mitarbeiter des MfS.
3 Zu Ulla Hoffmann-Ostwald, seit 1957 verheiratete Behse, s. Anm. 6 zum Bericht vom 5.7.1957.
4 Andreas Simonides, *21.1.1932, †15.8.1985, Studium der Germanistik an der Humboldt-Universität, 1957/58 Mitarbeiter an der Akademie der Wissenschaften der DDR. Im Gefolge des politischen Prozesses gegen Jochen Staritz (Urteil: acht Jahre Haft) am 15.10.1958 nach West-Berlin geflohen. Dort Studium der Altphilologie, seit 1.10.1962 Mitarbeiter im Verlag Ullstein-Propyläen.
5 Dieter Borkowski, *1.11.1928, Journalist und politischer Publizist («Wer weiß, ob wir uns wiedersehen», 1980, «Für jeden kommt der Tag...», 1981, «In der Heimat, da gibt's ein Wiedersehn», 1984). Das MfS führte unter dem Decknamen «Aufweicher» einen Operativ-Vorgang gegen ihn und verhaftete ihn am 9.6.1960. Am 3.4.1961 verurteilte ihn der Erste Senat des Stadtgerichts von Berlin «wegen fortgesetzter staatsfeindlicher Hetze» zu zwei Jahren Zuchthaus ohne Bewährung, die er bis zum 9.6.1962 verbüßte.
6 ÜV – Überwachungsvorgang.
7 Gemeint ist wohl Leutnant Lothar Dreier.

8. Treffbericht:
Simonides, Kantorowicz und «tua res»
(12.11.58)

Hauptabteilung V/6/II   Berlin, den 12.11.58
Treffbericht

Am 12.11.58 – 14–15 Uhr – wurde in der Redaktion der Zeitung «tua res» ein Treff mit der KP Kant durchgeführt.

Wir sprachen nochmal über die Mitteilung, die er uns am 30.10.58 machte. Zusätzlich teilte er mit, dass ⟨Simonides⟩ ausser beim Amerikaner in der Clay-Allee noch in dem Haus Harnack-Str. 12 war. Dort soll sich ebenfalls eine Stelle des Amerikanischen Geheimdienstes befinden.

Er hat das ebenfalls von dem ⟨Behse⟩ erfahren. Nach seiner Meinung sind die Angaben des ⟨Behse⟩ glaubwürdig. Die gleichen Angaben habe ihm die ⟨Hoffmann, Ulla⟩ ebenfalls erzählt. Er selbst schätzt den ⟨Behse⟩ politisch naiv ein. Trotzdem habe er als einziger der Gruppe[1] erkannt, was gespielt wird. Behse wäre ehrlich. Er erhält öfter Aufträge von der KP, Aufnahmen für die Zeitschrift «tua res» durchzuführen.

Über die ⟨Ulla Hoffmann⟩ berichtete der GI, dass diese hinter den ⟨Simonides⟩ hertrauert. Auf ihrem Arbeitsplatz hat sie ein Bild von ihm aufgestellt.

Weitere Angaben über diese Angelegenheit kann er im Augenblick nicht machen.

Wir sprachen weiterhin über die Fragen zu ⟨Kantorowicz⟩. Er kann es nicht verstehen, dass ⟨K.⟩ ihm nicht geantwortet hat und nimmt an, dass ⟨K.⟩ den Brief nicht erst bekommen hat.[2] Die KP war von sich aus bereit nochmal einen Brief zu schreiben, aber an die direkte Adresse des ⟨K.⟩ Aus diesem Grunde erhielt er von mir folgende Adresse:

⟨Kantorowicz, Alfred⟩
München, Prinz-Regentenstr. 16

Den Brief will er Ende dieser Woche schreiben.

Wir sprachen weiter über unsere weitere Zusammenarbeit. Wobei ich ihm erklärte, dass diese vor allem regelmässiger sein müsste und vor allem dazu dienen soll uns gegenseitig zu unterstützen. Wir könnten ihm ev. helfen mit seiner Zeitschrift, besonders was deren Sicherheit anbetrifft, er könnte uns über alle Vorkommnisse an der FU informieren, besonders was die Tätigkeit des Feindes anbetrifft und die Herstellung von Verbindungen nach hier. Er war damit einverstanden, dass wir uns regelmässig alle 3 Wochen treffen.

Als ich eine schriftliche Verpflichtung von seiner seite andeutete, war er der Meinung, dass das nicht notwendig sei. Er habe von seiten der Partei sowieso eine Vertrauensstellung und er gibt uns auch ohne Verpflichtung alles, was wir brauchen, das hat er schon den Genossen ⟨Krüger⟩[3] einmal gesagt.

Wir kamen dann auf seine Redaktion, «tua res» und ihre Arbeitsweise in Westberlin zu sprechen. Es kam dabei zum Ausdruck, dass die KP Angst hat, wenn sie uns etwas über die Redaktion mitteilt, dass wir uns in die Arbeit der Redaktionsmitglieder oder deren Verbindungen nach drüben einschalten könnten und dann die Verbindung mit uns bekannt werden könnte. Als er seine jetzige Aufgabe übernommen hat, wurde ihm vom Gen. ⟨Singer⟩[4] eingeschärft, nichts mit uns zu unternehmen, was die Arbeit der Zeitschrift in Westberlin gefährden könne. Desgleichen hat ihm ⟨Singer⟩ damals gesagt, dass er, wenn man von uns aus an ihn herantritt, er nichts Schriftliches geben soll.[5]

Von sich aus hat er aber gegen eine grundsätzliche Zusammenarbeit mit uns nichts einzuwenden, er hofft dabei, das auch für seine Redaktion ein Nutzen rausspringt in den Fragen der Absicherung und ev. in der Frage von Material für den Ausdruck. Ich erläuterte ihm, das wir tun werden was wir können und das das aber auf Gegenseitigkeit beruht. Dabei wies ich eindringlich daraufhin, dass es aus Gründen der Sicherheit, besonders seiner Person, notwendig ist, das niemand von unserer Zusammenarbeit erfährt, auch der Gen. ⟨Singer⟩ nicht. Er versprach das einzuhalten.

Zu seiner Redaktion und ihrer Arbeit in Westberlin berichtete er folgendes:

Die Redaktion selbst setzt sich zusammen aus

1. Die KP selbst
2. ⟨Wessel, Harald⟩[6]
   Aspirant an der Philesophischen Fakultät
   der Humboldt-Universität

3. ⟨Korn, Klaus⟩ [7]
   Assistent am Institut für Politische Ökonomie
   der Humboldt-Universität

Die Redaktion hat umfangreiche Verbindungen nach Westberlin, besonders zur FU. Die Arbeitsweise ist so, dass man unter den Studenten der FU oder anderen angehörigen der FU Zirkel bildet, in denen man den Marxismus studiert bzw. lehrt. Zu den Mitgliedern der Zirkel gehören zum Teil einflussreiche Personen der FU mit denen man bereits soweit ist, dass bestimmte politische Massnahmen an der FU mit ihnen abgesprochen werden, z. b. im Kampf gegen den Atomtod wurden Massnahmen mit dem Vorsitzenden des ASTA ⟨...⟩ abgesprochen, der dann auf Grund dessen im Oktober oder Anfang Nov. gegen den Rektor der FU offiziell aufgetreten ist, als dieser die Atom-Abstimmung verbot (...)

Weiterhin bestehen Verbindungen zur Zeitschrift des SDS (Redaktion «Standpunkt»)

Man beabsichtigt jetzt noch einen Zirkel un[ter] Jungen Sozialisten (Falken) zu bilden und unter den Architekten der FU.

Die KP will zum nächsten Treff nähere Angaben zu den genannten personen mitbringen.

Wir vereinbarten, dass er ebenfalls zum nächsten Treff von bisher erschienen Nummern der «tua res» 2 Exemplare mitbringt und wir diese auch in Zukunft erhalten.

Die Redaktion bekommt ebenfalls oft annonyme Briefe. Während des Treffs hat die KP einen bei sich. Der Brief beinhaltete einen Artikel für die Zeitschrift, worin über das Verhalten des Rektors der FU gegen die Atomabstimmung und das Auftreten des ASTA-Vorsitzenden geschrieben war. Wenn der Artikel veröffentlicht wird, würde der Schreiber weiteres Material liefern, stand in einem Begleitschreiben.

Die KP ist im Augenblick in der Bezirksleitung der Partei für die Vorbereitung der Wahlen in Westberlin eingesetzt. [8] Am 13.11. nimmt er mit an der Kundgebung im Sportpalast teil.

Die KP wurde daraufhingewiesen, dass seine Zusammenarbeit in Zukunft nur mit mir erfolgt und er sich nicht wieder an die Berl. Verwaltung wenden soll, wenn er eine wichtige Mitteilung zu machen hat.

Die KP bat mich noch, wenn es möglich ist, zu überprüfen, ob in dem Haus Harnackstr. 12 tatsächlich eine Dienststelle des Amerikaners ist. [9] Wenn das stimmt will er das im «tau res» veröffentlichen.

Massnahmen: 1. Abschriften Gen. Seiss[10] und Gerlach geben.

2. Harnackstr. 12 überprüfen

Aufträge: 1. Brief an ⟨Kantorowicz⟩ schreiben

2. «tua res» beschaffen

3. Weitere Angaben über die Personen beschaffen

Nächster Treff: wird tel. vereinbart.

NS. Die KP ist jetzt in ⟨Hohenschönhausen, Hornbergerstr. 29⟩ wohnhaft.

Telefon-Nr. ⟨...⟩

Dreier

---

1 Zur «Gruppe» um Andreas Simonides und Dieter Borkowski s. den Bericht vom 2.1.1959.

2 Wie aus dem Aktenvermerk vom 17.7.1958 hervorgeht, war der erste Brief Kants, den er im Auftrag des MfS schrieb, über den Kindler-Verlag in München geschickt worden.

3 Gemeint ist offenbar der MfS-Mitarbeiter Krüger von der Abteilung V/6 – vgl. den Treffbericht vom 14.10.1957.

4 Hans Singer war 1. Sekretär der SED-Parteileitung an der Humboldt-Universität, der auch Kant zu dieser Zeit noch angehörte.

5 Darauf spielt Kant in der entsprechenden Passage des «Abspann» (S. 246) an. Freilich ist die Behauptung, der «Mann» des MfS sei nach dem ersten Werbungsversuch und dem entschiedenen Refus Kants aus seinem Leben verschwunden, nicht wahrheitsgemäß. Leutnant Dreier führte in der Folgezeit noch eine ganze Reihe von Treffs mit ihm durch.

6 Harald Wessel, *12.2.1930. Vgl. auch Anm.4 zum Treffbericht vom 4.10.1962. Später war Wessel stellvertretender Chefredakteur des ND.

7 Zu Klaus Korn s. «Abspann», S.345f. Dort wird er neben Harald Wessel und Kant ebenfalls als einer der drei Redakteure von «tua res» genannt.

8 Die Wahlen in West-Berlin fanden am 7.12.1958 statt.

9 Gemeint ist eine Dienststelle des amerikanischen Geheimdienstes.

10 Klauß Seiß, *12.11.1930, seit 1.11.1958 Hauptsachbearbeiter der HA V/6/2 im Rang eines Leutnants.

9. Treffbericht:
Die «Gruppe» Simonides-Borkowski
(13.12.58)

– Hauptabteilung V/6/II –   Berlin, den 13.12.1958

Treffbericht[1]

Quelle: KP Kant
Zeit: 17.00–18.00 Uhr
Tag: 11.12.1958
Ort: Wohnung der KP

K. berichtete, daß er den Brief an Kantorowicz vor ca. 10 Tagen abge-
schickt hat. Die Abschrift hatte er nicht mit, er hat sie in seinem
Schrank im Arbeitszimmer eingeschlossen. Über die Angelegenheit
⟨Simonides⟩ berichtete er:

Er hat bereits dem Genossen ⟨...⟩ mitgeteilt, daß ⟨S.⟩ zurückgekehrt ist. Ansonsten hat er uns alles mitgeteilt, was er über die
Gruppe weiß, die sich das Ziel gestellt hat, ⟨STARITZ⟩ freizu-
kämpfen.[2] Er wußte ebenfalls, daß BORKOWSKI [und] ⟨...⟩
einen Brief an den Gen. HONNECKER geschrieben haben, den er
ebenfalls unterschreiben sollte (...), was die KP ablehnte.

(...)

Die KP hat bis jetzt am besten [zu] ⟨...⟩ Verbindung. Während
des Treffs rief er diese an, wobei diese mitteilte, daß der ⟨SIMONI-
DES⟩ morgen ins ZK der SED bestellt wurde. Man hofft, daß der
⟨S.⟩ mit dem Gen. HONNECKER[3] sprechen kann.

(...)

Zu den anderen hat er keine Verbindung, er kennt sie lediglich
durch seine Arbeit.

BORKOWSKI schreibt nicht für «tua res». Hat es auch noch nicht
getan. Er schätzt den B. als sehr zielbewußten Menschen ein. Er ist
bereit, mit dem BORKOWSKI [und] ⟨...⟩ eine engere Verbindung
in unserem Auftrage herzustellen, was ihn nicht schwerfällt.

⟨...⟩ schätzt er nicht als Hauptkraft der Gruppe ein. ⟨...⟩ wäre
zu labil in seiner politischen Haltung und ist sehr leicht negativ zu

beeinflussen. ⟨...⟩ ist mit den Assistenten der ⟨...⟩ befreundet und ⟨...⟩ hing schon mit der Harich-Gruppe[4] zusammen. (...)

⟨...⟩ hat einen Brief an ⟨...⟩ geschrieben, der eine Hetze gegen die DDR beinhaltet.

Wer zu ⟨...⟩ Verbindung hat, ist unserer KP nicht bekannt. Er vermutet BORKOWSKI. (...)

Mit ⟨...⟩ könnte er ebenfalls in Verbindung treten, hat aber wenig Lust dazu. In unserem Auftrage würde er es aber machen.

(...)

Die KP versteht nicht, daß man S.[imonides] im ZK Zugeständnisse macht und wir ihn überhaupt hier rumlaufen lassen. Er kann es auch nicht verstehen, daß die Gruppe sich so sicher fühlt.

Die KP ist einverstanden, wenn zum nächsten Treff ein Vorgesetzter mitkommt.

Wir sprachen noch über den Ausgang der Westberliner Wahlen.[5]

Am Tage ist die KP unter der Ruf Nr. 20 21 96 zu erreichen. Wir vereinbarten, daß ich unter «Rudloff» anrufen werde.

Auftrag: Verbindung mit BORKOWSKI [und] ⟨...⟩ aufnehmen, um weitere Pläne der Gruppe und evtl. Hintermänner festzustellen.

Nächster Treff 17. 12. 1958

Maßnahmen: Gen. Hptm. Pirschel[6] von dem Ergebnis des Treffs informieren.

Dreier[7]

Ltn.

---

1 Das Dokument stammt aus der Akte Dieter Borkowskis.

2 Zu Staritz s. Anm. 7 zu dem Bericht des MfS-Mitarbeiters Krüger vom 5. 7. 1957.

3 Erich Honecker, *25. 8. 1912, †29. 5. 1994, war seit 1958 Mitglied des Politbüros der SED und Sekretär des Zentralkomitees.

4 Wolfgang Harich war am 29. 11. 1956 wegen «Bildung einer konspirativen staatsfeindlichen Gruppe» verhaftet und am 9. 3. 1957 zu zehn Jahren Zuchthaus verurteilt worden.

In seinem Gefolge wurden Walter Janka, Heinz Zöger, Gustav Just, Richard Wolf u. a. ebenfalls angeklagt und für längere Zeit inhaftiert. Ein ‹Zusammenhang› mit der Harich-Gruppe war also ein hochgefährlicher Vorwurf!

5 Die Westberliner Wahlen vom 7. 12. 1958 brachten eine absolute Mehr-

heit der SPD und ihres Spitzenkandidaten Willy Brandt (52,1 Prozent),
für die CDU 37,3 Prozent, für die FDP 3,8 Prozent und die SED
1,9 Prozent – das bedeutete für die SED gegenüber 1954 einen Rück-
gang um rund 10000 Stimmen gleich 0,8 Prozent.

6 Günter Pirschel, *13.11.1928, seit 1.1.1956 Referatsleiter der HA V/
6/1

7 Lothar Dreier, *21.3.1931, seit 1.1.1956 Sachbearbeiter in der HA V/
6/2.

10. Treffbericht:
Die «Gruppe» Simonides-Borkowski 2
(2.1.59)

Hauptabteilung V/6/I   Berlin, den 2.1.1959

Treffbericht[1]

Quelle: Kant
Zeit 17.12.58 von 15.00–16.00 Uhr

Der Treff wurde durch Ltn. DREIER und Ltn. SEISS[2] durchgeführt. Die KP machte über Personen aus dem Kreis von SIMONI-
DES folgende Angaben:
BORKOWSKI:
spielt den «wilden Mann», redet unheimlich viel und schnell und hat
zu allen etwas zu sagen (sogenannte «große Fresse») erklärt immer,
daß ihn Gen. W. ULBRICHT aus der Partei herausgeworfen habe.[3]
In seinen Reden fallen ständig negative Bemerkungen; wie «VEB
Terror» – VEB MIELKE – Spitzbart» usw.
   Bei einer Zusammenkunft bei ⟨...⟩ in WB hat er ⟨...⟩ hinaus-
werfen lassen, weil dies ein «Stalinist» sei und Verbindungen zum
Osten habe.
   Er hat dem SIMONIDES Vorwürfe gemacht, daß er zu den Ame-
rikanern gegangen ist.[4] (...) Die KP hat mit BORKOWSKI ca. 3 mal
gesprochen. Auffallend ist, daß B. sehr viele Verbindungen zu allen
möglichen Leuten hat.

(...)

Anna Seghers hat in Lettre francaise einen Artikel über einen jungen Kommunisten geschrieben.[5] Die beschriebene Person ist SIMONIDES. Die Angelegenheit liegt schon lange zurück.

⟨BIELER⟩:
24 Jahre alt, säuft und hat immer Frauengeschichten. Unter Alkohol könnte man ihn zum Erzählen bringen, er ist ein typischer Anarchist, trug Vollbart, aber nur solange, bis andere auch einen hatten, er markiert auch leicht den «wilden Mann». Seine politische Haltung ist sehr schwankend.[6] Er wollte schon 5 mal in die Partei eintreten, meist in für ⟨...⟩ schwierigen Situationen, so z. B. zum Verbot der KPD[7] und nach der Kundgebung mit Gen. NORDEN im Sportpalast.[8] Jetzt hat er Verbindung zu einem westdeutschen Schriftsteller[9], dessen Gedichte man vor und rückwärts lesen kann, wenn dieser einen Preis erhält, wollen sie 8 Tage lang saufen.

(...)

⟨...⟩:
Hatte früher immer eine Vorliebe für alte Männer mit viel Geld. Vor dem ⟨STARITZ⟩-Prozeß[10] machte sie die juristische Beraterin und gab Hinweise was man aussagen muß und was nicht. Von BEHSE läßt sie sich aus WB nur Rothändelzigaretten besorgen.

⟨ULLA HOFFMANN⟩:
ist ehrlich, hat guten Kern, kann leicht mißbraucht werden, da sie sehr vom Gefühl ausgeht, eine Art Gefühlssozialismus, sie ist für den Sozialismus, aber ohne Härten (...)

Die KP hat viel Einfluß auf sie, schon an der Uni mußte die KP öfter mit ihr diskutieren.

⟨DANIEL HOFFMANN (Ostwald)⟩[11]:
stimmt in das Gerede von Borkowski, ⟨Bieler⟩, vom Terror in der DDR mit ein.

Wolfgang Behse:
ist im Verhältnis zu den anderen dumm, auch etwas verworren, aber bauernschlau, er tut wenig von sich aus und schließt sich den anderen an, ist aber im Grunde vernünftig, hat mehrfach für die KP Partei ergriffen. Wird von den anderen als «Naturbursche» bezeichnet und auch von Ulla etwas herablassend behandelt.

Die KP wurde beauftragt:
Versuchen an der Geburtstagsfeier BEHSE teilzunehmen, sowie an

der Sylvesterfeier. Achten auf negative Äußerungen des ⟨SIMONI-DES⟩, BORKOWSKI, ⟨BIELER⟩.

Maßnahmen:

Hinweise im Vorgang auswerten

Nächster Treff:

Wird durch den Gen. Dreier telefonisch festgelegt.

(Seiß)
Leutnant

---

1 Das Dokument stammt aus der Akte Dieter Borkowskis.

2 Klaus Seiß, *12.11.1930, seit 1.11.1958 Sachbearbeiter in der HA V/6/1.

3 Borkowski wurde nach «Fehlverhalten während des konterrevolutionären Putsches vom 17. Juni 1953» aus der SED ausgeschlossen.

4 Gemeint ist der amerikanische Geheimdienst.

5 Der fragliche Artikel von Anna Seghers in «Lettre francaise» ist im Nachlaß der Autorin nicht erhalten und ließ sich von der «Stiftung Archiv der Akademie der Künste» in Ost-Berlin auch mit Hilfe von Spezialkatalogen des umfangreichen Bibliotheksbestandes nicht nachweisen (frdl. Mitteilung von Renate Graßnick).

6 Die Gehässigkeiten Kants gegen seinen ehemaligen Kommilitonen beim Germanistik-Studium an der Humboldt-Universität, Manfred Bieler, erklären sich teilweise aus dem «Abspann». Dort (S. 168) berichtet Kant, daß sie damals «ach, auf kurze Zeit nur, eine Freundschaft» verband, «die unter den politischen Streitigkeiten im Seminar bei Kantorowicz mehr und mehr Schaden nahm».

7 Die KPD wurde am 17.8.1956 vom Bundesverfassungsgericht als verfassungsfeindlich verboten.

8 Vor der Wahl zum West-Berliner Abgeordnetenhaus 1957 hatte Albert Norden als Sekretär für Agitation im ZK der SED im Sportpalast eine (nicht sonderlich erfolgreiche) Kundgebung zugunsten der SED veranstaltet.

9 Bei Manfred Bielers westdeutschem Kollegen handelt es sich um Günter Bruno Fuchs, *3.7.1928, †19.4.1977. Fuchs lebte bis 1950 als Schulhelfer in Ost-Berlin, von 1950–52 in Herne, von 1952–58 in Reutlingen, dann kehrte er nach Berlin zurück und gründete 1959 eine der originellsten Berliner Galerien, die Kreuzberger «Zinke». Von ihm lagen damals u. a. vor: «Nach der Haussuchung. Gedichte und Holzschnitte» (1957), «Fisimatenten. 20 Holzschnitte» (1959).

10 Der Prozeß gegen Jochen Staritz fand vom 18.–23.9.1958 vor dem
    Stadtgericht von Groß-Berlin statt.

11 Daniel Hoffmann-Ostwald, *29.3.1929, 1953–1955 Lektor im Verlag
    Rütten & Loening, 1955–1957 Sektorenleiter für heimatkundliche Li-
    teratur bei der zentralen Kommission für Natur- und Heimatfreunde/
    Kulturbund, 1958–1962 wissenschaftlicher Mitarbeiter am Institut für
    Volkskunstforschung in Leipzig.

11. Treffbericht:
Ein Brief an Kantorowicz 3
(7.1.59)

Hauptabteilung V/6/II   Berlin, den 7.1.59

Treffbericht

Am 6.1.59 wurde von 14–15 Uhr ein Treff mit der KP Kant in dessen
Wohnung durchgeführt.

Am Treff nahm der Gen. ⟨...⟩ teil.

Die KP wurde zuerst ernsthaft für ihr Verhalten am 2.1.59 kritisiert, wo den vereinbarten Treff nicht eingehalten hatte. Sie versprach, so etwas nicht wieder zu machen und uns zu informieren,
wenn der Treff nicht eingehalten wird.

(...)

Der Gen. ⟨...⟩ sprach dann mit der KP über seine Angelegenheiten. Besonders über den Westdeutschen Studentenkongress gegen
die Atomaufrüstung in Westberlin, wo die KP als Pressevertreter
daran teilnahm.[1]

Während dieses Kongresses ist die KP, während einer Pause von
einem unbekannten Mann angesprochen worden. Dieser sagte ihm,
dass er Mitglied des «Kuratoriums Freies Deutschland»[2] sei. Dieses
ist aber nur eine Quasselbude und man müsse etwas los-lassen. Er
Frug die KP dann, ob er etwas davon wisse dass eine «Bruderschaft
Freies Deutschland[3] gegründet worden ist. Die wollten etwas los machen. Die KP hat sich auf dieses Gespräch nicht eingelassen.

Von Professor ⟨Kantorowicz⟩ hat er auf seinen Brief noch keine
Antwort erhalten.

Desweiteren hat die KP mir eine Abschrift eines Briefes an ⟨Kantorowicz⟩ immer noch nicht gegeben. Angeblich hat er es wieder vergessen.

Massnahmen: Auszüge des Treffberichtes an Gen. ⟨...⟩ und Abt. V/1

Aufträge: 1. Alten Auftrag in Bezug auf Simonides weiter durchführen

              2. Briefabschnitt an ⟨Kantorowicz⟩ und Bericht über die Arbeit von «tua res» uns am 7.1.58 überbringen. (ist geschehen)

Nächster Treff: 20.1.59

Dreier
Leutnant

---

1 Der Kongreß fand ab 3.1.1959 an der Freien Universität Berlin statt. Im 1. Heft des Jahrgangs 1959 von «tua res» berichtete Kant (Pseudonym George Haugk) darüber unter dem Titel «Der Kongreß tanzt nicht» (S. 2–10).

Jochen Staadt vom «Forschungsverbund SED-Staat» an der FU Berlin fand darüber hinaus von Hermann Kant in den Akten der FDJ, die heute im Bundesarchiv aufbewahrt werden, eine 13seitige maschinenschriftliche «*Einschätzung* des Verlaufs des ‹Studentenkongresses gegen Atomrüstung› in Westberlin, 3./4. Januar 1959», die bislang unveröffentlicht ist.

2 Gemeint ist möglicherweise das «Kuratorium *Unteilbares* Deutschland», das am 17.6.1954 mit Sitz Berlin gegründet worden war mit dem Ziel, die Wiedervereinigung Deutschlands zu fördern (Vorsitz von 1954–1967: Paul Löbe).

3 Zur Bruderschaft «Freies Deutschland» liegen dem Herausgeber keine Erkenntnisse vor.

12. Aktenvermerk: Die «Gruppe» Simonides-Borkowski 3 (12.3.59)

HA V/6   *Berlin, den 12.3.59*

Aktenvermerk

Treff mit KP «Kant» am 12.3. von 12 h 30 – 13 h 15 Cafe Praha

Die KP berichtete, daß sie heute abend nach Westdeutschland als Pressevertreter fährt und dort bis 18. oder 19.3. bleibt. Er fuhr [= fährt] nach Marburg zur VDS Tagung.[1] Er ist bereit für was mit zu erledigen deshalb ruft er heute 17 h 00 nochmals an. Er fährt 20.00 Uhr.

Zu ⟨Simonides⟩, ⟨Borkowski⟩, ⟨...⟩ berichtete er folgendes: mit ⟨B.⟩ ist er noch nicht zusammen getroffen. Er hat den Eindruck ⟨B.⟩ will ein bischen kneifen gegenüber ihn. ⟨B.⟩ wäre die letzte Zeit sehr viel unterwegs gewesen da er angeblich große Reportagen zusammenzustellen hatte.[2] Nach Rückkehr aus WD[3] wird er nochmals über ⟨...⟩ versuchen mit ⟨B.⟩ in Kontakt zu kommen.

⟨Simonides⟩ hat in WD sein Studium aufgenommen, er studiert Altphilologie. Er will keine pol. Wissenschaft mehr als Studienfach nehmen. Er will Lateinlehrer werden.

Der Vater von ⟨S.⟩ war beim ZK bei Gen. ⟨...⟩ und erzählte ihm, daß bei der ⟨...⟩ jemand war und gesagt hätte, ⟨S.⟩ sei ein Verräter deshalb bleibe er in WB[4]. (...)

Nach Rückkehr aus WD meldet sich KP zurück und dort werden dann genaue Aufgaben für die KP festgelegt. Die KP hatte wenig Zeit da er noch einiges zu erledigen hat wegen der Reise.

Nächster Treff nach Rückkehr aus WD

Riedel[5]

---

1 Kant berichtete über den VDS-Kongreß in seiner Zeitschrift «tua res» unter dem Titel «Zu Marburg auf der Schanz» in Nr. 3/4 vom April/ Mai 1959 auf den Seiten 2–9. Als Verfasser firmierte er wieder unter dem Pseudonym George Haugk, unter dem er auch im Impressum als Verantwortlicher erschien.

2 Borkowski arbeitete als Journalist für verschiedene Medien der DDR.
3 WD = West-Deutschland.
4 WB = West-Berlin.
5 Friedhold Riedel, *2.2.1933, seit 1.12.1954 Sachbearbeiter in der
   HA V/6/1.

13. Treffbericht:
Information über Manfred Streubel
(18.3.59)

Hauptabteilung V/6/I   Berlin, den 18.3.1959

Treffbericht

Am 19.2.1959 fand ein Treff mit der KP «Kant» in seiner Wohnung
statt.

Die KP wurde Unterzeichneten vom Genossen Ltn. Dreier übergeben. Mit der KP wurde über die gesamte Gruppe 〈...〉 – 〈...〉 gesprochen.

Er wurde konkret befragt über 〈Manfred Streubel〉[1]. 〈...〉 und
〈...〉 waren an der HU in einem Seminar.[2] Beide konnten sich zuerst
nicht vertragen, sie hatten beide harte politische Auseinandersetzungen. Im Laufe der Studienjahre kamen sie mit ihren Ansichten immer
näher und waren zuletzt sehr eng befreundet. Die KP schätzt den
〈...〉 folgendermassen ein:

a) Er war der beste Schüler des Seminars,
b) er war sehr fleissig und arbeitssam
c) stockreaktionär

Im Seminar gab es mit 〈S.〉 oft harte Auseinandersetzungen wegen
seiner reaktionären Einstellung.

Der Vater des 〈S.〉 war alter Oberstudienrat[3], daher die reaktio-
näre Einstellung des 〈S.〉

Über 〈...〉 berichtete die KP folgendes:

Sie war früher politisch sehr aktiv und leistete eine gute Arbeit.
Seitdem sie mit 〈...〉 verheiratet ist, liess die polit. Tätigkeit schlag-
artig nach.

Die KP berichtete weiter über den ⟨...⟩, der republickflüchtig ist. Dieser sei jetzt 2. Vorsitzender d. «ASTA» der FU. Dieser schrieb einen Brief an ⟨...⟩

Auftrag: Der GI erhielt den Auftrag die Verbindung mit ⟨...⟩ zu festigen um seine Einstellung und seine Tätigkeit zu erfahren. Er soll sich nicht wie bisher auf die Mitteilungen der ⟨U. Hoffmann⟩ und ⟨Behse⟩ verlassen.

Riedel
Ltn.

---

1 Manfred Streubel, *5. 11. 1932, †10. 7. 1992, Lyriker und Kinderbuchautor, «Laut und leise» (1956).
2 Streubel studierte von 1953–1957 an der HU Germanistik.
3 Streubels Vater war laut Meyers Taschenlexikon «Schriftsteller der DDR» Lehrer.

Beginn einer Verbandskarriere –
Deckname «Martin»

14. Beschluß für das Anlegen einer IM-Vorlaufakte (9.8.60)

Ministerium für Staatssicherheit   Vertrauliche Dienstsache!
Bezirk HA. V/1
Diensteinheit

Berlin, den 9. August 1960
Reg.-Nr. MfS-5909/60

Beschluß

für das <u>Anlegen</u>/Einstellen eines IM-Vorlaufakte
Auszufüllen bei IM-Vorlaufakte
1. Vorgesehene Kategorie GI[1]
2. Wohnadresse Berlin-Hohenschönhausen
                Hornberger Str. 26
(Bei Operativ-Vorlaufakte werden keine Angaben benötigt.)
(...)
Gründe für das <u>Anlegen</u>/Einstellen
Der Kandidat wird zur Absicherung der Kongressvorbereitung des DSV[2], auf der Linie Schriftsteller zur Werbung vorbereitet.
Mitarbeiter *Paroch*[3]
Leiter der Diensteinheit *Seidel*[4]

---

1 GI = Geheimer Informator.
2 Der V. Deutsche Schriftstellerkongreß sollte vom 25.–27.5.1961 stattfinden.
3 Benno Paroch, *23.10.32, seit 1.2.1960 Hauptsachbearbeiter der HA V/1.
4 Werner Paul Seidel, *26.6.1916, seit 1.5.1958 stellvertretender Abteilungsleiter in der HA V/1.

15. Aufnaheantrag in den DSV mit Lebenslauf (20. 7. 60)

DEUTSCHER SCHRIFTSTELLERVERBAND

Mitgl. b. Nr 0723

Fragebogen / Aufnahmeantrag

Name: *Kant*   Vorname: *Hermann*
Künstlername (Pseudonym): –
geboren am: *14. VI.26*   in: *Hamburg-Altona*
Staatsangehörigkeit: *DDR*
Anschrift: *Bln.-Hohenschönhausen Hornbergerstr. 26 Tel. (...)*
Telefon: *594027*
Familienstand: *verh.*   Kinder: *1*
(ledig, verheiratet)
erlernter Beruf: *Elektriker*   (soziale Herkunft): *Arbeiter*
jetziger Beruf: *Lit.-Wissenschaftler*
in fester Stellung: *nein*   Wo: –
Schulbildung: *Volksschule, ABF, Universität (Dipl.Phil.)*
Fremdsprachen: *Russisch, Englisch*
Öffentliche Ämter: *keine*
Eltern   Name   geb.   soziale Herkunft
Vater: *Paul Kant*   *9.VIII.98*   *Arbeiter*
Mutter: *Luise Kant*   *21.IV.05*   *Arbeiter*
Mutter lt. Dokumentation der HA VI
ist die Mutter am 21. 4. 1904 geboren!

93

Gesellschaftliche Entwicklung
1. Welchen Parteien, Gewerkschaften oder sonstigen Organisationen gehörten bzw. gehören Sie an (vor 1945, nach 1945)?

Bezeichnung der Organisation	wo eingetreten	Mitglied von bis	Funktionen von bis
HJ	*Hamburg*	*37–44*	*keine*
SED	*Parchim*	*1949*	*Mitgl. d. Univ. Part. Ltg.*
FDJ.	*Parchim*	*1949*	*keine*
FDGB	*Parchim*	*1949*	*keine*
	Greifswald	*1949*	*keine*

Militärverhältnis
1. Dienst beim Militär, in Polizei und anderen Formationen:
   von – bis Formation oder Dienststelle   höchster Dienstgrad
   Inf. Nachr. Ers. und Ausb. Bat. 131   *Soldat*
2. Welche Auszeichnungen erhielten Sie? *keine*
3. Waren Sie ab 1939 in Kriegsgefangenschaft? *ja*
   a) Wann und wo erfolgte die Gefangennahme? *20.I.45 Kutno (Polen)*
   b) In welchen Lagern waren Sie untergebracht?
      Lodz, Pulowy, Oboz Pracy Warszawa
   c) Haben Sie in Gefangenschaft an Lehrgängen teilgenommen? *ja*
      Ich war Lehrer an der Antifa-Zentralschule Warszawa
   d) Welche Lagertätigkeit haben Sie ausgeübt? *Lehrer*
   e) Wann und wo erfolgte die Entlassung? *21. XII. 48 Warszawa*

Besondere Angaben
1. Wurden Sie von der Hitler-Regierung verfolgt, gemaßregelt oder bestraft?
   nein
   (wie, warum)?
2. Sind Sie anerkannt als Verfolgter des Naziregimes? *nein*
   Nr. des Ausweises:

3. Sind Sie arbeitsbehindert? *nein*   Art des Körperschadens:
(wieviel %)?
Nr. des Schwerbeschädigten-Ausweises:
4. Sind Sie vorbestraft, schwebt ein gerichtliches oder polizeiliches Ermittlungsverfahren?
nein
(wenn ja, bitte nähere Angaben)
5. Sind Sie, Ihre Familienangehörigen oder Verwandten Eigentümer von Grundbesitz, Unternehmen oder an Unternehmen beteiligt?
nein
6. Haben Sie Verwandte oder Freunde im Ausland (ggf. Anschrift)? *nein*
7. Aufenthalt im Ausland:
1957 6 Wochen in der Volksrepublik China als Leiter der Buchausstellung der DDR
8. Lit. Spezialgebiet: *Erzähler*
9. Besondere Interessen: –
10. Teilnahme an politischen und fachlichen Lehrgängen:
Antifa-Zentralschule
Kreis-Parteischule
Bezirksparteischule
11. Kulturpolitische Betätigung:
2 Jahre Chefredakteur der vom Studienkreis für Berliner Hochschulfragen herausgegebenen Monatszeitschrift «tua res»
12. Öffentliche Aufträge: *keine*
13. Auszeichnungen: *Wilhelm-Pieck-Stipendiat*

Veröffentlichungen

Titel	Umfang	Verlag	Jahr
Vor 1945			
keine			
Nach 1945			
Krönungstag (Erz.)	*14 S.*	*NDL Nr. 7*	*57*
Kleine Schachgeschichte	*14 S.*	*NDL Nr. 11*	*57*

Ort: *Berlin*   Datum: *25.IX.59*   Unterschrift: *Hermann Kant*
DPA Nr.: *XV 0506168*   Ausgestellt am: *10.III.54*   in: *Berlin*

Abschrift

Lebenslauf

Ich wurde am 14.VI.1926 in Hamburg-Altona geboren. Meine Eltern waren der Gartenarbeiter ⟨Paul Kant⟩ und seine Ehefrau ⟨Luise⟩, Fabrikarbeiterin. Mein Vater ist 1945 an den Folgen einer Kriegsverletzung gestorben, meine Mutter lebt in Hamburg.

Von 1933 bis 1941 habe ich verschiedene Volksschulen in Hamburg und nach unserer Übersiedlung, in Parchim (Bez. Schwerin) besucht. In Parchim erlernte ich das Elektrohandwerk; nach bestandener Gesellenprüfung wurde ich am 12.XII.1944 zum Inf.Nachr.Ers.u.Ausb. Batallion 131 eingezogen. Mit dieser Einheit geriet ich am 20.I.45 bei Kutno (Polen) in sowjetische Gefangenschaft.

Während der vier Jahre meiner Gefangenschaft befand ich mich in den sowjetischen Lagern Lodz und Pulowy und, nach Übergabe an polnische Verwaltung, im Oboz Pracy Warszawa.

Im Lager Warszawa kam ich mit ehemaligen Mitgliedern der KPD zusammen – durch sie wurde zum ersten Male mein politisches Interesse geweckt (meine Eltern gehörten zu jenen «unpolitischen» Arbeitern, die versuchten, «sich aus allem herauszuhalten». Freilich verdankte ich ihnen einen guten Teil Skepsis gegenüber der faschistischen Herrschaft, so daß die Genossen im Lager es nicht gar zu schwer hatten, mich von der Richtigkeit ihrer Ansichten zu überzeugen.).

Meine antifaschistische Lagerarbeit begann damit, daß ich die Redaktion der Lagerwandzeitung übernahm; als wir einen Antifa-Block gründeten, wurde ich für die Jugendarbeit verantwortlich gemacht. Mit der Hilfe polnischer Genossen wurde 1948 die Antifa-Zentralschule Warszawa gebildet. – nach einem Lehrgang wurde ich selbst Lehrer an dieser Schule. Gleichzeitig arbeitete ich als Redakteur an der Zeitung der deutschen Kriegsgefangenen in Polen «Die Brücke». Nach meiner am 21.XII.48 erfolgten Entlassung ging ich nach Parchim. Dort arbeitete ich zunächst wieder als Elektriker und trat der SED bei, die mich zur Kreis-, später zur Bezirksparteischule delegierte.

Am 1. Oktober 49 wurde ich Student der Arbeiter-und-Bauern-Fakultät in Greifswald. Nach zwei Jahren machte ich mein Abitur mit der Note «Mit Auszeichnung». Auf Beschluß des Staatssekretariats für Hochschulwesen wurde ich für ein Jahr als Dozent für Deutsch an der ABF Greifswald eingesetzt.

Während des ABF-Studiums war ich Sekretär der Nationalen Front der Universität Greifswald gewesen; während des Dozentenjahres war ich Parteisekretär der ABF und Mitglied der Universitäts-Parteileitung.

Im September 1952 wurde ich an der Philosophischen Fakultät der Humboldt-Universität als Germanistikstudent immatrikuliert. Ich schloß meine Ausbildung mit der Prüfung zum Dipl.Phil. und der Note «Sehr gut» ab.

Drei Jahre lang war ich Parteisekretär der Grundorganisation Germanisten, außerdem Mitglied der Universitäts-Parteileitung. Da ich in dieser Funktion für die Westarbeit der Universität verantwortlich gewesen war, wurde ich, nachdem ich ein Jahr lang als Wissenschaftlicher Assistent am Germanistischen Institut gearbeitet hatte, als Chefredakteur der Zeitschrift «tua res», die sich vornehmlich an die Angehörigen westberliner und westdeutscher Hochschulen richtet, eingesetzt. Diese Tätigkeit übte ich auftragsgemäß zwei Jahre lang aus.

In diesem Zeitabschnitt, in dem ich wiederum als Verantwortlicher für die Westarbeit der Humboldt-Universität Mitglied der Universitäts-Parteileitung war, fallen die Arbeiten an meinen ersten Erzählungen, in dieser Zeit war es auch, daß ich in engere Berührung mit dem Deutschen Schriftstellerverband kam: Ich hielt (in Zusammenarbeit mit Dr. ⟨Frank Wagner⟩) das Referat über Kriegsliteratur auf der Potsdamer Verbandskonferenz, außerdem referierte ich über die sogenannte «kleine Form» vor Mitgliedern des Berliner Verbandes und leitete einen Lehrgang für Junge Autoren am Schwielowsee.

Die DEFA beauftragte mich mit der Ausarbeitung eines literarischen Szenariums zu einem Studenten(spiel)film; diese Aufgabe habe ich erfüllt und habe in diesen Tagen das (in Zusammenarbeit mit dem Regisseur ⟨...⟩) auf dieser Grundlage basierende Drehbuch zu dem Film «Kein Tag ist wie der andere» fertiggestellt. Da es die erklärte Absicht der DEFA-Dramaturgie ist, mich mit ähnlichen Aufgaben weiterhin zu versehen, habe ich mich nach meinem Ausscheiden aus der Redaktion «tua res» nicht wieder in eine feste Anstellung begeben.

Ich würde es sehr begrüßen, würde mich der Deutsche Schriftstellerverband – trotz meiner vergleichsweise geringen literarischen Leistungen – in seine Reihen aufnehmen; eine Aufnahme würde ich als eine Verpflichtung zu noch größerer politischer und literarischer Aktivität auffassen.

Berlin, den 20. September 1959

16. Bürgschaft von Hans Singer
   (28. 7. 60)

Abschrift

⟨Hans Singer⟩   Berlin O 112, 28. September 1959
                                 Stalinallee 288

An den
Deutschen Schriftstellerverband
Berlin W 8
Friedrichstraße

Betr.: Bürgschaft für den Genossen Hermann KANT
Der Genosse Hermann Kant, der den Antrag gestellt hat, in den
Deutschen Schriftstellerverband aufgenommen zu werden, ist mir seit
Anfang 1957 aus seiner Arbeit an der Berliner Humboldt-Universität
bekannt. Genosse KANT war bis zu seinem Ausscheiden aus der
Universität Chefredakteur der überparteilichen Studentenzeitschrift
«tua res», die in Westberlin starke Verbreitung gefunden hat. Diese
Zeitschrift, die eine gute Rolle bei der progressiven Meinungsbildung
unter der Intelligenz in Westberlin spielt, ist vorwiegend durch die
Arbeit des Genossen Hermann KANT so wirksam geworden.
  Politisch kann ich sagen, daß Genosse Hermann KANT zum aktiven Funktionärkörper unserer Parteiorganisation an der Humboldt-
Universität gehörte, daß er unserer Sache treu ergeben ist und nach
1957 mit wachsendem Geschick die Linie der Partei in seinem Bereich
durchzusetzen half.
  Aus all den genannten Gründen halte ich die Aufnahme des Genossen Hermann KANT in den Deutschen Schriftstellerverband für gerechtfertigt. Ich glaube, daß seine Mitarbeit ein Gewinn für den Verband sein wird.
  Ich bin bereit, für ihn die Bürgschaft zu übernehmen.

                              gez. ⟨Hans Singer⟩
                              1. Sekretär SED-Parteileitung
                              Humboldt-Universität

17. Befürwortung von Stephan Hermlin (30.9.59)

⟨Stephan Hermlin⟩[1]
Berlin-Niederschönhausen
Kurt-Fischer-Str. 39

30. Sept. 1959

Hermann KANT ist meiner Meinung nach einer der begabtesten jungen Erzähler, über die wir verfügen. Ich las einige ausgezeichnete Prosastücke von ihm die im Laufe der letzten Jahre in der Neuen Deutschen Literatur erschienen.

Prosa von ihm wird auch in einer Anthologie zu lesen sein, die Reclam gegenwärtig vorbereitet.[2]

KANT hat außerdem in vorbildlicher Weise im Auftrag der Partei eine Studentenzeitschrift «tua res» geschaffen, die für die Studenten der Freien Universität in Westberlin bestimmt ist und dort sehr gelesen wird. Diese Zeitschrift hat er nicht nur redigiert, sondern praktisch allein geschrieben. Er hat diese Arbeit leider aufgegeben, weil er gegenwärtig an einem Studenten-Film arbeitet.[3]

Ich befürworte nachdrücklich die Aufnahme Hermann KANTS in den Deutschen Schriftstellerverband.

gez. ⟨Hermlin⟩

---

1 Die Beziehung zwischen Kant und Hermlin war schon im Herbst 1955 so eng, daß Kant heikle Vermittlungsaufträge für Hermlin übernahm. So berichtet Alfred Kantorowicz in seinem «Deutschen Tagebuch» am 12. Oktober 1955: «Er [Kant] sei Nachbar und Freund Hermlins, und er solle mir ausrichten, daß Hermlin über meine Zurückhaltung ihm gegenüber bedrückt sei. Der nach außen hin so sicher auftretende und repräsentierende Hermlin sei in Wahrheit völlig vereinsamt und tief verzweifelt. Er habe seit langem nichts mehr schreiben können. Er leide darunter, daß ich mich ganz von ihm zurückgezogen habe.

Es scheint, daß mir die Rolle eines Seelentrösters des von seinem schlechten Gewissen bedrängten, ordenklirrenden, mit Preisen, Ehren, Würden, Präsidentschaften überhäuften jungen Mannes zugedacht ist. Das ist ein wenig zuviel verlangt. Karrieren hier und heute müssen bezahlt werden – mit Substanzverlust (wenn Substanz vorhanden war) und mit schlechtem Gewissen (wenn man noch Gewissen hat). So will ich ihm zugute halten, daß er sich zuweilen schämt. Aber er hat gewählt: die Gunst Ulbrichts. Die Entscheidung stand ihm frei. Als moralisches Alibi kann ich ihm nicht dienen, es sei denn, er zöge sich nun für eine Weile von den Märkten zurück und kehrte bei sich selber ein.»

2 Gemeint ist die von Christa Wolf herausgegebene Anthologie «Proben junger Erzähler», Reclam Nr. 8307, 1959.
Darin enthalten von Hermann Kant «Kleine Schachgeschichte».

3 «Kein Tag ist wie der andere».

18. Sekretariatsvorlage im DSV (19. 5. 60)

Sekretariatsvorlage

Genosse Hermann Kant hat sich bereit erklärt, die Leitung der Arbeitsgruppe Analyse zu übernehmen. Ich schlage vor, mit Genossen Kant einen Vertrag abzuschließen, der ein monatliches Honorar von DM 700,– (560,– DM netto) vorsieht, mit der Klausel, daß dieser Betrag erhöht werden kann, wenn gegen Ende des Jahres der Arbeitsanfall nicht mehr im Durchschnitt halbtags zu bewältigen ist. Die Aufgaben des Genossen Kant wären zunächst:

1) Prüfung der Literaturperiodisierung die von der Humboldt-Universität erarbeitet wurde, gemeinsam mit den Kollegen und Wissenschaftlern der Arbeitsgruppe, die dafür in Frage kommen.

2) Prüfung, inwieweit das Material, das zu bestimmten Themen bei den Instituten und Universitäten vorliegt, als Grundlage für uns geeignet ist.

3) Festlegung der Einzelthemen auf Grundlage der Beschlüsse der ersten Arbeitsgruppentagung und des vorhandenen Materials, sowie Koordinierung der einzelnen Arbeiten.

13. 5. 60

⟨...⟩

19. Plan zur Aufklärung des GI-Kandidaten Kant (10.8.60)

Hauptabteilung V/1/IV Berlin, den 10.8.1960

Plan

zur Aufklärung des GI-Kandidaten *Kant*, Hermann, geb. am 14.6.26 in Hamburg, wohnhaft in Berlin-Hohenschönhausen, *Hornbergerstr. 26.*

Begründung:
1. Der Obengenannte ist ein junger Literaturwissenschaftler, der gegenwärtig eine Reihe von literarisch-kritischen Arbeiten zur Vorbereitung des Schriftstellerkongresses im Auftrage des Verbandes durchführt. Zur Absicherung der Kongreßvorbereitung und -durchführung ist die Aufklärung des Kandidaten notwendig.
2. Der Kandidat hat eine persönliche Verbindung zu dem Schriftsteller ⟨Stephan Hermlin⟩, der auf Grund seiner negativen Haltung zur Kulturpolitik unserer Partei operativ bearbeitet wird. Nach genauer Überprüfung des Freundschaftsverhältnisses wird bei Eignung der Kandidat an die genannte operativ zu bearbeitende Person angesetzt.

Maßnahmen zur Aufklärung:
1. Durchführung der administrativen Maßnahmen zur Registrierung der Abt. XII[1], Anlegen einer Vorlaufakte und Durcharbeiten des offiziellen Materials.
Termin: 12.8.1960 *eingeleitet* *erledigt!*

2. Da der Kandidat mehrere Jahre an der Humboldt-Universität studierte und dort gesellschaftliche Funktionen ausführte, sind von dort die entsprechenden Unterlagen zur Auswertung über die Abt. V der Verwaltung Groß-Berlin anzufordern. Gleichzeitig ist bei der Abt. V anzufragen, ob Material dort vorhanden ist.

   Termin: 25.8.1960   *eingeleitet*

3. Mit Hilfe der Abt. V der Verwaltung Groß-Berlin ist über den Kandidaten eine inoffizielle Einschätzung einzuholen. Gleichzeitig ist die Arbeit des Kandidaten an der Studentenzeitschrift «tua res» einzuschätzen, die von ihm geleitet und redigiert wurde.

   Termin: 10.9.1960   *eingeleitet*

4. Bei der HA V/6, Gen. Ltn. DREIER, ist anzufragen, inwieweit der Kandidat bei Prof. ‹Kantorowicz› eine Rolle gespielt hat und welche Zusammenhänge bekannt sind. Gleichzeitig ist zu prüfen, welche Möglichkeit besteht, das Verhalten des Kandidaten 1956[2] durch inoffizielle Quellen einschätzen zu lassen.

   Termin: 30.8.1960   *eingeleitet   erledigt!*

   inoff. Einschätzung besorgt Gen. Seiß

5. Über die HA II/ ist zu veranlassen, daß ihr im DSV befindlicher IM eine inoffizielle Einschätzung über den Kandidaten fertigt, speziell vom Standpunkt seiner politisch-ideologischen Haltung und seinem künstlerischen Wert sowie seiner gesellschaftlichen Aktivität.

   Termin: 30.8.1960   *eingeleitet   15.9. nachfragen*

6. Da der Kandidat Aufgaben in der Nachwuchsarbeit des DSV löste, wird veranlaßt, daß GI «Hannes» diese Seite seiner Tätigkeit genau inoffiziell beurteilt.

   Termin: 30.8.1960

7. Der Kandidat hat verschiedene literarische Arbeiten in der «Neuen Deutschen Literatur» veröffentlicht. Diese Arbeiten sind einzuschätzen nach ihrem ideologisch-künstlerischen Gehalt.

   Termin: 10.9.1960

8. Das vom Kandidaten erarbeitete Spielfilmdrehbuch wird mit Hilfe des Ref. II der HA V/1 nach demselben Gesichtspunkt eingeschätzt wie unter Punkt 7.

   Termin: 15.9.1960   *eingeleitet*

9. Zur Ergänzung der Einschätzung des Kandidaten und seiner Familienverhältnisse wird ein detaillierter Ermittlungsauftrag an die HA VIII[3] übersandt.
   Termin: 15.9.1960   *eingeleitet*
10. Zur weiteren Aufklärung der Verbindungen des Kandidaten wird 1/4 Jahr ein M-Auftrag[4] ausgestellt. Besonders sind hier seine Westverbindungen zu analysieren (Mutter – Hamburg).
    Termin: 12.8.1960   *eingeleitet*
11. Auswertung des A-Auftrages 135/60 und Anforderung detaillierter Angaben über die Verbindung des Kandidaten zu dem Schriftsteller ‹Stephan Hermlin›
    Termin: 20.8.1960   *eingeleitet*   *erledigt!*

Die gesamte Aufklärung des Kandidaten nach vorstehenden 11 Punkten ist bis 20.9.1960 abzuschließen.

Bestätigt: *Seidel*   *Paroch*
       Oltn.   Ltn.

---

1 Die Abteilung XII firmierte als «Zentrale Auskunft/Speicher».
2 Gemeint ist wohl vor allem Kants Verhalten während der Zeit des ungarischen Volksaufstands.
3 Die HA VIII war zuständig für «Beobachtung/Ermittlung».
4 Die Abteilung M war zuständig für Postkontrolle.

20. Aktennotiz zu einer Handakte über Kant
(24. 8. 60)

Hauptabteilung V/1/IV   Berlin, den 24. 8. 1960

Aktennotiz

Von Gen. SEISS HA. V/6 wurde eine 42 Blatt umfassende Handakte über KANT, Hermann geb. am 14. 6. 1926 an den Gen. ⟨PAROCH HA. V/1⟩ am 24. August 1960 übergeben, da das genannte Material einen registrierten Vorgang zugefügt wird.[1]

Paroch
Ltn.

---

1 Das MfS hatte den Index über die Person «Kant, Hermann 14. 6. 26» unter der Nummer 5909/60 am 12. 8. 60 angelegt und registriert.

21. Beurteilung durch Stasi-Leutnant Dreier
(25. 8. 60)

Hauptabteilung V/6   Berlin, den 25. 8. 1960

Betr.: Kant, Hermann
KANT, Hermann, ist mir aus der Zusammenarbeit mit ihm als Kontaktperson bekannt. Die Zusammenarbeit erfolgte zur Bearbeitung operativen Materials 1957/58. Es besteht der Verdacht, daß er bei dieser Zusammenarbeit mit uns nicht ehrlich gehandelt hat. Beweise dafür sind allerdings nicht vorhanden. Zu dieser Schlußfolgerung kommt man deshalb, weil die Zusammenarbeit mit ihm kein operatives Ergebnis brachte.[1]

KANT ist sehr intelligent und hat ein gutes politisches Wissen. Aus dem Jahre 1956 ist allerdings bekannt, daß er zu den damaligen Ereignissen in Ungarn eine schwankende Haltung eingenommen hat. Weitere Ermittlungen ergaben in dieser Hinsicht keine Anhaltspunkte mehr.

Er verkehrt vorwiegend in Kreisen der Intelligenz, besonders Schriftstellern und Redakteuren, die nicht immer eine parteiliche Haltung in den Vergangenheit gezeigt haben. In Diskussionen bei Zusammenkünften mit ihm zeigte er stets eine parteiliche Haltung. Man muß dazu aber feststellen, daß er oft mehr wissen wollte, als ihn anging.

Ebenfalls hat er nie versucht, von sich aus die Verbindung mit uns zu festigen und zeigte auch wenig Interesse an einer Zusammenarbeit. Oftmals erschien er zu den vereinbarten Zusammenkünften nicht.

Hermann KANT verkehrte zur damaligen Zeit sehr viel in Westberlin. Er hatte besonders umfangreiche Verbindungen unter Studenten und Assistenten der freien Universität. Angeblich hielt er diese Verbindungen im Auftrage der Partei und als Redakteur der Zeitschrift «tua res». Auch späterhin, nach seiner Ablösung als Redakteur, hatte er noch Verbindung nach Westberlin. Der genaue Kreis der Verbindungen ist mir allerdings nicht bekannt, da die Zusammenarbeit mit ihm abgebrochen wurde, weil sie keine entsprechende Perspektive hatte.

Dreier
Ltn.

---

1 Möglicherweise ist damit die Beobachtung der «Gruppe Simonides-Borkowski» gemeint, die Dreier zusammen mit Leutnant Seiß steuerte. Aus dieser Gruppe konnte nur Dieter Borkowski verhaftet werden (9.6.1960). Eine Verhaftung des nach West-Berlin geflohenen Andreas Simonides war dem MfS jedoch «nicht möglich» (s. den «Beschluß für das Einstellen eines Operativ Vorgangs» vom 6.7.61 in der Akte von Dieter Borkowski, Deckname «Aufweicher»). Auch der mit Kant befreundeten Ulla Behse «konnte eine feindliche Tätigkeit nicht nachgewiesen werden», sie blieb jedoch zusammen mit vier weiteren Personen auf dem Vorgang «Aufweicher» registriert, «da sie eine negative Entstellung zur DDR zeigten und von der feindlichen Tätigkeit des Borkowski wußten».

Vielleicht waren höhere Chargen des MfS auch der Meinung, daß die ‹persönliche Chemie› zwischen Dreier und Kant nicht stimme – s. die Rüge Dreiers vom 6.1.1959 an die Adresse Kants, weil der am 2.1.1959 ohne Entschuldigung einen Treff nicht eingehalten hatte (s.

Treffbericht vom 7.1.1959). So wäre u. U. die Übergabe der Kontaktperson Kant von Dreier an Leutnant Riedel (19.2.1959) zu erklären
(Treffbericht vom 18.3.1959).

22. Ermittlungsbericht über Kant
(24.10.60)

REGIERUNG DER
DEUTSCHEN DEMOKRATISCHEN REPUBLIK
Ministerium für Staatssicherheit   **Geheim**
Verwaltung *HA VIII*
Abteilung *II*
Referat *1*   *Berlin, den 24.10.1960*
Sachbearbeiter *Martin*   *Tgb.-Nr.: VIII/3837/8178/60*
Telefon *3554*
An die Abteilung *HA V/1 – 5271*
Verwaltung *Gen. Paroch*
des Ministeriums für Staatssicherheit

Ermittlungsbericht

Es sollte ermittelt werden: Kant, Hermann,
                                Berlin-Hohenschönhausen,
                                Hornbergerstr. 26
Es wurde ermittelt: Der K. wohnt nicht wie lt. Auftrag
                                Hornbergerstr. 26, sondern
                                Hornbergerstr. 29
                                Kant, Hermann, Paul, Karl
                                geb. am 14.6.1926 in Hamburg/
                                Altona
                                Beruf: Elektriker, Redakteur,
                                Schriftsteller
                                Familienstand: verheiratet
                                Staatsangehörigkeit: Deutschland

wohnhaft: seit dem 5. 8. 1958 in Berlin-Hohenschönhausen,
          Hornbergerstr. 29, Mieter
vorher: von Greifswald, Str. der nat. Einheit 38'
15. 9. 1952 Berlin-Niederschönhausen, Uhlandstr. 61/b. ⟨…⟩
8. 9. 1953 Berlin-Niederschönhausen, Dietzgenstr. 71
13. 10. 1955 Berlin-Hohenschönhausen, Gottfriedstr. 23/b. ⟨…⟩
Arbeitsstelle: Freiberuflicher Schriftsteller
Der K. ist freiberuflicher Schriftsteller und arbeitet vorwiegend für
den Deutschen Schriftstellerverband in Berlin W 8, Friedrichstr. 169.
Auf Grund seiner beruflichen Tätigkeit arbeitet er sehr viel zu Hause.
Wie aus einem Antrag auf Auslandreise hervorgeht, war er im Jahre
1956 als wissensch. Assistent im Germanistischen Institut der Humboldt-Universität zu Berlin beschäftigt.

  Der K. hat dienstlich viel in Westdeutschland zu tun und hatte laut
polizeilichen Unterlagen bisher folgende Dienstreisen:
Westreise vom 15. 4. –27. 5. 1957 – Ort unbekannt

,,	,,	18. 7. –29. 8. 1957 –	,,	,,	, dienstlich
,,	,,	20. 2. 1958	– ,,	,,	
,,	,,	12. 3. 1959	– ,,	,,	
,,	,,	6. 5. 1959	– ,,	,,	
,,	,,	29. 1. 1960	– ,,	,,	
,,	,,	1. 6. 1960	– ,,	,,	
,,	,,	15. 6. 1960	– ,,	,,	
,,	,,	13. 7. 1960	– ,,	,,	

Im Jahre 1956 war er zum Kulturaustausch ca. 3 Monate in der Volksrepublik China. Der K ist seit dem 1. 2. 1949 Mitglied der SED. Im
Wohngebiet wird er als ein zuverlässiger Genosse eingeschätzt. Er
gehörte bis vor kurzem der Wohnparteiorganisation an und hat dort
eine gute gesellschaftliche Arbeit geleistet. So hat er jetzt der
WPO[1] 200 Aufbaustunden gemeldet, die sie jetzt für die Wohn-
gruppe mit melden können. Wiederholt hat er sich als Referent für die
Wohnparteiorganisation zur Verfügung gestellt. Er besitzt ein gutes
politisches Wissen, seine Diskussionen sind positiv.

  Im Wohngebiet besitzt er einen sehr guten Leumund. In moralischer Hinsicht ist nichts Nachteiliges bekannt. Er wird als ein sehr
ruhiger und sachlicher Mensch geschildert. Die Familienverhältnisse
sind geordnet, mit seiner Ehefrau führt er ein gutes Eheleben.
Abends holt er des öfteren sein Kind aus dem Kindergarten ab.

Die finanziellen Verhältnisse sind gut. Seinen geleisteten Parteibeträgen nach, hat er im Monat nie unter 1000,– DM verdient.

Über seinen Freundeskreis ist im Wohngebiet nichts bekannt. Man hat den Eindruck, daß er mit seiner Familie für sich lebt.

Über Verwandte und Bekannte in Westberlin und Westdeutschland ist nichts bekannt. Man hat auch noch nicht gehört, daß er noch Geschwister hat.[2]

(...)

Der K. wurde am 29. 10. 1957 für die HA V/6/II. Sachb. Nistler ermittelt.

Leiter der Abteilung II	Referatsleiter
Mikuszeit[3]	*Sarge*[4]
Oberleutnant	Leutnant

---

1 WPO = Wohnparteiorganisation.
2 Hermann Kant hat drei Geschwister, zwei Schwestern und den Bruder Uwe, der selbst Schriftsteller wurde («Das Klassenfest», 1969, «Die liebe lange Woche», 1971, «Die Nacht mit Mehlhose», 1972).
3 Erwin Mikuszeit, *22. 1. 1932, seit 7. 10. 1960 kommissarischer Abteilungsleiter der HA VIII/2, zuständig für «Ermittlung/Beobachtung».
4 Edeltraud Sarge, *26. 7. 1931, seit 1. 10. 1960 Referatsleiterin der HA VIII/2/1.

23. Aktenvermerk über eine zweite Stasi-Zusammenarbeit (3.11.60)

Hauptabteilung V/1/IV   Berlin, den 3.11.1960

Aktenvermerk

Betr.: Freiberuflicher Schriftsteller Kant, Hermann,
           wohnhaft in Berlin-Hohenschönhausen

Vor einigen Tagen kam Gen. OTTO, Mitarbeiter der HA II[1], wegen dem Obengenannten zu einer Rücksprache. Genosse OTTO teilte mit, daß von seiner Seite aus bereits seit längerer Zeit Kontakt zu dem Obengenannten unterhalten wird und er mit ihm regulär zusammenarbeitet. Die Verbindung wurde zu dem Zeitpunkt geschaffen, wo Gen. OTTO noch Aufgaben für die befreundete Dienststelle löste.[2] Deshalb war es auch möglich, daß der K. nicht in unserer Abteilung XII[3] erfaßt war.

Da eine Klärung von Mitarbeiter zu Mitarbeiter hier nicht möglich und statthaft ist, wurde festgelegt, daß über die Leitungen der Hauptabteilungen die entsprechenden Absprachen getroffen werden.

Paroch
Ltn.

---

1 Henry Otto, *2.2.1933, war seit 3.10.1960 stellvertretender Referatsleiter der HA II/2/B, zuständig für Spionageabwehr. Bis dahin war er vom 7.7.1956 an Offizier im besonderen Einsatz (OibE) «bei befreundeter Dienststelle» gewesen.
2 Mit der «befreundeten Dienststelle» ist nach dem üblichen Sprachgebrauch der sowjetische Geheimdienst gemeint.
3 Die Abteilung XII war innerhalb des MfS die «Zentrale Auskunft/ Speicher».

24. Einschätzung des IM «Villon» (8.11.60)

Berlin, den 8.11.60

Abschrift

Hermann KANT ist Anfang der dreißiger Jahre. Er ist als Sohn eines Arbeiters in Hamburg-Altona geboren. Kurz vor Kriegsende kam er in sowjetische Gefangenschaft, ging zur Antifa und wurde Lehrer an einer Antifa-Schule. Zurückgekehrt, begann er auf der ABF zu studieren, wurde Wilhelm-Pieck-Stipendiat. Nach seinem Diplom wurde er 2 Jahre lang Chefredakteur der Studentenzeitschrift «tuates»[1]. Er war während seines Studiums immer Parteifunktionär. KANT arbeitet jetzt an der Vorbereitung des Schriftstellerkongresses. Er hat große Erfahrungen in der Arbeit nach Westdeutschland. KANT ist stets, so oft ich ihn sah, parteilich aufgetreten. Er scheut nicht politische Auseinandersetzungen. Er ist ein geübter Diskussionsredner. Seine Aufgaben in der Arbeit nach Westdeutschland hat er korrekt erfüllt. Er hat bei diesen Aufgaben mehr geleistet, als ihm aufgetragen wurde. Er ist findig, konsequent und mutig. Seine im ND erschienen Reportagen über die westdeutschen Betriebsbibliotheken[2] und über das Auftreten ⟨Billy Grahams⟩[3] sind dafür Beweise. Bei KANT tritt besonders hervor, daß es bei ihm keinen offensichtlichen Zwiespalt zwischen Theorie und Praxis gibt. Von ihm ist bekannt, daß er schweigsam und verläßlich ist. Seine Frau ist, soweit ich weiß, Parteimitglied und Direktor einer DIA[4] und reist durch die ganze Welt.

Ich will hier sagen, daß ich vom Genossen KANT eine sehr positive Meinung habe und ihm voll vertraue.

Gez. GI[5]

Einschätzung eines IM
der HA. II von Gen. Eckhold *Paroch*

---

1 Gemeint ist «tua res».
2 Der Artikel über die westdeutschen Betriebsbibliotheken erschien im ND vom 23. und 24.9.1960, jeweils S.4.

3 Der Artikel über Graham erschien im ND vom 1. 10. 1960.

Kant berichtet darüber in «Abspann»: «Alfred Kurella, wirklich ein
mächtiger Mann, ist es gewesen, der 1960 dem ‹Neuen Deutschland›
anriet – man hat es mir prompt berichtet, und prompt fühlte ich mich
ausgezeichnet –, gegen den ‹Hetzprediger Billy Graham diesen Mitarbeiter K. auszuschicken›, der könne ‹dem Ami das Wasser reichen›.

Obwohl dies in jeder Hinsicht eine fragwürdige Aussage war, begab
ich mich geschmeichelt ins Evangelisationszelt vor dem Reichstag. Den
Artikel ‹Der schrille Amerikaner›, er wird Kurella & Companie sehr
gefallen haben, las ich vor kurzem noch einmal (...) Bis auf einen
schlimmen Zeigefinger am Schluß ist der Artikel gar nicht schlecht.»
(«Abspann», S. 321)

4 DIA = Deutscher Innen- und Außenhandel.

5 Bei dem GI handelt es sich um «Villon» alias Gerhard Holtz-Baumert.
Das handschriftliche Original liegt in seiner Akte, datiert auf den
20. 10. 1960. Holtz-Baumert, * 25. 12. 1927, war seit 12. 12. 1957 «Gesellschaftlicher Mitarbeiter» des MfS, Reg. Nr. 2758/57

25. Vermerk über die Fortführung der zweiten Stasi-Zusammenarbeit (15. 11. 60)

Hauptabteilung V/1/IV   Berlin, den 15. 11. 60

Vermerk

Betr.: freischaffender Schriftsteller *Kant, Hermann*,
wohnhaft in: *Berlin-Hohenschönhausen*
Durch die Leitung der Hauptabteilung wurde geregelt, daß von unserer Seite der Kontakt zu dem o. g. Schriftsteller K. aufgenommen
wird. Genosse OTTO wird durch die Leitung seiner HA damit beauftragt, daß er den Unterzeichneten beim Gen. K. vorstellt. Die Linie
der Zusammenarbeit hat so zu erfolgen, daß von unserer Seite alle
Probleme mit Gen. K. besprochen werden, die uns vom abwehrmäßi-
gen Standpunkt, auch hinsichtlich von Bestrebungen in Westdeutschland, interessieren, Gen. OTTO soll noch zeitweilig mit Gen. K.
zusammenarbeiten, um die Fragen, die die HA II interessieren und be-

reits mit Hilfe von Gen. K. in Angriff genommen wurden, zu Ende zu führen.

Mit Gen. OTTO wurde auf Grund dieses Entscheides Rücksprache genommen, und er war unter diesen Umständen einverstanden.

In diesem Zusammenhang wurde Gen. OTTO befragt, wie die bisherige Zusammenarbeit durchgeführt wurde, worauf Gen. OTTO mitteilte, daß der größte Teil der Treffs in der Wohnung des Gen. K. durchgeführt wurde. Er hat auch einen Decknamen und mit diesem unterschreibt er auch seine Berichte. Seine Frau, die eine Funktion im Außenhandel der DDR hat, ist oft längere Zeit unterwegs und seit ca. 1 Woche wieder zu einer mehrmonatigen Reise in den unabhängigen Nationalstaaten Afrikas.

Mit Gen. OTTO wurde abgesprochen, wann der nächste Treff durchgeführt wird. Gegenwärtig befindet sich Gen. K. wieder auf einer Reise im süddeutschen Raum.[1] Sobald er von dieser Reise zurück ist, wird Gen. OTTO einen Treff festlegen.

Paroch
Ltn.

---

1 Kant befand sich mit anderen DDR-Schriftstellern damals in München zu Veranstaltungen über Jugendliteratur. S. dazu den Bericht von G. Holtz-Baumert in seiner Akte vom 28. 11. 1960 («Bericht über die Reise nach Westdeutschland vom 11.–14. November 1960»): «Kollege Kant holte uns in München vom Bahnhof ab, und wir vereinbarten weitere Treffen und Austausch von Gedanken und Erfahrungen, was sich für die weitere Arbeit als sehr günstig erwiesen hat und vielleicht eine ständige Methode der Arbeit sein sollte.»

26. Aktenvermerk über die Kontaktaufnahme der HA V/1 (7.12.60)

Hauptabteilung V/1/IV   Berlin, den 7.12.60

Aktenvermerk

Betr.: Kontaktaufnahme zu dem freiberuflichen Schriftsteller
Kant, Hermann, wohnh. *Berlin-Hohenschönhausen*

Mit Gen. OTTO von der HA II wurde vereinbart, daß Gen. OTTO Unterzeichnetem den o. g. Schriftsteller am Mittwoch, dem 30.11.60, vorstellt. Da Gen. OTTO mit dem K. bereits seit einiger Zeit Kontakt hat und ihn schon bei der letzten Zusammenkunft auf den Besuch eines 2. Mitarbeiters des MfS vorbereitete, ging die Kontaktaufnahme ohne Komplikationen vor sich. Dem Schriftsteller K. wurde bei der Vorstellung gesagt, daß Unterzeichneter, der sich unter dem Namen «Wegner» bei ihm vorstellte, vom MfS als Verbindungsmann zum Deutschen Schriftstellerverband fungiert. Dem K. wurde weiter erklärt, daß besonders in Vorbereitung des Kongresses, der im Frühjahr 1961 stattfindet, eine Reihe von Fragen interessieren, die im Einzelnen dann noch zu besprechen sind.

Gen. K. erklärte sich ohne Zögern bereit, solche Auskünfte zu geben.

In diesem Zusammenhang kam das Gespräch auf seine Reisen nach Westdeutschland zu dortigen Schriftstellern, die er im Auftrage des Verbandes durchführt. U. a. teilte der Gen. K. mit, daß von Seiten des AZKW[1] Fehler gemacht werden, die sich in politischer Hinsicht sehr negativ auf die gesamtdeutsche Arbeit auswirken. Es seien bisher eine Reihe von Beispielen vorgekommen, wo Bücher westdeutscher Autoren, die entweder an offizielle Dienststellen der DDR gesandt werden bzw. an bekannte Persönlichkeiten, vom AZKW beschlagnahmt wurden. Ein konkreter Fall sei das Buch von dem westdeutschen Autor 〈Böll〉 mit dem Titel «Billiard um ½ 10». Der Absender dieses Buches ist der holländische Handelsminister[2]. Der Empfänger war im Moment dem Genossen K. nicht geläufig. Das soll jedoch im Schriftstellerverband zu erfahren sein. Dieses

114

Buch ist vom AZKW beschlagnahmt worden, und in einem Beschlagnahmeprotokoll wird als Begründung angegeben: Der Inhalt des Buches habe einen antidemokratischen Charakter. Ein Exemplar dieser Bescheinigung erhält der Empfänger und ein anderes mit der Begründung der Absender. Die Widersprüchlichkeit bei dieser Angelegenheit ist die, daß dasselbe Buch im nächsten Jahr vom Insel-Verlag in der DDR verlegt wird.[3] Der Schaden, der aus dieser Unkenntnis des AZKW entsteht, ist in dreierlei Hinsicht einzuschätzen. Einmal wird der Empfänger einer solchen Sendung verärgert und er macht darüber unnötige Propaganda. Eine weitere Seite ist, daß es sich bei dem Absender um eine Persönlichkeit aus dem kapitalistischen Ausland handelt. Deshalb kann damit gerechnet werden, daß er dieses Beispiel der bürgerlichen Presse zur Hetze gegen die DDR übergibt. Und 3. handelt es sich bei ⟨Böll⟩ um einen der DDR nahe stehenden westdeutschen Autor, der gegen das Bonner Regime eingestellt ist. Wenn ⟨Böll⟩ diese Handlung zu Ohren bekommt, kann es passieren, daß er eine weitere Zusammenarbeit mit der DDR ablehnt und auch das Buchprojekt beim Insel-Verlag geschädigt werden kann.

Dem Gen. K. wurde zugesichert, daß diese Angelegenheit von uns überprüft und geklärt wird.

Mit Genossen K. wurde vereinbart, daß bei einer späteren Zusammenkunft dann Detailfragen in Hinblick auf den Schriftstellerkongreß behandelt werden. Es wurde festgelegt, daß er ab 12.12.60 angerufen und ein neuer Termin der Zusammenkunft vereinbart wird, da er sich bis dahin in Westdeutschland aufhält.

Maßnahmen:
1. Ermittlung des Buchempfängers im DSV
2. Schreiben an die HA VII[4] mit der Bitte um Kenntnisnahme und Veranlassung.

Paroch
Ltn.

---

1 AZKW = Amt für Zoll und Kontrolle des Warenverkehrs.
2 Holländischer Handelsminister war zum fraglichen Zeitpunkt Jan Willem de Pous, *23.2.1920.

3 «Billard um halb zehn» erschien tatsächlich 1961 als Lizenzausgabe in
erster Auflage beim Insel-Verlag Leipzig. Eine zweite Auflage folgte
1965.
4 Zuständig für die Abwehrarbeit beim Ministerium des Innern/Deut-
sche Volkspolizei.

27. Treffbericht: PEN-Tagung in Hamburg (25.4.61)

Hauptabteilung V/1/IV   Berlin, den 25.4.1961

Treffbericht

Betr.: *Treff mit der KP «Kant» am 25.4.1961 von 9.00–10.30*
        in der Wohnung
Am Treff nahm der Gen. Ltn. Paroch und Schindler[1] teil. Beim Treff
wurde die KP an den Gen. Schindler übergeben.

Die KP berichtete mündlich.

Er hat an der PEN-Veranstaltung in Hamburg[2] teilgenommen.
Über die Tagung existiert ein Protokoll, welches beim DSV liegen
müßte. Das gleiche Protokoll wird auch im Verlaufe dieser Woche
vom westdeutschen Zeit-Verlag als Broschüre in der Reihe «Wir diskutieren» herausgebracht.[3]

An der Veranstaltung nahmen am 1. Abend 500 und am 2. Abend
700 Personen teil. Vor allen Dingen Studenten, aber auch eine Reihe
Persönlichkeiten aus dem westdeutschen Kulturleben.[4] Es waren
auch eine Anzahl Verräter[5] anwesend, u.a. RADDATZ[6], ZWE-
RENCZ[7], SANDER[8], JOKOSTRA[9], RÜHLE[10] und der nach
WD geflohene Pole REICH-RANITZKI[11]. Außer RANITZKI,
welcher als Spezialist für Ostliteratur hochgespielt wird, traten keine
dieser Personen öffentlich auf. Sie diskutierten aber intensiv während
der Pausen.

Kant schätzt die Veranstaltung insgesamt als einen Erfolg ein. Die
Ausführungen der DDR-Vertreter fanden Resonanz, und viele Vor-
urteile gegen die DDR wurden entkräftet. Nach seiner Meinung wurden jedoch lange nicht alle Möglichkeiten für ein offensives Auftreten

116

ausgenutzt. Die Ursachen dafür sind darin zu suchen, daß sich die Delegation schlecht vorbereitet hatte. Es herrschte vor der Reise die Auffassung vor, daß man die Probleme schon bewältigen werde und alles aus dem Ärmel schüttelt. So wußte man von vornherein, daß Fragen kommen werden, warum bestimmte Literatur bei uns nicht erscheint oder weshalb HARICH verhaftet wurde usw. Auf alle diese Probleme hat man sich jedoch nicht ernsthaft vorbereitet.

Am Veranstaltungsabend wurde z. B. von westdeutschen Teilnehmern das Problem: Kampf dem Atomtod aufgeworfen. Von unserer Seite ist keiner darauf eingegangen.

Bei der zweiten Veranstaltung fing der Pole REICH-RANITZKI sofort die Diskussion mit dem Problem HARICH und dem Nichterscheinen bestimmter Bücher in der DDR an. Am stärksten wurde er von dem Leipziger Literaturprofessor MEYER[12] angegriffen und geschickt gekontert. MEYER, der bei uns sonst eine schwankende Haltung einnimmt und mitunter aggressiv gegen unsere Linie auftritt, vertrat dort sehr konsequent unsere Auffassungen. Da man die sonstige Haltung von MEYER in Westdeutschland gut kennt, lösten seine Ausführungen Bewegung unter den Zuhörern aus und seine Diskussion kam, wie man in späteren Diskussionen feststellte, gut an.

Von den Teilnehmern aus der DDR verletzte keiner die festgelegte Linie. Es machte sich aber, wie bereits geschildert, sehr ernsthaft bemerkbar, daß unsere Leute nicht genügend vorbereitet waren und teilweise sogar in verschiedenen Fragen schlichtend auftraten.

Eine Schilderung der Diskussion im Detail konnte KANT nicht geben, da dieses Problem zu umfangreich ist. Ein Exemplar des bei uns vorhandenen Protokolles kann er nicht beschaffen, da dies z. Z. im Verband gebraucht wird.

Über die Vorbereitung zum Schriftstellerkongreß[13] berichtete KANT folgendes:

Nach seiner Einschätzung und auch der Meinung anderer Schriftsteller wird der Kongreß nicht den gewünschten Erfolg bringen. Entweder gibt es nach seiner Meinung die Möglichkeit, daß nur das Hauptreferat[14] und einige vorbereitete Kurzreferate gehalten werden, ohne daß eine richtige Diskussion einsetzt, oder es entwickelt sich eine wilde Diskussion, die uns großen Schaden zufügen kann. Seine Vermutung begründet er damit, daß bis zum Kongreß einige literarische Fragen noch nicht geklärt sein werden. Z. B. das Problem, warum bestimmte Werke von Autoren, die in der Welt anerkannt sind, bei uns nicht gedruckt werden.[15] Oder, was kann ein Schriftsteller in der DDR schreiben und was kann er nicht schreiben. Ebenso das Problem, worin besteht die Freiheit und Verantwortung der Schriftsteller. In diesen Fragen gibt es auch unter verantwortlichen Genossen noch keine einheitliche Auffassung. Ebenso ist die Einschätzung der Literatursituation in der DDR noch nicht abgeschlossen, obwohl sie der Ausgangspunkt für die Diskussionen in den Bezirksverbänden sein soll. So ergibt sich jetzt der Stand, daß unter den Schriftstellern völlig unklar ist, welche Probleme auf dem Kongreß in welcher Form behandelt werden sollen. KANT ist der Auffassung, daß es notwendig ist, dafür zu sorgen, daß die Leitung des Kongresses ein sehr qualifizierter Genosse übernehmen muß, um irgendwelchen Pannen vorzubeugen.

KANT berichtete weiter, daß er während der letzten Seminare im Parteilehrjahr des Verbandes feststellen mußte, daß die Schriftsteller einer erschreckenden politisch-ideologischen Unwissenheit unterliegen. Bei ihnen sind mitunter die primitivsten Probleme unklar. Kant sieht darin auch im Wesentlichen die Ursachen für ihre Unsicherheit bei der Gestaltung von Gegenwartsproblemen.

Kant teilte weiter mit, daß der Schriftsteller JOHO ein Buch fertiggestellt hat, in welchem er praktisch die Geschichte von HARICH gestaltet. Nach seiner Auffassung kann man dieses Buch in der vorliegenden Fassung nicht verlegen.[16]

Mit KANT wurde dann über ⟨Hermlin⟩ gesprochen. Er teilte uns mit, daß ⟨HERMLIN⟩ eine Einladung von Walter ULBRICHT zu einer Aussprache hat. ⟨HERMLIN⟩ ist sehr froh darüber, obwohl er sie erst nicht annehmen wollte, weil, wie er sich ausdrückte, W. Ulbricht viel wichtigere Dinge zu erledigen habe.

⟨HERMLIN⟩ hat sich gegenüber Kant geäußert, daß er nicht am Kongreß teilnehmen wird, sondern für diese Zeit nach Bulgarien fährt. Er begründet dies damit, daß man ihn in der letzten Zeit unmöglich behandelt hätte. Seine Verdienste um die Entwicklung einer sozialistischen Nationalliteratur würden nicht gewürdigt. Z. B. wäre er schon 1951 zu den Kumpels unter Tage gefahren[17], und jetzt würde man die ⟨REGINA HASTEDT⟩ herausstellen, weil sie es 1958 getan habe, und dabei behaupten, sie habe einen völlig neuen Weg beschritten.[18] An solchen Dingen stößt sich ⟨H.⟩ Mit Kant wurde vereinbart, daß er auf Grund seines guten Verhältnisses zu ⟨HERMLIN⟩ mit ihm diskutiert und ihn so beeinflußt, daß er am Kongreß teilnimmt.[19]

KANT konnte noch nicht intensiver zu ⟨HERMLIN⟩ befragt werden, weil er zu ihm ein gutes Verhältnis hat und wir erst langsam in dieser Hinsicht vorarbeiten müssen.

Weitere wichtige Probleme wurden nicht besprochen.

Auftrag:
1. Berichterstattung über den Stand der Vorbereitung zum Kongreß.

Maßnahmen:
Beschaffung des Protokolls über die Hamburger PEN-Veranstaltung.
Beschaffung des Manuskriptes von JOHOS Roman und Einschätzung desselben.

Nächster Treff: in der Woche vom 15.–20.5. nach vorheriger
                telefonischer Rücksprache.

Schindler

---

1 Johannes Schindler, *22.5.1945, seit 1.2.1961 Referatsleiter in der HA V/1/4.
2 Die PEN-Tagung in Hamburg fand vom 8. bis 9.4.1961 statt.
3 Die Publikation des Protokolls findet sich in der ZEIT, Nr. 16 vom 14.4.1963, S. 3–6.
4 Westdeutsche Teilnehmer waren u. a. Martin Beheim-Schwarzbach, Hans Magnus Enzensberger, Robert Neumann und Martin Walser.
5 Kant leugnet ausdrücklich, das Wort «Verräter» gebraucht zu haben. Der SPIEGEL hatte in seinem Bericht in Nr. 41/1992 «‹Vermisse das Wort Pinscher›. Ein Staatsschriftsteller im Stasi-Dienst: Die Spitzel-Karriere des Genossen Hermann Kant alias IM ‹Martin›» auf S. 327 diese Stelle angeführt: «Bei einem Treffen in seiner eigenen Wohnung habe Kant von einer Veranstaltung des PEN in Hamburg berichtet, bei der ‹auch eine Anzahl Verräter anwesend (Zwerenz, Raddatz)› gewesen seien.»
Bei einer Podiumsdiskussion in Marburg mit Günter Gaus und Dieter Lattmann nahm Kant laut Mitschnitt des Südwestfunks Baden-Baden dazu Stellung: «‹Der Verräter Raddatz› hat Kant nie gesagt, obwohl ich Raddatz nie leiden konnte und Raddatz Kant nie. Aber

auf so eine abwegige Haltung habe ich es mit Worten und mit Denken und mit Taten nie gebracht.»

6 Fritz J. Raddatz, *3.9.1931, Lektor, Publizist, bis 1958 Cheflektor des DDR-Verlags «Volk und Welt», nach seiner Flucht aus der DDR Cheflektor des Kindler-Verlags München, damals, seit 1960, stellvertretender Leiter des Rowohlt-Verlags Reinbek.

7 Gerhard Zwerenz, *3.6.1925, Romancier, Publizist, «Aufs Rad geflochten» (1959), «Die Liebe der toten Männer» (1959), «Ärgernisse von der Maas bis an die Memel» (1961). Zwerenz war 1957 aus der DDR geflohen, um einer Verhaftung zu entgehen.

8 Hans-Dietrich Sander, *1928, Publizist, 1952–1956 Dramaturg und Theaterkritiker, dann Übersiedlung in den Westen und revolutionsgeschichtliche Forschung in Zürich.

9 Peter Jokostra, *5.5.1912, Lyriker, Erzähler, Kritiker, «An der besonnten Mauer» (1958), «Magische Straße» (1959), «Hinab zu den Sternen» (1961), «Herzinfarkt» (1961). – Jokostra war 1959 in die Bundesrepublik geflohen.

10 Jürgen Rühle, *5.11.1924, †29.6.1986, Publizist, «Das gefesselte Theater» (1957), «Literatur und Revolution» (1960). – Rühle war 1955 aus der DDR geflohen.

11 Marcel Reich-Ranicki, *2.6.1920, Literaturkritiker, kehrte 1958 von einer Studienreise in die Bundesrepublik nicht nach Polen zurück.

12 Hans Mayer, *19.3.1907, Literaturwissenschaftler, «Georg Büchner und seine Zeit» (1946), «Frankreich zwischen den Weltkriegen» (1948), «Thomas Mann» (1950), «Studien zur deutschen Literaturgeschichte» (1954), «Deutsche Literatur und Weltliteratur» (1957), «Richard Wagner» (1959), «Bertolt Brecht und die Tradition» (1961), – Hans Mayer merkt zu dieser Passage an: «Als ich im Frühjahr 1963 [recte 1961] in Hamburg an der PEN-Tagung teilnahm, sah ich zwar den Kant im Zuschauerraum sitzen, sprach aber nicht mit ihm. Es gibt übrigens eine Photographie, die ihn im Zuschauerraum zeigt.

Da ich zusammen mit Arnold Zweig, Ludwig Renn, Wieland Herzfelde etc. zur Delegation des östlichen PEN gehörte, mußte ich die wirklich sehr unsinnigen Angriffe Reich-Ranickis entsprechend zurückweisen. Das habe ich sogar sehr gerne und freudig getan. Bezeichnend ist übrigens, da ich mich an die Vorgänge noch gut erinnere, daß vor mir auch Hans Magnus Enzensberger sehr scharf gegen Reich-Ranicki gesprochen hatte. Er sagte damals ziemlich wörtlich: ‹Es ist doch unsinnig, den Teilnehmern aus der DDR bohrende Fragen zu stellen, obwohl man weiß, daß sie darauf nicht antworten können.›»

13 Der V. Schriftstellerkongreß der DDR fand vom 25.–27.5.1961 in Ost-Berlin statt.

14 Das Hauptreferat hielt die Verbandspräsidentin Anna Seghers unter dem Titel «Tiefe und Breite in der Literatur», s. ND 26.5.1961.

15 Tatsächlich kam es auf dem Schriftstellerkongreß darüber zu einer heftigen Debatte, an der sich u. a. Stephan Hermlin, Alexander Abusch und Hermann Kant beteiligten. Hans Bentzien hatte geäußert: «Wer könnte aufstehen und denen das Wasser reichen, die heute hier im Saale sind oder geistig mit uns verbunden sind oder waren?» Auf eine scharfe Replik eines westdeutschen Kongreßteilnehmers antwortete Hermann Kant: «Ich bin kein Kommentator des Ministers für Kultur, aber ich für meinen Teil habe gegen den Satz deshalb gar nichts einzuwenden, weil ich mich als ein beliebiger Schriftsteller auch mit jenen großen Zeitgenossen verbunden fühle, die ⟨...⟩ genannt hat, nämlich mit Musil und Kafka. Der Satz von Hans Bentzien schließt auf jeden Fall (...) ebenso ein wie James Aldridge oder Ernst Fischer oder irgendeinen anderen unserer Freunde, die uns die Ehre machten, unseren Kongreß zu besuchen. Es war also, glaube ich, nicht nötig, so zornig zu werden»; s. dazu die umfangreiche Berichterstattung im «Sonntag», 11. Juni 1961.

16 Gemeint ist Wolfgang Johos Buch «Es gibt kein Erbarmen», das 1962 bei Aufbau erschien.

17 Wahrscheinlich eine Anspielung auf sein «Mansfelder Oratorium» aus dem Jahr 1950 (vertont von Ernst Hermann Meyer), in dem Hermlin die Geschichte des Mansfelder Kupferbergbaus vom 13. Jahrhundert bis in die Gegenwart darstellte.

18 Regina Hastedt, *21.10.1921, Erzählerin, publizierte 1959 das Buch «Die Tage mit Sepp Zach», «ein Buch vom Bergbau und seinen Helden, das die wachsende und immer enger werdende Verbindung zwischen der Arbeiterklasse der DDR, der Kunst und der künstlerischen Intelligenz dokumentiert» (Meyers Taschenlexikon «Schriftsteller der DDR», S. 199). Sie erhielt dafür den Literaturpreis des FDGB.

19 Hermlin nahm am Schriftsteller-Kongreß teil!

28. Treffbericht:
V. Schriftstellerkongreß der DDR
(19. 7. 61)

Hauptabteilung V/1/4   Berlin, den 19. 7. 1961

Treffbericht

Treff mit der KP «Kant»
am 18. 7. 1961 von 10.00 Uhr bis 11.30 Uhr
in der Wohnung der KP

Die KP befand sich allein in der Wohnung, sodaß der Treff ohne Störungen durchgeführt werden konnte.

Auf befragen berichtete die KP folgendes:

Zur Reaktion der Schriftsteller auf den Kongress kann er nicht viel sagen, da er nach dem Kongress[1] mit wenig Leuten zusammen gekommen ist. Noch während des Kongressverlaufes konnte er jedoch feststellen, daß er auf die verschiedenen Schriftsteller positiv gewirkt hat und sie vom Erfolg des Kongresses überrascht waren. Stimmungen gegen den Kongress und die Dort gesagten Dinge hat er nicht festgestellt. Er selbst schätzt den Kongress als unbedingt positiv ein.

In diesem Zusammenahng wurde auch über ⟨...⟩ gesprochen. Die KP kennt ⟨...⟩ schon seit längerer Zeit. Obwohl sich auf den Kongress zwischen ihnen die Hauptauseinandersetzungen enspannen[3] besteht nach wie vor ein guter Kontakt zwischen Beiden.

Er schätzt ⟨...⟩ wie folgt ein.

⟨...⟩ ist ein Mensch ohne jede feste politischen Einstellung und Haltung. Er schießt praktisch nach beiden Seiten und kommt sich dabei sehr imposant vor. Er möchte immer als ein Freiheitsapostel erscheinen. Er tritt gelegentlich auch in der selben Form wie bei uns gegen ⟨Adenauer⟩ auf, während er Tage später wieder vollkommen auf dessen Linie einschwenkt.

⟨...⟩ verkehrt sehr viel im Künstlerlokal ⟨Holler⟩-Keller[2] und auch die KP nach dort eingeladen.

122

Die KP war bisher noch nicht selbst im ⟨Holler⟩-Keller wird aber nach Beendigung der Sommerferien sich nach dort einladen lassen und an Veranstaltung teilnehmen.

Mit ihm wurde festgelegt, welche Punkte uns interessieren und auf die er besonders achten soll. Es sind dies, Wer ist der Leiter des Kellers, gibt es ein Führungsgremium und aus welchen Personen setzt es sich zusammen. Welche politische Linie wird dort verfolgt. An welche politische Strömung lehnen sich die Leute an. Wer nimmt von Schriftstellern und Künstlern aus der DDR an den Lesungen teil.

Bisher ist ihm bekannt, daß der Leiter ein Student der Freien-Universität und Leiter des dortigen dramatischen Zirkels ⟨...⟩ oder ähnlich sein soll. Teilnehmer sind desweiteren Student der FU junge Künstler und nach Angaben von ⟨...⟩ auch eine Anzahl von Künstlern aus der DDR.

Die KP teilte dann noch mit, daß er erfahren hat, ⟨Gerlach⟩[3] soll nach HAMBURG fahren um dort einen Ableger des Komma-Klubs[4] zu bilden, da er angeblich Erfahrung in diesen Dingen hat. Die KP kennt den Auftrag nicht hält es aber nicht für gut, daß ⟨Gerlach⟩ diesen Auftrag hat und auch noch allein fahren soll.

Die KP kennt den ehemaligen Mitarbeiter des Verlages Volk und Welt ⟨Schneider⟩[5]. Er war längere Zeit mit ihm befreundet allerdings hat sich in den letzten Jahren die Verbindung sehr gelockert und sie haben sich selten gesehen. ⟨Schneider⟩ ist jetzt freischaffend und soll noch für den Verlag VOLK und WELT arbeiten. Verbindungen sollen zu ⟨Berger⟩[6] vom Verlag und ⟨Bieler⟩ bestehen.

Genauere Angaben konnte die KP nicht machen.

Es wurde dann auf die Arbeit der religiös gebundenen Schriftsteller eingegangen, die KP wies daraufhin, daß sie in dieser Hinsicht keine genauen Angaben machen kann. Ihm ist nur bekant, daß einer der aktivsten und auch befähigsten Kath. Schriftsteller der in Berlin oder Umgebung wohnende ⟨Bobrowski⟩[7] ist. ⟨B.⟩ ist ⟨Huchel⟩-Schüler, die meißten seiner Gedichte verlegt er in Westdeutschland.

Die KP teilte dann auf befragen mit, daß seine Ehefrau im Herbst 1961 für 2 Jahre nach Dänemark geht und er für diese Zeit mit ihr gehen wird.

Weitere wichtige Dinge wurden während des Treffs nicht besprochen.

Einschätzung:
Die Kontaktperson tritt sehr freundlich und höflich auf. In der Gesprächsführung hält sie sich sehr zurück und betont oft, daß sie keine Auskunft geben kann. es besteht der Verdacht, daß sie wirklich so wenig wie möglich sagen möchte. In der Diskussion über politisch ideologische Probleme ist festzustellen, daß er sich wahrscheinlich sehr auf ⟨Hermlin⟩ orientiert. Er bringt auch offen zum Ausdruck, daß er die Forderungen des ⟨H.⟩ nach einem breiteren Verlagsprogramm und der Aufnahme von Romanen aus den Westliche Ländern unterstützt. Allerdings betrachtet er es für notwendig, dies eben jetzt aufgrund des Papiermangels zu Gunsten unserer Literatur zurückzustellen.

Es ist notwendig mit der KP weiter zu arbeiten und den Kontakt zu ihr zufestigen, damit sie uns auch offen über die Probleme unter den Schriftstellern informiert.

Auftrag:
1. ⟨Holler⟩-Keller aufsuchen und Ermittlungen bzw. Feststellungen nach den genannten Punkten führen.
2. Bei einem Zusammentreffen mit ⟨Schneider⟩ sich mit diesem über politisch ideologische Probleme unterhalten um seine jetzige politische Haltung kennen zulernen.

Maßnahmen:
1. Feststellen, in welchen Auftrag ⟨Gerlach⟩ nach Hamburg fährt und welche Aufgaben er durchführt.
2. Hinweise über ⟨Schneider⟩ zum Vorgang des Gen. ⟨Gütling⟩ [8]
3. Auszüge über ⟨Grass⟩ zur Handakte.
Der nächste Treff wird Anfang September 1961 telefonisch festgelegt.

Schindler
Ltn.

---

1 Der V. Schriftstellerkongreß der DDR fand vom 25. bis 30. Mai 1961 statt. Kant beteiligte sich daran mit dem Referat «Macht und Ohnmacht einer Literatur» (in NDL 8, 1960, S. 62–80), in dem er sich mit der literarischen Situation in Westdeutschland auseinandersetzte.

2 Einen Holler-Keller gab es nicht. Gemeint ist wohl der Literaturkeller in der Waitzstraße, den es bis zum Februar 1963 gab. Zu der Verwechslung könnte es über den Namen des Schriftstellers Walter Höllerer gekommen sein, dessen Student Klaus Völker einer der Organisatoren des Kellers war. Nach Auskunft Klaus Völkers war Kant erst am 23.1.1964 Gast in der Waitzstraße, als der Keller vom Berliner SDS als Tagungslokal genutzt wurde.

3 Jens Gerlach, *30.1.1926 Hamburg, Lyriker, Film- und Fernsehautor. Herausgeber und Nachdichter. Gerlach, Sohn eines Angestellten, war ab 1943 Soldat. 1945 wegen Wehrkraftzersetzung in ein Straflager eingeliefert und später zu einer Bewährungstruppe abkommandiert. Nach dem II. Weltkrieg Hafenarbeiter, Angestellter und Werbefachmann. 1947/51 Studium der Malerei und Kunstgeschichte. Seit 1951 freischaffender Schriftsteller. Er siedelte 1953 in die DDR über. Er schrieb Massenlieder, Songs und Chansons («Wir wollen Frieden auf lange Dauer», «Atomraketenlied», «Lehmhausblues») und setzte sich auch von der DDR aus immer wieder mit den Realitäten in der Bundesrepublik auseinander. Meyers Taschenlexikon «Schriftsteller der DDR» (S. 163) bescheinigte ihm «parodistische, grimmig-polemische und agitatorische Zielsicherheit» in seinen satirischen Versen. Seine Vertrautheit mit den Verhältnissen in Westdeutschland und seine Herkunft aus Hamburg prädestinierten ihn für eine kulturpolitische Mission.

Werke: «Ich will deine Stimme sein» (1953), «Der Gang zum Ehrenmal!» (1953), «Lebendes Eisen» (1955), «Anthologie 1956. Gedichte aus Ost und West» (1956). Acht Liebeslieder (1958), «Der Schatten von gestern» (1960), «Marburger Bericht» (1961).

4 Unterlagen zu einem Komma-Club, der vielleicht «Ableger» des in München existierenden kulturpolitischen Komma-Clubs hätte sein sollen, wurden nach Auskunft des Staatsarchivs Hamburg dort nicht gefunden.

5 Gerhard Schneider, der 1956/57 als Lehrbeauftragter für «Neuere deutsche Literatur» Kollege Kants an der Humboldt-Universität war, merkt zu dieser Stelle an: «Die Aktennotiz von 1961 ist mir schleierhaft. Ich war nie mit Hermann Kant befreundet. Er hörte (...) meine Vorlesung, war dann mein Kollege am Germanistischen Institut – mehr nicht. Mitarbeiter des Verlags Volk und Welt war ich zu jener Zeit auch nicht, geschweige denn, daß ich je dort angestellt gewesen wäre. Erst 1967 gab ich bei Volk und Welt eine zweibändige Anthologie ‹Österreichische Erzähler des 20. Jahrhunderts› heraus (...) Womöglich handelt es sich gar nicht um mich, sondern um einen anderen

Schneider. Um Rolf? (...) Doch zu Karl Heinz Berger hinwiederum, der jahrzehntelang als freiberuflicher Gutachter für den Verlag fungierte, hatte Rolf Schn.[eider] keine Verbindung, wohl aber ich. Enge Verbindung zu Bieler hatte ebenfalls ich, nicht Rolf. Weiß der Kukkuck, was hier durcheinandergequirlt wurde.»

6 Karl Heinz Berger, *28. 7. 1928, Romanautor, Kritiker, Herausgeber und Essayist, 1952–1957 Verlagslektor in Berlin.

7 Johannes Bobrowski, *9. 4. 1917, †2. 9. 1965, Lyriker, Erzähler, Nachdichter und Essayist. Bobrowski war allerdings evangelisch, er stand während des III. Reichs der «Bekennenden Kirche» nahe. Seine Gedichtbände «Sarmatische Zeit» (1961) und «Schattenland Ströme» (1962) erschienen in der Deutschen Verlagsanstalt Stuttgart.

8 Peter Gütling, *3. 1. 1935, seit 1. 5. 1960 Sachbearbeiter der HA V/1/4.

---

29. Aktenvermerk:
Einschätzung des «KP Martin» durch die HA II (3. 10. 62)

HA / V / 1 / IV   Berlin, den 3. 10. 1962

Aktenvermerk

Über eine Aussprache mit dem Genossen OTTO, Henry HA II (...) über die
KP «MARTIN»
(Schriftsteller)
Die KP – «MARTIN ist der Schriftsteller KANT, Hermann. Genosse OTTO, ist dem Obengenannten unter den Decknamen: «RICHTER», bekannt.
Genosse OTTO, schätzt die KP «Martin» wie folgt ein: «Die KP MARTIN» ist bei intensiver Arbeit als GI geeignet. Die KP ist mit einigen Fragen der Entwicklung nicht ganz einverstanden, er ist jedoch Ehrlich und Aufrichtig. Die Zusammenarbeit mit der HA II mit der KP MARTIN wird als gut eingeschätzt. Die KP ist befreundet

mit den Schriftstellern ⟨Hermlin⟩, ⟨...⟩, ⟨Bieler⟩, u. a.» Verpflichtet wurde die KP bisher nicht.

Treike[1]:
Mitarb, Obltn.

---

1 Herbert Treike, *14. 8. 1928, seit 1. 10. 1962 Sachbearbeiter der HA XX/1/3.

30. Treffbericht:
Informationen über
DDR-Schriftsteller / Deckname Martin
(4. 10. 62)

Hauptabteilung V[1]/1/IV   Berlin, den 4. 10. 1962

Treffbericht

Zeit: 4. 10. 1962, von 14.00 – 15.30 Uhr
Ort: Wohnung der KP
Quelle: KP «Martin»
Mitarb.: Oltn. Treike

Treffverlauf:
1. Persönliche Fragen der KP «Martin»
Die KP berichtete, daß seine Ehefrau für mehrere Wochen gegenwärtig mehrere Länder Afrikas bereist. Infolgedessen hat er den ganzen Haushalt einschl. 6-jährigem Sohn zu versorgen. Die KP hat sich einen Pkw vom Typ «Moskwitsch» gekauft. Ab 1. März 1963 soll eine neue Wochenzeitschrift mit dem Titel «Junge Intelligenz»[2] für Kultur und Politik erscheinen. Der Titel liegt noch nicht endgültig fest. Die Vorlage über die neue Wochenzeitung muß erst vom ZK bestätigt werden. Die KP «Martin» hat die Funktion des Chefredakteurs übertragen bekommen und auch diese angenommen.

Stellv. Chefredakteur wird voraussichtlich ⟨Heinz Nahke⟩[3] sein.

127

Des weiteren sollen mitarbeiten ⟨Harald Wessel⟩[4] von ND, ⟨Walter Nowojski⟩[5] vom Rundfunk, ⟨Elisabeth Shaw⟩[6], die englische Zeichnerin.

Die Zeitung soll eine Anfangsauflage von etwa 150 000–200 000 Exemplaren erreichen.

2. Information über die letzte Vorstandssitzung

Die Beteiligung an der Vorstandssitzung war als sehr gut zu bezeichnen. Prof. Dr. ⟨Friedrich K. Kaul⟩[7] unterbreitete im Auftrag des Deutschen Fernsehfunks dem Vorstand die Einführung einer Zwangslizenz. Als Begründung gab er an, damit der Deutsche Fernsehfunk in der Lage ist, allseitig schneller und besser alle Materialien zur Vorbereitung und Durchführung der Sendungen zu verwenden. Durch die Einführung der Zwangslizenz würden die Schriftsteller im In- und Ausland ihre Urheberrechte verlieren und keinen Einfluß mehr auf die künstlerische Gestaltung ihrer Arbeiten bei Verwendung haben, des weiteren wird die Höhe des Honorars von ihnen dann nicht mehr mitbestimmt.

Der Schriftsteller ⟨Heym, Stefan⟩[8] sprach in diesem Zusammenhang Töne, die alles andere als fein waren.

Die KP «Martin» hält es für zweckmäßig, daß wir uns das Protokoll der Vorstandssitzung ansehen.

Der Vorschlag des Deutschen Fernsehfunks wurde vom Vorstand einstimmig abgelehnt.

Die CSSR hat ebenfalls eine Zwangslizenz eingeführt.

Die SU hat ihre Zwangslizenz aufgegeben und ist der Berner Konvention beigetreten (zur Wahrung der Urheberrechte).

Der 2. Tag der Vorstandssitzung befaßte sich mit Literaturkritik. Das Referat von ⟨Hans Koch⟩[9] bezeichnete die KP als sehr gut, jedoch die Diskussion lag unter dem Niveau. Die KP schätzt den Literaturkritiker ⟨Ebert⟩[10] (Brillenträger) als einen schlechten Literaturkritiker ein. ⟨Ebert⟩ ist zu wenig belesen und ist nicht in der Lage, eine helfende Kritik zu üben. Bei den Schriftstellern findet ⟨Ebert⟩ keine Achtung. Sehr gute Literaturkritiker sind ⟨Gerhard⟩ und ⟨Christa Wolf⟩[11]. Sie haben Niveau, was sie sagen, hat Hand und Fuß. ⟨Werner Ilberg⟩[12] ist ein guter, hochanständiger Mensch, ein guter Kumpel, jedoch ein schlechter Literaturkritiker, er redet Quatsch.

3. Zum Berliner Buchbasar

〈Erich Kästner〉 ist nach Auffassung der KP ein berühmter Mann. Der Name ist ein Begriff, wie z. B. 〈Tucholsky〉 bei uns. Deshalb ist der Gedichtband so schnell vergriffen.[13] Die KP besuchte den Buchbasar am 5. 10. 62 und wird darüber auf dem nächsten Treff berichten.

Zu 〈Kästner, Erich〉 berichtete die KP «Martin», daß er der Hauptschuldige der Trennung des deutschen «Pen-Club-Zentrum»[14] ist. 〈K.〉 leitete damals als Präsident den Angriff gegen die Mitglieder der DDR im gesamtdeutschen PEN-Zentrum. 〈K.〉 tritt jedoch offen gegen den Militarismus auf.

4. Einige Bemerkungen der KP «Martin» zur Frankfurter Buchmesse

Zur Frankfurter Buchmesse waren 〈Joho〉[15], 〈Cwojdrak〉[16], 〈Kretschmar〉[17] und 〈Seghers〉[18].

〈Seghers〉 hat aus ihren Büchern vorgelesen und wurde in ihrer Geburtsstadt Mainz vom Oberbürgermeister empfangen.

Im allgemeinen ist berichtet worden, daß auch auf dem Buchmarkt die Konjunktur zu verzeichnen ist. Das Angebot ist sehr umfangreich und allseitig. Die DDR ist mit kleinen Ständen gewesen.

5. Information über Westberliner und westdeutsche Schriftsteller

Die KP «Martin» war in der letzten Woche im Westberliner Schiller-Theater, um sich die Aufführung 〈...〉 anzusehen. Der Verfasser ist 〈...〉. Er lebt in Westdeutschland und ist als freischaffender Schriftsteller tätig. Das Theaterstück schätzt die KP als mäßig ein. Es richtet sich gegen die Restauration, gegen die Nazis.

Der Beifall war nur gering.

〈...〉 ist in seinen Stücken wie ein Elefant im Porzellanladen. Er ist bürgerlicher Herkunft und will die demokratische Entwicklung.

Die KP «Martin» hat die Absicht, an 〈...〉 einen Brief zu schreiben, um mit ihm Kontakt aufzunehmen.

Der westdeutsche Schriftsteller 〈Schnurre〉[19] hat im Westdeutschen Rundfunk gegen die Verbreitung kommunistischer Literatur gesprochen.

Die KP «Martin» hält 〈Schnurre〉 für einen heruntergekommenen Menschen. 〈Schnurre〉 schlägt sich mit anderen Personen, so hat er sich z. B. mit dem WD Schriftsteller 〈Schonauer〉[20] geschlagen.

6. Einschätzung der Berliner Festwochen
Die Festwochen schätzt die KP als noch gelungen ein, trotzdem die Vorbereitungszeit nur sehr kurz war.

Er hat die Absicht, die Lyrik-Lesung von ⟨Hermlin⟩, ⟨Fühmann⟩[21] u. a. sich anzuhören. Die KP ist gespannt, was ⟨Hermlin⟩ bringen wird. Zum nächsten Treff wird die KP darüber berichten. Die Popularisierung der Berliner Festwochen durch die Presse schätzt die KP als sehr gut ein.

7. Zu einigen Fragen der Arbeit des Verbandes
Die KP schätzt die Zusammensetzung der Parteileitung des Verbandes als gut ein.

Zur Presse – Im allgemeinen vertritt die KP den Standpunkt, daß die Informationen schneller und inhaltsreicher in manchen Fällen sein müßten.

Mit der Bezirksleitung ist vom Verband aus abgesprochen worden, daß der Kontakt zwischen DSV und Bezirksleitung der Partei verbessert wird, daß des öfteren Aussprachen stattfinden. Es wird eingeschätzt, daß sich das positiv auf die Arbeit des Verbandes auswirken würde.

8. Zu einigen Schriftstellern – Informationen
⟨Heym⟩ schreibt an einem Buch «Katze und Maus».[22]

⟨Waterstradt, Berta⟩ schreibt an einem Theaterstück.[23]

⟨Hermlin, Stephan⟩ will einen Film über ⟨Anna Seghers'⟩ Buch «Ausflug der toten Mädchen» schreiben.[24]

⟨Uhse, Bodo⟩ soll Cheflektor von «Sinn und Form»[25] lt. Pressemeldung machen. Die KP schätzt das wie folgt ein: Einer macht die Arbeit und ⟨Bodo Uhse⟩ steckt die Lorbeeren ein. So wie er ⟨Uhse⟩ kennt, ist der faul und wird sich wenig in der Redaktion sehen lassen.

⟨Nachbar, Herbert⟩ schreibt einen Film, hat eine Erzählung geschrieben und schreibt gegenwärtig wieder eine.[26]

⟨Bieler, Manfred⟩, sein Roman[27] erscheint im Aufbau-Verlag in einem neuen Titel. Der Roman wird in Westdeutschland und der CSSR verlegt.

⟨Arendt, Erich⟩[28], was er gegenwärtig macht, ist nicht bekannt.

⟨Streubel, Manfred⟩[29], über seine Tätigkeit ist ebenfalls nichts bekannt.

⟨Müller, Heiner⟩, soll Reklametexte im Auftrag der DEWAG für den Deutschen Fernsehfunk schreiben.[30]

⟨Fühmann, Franz⟩ arbeitet an einem Gedichtband[31]

9. Information über die kommende Sitzung des PEN-Club-Zentrum in London

Im Oktober 1962 findet die nächste PEN-Tagung in London statt. Von der DDR nehmen ⟨Hermlin, Stephan⟩ und ⟨Kretschmar, Ingeburg⟩ teil.

Die westdeutsche PEN-Delegation wird geführt von ⟨Krämer-Badoni⟩[32] und ⟨...⟩. Die Westdeutsche Delegation soll den Antrag gestellt haben, die DDR aus dem PEN-Zentrum auszuschließen.[33]

Es fällt ⟨Hermlin⟩ die Aufgabe zu, diesen provokatorischen Antrag abzuschlagen. ⟨Hermlin⟩ soll sich nach Angaben der KP «Martin» gründlich darauf vorbereiten. Die KP ist überzeugt, daß ⟨Hermlin⟩ die DDR gut verteidigen wird, so daß das westdeutsche Vorhaben mißlingt.

10. Gesamteinschätzung:

Der Verlauf des Treffs muß als positiv eingeschätzt werden. Die KP war sehr aufgeschlossen. U. a. zeigte er mir sein Winter-Arbeitszimmer. Die in der Unterhaltung gestellten Fragen beantwortete er bereitwilligst. Er brachte im Gespräch zum Ausdruck, daß er bereit ist, mit uns unter dem Decknamen «Martin» zusammenzuarbeiten. Der KP wurde aufgezeigt, daß es ständig notwendig ist die Wachsamkeit zu erhöhen, welches er auch einsah.

Die KP erklärte sich bereit, bei Vorkommnissen sofort unsere Dienststelle zu verständigen. Er erhielt die Tel. Nr. 2621 mitgeteilt.

11. Auftrag:

1. Information über die Eindrücke und Stimmungen
   a) Berliner Buchmarkt, Schönhauser Allee
   b) Berliner Festtage
   c) Woche des Buches
   d) Die Kunstausstellung in Dresden
   e) Lyrik-Lesung

12. Maßnahmen:
1. Information an die Abt. Ltg.
2. Information über Personen Vermerke zu den Handakten
3. Information über die PEN-Tagung sofort weiterleiten zur Auswertung
4. Information an Ref. II (Auszüge)
5. Beschaffung des Protokolls der Vorstandssitzung, insbesondere Auswertung des Diskussionsbeitrages ⟨Stefan Heym⟩
6. Beschaffung des Berichtes über die Frankfurter Buchmesse vom DSV (geschrieben von ⟨Ingeburg Kretschmar⟩)

Nächster Treff:
Nach telefonischer Vereinbarung nach etwa 3 Wochen.

Treike
OLtn.

---

1 Seit 4.10.1962 trägt Kant auch für die HA V den Decknamen Martin.
2 Die Wochenzeitung «Junge Intelligenz» (andere erwogene Titel: «Das Blatt» oder «Die Zeitung») sollte angeblich vom Kulturministerium unter Hans Bentzien herausgegeben werden in einem Format, das dem des «Neuen Deutschland» entsprach. Die Planung war schon ziemlich weit fortgeschritten, es existierte bereits ein Layout. Offenbar wurde die Vorlage aber vom ZK nicht bestätigt.
3 Heinz Nahke, *1928, Journalist, seit 1962 Redakteur der Zeitschrift «Forum».
4 Harald Wessel, *12.2.1930, Journalist und Wissenschaftspublizist («Viren, Wunder, Widersprüche» 1961), Mitarbeiter des «Forum» und seit August 1963 Mitglied der Redaktion des «Neuen Deutschland».
5 Walter Nowojski, *1931, Journalist, 1959–1966 Leiter der literarischen und kulturpolitischen Redaktion von Radio DDR.
6 Elisabeth Shaw, *1920, †27.6.1992, Zeichnerin, Karikaturistin für den «Eulenspiegel» und das «Neue Deutschland», Kinderbuchautorin.
7 Friedrich K. Kaul, *21.2.1906, †16.4.1981, Rechtsanwalt, Schriftsteller, Justitiar des Berliner Rundfunks, dann des Staatlichen Rundfunkkomitees.
8 Stefan Heym, *10.4.1913, Romancier und Essayist. «Kreuzfahrer von Heute» (1950), «Offene Worte. So liegen die Dinge» (1953),

«Forschungsreise ins Herz der deutschen Arbeiterklasse» (1953), «Im Kopf sauber. Schriften zum Tage» (1954), «Goldsborough oder Die Liebe der Miss Kennedy» (1954), «Keine Angst vor Rußlands Bären» (1955), «Offen gesagt. Neue Schriften zum Tage» (1957), «Schatten und Licht» (1960), «Die Papiere des Andreas Lenz» (1963).
Heym war durch seine Erfahrungen mit dem westlichen Copyright während seines amerikanischen Exils an eine strenge Einhaltung der Autorenrechte und notfalls ihre juristische Wahrung gewöhnt.

9 Hans Koch, * 17. 5. 1927, † Herbst 1986, Publizist, Kritiker, Herausgeber. Koch besuchte 1951 die Parteihochschule «Karl Marx» beim ZK der SED, 1951/54 Aspirantur am Institut für Gesellschaftswissenschaften beim ZK der SED, 1956 Promotion mit einer Arbeit über Franz Mehrings Beitrag zur marxistischen Literaturtheorie, 1956/63 wissenschaftlicher Mitarbeiter und Lehrstuhlleiter am Institut für Gesellschaftswissenschaften, 1961 Habilitation und Vorstandsmitglied im Schriftstellerverband.

10 Günter Ebert, * 19. 2. 1925, Literaturkritiker, Herausgeber, 1948/49 Kreisredakteur der «Volksstimme», 1949/51 Volksbuchhändler, 1951/52 Redakteur in Berlin, u. a. beim «Sonntag», seit 1952 freier Kritiker, 1957/58 Studium am Institut für Literatur «Johannes R. Becher» in Leipzig.

11 Gerhard Wolf, * 16. 10. 1928, Essayist, Herausgeber, Kritiker, Erzähler, Filmautor, 1948/52 Studium der Germanistik und Geschichte in Jena und Berlin, danach Rundfunk-Redakteur, Leiter der Literaturredaktion beim Deutschlandsender bis 1957, dann freischaffend.
Christa Wolf, * 18. 3. 1929, Erzählerin, Essayistin, Kritikerin, Herausgeberin, Studium der Germanistik in Jena und Leipzig, 1953/59 wissenschaftliche Mitarbeiterin im Schriftstellerverband, Lektorin, Redakteurin (NDL), kurze Zeit Cheflektorin des Verlags Neues Leben. 1959/62 Lektorin des Mitteldeutschen Verlags in Halle.

12 Werner Ilberg, * 20. 7. 1896, † 30. 12. 1978, Erzähler, Essayist, Kritiker, 1947 Rückkehr aus dem englischen Exil in seine Heimatstadt Wolfenbüttel, 1956 Übersiedlung in die DDR, Generalsekretär des PEN-Zentrums DDR.

13 Erich Kästner, * 23. 2. 1899, † 29. 7. 1974, Lyriker, Erzähler, Kinderbuchautor, «Herz auf Taille» (1928), «Ein Mann gibt Auskunft» (1930), «Fabian» (1931), «Drei Männer im Schnee» (1934), «Konferenz der Tiere» (1949), «Die Schule der Diktatoren» (1956).
Ein Gedichtband Kästners, der 1962 in der DDR erschienen wäre, konnte von der Deutschen Bibliothek nicht ermittelt werden.

14 1949 hatte sich in Göttingen ein «Deutsches PEN-Zentrum» gebildet.

1951 etablierten kommunistische Schriftsteller und westdeutsche Gesinnungsgenossen eine Splittergruppe unter dem Namen «PEN-Zentrum Ost und West» mit Sitz in München und unter dem Präsidium von Arnold Zweig. Die Differenzen eskalierten bei einem Streitgespräch über die Funktion des Schriftstellers in Ost und West, das 1961 in Hamburg stattfand.

15 Wolfgang Joho, *6.3.1908, †12.2.1991, Erzähler, Essayist, Literaturkritiker. Joho war von 1947 bis 1954 Redakteur des «Sonntag», seit 1954 freier Autor, von 1960 bis 1966 Chefredakteur von NDL. 1962 veröffentlichte er den Roman «Es gibt kein Erbarmen».

16 Günther Cwojdrak, *4.12.1923, Essayist, Kritiker und Herausgeber, 1947 Mitarbeiter der «Weltbühne», 1948/52 Leiter des Literaturprogramms am Berliner Rundfunk, 1952/58 Redakteur von NDL, seit 1958 freier Autor.

17 Ingeburg Kretzschmar, Publizistin, Drehbuchautorin, 1952–1968 Generalsekretär des PEN-Zentrums Ost-West bzw. der DDR.

18 Anna Seghers, *19.11.1900, †1.6.1983, die große alte Dame der DDR-Literatur, von 1952 (bis 1978) Präsidentin des Schriftstellerverbands der DDR, «Das siebte Kreuz» (1942), «Transit» (1944), «Die Toten bleiben jung» (1949), «Die Entscheidung» (1959).

19 Wolfdietrich Schnurre, *22.8.1920, †9.6.1989, Erzähler, Essayist, «Als Vaters Bart noch rot war» (1958); «Das Los unserer Stadt» (1959). Kant setzt sich mit Schnurre auch öffentlich auseinander, s. «Abspann», S. 253f.: «Der westberliner Autor hatte einen ganzseitigen Aufsatz in der ‹Deutschen Zeitung› mit der Überlegung ‹Ob Ulbricht weiß, wie der Brachvogel pfeift?› überschrieben, und mir schien die Gegenfrage erlaubt, ‹Ob Schnurre weiß, wie die Nachtigall trappst?›, aber sosehr dem ‹Sonntag›-Chef mein Titel gefiel, sowenig konnte er sich für die Wiedergabe des Schnurreschen erwärmen, denn: Man zitiert den Klassenfeind nicht! (…) der Artikel erschien in der einzig gemäßen Form, also mit zitiertem Klassenfeind (achdugroßergott) Wolfdietrich Schnurre (…)».

20 Franz Schonauer, *19.2.1920, †14.6.1989, Publizist, Lektor in den Verlagen Klett, Claassen und Luchterhand, legte 1961 sein Buch über «Literatur im Dritten Reich» vor.

21 Franz Fühmann, *15.1.1922, †8.7.1984, Lyriker, Erzähler, Essayist, Kinderbuchautor.
An Lyrik hatte Fühmann bis 1962 folgende Bände veröffentlicht: «Die Fahrt nach Stalingrad» (1953), «Die Nelke Nikos» (1953), «Aber die Schöpfung soll dauern» (1957), «Seht her, wir sind's» (1957) und «Die Richtung der Märchen» (1962).

22 Offenbar eine Verwechslung des MfS-Offiziers – die Novelle «Katz und Maus» von Günter Grass war bereits 1961 erschienen. Heym publizierte 1963 den Roman «Die Papiere des Andreas Lenz».

23 Berta Waterstradt, *9. 8. 1907, †8. 5. 1990, Erzählerin, Hörspiel- und Filmautorin. 1962 arbeitete sie offenbar an dem Fernsehspiel «Das tägliche Brot» nach Clara Viebig, das 1963 ausgestrahlt wurde.

24 Falls dieses Drehbuch nach der Erzählung von Anna Seghers aus dem Jahr 1946 wirklich entstand – verfilmt wurde es nicht.

25 Bodo Uhse, *12. 3. 1904 Rastatt, †2. 7. 1963, Erzähler, Essayist, Herausgeber und Filmautor. Uhse kämpfte im spanischen Bürgerkrieg, emigrierte 1940 nach Mexiko, kehrte im Sommer 1948 aus dem Exil zurück und wurde Chefredakteur der Zeitschrift «Aufbau» (1949/ 1958). 1963 übernahm er tatsächlich die Chefredaktion von «Sinn und Form», starb aber bald darauf.

26 Herbert Nachbar, *12. 2. 1930, †25. 5. 1980, Romanautor und Erzähler. Nachbar veröffentlichte 1963 die Erzählung «Oben fährt der Große Wagen».

27 Manfred Bielers Roman «Bonifaz oder Der Matrose in der Flasche» erschien 1963 mit identischem Titel bei Aufbau und bei Luchterhand.

28 Erich Arendt, *15. 4. 1903, †25. 9. 1984, Lyriker und Nachdichter u. a. von Pablo Neruda, Rafael Alberti, Nicolas Guillén. Zum fraglichen Zeitpunkt bereitete er die Herausgabe von Gedichten V. Aleixandres vor («Nackt wie der glühende Stein», 1963, zusammen mit Katja Hayek-Arendt).

29 Manfred Streubel, *5. 11. 1932, †10. 7. 1992, Lyriker, Kinderbuchautor. Nach seinem ersten Gedichtband «Laut und leise» (1956) wartete Streubel 12 Jahre, bis der nächste Band mit Lyrik erschien («Zeitansage» 1968).

30 Heiner Müller, *9. 1. 1929, Dramatiker, Lyriker. Sein Stück «Die Umsiedlerin oder Das Leben auf dem Lande» war 1961 uraufgeführt worden. 1963/64 arbeitete er an einer Dramatisierung von Erik Neutschs Roman «Spur der Steine» unter dem Titel «Der Bau». «Dewag» war die Abkürzung für «Deutsche Werbeanzeigen-Gesellschaft».

31 Franz Fühmann legte 1962 eine Auswahl aus seiner Lyrik vor, «Die Richtung der Märchen». Außerdem war er mit der Nachdichtung eines Bandes von Christo Botev beschäftigt, «Der Balkan singt ein wildes Lied» (1964).

32 Rudolf Krämer-Badoni, *22.12.1913, †18.9.1989, Romancier und
   Essayist, «Jacobs Jahr» (1943), «In der großen Drift» (1949), «Mein
   Freund Hippolyt» (1951), «Die Insel hinter dem Vorhang» (1955),
   «Über Grund und Wesen der Kunst» (1960).
33 Das Protokoll der PEN-Club-Tagung in London am 10.Oktober 1962
   enthält keinerlei Hinweis darauf, es habe Versuche der westdeutschen
   PEN-Delegation gegeben, das PEN-Zentrum der DDR aus dem Internationalen PEN-Club ausschließen zu lassen. – Das Protokoll weist
   weiter aus, daß die prospektive Delegation der DDR mit Stephan
   Hermlin und Ingeburg Kretzschmar sich erst im September um briti-
   sche Visa bewarb. Diese Frist war nicht ausreichend, so daß die DDR
   in London nicht vertreten war.

31. Vorschlag zur Werbung als
Geheimer Informator
(26.11.62)

Hauptabteilung V/1/IV   Berlin, den 26.11.1962

bestätigt: *Stange 4.1.63*

                          Vorschlag
                    zur Werbung eines GI

Es wird vorgeschlagen, den
Name, Vorname: Kant, Hermann
geb. am, in: 14.6.1926 in Hamburg-Altona
wohnhaft: Berlin-Hohenschönhausen, Hornberger Str. 29
erl. Beruf: Elektriker
jetzige Tätigkeit: Schriftsteller – Literatur-Wissenschaftler
Arbeitsstelle: freischaffend
Parteizugehörigkeit: seit 1949 SED
Organisationen: FDGB

Familienstand: verheiratet
als GI auf der Linie V/1/IV anzuwerben.

1. Wie wurde der Kandidat bekannt:
Die Abt. V/6 der Verw. Gr.-Berlin nahm zu dem Obengenannten am
6.8.1957 Kontakt auf mit dem Ziel der Werbung auf der Linie V/6,
Humboldt-Universität.
(...)

2. Entwicklung des Kandidaten:
a) Persönliche Entwicklung
(...)

c) Politische Entwicklung
Die Eltern des Kandidaten waren «unpolitisch», der Kandidat war
Mitglied der HJ von 1932 bis 1944 in Hamburg-Altona.[1]

In der Kriegsgefangenschaft kam der Kandidat mit Mitgliedern der
KPD zusammen. Der Kandidat beteiligte sich an der Antifa-Lagerar-
beit. Er arbeitete aktiv in der Redaktion der Lagerzeitung und war
verantwortlich für Jugendarbeit im Antifa-Block.

Nach Gründung der Antifa-Zentralschule Warszawa nahm der
Kandidat an einem Lehrgang teil und wurde Lehrer an dieser Schule.
Gleichzeitig arbeitete er als Redakteur an der Zeitung der deutschen
Kriegsgefangenen in Polen «Die Brücke».

1949 wurde der Kandidat Mitglied der SED, der FDJ und des
FDGB.

Er arbeitete aktiv in der Nationalen Front und war Mitglied der
Universitäts-Parteileitung in Greifswald. An der Humboldtuniversi-
tät war der Kandidat 3 Jahre Parteisekretär der Grundorganisation
Germanisten, außerdem Mitglied der Universitäts-Parteileitung. Auf
Grund seiner guten politischen und fachlichen Entwicklung war und
ist der Kandidat Verfasser von mehreren Büchern, Artikeln und Fil-
men.

Der Kandidat zeigt in seinem persönlichen und politischen Auftreten eine konsequente Haltung für den Arbeiter-und-Bauern-Staat,
für den Sozialismus.

Der Kandidat ist Mitglied des Vorstands des Deutschen Schriftstel-
ler-Verbandes und Mitglied der Parteileitung des DSV.

d) Verbindungen:

(…)

⟨Hermlin, Stephan⟩

geb. am 13. 4. 1915

wohnh.: Berlin-Niederschönhausen, ⟨…⟩

freischaffender Schriftsteller

Der Kandidat ist mit ⟨H.⟩ eng befreundet und genießt
dessen Vertrauen.

⟨Kantorowicz, Alfred⟩

Prof.

geb. am 12. 8. 1899

wohnh.: bis 1957 Bln.-Niederschönhausen

         nach 1957 WD – München (RF)

Während seiner Tätigkeit bei der Humboldt-Universität war der Kandidat 1 Jahr lang wissenschaftlicher Assistent bei ⟨K.⟩ und wurde durch diesen besonders gefördert. Soweit bekannt ist, hat der Kandidat keine Verbindung mehr zu ⟨K.⟩

Durch seine schriftstellerische und journalistische Tätigkeit hat der Kandidat umfangreiche Verbindungen zu Schriftstellern, Journalisten, Künstlern und anderen Geistesschaffenden in der DDR und im sozialistischen und kapitalistischen Ausland.

e) Charakterisierung

Seit dem 2. 8. 1957 hat das MfS mit dem Kandidaten inoffiziellen Kontakt. Der Kontakt wurde bisher nur sporadisch durchgeführt.

Seit dem 17. 8. 1962 führt Unterzeichneter die Treffs mit dem Kandidaten durch. Gleichzeitig hat die HA II, Gen. OTTO, Tel 21 27, mit dem Kandidaten regelmäßig Kontakt.

Genosse OTTO ist dem Kandidaten unter dem Decknamen «Richter» bekannt.

Gen. Otto schätzte am 3. 10. 1962 den Kandidaten wie folgt ein:

«Der Kandidat ist bei intensiver Arbeit als GI geeignet. Der Kandidat ist mit einigen Fragen der Entwicklung nicht ganz einverstanden, er ist jedoch ehrlich und aufrichtig. Die Zusammenarbeit mit der HA II mit dem Kandidaten wird als gut eingeschätzt.

Der Kandidat hat im Laufe der Zusammenarbeit mit der HA II den Decknamen ‹Martin› angenommen».

Es war vereinbart, daß die HA II weiterhin losen Kontakt zu dem

Kandidaten in der Richtung der HA II hält, daß jedoch der Kandidat für die HA V/1/IV registriert und geworben wird.

Der Kandidat ist für die inoffizielle op. Arbeit auf der Linie der HA V/1/IV – Schriftsteller und Journalisten – geeignet. Er hat umfangreiche Verbindungen und Kontakte zu Journalisten und Schriftstellern.

Der Kandidat ist in der Lage, Kontakt zu Personen herzustellen. Er kann Personen, Zeitungen, Zeitschriften und Bücher analysieren, einschätzen bzw. beurteilen.

Bei Treffs gibt der Kandidat Auskunft, hat jedoch noch Hemmungen bei Auskünften über die ihm sehr nahestehenden Personen. Nach Auffassung des Unterzeichneten werden sich bei einer ständigen systematischen Zusammenarbeit mit dem Kandidaten die Hemmungen legen. Für unsere Diensteinheit hat der Kandidat bisher nicht schriftlich berichtet.[2] Die bisher von dem Kandidaten gegebenen Auskünfte besitzen operativen Wert, da der Kandidat Kontakt zu Personen hat, die unter op. Kontrolle stehen.

Der Kandidat muß im Prinzip als ein politisch-ideologisch klarer und sehr intelligenter Genosse eingeschätzt werden. Der Kandidat ist durch seine schriftstellerische Arbeit sehr viel im sozialistischen und kapitalistischen Ausland.

Der Kandidat macht einen offenen und ehrlichen Eindruck und ist bereit, mit dem MfS konspirativ zusammenzuarbeiten.

f) Der Kandidat besitzt die Fahrerlaubnis und einen Pkw
   Typ Moskwitsch
Quellen:
Auszüge aus der P-Akte[3] des DSV
Auskunftsbericht der HA III[4] von 1957 und 1960
IM-Informationen
mündliche Auskunft der HA II

3. Zusammenfassende Einschätzung des Kandidaten:
Unterzeichneter hält den Kandidaten als GI geeignet. Der Kandidat ist in der Lage, operativ für das MfS als GI zu arbeiten. Er hat Kontakte und Verbindungen zu Personen, die das MfS operativ interessieren. Diese Verbindungen hat der Kandidat bereits als KP im Interesse des MfS ausgenutzt. Die Informationen des Kandidaten können als operativ positiv eingeschätzt werden.

Mit dem Kandidaten muß systematisch gearbeitet werden, um das Vertrauensverhältnis zu festigen.

Widersprüche:
Die verwandtschaftlichen Verhältnisse sowie die allseitigen Verbindungen nach Westdeutschland sind noch nicht restlos aufgeklärt.

4. Wie, wann und wo soll mit dem Kandidaten gesprochen werden
Da mit dem Kandidaten bereits ein guter Kontakt vorhanden ist und er den Decknamen «Martin» bereits angenommen hat, wird vorgeschlagen, den Kandidaten am in seiner Wohnung zu verpflichten.

Nach der Verpflichtung erfolgt noch einmal die Erläuterung der Notwendigkeit der Einhaltung der Konspiration sowie die Aufgabenstellung auf der Linie Schriftsteller und Journalisten.

5. Wie soll mit dem Kandidaten die Verbindung aufrechterhalten werden und unter welchem Decknamen soll die Zusammenarbeit erfolgen
Die Treffs werden vorläufig in der Wohnung des Kandidaten durchgeführt; in der Perspektive besteht die Absicht, die Treffs in der KW durchzuführen.
Der Kandidat hat den Klarnamen des Unterzeichneten sowie die Tel-Nr. 2646/2621.

Der Kandidat hat den Decknamen «Martin».

Schindler   *Treike*
Oltn.   Oltn.

---

1 In einem Interview mit Leonore Krenzlin sagte Kant dazu: «Ich bin 1936 wie jeder andere meines Alters zwangsweise zum Jungvolk gekommen. Da war ich zehn Jahre alt. Aber als ich fünfzehn war, also in Parchim, und zur HJ überwechseln sollte, bin ich bei dieser HJ einmal erschienen, um an einem Berufswettkampf teilzunehmen. Das war wichtig für meine Lehre – und ansonsten hat mich die HJ nicht wieder gesehen.» (Leonore Krenzlin, Hermann Kant. Leben und Werk. Berlin 1988, S. 14)
2 Das trifft in dieser Absolutheit nicht zu. Der erste erhaltene Bericht für die HA V (Mitarbeiter Horst Krüger) stammt vom 13. 2. 1958 – allerdings ist er nicht in der Akte Kants, sondern in der von Jochen Staritz archiviert.
3 P-Akte = Personal-Akte.

4 Die HA III war von 1950–1964 zuständig für Industrie, Landwirtschaft, Handel, Versorgung, Finanzen und Planung (1964 wurde daraus die HA XVIII). Die Nachfrage in der HA III dürfte eher Kants
damaliger Frau gegolten haben, die im Außenhandel tätig war.

32. Quittung über ein Essen mit «GI Martin» (19. 1. 63)

HA / V / 1 / III   Berlin, den 19.01.1963

Ich bitte um die Rückerstattung des Obengenannten Betrages einschl.
des Trinkgeldes.

Gesamt Betrag: 20,- DM

GI " M A R T I N "
Reg, Nr. M f S 5909 / 60

Treike: ....
Mitarb. - Obltn. -

141

GI Martin berichtet

33. Treffbericht:
Parteiversammlung des DSV
(4. 2. 63)

HA / V / 1 / III   Berlin, den 4. 02. 1963

Treffbericht

Zeit: 1. 02. 1963 v. 13,00–14,30 h
Ort: In der Wohnung des GI
Quelle: GI – MARTIN
Mitarb.: Obltn. Treike

Treffverlauf:
1. Auswertung des VI. Parteitags im Rahmen des DSV – Berlin
Der GI berichtete das am Montag den 28.01.63 in der Zeit von
10,00–19,00 h eine Parteiversammlung der berliner Parteiorg. des
DSV stattgefunden hat. Die Parteiversammlung befaßte sich mit der
Auswertung des VI. Parteitags[1] im Rahmen des Bln. – DSV. Die Parteiversammlung war stark besucht. Das Referat des Genossen 〈Egge-
rath, Werner〉[2], war befriedigend. Über 30 Genossen u. Genossin
sprachen zur Diskussion, jedoch nur einige Diskussionsbeiträge standen auf der Höhe der Aufgaben.
  Der Schriftsteller 〈Kunert, Günter〉[3] brachte einen guten Diskussionsbeitrag. Der GI vertritt den Standpunkt das 〈Kunert〉 aus dem
Tiefstand heraus ist, jedoch besteht die Gefahr das 〈Kunert〉 durch
die enge Freundschaft mit den Schriftstellern 〈Bieler〉, 〈Kusche〉[4],
〈Bobrowski〉 auf schiefe Gleise kommen kann. 〈Kunert〉 kritisierte
nach Auffassung des GI berechtigt das nicht parteiliche Verhalten in
der Kritik von 〈Baumert〉.
  〈Keisch, Henryk〉[5] erkannte in seinem Diskussionsbeitrag die Kri-

tik des VI. Parteitags an dem Theaterstück «Die Sorgen und die Macht»[6] an und brachte zum Ausdruck das er für die Kunst ins Feuer geht.

Der Schriftsteller ⟨Hermlin, Stephan⟩ erklärte in seinem Diskussionsbeitrag das der Lyrik-Abend in der DAK[7], eine gute Sache war, das was an Lyrik dort gebracht wurde war gute Lyrik. Er wandte sich, nach der Auffassung des GI, berechtigt gegen einige Formulierungen in der Entschließung zu den Personen ⟨Kunert⟩ u. ⟨Hacks⟩, welche auch bei der Abstimmung berücksichtigt wurden. Der GI schätzt den Diskussionsbeitrag von ⟨Hermlin⟩ als gut ein – er diente der Auswertung des VI. Parteitags.

Der GI berichtete, ⟨Hermlin⟩ hat die Haltung der Genossen an der Akademie verurteilt, besonders auf Grund ihrer Passivität. ⟨Hermlin⟩, sagte zum GI wörtlich: «man muß arbeiten, arbeiten … ⟨Hermlin⟩, arbeitet gegenwärtig an einem Drehbuch «Die Auferstehung der toten Mädchen» Roman v. ⟨Anna Seghers⟩.

⟨Uhse, Bodo⟩ hielt einen unqualifizierten Diskussionsbeitrag und zog sich den Unwillen der Genossen zu. Sinngemäß sagte ⟨Uhse⟩: «er entschuldigt sich das er zuwenig am Parteileben bisher teilgenommen hat, er wird sich bessern.

Genosse ⟨Braun, Otto⟩[8] erklärte in seinem Diskussionsbeitrag, dass er eigentlich mit allen einverstanden wäre, auch war er schon immer nicht einverstanden mit ⟨Hacks⟩ Theaterstück «Die Sorgen und die Macht» er könnte dafür Zeugen bennen. Der GI sagte das ⟨Braun⟩, sein Diskussionsbeitrag so ankam als hätte er Angst um seinen Posten als Vorsitzender des DSV. Genosse ⟨Baumert, Gerhard⟩ setzte sich in seinem Diskussionsbeitrag mit ⟨Hermlin⟩ auseinander und sagte sinngemäß: «das ⟨Hermlin⟩ in Schwierigkeiten mit der Partei kommen wird, wenn er als Genosse nicht mit der Partei geht.» Der GI schätzt den Diskussionsbeitrag zwar als sachlich ein, jedoch als zu scharf. ⟨Tschesno-Hell, Michael⟩[9], setzte sich mit der Arbeit des DSV und der Parteiorg. auseinander.

Die Genossin ⟨Seghers, Anna⟩[10] brachte in ihrem Diskussionsbeitrag zum Ausdruck das sie mit ihren Artikel in der Presse niemand in den Rücken fallen wollte.

Gen. ⟨Rudolph, Johanna⟩[11] vom MfK setzte sich in ihrem Diskussionbeitrag mit dem Schriftsteller ⟨Kirsch, Rainer⟩[12] auseinander. Von ⟨Kirsch⟩ waren in der NDL Gedichte erschienen die Ausdruck ideologischer Unklarheiten sind, z. B. «an meinem Freund dem alten Genossen» In einem andern Gedicht heißt es «Glück ist schwer in diesem Land» usw.

Genossin ⟨Waterstradt, Berta⟩ sprach in der Versammlung mehrfach unqualifiziert dazwischen.

Der GI schätzt die Versammlung wie folgt ein: wenn die Versammlung auch noch nicht das gebracht hat was man erwartete, so war es doch ein guter Anfang in der Auswertung des VI. Parteitags. ⟨Eggerath⟩, hat in seinem Schlußwort wieder viel umgestoßen, er ist nicht fähig nach der Auffassung des GI, komplizierte Fragen-Probleme richtig zuerkennen und auszuwerten. Trotzdem ⟨Eggerath⟩ ein guter parteiverbundener Genosse ist.

⟨Annemarie Lange⟩ [13] hat bei dem GI angerufen und sagte das die Entschließung von der Mitgliedervers. geändert werden muß, das sie zu weich ist.

2. Mündliche Berichte des GI – «MARTIN»

Der GI berichtete das er den Schriftsteller ⟨Kusche, Lothar⟩ kennt. er hält ⟨Kusche⟩ für einen begabten jungen Mann, der allen sympatisch und ein großer Spaßvogel ist, in der schriftstellerischen Arbeit könnte ⟨Kusche⟩ bei etwas mehr Zielstrebigkeit mehr leisten da er das Zeug dafür hat. ⟨Kusche⟩ soll ein Verhältnis mit der ⟨...⟩, haben.

(...)

Der GI berichtete das er für den 7.02.63 nach Westberlin in den Literaturkeller von den westberliner Schriftsteller ⟨Klaus Völker⟩ [14] eingeladen worden ist. Der GI sol zu Fragen der Literatur ein Referat halten, hat jedoch dazu kein Interesse und ist sich deshalb nicht im klaren ob er hingeht.

Aufträge:
- Meinungen u. Stimmungen zu den Problem. des VI. Parteitags – der Kulturpolitik der Partei bes. Schriftsteller u. Künstlern
- Fortsetzung des Gesprächs mit ⟨Hermlin⟩ in der Frage der «Gruppenbildung bezw. Freundeskreis der SU»
- Bei Besuch des Literaturkellers information über den Verlauf und wer hat teilgenommen.

Maßnahmen:
- Information an die Abtlg.Ltg.
- Informationen nach der Auswertung zu den Handakten der betreffenden Personen.

Nächster Treff:
Nach telefonischer Vereinbarung Ende Februar/Anfang März 1963
bei Besuch des Literatenkeller durch den GI dann am 8/9/63

Treike

Mitarb.: –Obltn.–

---

1 Der VI. Parteitag der SED vom 15. bis 21. Januar 1963 in Ost-Berlin
   brachte eine ganze Reihe von Angriffen gegen Schriftsteller wie Peter
   Hacks («Die Sorgen und die Macht»), Peter Huchel und Günter Kunert mit sich.
   S. «Dokumente zur Kunst-, Literatur- und Kulturpolitik der SED»,
   hg. von Elimar Schubbe, Stuttgart 1972, S. 810 ff.
2 Werner Eggerath, * 16.3.1900, † 16.6.1977, Politiker und Schriftsteller, 1947/1952 Ministerpräsident des Landes Thüringen, 1954/57
   Botschafter der DDR in Rumänien, danach Staatssekretär für Kir-
   chenfragen, seit 1961 freischaffender Autor in Berlin, 1962/63 Parteisekretär im Berliner Bezirksverband des DSV.
3 Günter Kunert, * 6.3.1929, Lyriker, Erzähler, Essayist. 1962 lagen
   von ihm u. a. folgende Werke vor: «Wegschilder und Mauerinschrif-
   ten» (Gedichte, 1950), «Fetzers Flucht» (Funkoper, 1959), «Tage-
   werke» (Gedichte und Balladen, 1960), «Das kreuzbrave Lieder-
   buch» (1961) und «Monolog für einen Taxifahrer» (Fernsehspiel,
   1962). Wenig später, am 25. März 1963, wurde Kunert von Kurt Hager, Mitglied des Politbüros der SED, auf der Beratung des Politbüros
   und des Präsidiums des Ministerrats mit Schriftstellern öffentlich angegriffen. Laut «Neues Deutschland» vom 30.3.1963 sagte Hager:
   «Günter Kunert schrieb eine Reihe von Gedichten, die kaum noch
   versteckte Angriffe gegen unsere Republik enthalten. Seine nihilisti-
   sche Auffassung vom Menschen, die der unsrigen völlig entgegensteht, durchzieht viele seiner neueren Gedichte. Die Skala seiner Gedichte reicht von der Dämonisierung der Technik, dem Gefühl der
   völligen Vereinsamung des Menschen, einem auf die Atomkriegspsy-
   chose gegründeten Nihilismus bis zum Zweifel am Sinn des Lebens
   überhaupt. (...) In der Tat wurden nicht wenige Versuche unternom-

145

men, um einen vagen, verschwommenen Begriff des sozialistischen Realismus einzuführen. (...) Die Fernsehfilme ‹Fetzers Flucht› und ‹Monolog für einen Taxifahrer› wurden von der Fernsehzeitung als ein Versuch angepriesen, von der konservativen Art, Musiktheater zu machen, wegzukommen, als ein Werk, das neben den Schematismus tritt.»

Ähnliche Attacken finden sich in dem Diskussionsbeitrag Alexander Abuschs auf derselben Veranstaltung; s. «Dokumente zur Kunst-, Literatur- und Kulturpolitik der SED», hg. von Elimar Schubbe, S. 881 f.

4 Lothar Kusche, *2.5.1929, Feuilletonist und Kabarettist, seit 1950 ständiger Mitarbeiter der «Weltbühne», 1953/54 Dramaturg am Berliner Kabarett «Die Distel», schrieb an Tucholsky geschulte Satiren, «Das bombastische Windei» (1958), «Wie streng sind denn im Sowjetland die Bräuche» (1958), «Überall ist Zwergenland» (1960), «Unromantisches Märchenbuch» (1962).

5 Henryk Keisch, *24.2.1913, Publizist, Kritiker, Übersetzer, Lyriker. Keisch kämpfte in der Résistance, war 1946/50 Berliner Korrespondent linker französischer Zeitungen, danach Redakteur und zeitweilig Chefredakteur von NDL und Theaterkritiker des «Neuen Deutschland».

6 Die Kritik des VI. Parteitags an Hacks’ Stück «Die Sorgen und die Macht» findet sich z. B. in einem Diskussionsbeitrag Alfred Kurellas, der im «Neuen Deutschland» vom 21.1.1963 abgedruckt war: «Im Interesse der Erziehung der ganzen Partei, aber auch vor allem unserer Intelligenz und unseres Nachwuchses, lohnt es sich, auf den ideologischen Kern dieser Auseinandersetzungen noch einmal kurz einzugehen. Sie entzündeten sich vor allem an dem Theaterstück ‹Die Sorgen und die Macht› von Peter Hacks. In diesem Theaterstück und im Auftreten einiger seiner Verteidiger zeigten sich Überreste und Ansätze einer uns fremden, sich in einigen Fällen gegen unsere sozialistischen Grundsätze richtenden Auffassung. Dabei ging es nicht nur um künstlerisch-ästhetische, sondern um ausgesprochen politische Fragen.

Von der Einschätzung der Gegenwart ‹grau in grau›, die hier schon geschildert worden ist, von einer Auffassung vom Sozialismus, wie sie bei Peter Hacks vorkommt, von einer Vorstellung von der Politik der Partei als einer ‹Kette von Fehlern›, von der Partei als einer Art Gesinnungsverein ist es nicht mehr weit zum nächsten Schritt. Dieser besteht darin, daß man sich beengt vorkommt, beengt durch die Partei und ihre Funktionäre, daß man ein ‹unbestimmbares Unbehagen› verspürt. Und von da geht es dann schnell weiter zum Ruf nach ‹Be-

freiung›, ‹Befreiung› von dieser ‹Enge›, nach ‹Freiheit für den künstlerischen Einfall› ...» (Dokumente zur Kunst-, Literatur- und Kulturpolitik der SED, hg. von E. Schubbe, S. 820 f.)

7 Der Lyrik-Abend in der Akademie der Künste fand im Dezember
1962 statt. Er stellte damals junge Lyriker wie Volker Braun und Wolf
Biermann vor. Diese Veranstaltung führte im März 1963 zur Abberu-
fung Hermlins als Sekretär der Sektion für Dichtkunst in der Akademie und zu einer Selbstkritik, die im «Neuen Deutschland» vom
6.4.1963 veröffentlicht wurde.

8 Otto Braun, * 28.9.1900, † 1974, Übersetzer und Publizist. Braun,
1932/39 militärischer Berater der KP Chinas und Teilnehmer am
‹Langen Marsch›, kehrte 1954 aus dem Moskauer Exil zurück und war
bis 1961 wissenschaftlicher Mitarbeiter im Institut für Marxismus-Leninismus beim ZK der SED. 1961 wurde er 1. Sekretär des Schriftstellerverbands.
  1963 wurde er tatsächlich von diesem Posten abgelöst.

9 Michael Tschesno-Hell, * 17.2.1902, † 24.2.1980, Filmautor, Herausgeber, Verleger. Tschesno-Hell gründete nach der Rückkehr aus
der Emigration 1947 den Verlag «Volk und Welt». Zusammen mit
Willi Bredel schrieb er das Filmszenarium zu «Ernst Thälmann – Sohn
seiner Klasse» und «Ernst Thälmann – Führer seiner Klasse» (1953/
55).

10 Anna Seghers sah sich, wohl Anfang Dezember 1962, eine Aufführung von Hacks' Stück «Die Sorgen und die Macht» in der Inszenierung von Wolfgang Langhoff an und setzte sich im «Neuen
Deutschland» vom 9.12.1962 dafür ein: «Kritik kommt von vielen
Seiten. Manche fragen auch: Warum rechnet man Hacks das Thema
an? Warum schätzt man, daß er es gewählt und sich daran gewagt hat?
(...) Widersprüche und Zustimmungen, beides reichlich, bewiesen,
daß er ein wichtiges Thema gewählt hat. Wir hoffen alle, daß man auf
unseren Bühnen bald noch mehr Stücke spielen wird, die soviel Erre-
gung erwecken. Hacks hat etwas Schwieriges unternommen. Doch er
tat, wie ich glaube, gut daran, diesen Stoff zu wählen, und er hat ihn
von unserem Standpunkt aus gestaltet. Es ist meiner Meinung nach
gut, daß das Deutsche Theater dieses Stück, das Mängel, aber auch
schöne und gute Stellen hat, aufführt.»

11 Johanna Rudolph, * 20.8.1902, † 29.5.1974, Kritikerin, Essayistin,
Mitarbeiterin des Ministeriums für Kultur; s. Kants «Abspann»,
S. 298 ff.: «Zu meiner Beratung war Johanna Rudolph herangezogen
worden, eine gefürchtete Person aus dem Ministerium für Kultur, von
der ich nicht zu sagen wüßte, welchen offiziellen Rang sie dort inne-

hatte. Sie war eine von den bemerkenswert vielen alten oder älteren Frauen, die erkennbaren Einfluß auf meine Lebenswege hatten. Ohne Zweifel mußte man sie eine dogmatische Fuchtel nennen, ein Weib von böser Wortkraft, das wahrlich kein Erbarmen kannte, wo es um die reine Lehre ging.

Soweit ich von ihrem Leben weiß, hat auch sie kein Erbarmen erfahren. In ihren entsetzlich mageren Arm war eine Auschwitz-Nummer tätowiert (...) Selbstredend war sie auf unsere kategorische Umerziehung aus (...)».

12 Rainer Kirsch, * 17. 7. 1934, Lyriker, Dramatiker, Essayist.

Kirsch studierte Geschichte und Philosophie in Halle und Jena. Arbeitete in einer Druckerei, einem Chemiewerk und einer LPG. Von 1960 bis 1963 war er freier Autor, danach studierte er am Literaturinstitut «Johannes R. Becher» (1963–65). In Heft 1 der NDL 1963 veröffentlichte er «Neue Gedichte» (S. 93–99). Auf S. 99 der Text «Meinen Freunden, den alten Genossen»:

Wenn ihr unsre Ungeduld bedauert
Und uns sagt, daß wir's heut leichter hätten,
Denn wir lägen in gemachten Betten,
Denn ihr hättet uns das Haus gemauert –

Schwerer ist es heut, genau zu hassen
Und im Freund die Fronten klar zu scheiden
Und die Unbequemen nicht zu meiden
Und die Kälte nicht ins Herz zu lassen.

Denn es träumt sich leicht von Glückssemestern;
Aber Glück ist schwer in diesem Land.
Anders lieben müssen wir als gestern
Und mit schärferem Verstand.

Und die Träume ganz beim Namen nennen,

Und die ganze Last der Wahrheit kennen.

13 Annemarie Lange, *7. 6. 1907 Kinder- und Sachbuchautorin.
14 Der von Klaus Völker gemanagte Literaturkeller in der Waitz-Straße stellte seine Veranstaltungen im Februar 1963 ein. Danach fungierte der Keller als Tagungslokal des SDS. Kant trat dort am 23. 1. 1964 auf (s. «Abspann», S. 179 f.).

34. Umregistrierung zum Geheimen Informator (GI) (18. 2. 63)

MfS
HA / V / 1 / III
Obltn. Treike

Vertrauliche Dienstsache!

Berlin, den 18. 02. 1963
MfS Reg.-Nr. 5909/60

Beschluß

für das Anlegen eines *GI*
1. Kategorie *GI*
2. Wohnadresse *Bln.-Hohenschönhausen, Hornbergerstr. 29*
3. Deckname «*MARTIN*»
4. Reg.-Nr. *5909/60* der Vorlaufakte.
(...)

Gründe für das Anlegen / Einstellen

Unterzeichneter hält den Kandidaten für die Zusammenarbeit mit dem MfS als GI, geeignet und in der Lage auf der Linie der HA/ V/1/III zuarbeiten.

Durch seine berufliche Tätigkeit kommt der Kandidat, mit sehr viel Personen zusammen welche von der HA / V / 1 / III operativ bearbeitet werden.

Mitarbeiter *Treike*

35. Bericht über die Werbung des Kandidaten Hermann Kant als GI am 1. 2. 63 (18. 2. 63)

HA / V / 1 / III   Berlin, den 18. 02. 1963

Bericht

über die Werbung des Kandidaten KANT, Hermann, als GI auf der Linie der HA / V / 1 / III, in der Wohnung des Kandidaten am 1. 02. 63

Da der Kandidat mit dem MfS seit dem 6. 08. 1957 inoffiziell zusammen arbeitet wurde bei dem Kandidaten von einer schriftlichen Verpflichtung Abstand genommen.

Mit dem Kandidaten wurde nocheinmal über die Notwendigkeit der ständigen sytematischen Zusammenarbeit mit dem MfS gesprochen und der Notwendigkeit diese Zusammenarbeit ständig zu verbessern. Dieses wurde dem Kandidat politisch ideologisch erläutert. Der Kandidat brachte zum Ausdruck, dass er weiterhin bestrebt sein wird mit dem MfS zusammenzuarbeiten. Der Kandidat erklärte sich bereit bei Notwendigkeit von Zeit zu Zeit eine KW aufzusuchen, bat jedoch nach Möglichkeit aus Zeitgründen die Treffs weiterhin in der Wohnung des Kandidaten durchzuführen. Seit dem 4. 10. 1962 arbeitet der Kandidat unter den Decknamen «MARTIN».

Nach diesem Gespräch wurde der Kandidat nocheinmal auf die Notwendigkeit der Einhaltung der Konspiration hingewiesen.

Der Kandidat berichtet auch für die HA / II unter dem Decknamen «MARTIN»[1]

Schindler   *Treike*
20. 2. 63   Mitarb.: –Obltn.–

---

1 Die Details der Werbung Kants als GI entsprechen genau den Festlegungen, wie sie im «Wörterbuch der politisch-operativen Arbeit» des MfS zu finden sind. Dort heißt es über die Verpflichtung inoffizieller Mitarbeiter:
   «In der Regel die schriftliche, in Ausnahmefällen auch mündliche

Willenserklärung eines neugeworbenen IM, in der er verbindlich seine Entscheidung bekundet, inoffiziell mit dem MfS zusammenzuarbeiten, und in der zugleich in konzentrierter Form die prinzipiellen Forderungen an sein künftiges inoffizielles Handeln und die damit verbundenen Pflichten zum Ausdruck gebracht werden.

Bestandteil der V.[erpflichtung] sind außerdem: die Belehrung der IM über Geheimhaltungserfordernisse und Pflichten, Vereinbarungen über die Aufrechterhaltung der Verbindung, die Festlegung des Decknamens.

Art und Weise sowie Form der V.[erpflichtung] werden wesentlich bestimmt durch die Persönlichkeit des IM und die Umstände und Bedingungen, unter denen er für die Zusammenarbeit mit dem MfS gewonnen wurde.» («Das Wörterbuch der Staatssicherheit, Definitionen des MfS zur ‹politisch-operativen Arbeit›.» Hg. vom Bundesbeauftragten für die Unterlagen des Staatssicherheitsdienstes der ehemaligen Deutschen Demokratischen Republik, Reihe A, Nr. 1/93, S. 190f.)

36. Treffbericht:
Informationen über DDR-Schriftsteller
(1.3.63)

HA / V / 1 / III.   Berlin, den 1.03.1963

Treffbericht

Zeit: 28.02.1963 von 14,30–16,15
Ort: In der Wohnung des GI
Quelle: «GI – MARTIN»
Mitarb.: Obltn. Treike

Treffverlauf:

Mündliche Berichte und Informationen des GI – «MARTIN»
Der GI berichtet das sich auf Grund der gegenwärtigen Situation kaum ein Schriftsteller im Verband sehen läßt.

Der GI und andere führende Genossen des DSV haben an einer Aussprache in der Bezirksleitung der Partei, beim Gen. ⟨Paul Verner⟩[1] teilgenommen. Inhalt der Aussprache war die Auswertung der Mitgliederversammlung des DSV vom 28.01.1963. Es wurde festgestellt, dass sich die damalige Mitglieder Versammlung nicht mit den Bestehenden ideologischen Unklarheiten einiger Schriftsteller auseinandersetzte. Diese Versammlung soll am 15.03.1963 wiederholt werden. Gen. Günter GÖRLICH[2] wurde mit der Vorbereitung der Versammlung beauftragt. Gen. GÖRLICH soll auf der Versammlung sich mit dem von ihm genannten Problemen (Brief von Günter GÖRLICH u. ⟨Gerhard Baumert⟩ an die Bez.Ltg. der Partei) aus einandersetzen. Der GI hält die, im Brief von GÖRLICH u. ⟨Baumert⟩, dargelegte Begründung zu den ideologischen Problemen für oberflächlich. Der GI befürchtet, dass sich bei einer evt. harten Auseinandersetzung eine Reihe Schriftsteller von der Partei entfernen.

Der Schriftsteller ⟨Franz Leschnitzer⟩[3] hat nach dem Parteitag eine schriftliche Stellungnahme zu dem angeblichen Bestehen des «Personenkults» in der DDR geschrieben. In der Stellungnahme verbleibt ⟨Leschnitzer⟩ härter als wie bisher auf seinen alten Standpunkt bestehen, daß es in der DDR «Personenkult» gibt. ⟨Leschnitzer⟩ soll geäußert haben sollte man mich in einem Parteiverfahren deswegen in den Kandidatenstand zurück versetzen so werde ich aus der Partei austreten. Der GI pflichtete der Auffassung des Gen. ⟨Paul Verner⟩ bei der gesagt hat man soll den Leschnitzer aus der Partei ausschließen.

Der GI berichtete das er bei ⟨Hermlin⟩ zu Besuch war. ⟨Hermlin⟩ arbeitet gegenwärtig an einem großen Übersetzungsauftrag des Verlags Volk und Welt. Es handelt um eine Übersetzung aus der Geschichte der englischen Arbeiterbewegung.[4] ⟨Hermlin⟩ erhält für die Seite 18,– DM Brutto. ⟨Hermlin⟩ klagte dem GI das seine finanzielle Seite sehr schwach ist. Außer den 750,– DM von der DAK die er monatlich erhält hat ⟨Hermlin⟩ weiter keine Einnahmen, zur Zeit. ⟨Hermlin⟩ bewohnt ein Haus welches er gepachtet hat für dieses Haus soll er monatlich 250,– DM zahlen. ⟨Hermlin⟩ möchte aus dem Haus rausziehen kann jedoch nicht, da er eine umfangreiche Bibliothek (insgesamt 4 Zimmer voll Bücher) besitzt die er in keiner Mietswohnung untergebracht bekommt.

Der GI hat ⟨Hermlin⟩ nach einen «FREUNDESKREIS» der angeblich existieren soll befragt. ⟨Hermlin⟩ sagte zu dem GI das müssen Idioten sein die so etwas machen, ⟨Hermlin⟩ hat von diesem

«Freundeskreis» noch nichts gehört. ⟨Hermlin⟩ habe dem GI wiederum betont das er sich niemals zu einer feindlichen Handlung gegen die DDR hinreizen lassen werde, den er sei kein Feind der DDR. ⟨Hermlin⟩ hat zu kaum einen anderen Schriftsteller bezw. Künstler persönliche Verbindung. Zu Fragen des Parteitags hat der GI mit ⟨Hermlin⟩ nicht weiter sprechen können.

Der GI hat sich mit ⟨Herbert Nachbar⟩[5], Schriftsteller, unterhalten. ⟨Nachbar⟩ will an die Ostsee ziehen, den er hat sich ein Haus an der Ostsee gekauft. Der GI schätzt ⟨Nachbar⟩ für einen Kontaktarmen Menschen ein. ⟨Nachbar⟩ versteht sich mehr auf Norddeutsche Menschen. Der GI hält ⟨Nachbar⟩ für einen echten tiefbewusten Staatsbürger, der jedoch ein eigenbrödler (teils zum Anarchismus verfällt) ist. ⟨Nachbar⟩ sagt, er hat die Sorgen nicht wie die anderen Schriftsteller die in der Partei sind, er vertritt die Auffassung es kommt doch nichts dabei heraus, er will seine persönliche Freiheit behalten. Peinlich jedoch ist es ihm wenn er oft aus beruflichen Gründen als Gen. angesprochen wird obwohl er keiner ist. Der GI vertritt den Standpunkt das ⟨Nachbar⟩ eines tages Genosse der Partei wird. Über die Probleme des Parteitages hat er mit ⟨Nachbar⟩ nicht diskutieren können.

(...)

Die Schriftstellerin ⟨Jutta Bartus⟩[6] spielt keine gute Rolle. Ihre schriftstellerische «Begabung» wird angezweifelt. Sie hat enge Verbindung zu dem Mitglied des Schriftsteller Verbandes ⟨Rudolf Böhm⟩. Die ⟨Bartus⟩ hielt sich desöfteren am Schwielowsee[7] auf. Weitere Verbindungen sind nicht bekannt.

Der GI berichtete, daß der Schriftsteller ⟨Rudolf Hirsch⟩[8] offensichtlich sehr unzufrieden ist. ⟨Hirsch⟩ bringt in Gesprächen zum Ausdruck, daß es unerhört ist das seine Bücher nicht verlegt werden. Ständig erhält er ⟨Hirsch⟩ Post von der Bevölkerung in denen Neuauflagen von seinen Büchern (Gerichtsreportagen) gefordert werden. ⟨Hirsch⟩ vertritt den Standpunkt dass die DDR-Verlage unfähig sind die Intressen der Schriftsteller zu vertreten. ⟨Hirsch⟩ hat umfangreiche Verbindungen zur Wochenpost. Die schriftstellerischen Arbeiten des ⟨Hirsch⟩ schätzt der GI nicht besonders gut ein. Viele Berichte die ⟨Hirsch⟩ geschrieben hat sind routinemäßig geschrieben.

Der GI schätzt das weitere Verbleiben des ⟨Otto Braun⟩ als Sekr des DSV als unmöglich ein. ⟨Braun⟩ hat unter den Schriftstellern keine Autorität Seine Standpunktlosigkeit ist erschreckend. ⟨Braun⟩ macht alles das was ⟨...⟩, seine persönliche Referentin will. ⟨Braun⟩ handelt nach der Auffassung des GI oft aus Angst, dass er seine Stellung verlieren könnte. So kann es vorkommen das er seine Meinung innerhalb 2 Std. 2 mal ändert und dieses auch von seinen Mitarbeitern verlangt. Alle 3 PKW-Fahrer haben zum Ausdruck gebracht «⟨Braun⟩ schnautzt rum wie ein preußischer General und verlangt manchmal unmögliches.

Aufträge:
1. Aussprache mit Schriftstellern und Künstlern über die Probleme des VI. Parteitages.
2. Fortsetzung der Gespräche mit ⟨Hermlin⟩ mit der Zielsetzung die Meinung ⟨Hermlin⟩ zu den Problemen des VI. Parteitages, zu den Diskussionen innerhalb des DSV – besonders die Verbindungen ⟨Hermlins⟩ aufklären.
3. Weitere Informationen über ⟨Leschnitzer⟩, versuchen seine Stellungnahme die er abgegeben hat zu erhalten.

Maßnahmen:
1. Information an die Abtlg. Ltg.
2. Informationen auswerten und Material über Personen zu den Handakten ablegen.
3. Bei der Auswertung der Frg. ⟨...⟩, die sich daraus ergebenden Fragen im Fragespiegel an die KD-Karl-Marx-Stadt berücksichtigen.

Nächster Treff:
Nach telefonischer Vereinbarung mitte März.

Treike
Mitarb. – Obltn. –

---

1 Paul Verner, *26.4.1911, †12.12.1986, Politiker, Interbrigadist im spanischen Bürgerkrieg, Emigration nach Schweden, 1946 Rückkehr nach Deutschland, Mitbegründer der FDJ, seit 1950 Mitglied des ZK der SED, stieg 1963 zum Mitglied des Politbüros der SED auf.

2 Günter Görlich, *6.1.1928, Jugendbuch- und Fernsehspielautor, 1958/61 Studium am Literaturinstitut «Johannes R. Becher», Leipzig. Seit 21.2.1961 inoffizieller Mitarbeiter des MfS unter den Decknamen «Student», «Wegener» und «Hermann».

3 Franz Leschnitzer, *12.2.1905, †16.5.1967, Essayist, Lyriker und Übersetzer, 1933 Emigration in die Sowjetunion, 1959 Rückkehr nach Berlin. Veröffentlichte 1963 den Band «Wahlheimat Sowjetunion. Stadien und Studien eines deutschen Intellektuellen».

Mit seiner Stellungnahme gegen den «Personenkult» in der DDR stellte sich Leschnitzer direkt gegen Walter Ulbricht, der in seiner Rede auf dem VI. Parteitag behauptet hatte:

«Die Überwindung des Stalinschen Personenkults hat auch bei uns zu einer weitgehenden Zurückdrängung des Dogmatismus geführt.» S. Dokumente zur Kunst-, Literatur- und Kulturpolitik der SED, hg. von Elimar Schubbe, S. 813.

4 Nach Auskunft des Verlages ist das Werk in deutscher Übersetzung nicht erschienen.

5 Herbert Nachbar, *12.2.1930, †25.5.1980. Nachbar stammte aus Greifswald. Nicht wenige seiner Bücher spielen daher an der Ostseeküste: «Der Mond hat einen Hof» (1956), «Die Hochzeit von Länneken» (1960).

6 Jutta Bartus, *11.1.1926, Fernseh- und Hörspielautorin, Erzählerin. Nach anfänglicher Karriere in der SBZ übersiedelte sie 1949 in die Bundesrepublik und kehrte 1955 in die DDR zurück. Zusammen mit Rudolf Böhm (*28.8.1917) schrieb sie das Drehbuch zu dem fünfteiligen Fernsehspiel «Geboren unter schwarzen Himmeln» (1962). Dafür wurde sie 1963 mit der Erich-Weinert-Medaille und dem Silbernen Lorbeer des DFF ausgezeichnet.

7 Am Schwielowsee, in Paetzow, lag das Erholungsheim des Schriftstellerverbands der DDR – es war die ehemalige Villa von Marika Rökk.

8 Rudolf Hirsch, *17.11.1907, Gerichtsreporter, Erzähler, Jugendbuchautor. Hirsch war ab 1950 Gerichtsberichterstatter der «Täglichen Rundschau», ab 1954 ständiger Gerichtsreporter der «Wochenpost». Seine Vorbilder waren Kisch, Tucholsky und Sling. Er veröffentlichte die Sammlungen «Als Zeuge in dieser Sache» (1958), «Dr. Meyers Zaubertrick» (1960), «Zeuge in vielen anderen Sachen» (1962) und «Zeuge in Sachen Liebe und Ehe» (1963).

37. Treffbericht:
Über Wolf Biermann, Stephan Hermlin
und andere
(8.4.63)

HA / V / 1 / III   Berlin, den 8.04.1963

Treffbericht

Zeit: 8.04.1963, v. 10,15–12,15
Ort: In der Wohnung des GI,s
Quelle: GI – «MARTIN»
Mitarb.: Obltn. Treike

Treffverlauf:
Der GI berichtete das es nach der Aussprache des Polititbüro u. des
Präsidiums des Ministerrats mit Schriftstellern und Künstlern, am 25/
26.3.63, in den Diskussionen besonders unter den Schriftstellern
keine negativen bezw. feindliche Diskussionen gibt. Die bereits auf
den letzten Treffs dargelegten Meinungen und Stimmungen bilden
bei Diskussionen und Gesprächen die Grundlage: dabei kommt immer wieder zum Ausdruck das die Beratung von allen begrüßt wird
und das Referat der Genossen ⟨Walter Ulbricht⟩ u. Kurt HAGER[1]
anerkannt wird und Ausgangspunkt für die weitere Arbeit bildet. Der
GI brachte zum Ausdruck das es darauf ankommt zwei Dinge zube-
achten das die gegenwärtig günstige parteiliche Atmosphäre nicht gestört wird.
1) (...)
2) Das die Kultur – Literatur – Zeitschriften in erster Linie nur solche
   Dinge veröffentlichen, die auch tatsächlich den gegenwärtigen Anforderungen entsprechen, dh. keine aufgeweichten Arbeiten veröffentlichen.
Richtig hat es in dieser Hinsicht, sagt der GI, die NDL gemacht,
die einige vorgesehene Gdichte von ⟨Volker Braun⟩[2] u. ⟨Bernd
Jentzsch⟩[3], weglies da die Gedichte noch nicht ausgereift waren und
manche Stellen sehr zweideutig aufgefaßt werden konnten. ⟨Helmut
Hauptmann⟩[4] hat dem GI erzählt, dass mit beiden jungen Schrift-

156

stellern gesprochen wurde und beide auch einsahen das es gegenwärtig richtig ist nur klare Gedichte zu veröffentlichen.

Die Beratung des Polititbüro und des Präs. des Ministerrats mit den Schriftstellern und Künstlern hat in ihrer Auswirkung noch 2 andere Seiten sagte der GI. Man kann folgende Einschätzung machen:

Die Genossen und Kollegen die direkt an der Beratung teilgenommen haben diskutieren in der überwiegenden Mehrzahl faßt ohne ausnahme positiv (siehe vorhergehende Treffberichte)

Der Schriftsteller ⟨Rücker, Günther⟩[5] sagt zum Beispiel «viel wars nicht, aber es bildet eine gute Arbeitsbassis».

Der andere Teil Schriftsteller und Künstler die nicht direkt teilgenommen haben, sondern nur durch Presse, Funk, Film bzw. über dritte Personen erfahren haben über den Verlauf der Beratung, diskutiert nicht immer positiv. So unter anderem ⟨Wolf Biermann⟩, der die gesamte Kritik noch nicht in ihrem Inhalt begriffen hat. Aus diesem Grund war auch ⟨Biermann⟩ mit seiner Ehefrau[6] bei ⟨Hermlin⟩[7] und hat in Anwesenheit des GI mit ⟨Hermlin⟩ über diese Fragen gesprochen: ⟨Biermann⟩ erklärte er komme zu ⟨Hermlin⟩ weil er ⟨Hermlins⟩ Diskussionbeitrag im ND gelesen hat und möchte sich darüber unterhalten.

⟨Biermann⟩ fühlt sich verkannt und verprügelt, er hält sich für einen jungen aufrichtigen Sozialisten der nicht verstanden wird, deshalb sagte er auch zu ⟨Hermlin⟩, «wir Kritisierten» worauf ⟨Hermlin⟩ ihn antwortete «⟨Biermann⟩ lassen sie die Flausen, sie müssen die Partei verstehen die Partei und wir alle als Genossen müssen äußerste ideologische erhöhte Wachsamkeit üben, wir sind Kommunisten und müssen alles tun was dem Kommunismus dient.»

⟨Biermann⟩ erzählte das ⟨Helmut Baierl⟩[8] bei ihm war und sich mit ⟨Biermann⟩ unterhalten hat in einer Sprache die ⟨Biermann⟩ nicht verstanden hat, sondern die ⟨Biermann⟩ noch mehr verwirrt hat. ⟨Biermann⟩ laß einige Stellen vor (er hatte sich nach der Aussprache mit ⟨Baierl⟩ aufzeichnungen gemacht) ⟨Baierl⟩ soll zu ⟨Biermann⟩ gesagt haben «⟨Brecht⟩ konnt auch nicht mit dem Kopf durch die Wand, – ... für das Vaterland muß man seinen Freund verraten –, usw. Der GI brachte zum Ausdruck das ⟨Biermann⟩ lauter verwirtes Zeug erzählte was ⟨Baierl⟩ gesagt haben soll.

Der GI schätzt den ⟨Biermann⟩ als einen Höchstbegabten jungen Menschen ein der sehr vielseitig bewandert ist. Der GI sagt er schätzt das so ein das er gegenwärtig keinen solchen begabten Menschen wie ⟨Biermann⟩ kennt (unter den Schriftstellern u. jungen Künstlern) jedoch ist ⟨Biermann⟩ auf der andern Seite ein ulkiger Vogel, der neben der großen Begabung auch irgendwie bekloppt ist.

⟨Biermann⟩, studiert gegenwärtig Philosphie, will jedoch das Studium für ein Jahr unterbrechen, und dafür nach Hennigsdorf ins Walzwerk arbeiten gehen.

⟨Hermlin⟩ hat dem ⟨Biermann⟩ gegenüber zum Ausdruck gebracht, dass es gut ist das er in das STAHLWERK HENNIGS-DORF arbeiten gehen will.

Der GI schätzt die Ehefrau von ⟨Biermann⟩ als eine kluge aufgeschloßene Frau ein, die einen positiven Einfluß während der Unterhaltung auf ⟨Biermann⟩ übte.

Der GI sagte wenn man ⟨Biermann⟩ richtig einschätzen will dann muß man auch sehen welchen Entwicklungsweg ist ⟨Biermann⟩ bisher gegangen.

⟨Biermanns⟩ Eltern sind im KZ umgekommen.[9] ⟨Biermann⟩ ist JUDE und lebte nach 1945 unter ungünstigen Verhältnisse in Westdeutschland, hat dort sehr schlechte Lebenserfahrungen gemacht. Dadurch ist ⟨Biermann⟩ von Natur aus mißtrauisch geworden.

⟨Biermann⟩ vergöttert ⟨Hermlin⟩ und sucht bei ⟨Hermlin⟩ nach Rat. Der GI vertritt den Standpunkt, dass er die Verbindung ⟨Biermanns⟩ zu ⟨Hermlin⟩ als positiv einschätzt, da ⟨Hermlin⟩ ⟨Biermann⟩ konsequent parteilich beeinflußt. Es ist besser ⟨Biermann⟩ hat zu ⟨Hermlin⟩ Verbindung, als wenn ⟨Biermann⟩ zu solchen SCHRIFTSTELLERN wie ⟨Gerlach⟩, ⟨Bieler⟩, ⟨Bobrowski⟩ oder andern geht. ⟨Biermann⟩ erzählte im Verlaufe des Gesprächs, das er zum LYRIK-Abend am 10.04.1963 in dem Filmtheater Kosmos, singen soll, jedoch weiß er nicht was. ⟨Hermlin⟩ hat daraufhin gesagt er soll das singen was gut und klar und sich nicht gegen die Partei richtet bzw. was in der letzten Zeit kritisiert wurde. ⟨Biermann⟩ hat darauf ⟨Hermlin⟩ und dem GI etwa 20 Lieder in voller LAUTSTÄRKE vorgesungen die beide, ⟨Hermlin⟩ und der GI eingeschätzt haben. Beide haben ⟨Biermann⟩ dann beratschlagt welche Lieder ⟨Biermann⟩ singen kann.

Im Verlaufe der Unterhaltung sagte der GI, daß er erkannt hat das ⟨Hermlin⟩ noch nicht fertig ist mit der an seiner Person geübten Kritik. ⟨Hermlin⟩ vertritt die Auffassung ist es notwendig das künstlerische Werke so stark gegenwärtig kritisiert werden müssen. Diese Frage beschäftigt ⟨Hermlin⟩ mit am meisten.

(...)

Der GI sprach desweiteren von der NDL. Er sagte die NDL entspricht gegenwärtig nicht den Anforderungen. Bei der NDL ist ein Stillstand eingetreten, es fehlt in der NDL an lebendiger Literaturkritik und intressanten Veröffentlichungen.

Der Chefredakteur ⟨Wolfgang Joho⟩, ist zwar in der Lage den gegenwärtigen Stand (Niveau) zu halten jedoch nicht zu steigern. Die NDL sagt der GI bleibt wenn sie nicht geändert wird eine passive nichtssagende Zeitschrift, die nicht die literarische Entwicklung in der DDR wiederspiegelt.

In der NDL leisten nach der Auffassung des GI ⟨...⟩ und ⟨...⟩ eine gute aktive Arbeit.

Der GI berichtete das ⟨Otto Braun⟩ einstimmig von dem Vorstand seiner Funktion entbunden wurde. ⟨Otto Braun⟩ selbst hatte nicht erwartet das die Ablösung so schnell von statten ging. Er hatte gedacht, das er wenigsten bis zur Delegiertenkonferenz 1. Sekretär des DSV bleibt.

Befragt wer in der Perspektive 1. Sekr. des DSV werden soll, sagte der GI das ihm bekannt ist, dass ⟨Baumert⟩ abgelehnt hat.

Auch den Schriftsteller Günter GÖRLICH hält der GI für nicht geeignet. GÖRLICH ist für die ständige Besetzung der Funktion des 1. Sekr. des DSV noch zu jung und unerfahren und ist auch nur mäßig intelligent hat nur geringe Kenntnisse in der Literatur d. h. keine tiefgründigen Kenntnisse. GÖRLICH könnte durch Leute wie ⟨Heym⟩ u. a. ums Ohr gehauen werden. GÖRLICH würde nicht die Autorität und Anerkennung finden bzw. geniessen die ein 1. Sekr. haben muß.

GÖRLICH versieht zwar seine Funktion als Sekr. für Nachwuchs zu zufriedenheit und setzt auch sehr viel Kraft für die Erfüllung der gestellten Aufgaben ein.

Von den Berliner Jungen AUTOREN kennt der GI nachfolgende Personen:

(…)

〈Kohn, Erwin〉[10]	Ein guter Genosse, Mitarb des ND jedoch schwer herzkrank.
〈Krumbholz, Eckart〉[11]	Redakteur «Für DICH», nicht sehr begabt, ein Wirkopf – Schwärmer, der Phrasen erzählt.
〈Mickel, Karl〉[12]	Wirkopf, der noch keinen festen pol. Standpunkt hat. M. hat die letzte Mitgl. Vers. ohne Erklärung verlassen die Parteiltg. wird sich mit ihm befassen.
〈Morgner, Irmtraut〉[13]	Ist Sekr. einer Parteigr. ist sehr begabt, politisch i. Ord. hat jedoch ein Haufen unklarer Frag. Ist hinzukriegen. Der Mann müßte mehr positiv klärend wirken.

(…)

Der GI berichtete das er die Absicht hat, über Ostern 〈Kunert〉 auf Hiddensee zubesuchen.

Vom Deutschen Friedensrat aus soll der GI nach Westdeutschland fahren und einige Schriftsteller aufzusuchen wie z. B. 〈…〉 u. a., die eventuell mit einer Auszeichnung bedacht werden soll.

Der GI war in Dresden im Sachsenwerk/Niedersedlitz. Dort hat er unter anderm mit der Bibliothekarin Genn. 〈…〉 gesprochen, welche erzählt hat, dass es unter den Arbeitern im Werk große mißstimmungen gibt. Ursache dafür sind die Tatsachen, dass es im Werk (dem modernsten Europas) moderne unfertige Taktstrassen gibt wo nicht die Taktstrasse die Geschwindigkeit entscheidet sondern die manuelle Arbeit. Der Betrieb hat bereits 1963 1 ½ Mill. DM Planschulden. Am Donnerstag den 4. 4. 1963 war der GI in DRESDEN im Haus der Intelligenz (in der Nähe der Engels Akademie) dort waren neben der Familie 〈…〉, sehr viel Künstler und Kulturschaffende welche der GI nicht kannte. Dem Besuch des Hause war eine Trikfilmveranstaltung vorausgegangen. Der Film trug den Titel «Das BAD»[14] der Film richtet sich gegen den Personenkult, gegen Schmarotzertum u. a. jedoch ist der Schluß sehr schwach, sonst kein schlechter Film sagt der GI.

Unter den dort anwesenden Künstlern wurde sinngemäß wie folgt diskutiert: In der SU kann man die Kunst weiter entwickeln da hat man auch andere Möglichkeiten wie bei uns in der kleinen DDR, den

Film «Das BAD» wird man bestimmt verbieten u. so ähnlich wurde dort diskutiert. Der GI sagte im Vordergrund der Diskussions war eine Mißstimmung – zu erkennen.

Auftrag: Meinungen und Stimmungen zur Kulturpolitik der Partei.
       Besuch des Gen. ⟨Kunert⟩ und Bericht über diesen Besuch.

Maßnahmen: Auswertung der Berichte. Personen FA 10 überprüfen. Inf. an die BV. DRESDEN.

Nächster Treff: 29.04.1963

Treike
Mtarb. –Obltn.–

---

1 Die Referate von Walter Ulbricht und Kurt Hager sind wieder abgedruckt in Schubbes «Dokumenten zur Kunst-, Literatur- und Kulturpolitik der SED» auf den Seiten 884–901 und 859–879. Sie enthalten erneute Attacken auf Hacks, Hermlin, Kunert und eine Verteidigung des Bitterfelder Weges.

2 Volker Braun erinnert sich an die damaligen Diskussionen nicht mehr.

3 Bernd Jentzsch hatte NDL ein Gedicht geschickt mit dem Titel «Der Flug über die Stadt mit den Narben», dessen ursprünglicher Titel lautete «Der Flug über die Allee mit den gekachelten Häusern» (gemeint war die Ost-Berliner Stalin- bzw. Karl-Marx-Allee). Der Text lautete:

«DER FLUG ÜBER DIE STADT
MIT DEN NARBEN

Unser Tag weitet sich ins Galaktische.
Tapetengehäuse meiden wir und lila Ahnengrüfte.
Wir fliegen Planeten an.
Wir bauen Zigarettenautomaten, aus denen was rauskommt.
Milchstraßen verleihen wir schlichte Namen.
Unsere Jugendlichkeit bricht statische Grenzen und
die verrosteten Herzen der Reichsbahnschaffner.
Einsam werden Sterne hohler Größen
abwärtsschweifen und verglühen,
niemandem Verlust, vorbei an diesen Betonklötzen, um

ein Wort unserer Großmütter zu gebrauchen,
worin sich wie von selbst dichtet
vorbei an unserem durchgedrückten Rückgrat,
das uns Achtung einbringt, wenn wir fliegend
nicht an Ziolkowski denken.
Schütter noch ist das Haar der Städte, über denen
wir aufgelassen sind. Doch der Anblick
bedeutet uns: da ist noch viel zu machen
für das heitere Land. Wir
übertragen die Ordnung der leuchtenden Systeme
auf menschliche Sitten und
sind erst zwanzig Jahre alt.»

Als Anmerkung sollte unter den Text gesetzt werden:
«Dazu schreibt uns der Autor:
‹Ich schicke das Gedicht mit bangen Gefühlen ab. Wenn es die Redaktion akzeptiert, werde ich mich entschließen, am Anfang des nächsten Jahres mehrere ähnliche Arbeiten folgen zu lassen. Es ist ein Versuch, größere Themen besser (oder überhaupt) in den Griff zu bekommen.›»

Der Text war für Heft 1, 1964, von NDL gesetzt. Der Autor zog ihn telegraphisch am 27. 12. 1963 zurück, er blieb in der DDR ungedruckt.

4 Helmut Hauptmann, *12. 3. 1928, laut Meyers Taschenlexikon «Schriftsteller der DDR» (Leipzig 1974) «als Prosa-Redakteur der ‹NDL› beteiligt an der Entstehung und Förderung vieler Werke der sozialistischen Gegenwartsliteratur».

5 Günther Rücker, *2. 2. 1924, Hörspiel- und Filmautor, Dramatiker und Erzähler. Nach den Forschungen von Hans-Jürgen Schmitt («Der operative Vorgang ‹Filou›. Der Schriftsteller Franz Fühmann im Netz der DDR-Staatssicherheit», Deutschlandfunk, 5. 10. 1993, 19.15–20.00 h, Sende-Manuskript S. 18) war Rücker als IM «Günter» für das MfS tätig.

6 Gemeint ist wohl seine damalige Lebensgefährtin Eva-Maria Hagen.

7 Während seiner Selbstkritik auf der Beratung des Politbüros des ZK der SED und des Präsidiums des Ministerrats mit Schriftstellern und Künstlern vom 25. und 26. März 1963 war Hermlin von Kurt Hager nach seiner Beziehung zu Wolf Biermann gefragt worden. Hermlin antwortete: «Wolf Biermann habe ich an jenem Lyrikabend in der Akademie [im Dezember 1962] zum erstenmal gesehen. Ich halte ihn für ein sehr großes Talent, und ich möchte darum bitten, daß man ihn

nicht aus dem Auge läßt und daß sich die Partei weiter um ihn kümmert. Ich will mich auch weiter um ihn kümmern, wenn ihr es wollt. (Zuruf von Kurt Hager: Man muß ihm helfen, daß er wieder herauskommt.)

Biermann war Kandidat der Partei und ist vor wenigen Tagen ausgeschlossen worden. Ich sagte ihm: Wenn du auch jetzt als Kandidat ausgeschlossen bist, jeder muß sich um die Partei scharen und mit ihr arbeiten und kämpfen, muß ihr helfen, und man muß sie auch verstehen. Soweit es junge Schriftsteller gibt, die auf mein Urteil Wert legen, ihnen allen möchte ich wiederholen, was ich auch Wolf Biermann gesagt habe, nämlich, daß es darauf ankommt, der Partei zu helfen, und zwar nicht irgendeiner Partei und nicht irgendeinem Sozialismus, sondern diesem Sozialismus hier und der Sozialistischen Einheitspartei Deutschlands unter Führung ihres Zentralkomitees und des Genossen Ulbricht.»

(Neues Deutschland, 6.4.1963)

8 Helmut Baierl, *23.12.1926, Dramatiker, Filmautor, Übersetzer, 1955/57 Studium am Literaturinstitut «Johannes R. Becher», 1959/67 Dramaturg am Berliner Ensemble.

9 Von Wolf Biermanns Eltern ist der Vater Dagobert im KZ umgekommen.

10 Erwin Kohn, *22.8.1921, Verfasser von Reportagen, Kurzgeschichten, Features, Hörspielen etc., offenbar ohne Buchpublikationen. Selbstkritisch schreibt Kohn in einem Brief an den Hg.: «Ich glaube mich jetzt zu erinnern, welchen Vorfall Sie vor Augen haben; ein Verhalten, das mir nicht zum Ruhm gereicht, auf das ich alles andere als stolz bin. Erklärbar, wenn vielleicht für Sie auch nicht begreifbar, ist dies aus der verqueren und naiven Weltsicht, in die ich damals gedrängt worden war, die ich als endgültig und wahr empfand und die meinen Normenkatalog des für einzig richtig angesehenen Verhaltens bestimmte. Das begründet meinen damaligen Standpunkt. Wieso ich mich in jener Diskussion entgegen meiner Gewohnheit plötzlich äußerte, habe ich mich schon mehrmals vergeblich gefragt.»

11 Eckart Krumbholz, *8.1.1937, 1956–59 Studium am Literaturinstitut «Johannes R. Becher», 1959/62 Redakteur der Zeitschrift «Junge Kunst», ab 1962 der Illustrierten «Für Dich».

12 Karl Mickel, *12.8.1935, Lyriker, Dramatiker, Erzähler, Essayist, 1959/63 Redakteur der Zeitschrift «Junge Kunst», 1963 Veröffentlichung seines Gedichtbands «Lobverse und Beschimpfungen».

13 Irmtraud Morgner, *22.8.1933, †6.5.1990, 1956/58 Redaktionsassistentin der NDL, veröffentlichte 1959 die Erzählung «Das Signal steht

auf Fahrt» und 1962 den Roman «Ein Haus am Rand der Stadt».
Verheiratet mit Paul Wiens (IM Dichter).

14 Es handelt sich um den farbigen Puppen-Trickfilm «Das Schwitzbad»
nach dem gleichnamigen Stück von Wladimir Majakowski, der 1962
vom Allunions-Trickfilmstudio Moskau gedreht wurde. Drehbuch
und Regie: Sergej Jutkiewitsch und A. Karanowitsch. Der Film wurde
in der DDR nicht offiziell, also an Kinos, sondern höchstens an Film-
clubs ausgeliehen (Information: Heinz Kersten).

38. Quittung über eine Luftpistole für GI Martin (11.4.63)

HA / V / 1 / III   Berlin, den 11. 04. 1963

BStU
000088

Buchhaltung 5

Gesellschaft für Sport und Technik
Zentralvorstand

Halle (Saale), den
Stalinallee 155-157
Fernruf 7411 und 7211
Bankkonto Deutsche Notenbank 80204
Fernschreiber Halle 417

Lieferschein/Rechnung Nr.:   7379

XXXXXXXX   Unser Zeichen

II. Auslieferungsschein Nr.   vom

Ld. Nr.	Menge	Mengen-Einheit	Artikel	Partie Nr.	Einzelpreis	Gesamtpreis
1	1	Stück	Luftpistole Mod. 54		25,00 DM	============
2	24	Schachteln	Diabolo		24,00 DM	------------
					49,00 DM	/============

Betrag erhalten

Gesellschaft für Sport und Technik
Zentralvorstand
Neuenhagen b. Berlin

Reklamationen werden nur bei Empfang der Ware berücksichtigt
Zahlungsbedingung innerhalb 15 Tage netto
IV/10/5*

Lieferer

Pz 7264/53 200 Block 4 25×5 Bl: 753 (1854) 0,7-

Dem GI - " M A R T I N " wurde heute am 11.04.1963, als Anerkennung
für die bisherige Zusammenarbeit mit dem MfS

1 Luftpistole   sowie
Munition u. Schießscheiben

als Geschenk übergeben.

GI - "M A R T I N "
Reg. Nr. MfS 5909 / 60

Treike:........../
Mitarb.:-Obltn.-

165

39. Treffbericht: Über Günter Kunert, Wolf Biermann, Stephan Hermlin und andere (29.4.63)

HA/V/1/III   Berlin, den 29.04, 1963

Treffbericht!

Zeit: 29.04.1963, von 9,15–11,15
Ort: In der Wohnung des GI
Quelle: GI – «MARTIN»
Mitarb.: Obltn. Treike

Treffverlauf:
1. Persönliche Fragen des GI
Der GI berichtete das in der zweiten Hälfte des Monats Juni im Auftr. des DSV, für etwa 14 Tage nach Finnland fährt.[1]

2. Mündliche Berichterstattung des GI
Der GI berichtete das er am Sonnabend vor Ostern[2] den Schriftsteller ⟨Günter Kunert⟩ auf Hiddensee besucht hat.

⟨Kunert⟩ wohnte zwischen Kloster u. Vitte, bei einem verkrachten Holzbildhauer, der gegenwärtig Löffel, Gabeln u. a. Dinge für das Volkskunsthandwerk schnitzt, und dabei sehr gut verdient.

Der GI berichtete ⟨Kunert⟩ war ofensichtlich krank, er hatte zuvor 3 Wochen fest gelegen.

⟨Kunert⟩ berichtete dem GI das ihm nachfolgende Personen besucht haben:
⟨Marianne Dreyfuss⟩[3], Lektorin beim Verlag Volk u. Wissen.
Dieter NOLL[4], Schriftsteller
⟨Wolfgang Kohlhase⟩
⟨Günter Stahnke⟩[5], mit Freundin (Beide waren anwesend als der GI, ⟨Kunert⟩ besuchte)

Der GI hatte den Eindruck, dass ⟨Kunert⟩ etwas geklascht war, denn bisher hatte ⟨Kunert⟩ alles zu seiner Person über bezw. aus zweiter Hand erfahren.[6] Sonst machte ⟨Kunert⟩ im allgemeinen einen bessern Eindruck, als wie der GI befürchtet hatte. ⟨Kunert⟩

war etwas verbittert und verstand alles nur bis zu einem bestimmten Grad. ⟨Kunert⟩ sagte dem GI das er erkannt hat, dass die Konzeption für die Fernsehfilme «Fetzers Flucht» u. «Monolog eines Taxifahres» falsch waren. Bei dem Film «Monolog eines Taxifahres» war es nicht seine Absicht die Geselschaftsordnung falsch darzustellen, es solte nur die unrichtige Denkweise des Taxisfahres dargestellt werden, jedoch ist der Film in das Gegenteil umgeschlagen und deshalb sieht er auch das die Konzeption falsch ist.

Zu dem Fernsehfilm «Fetzers Flucht» sagt ⟨Kunert⟩ sieht er ein, dass dieser schematisch geworden ist, betont aber zugleich das er von allen Seiten im DFF seine Zustimmung bekam.

⟨Kunert⟩ hat dem GI folgendes erzählt:

Von dem Leiter des Aufbau-Verlages Genossen ⟨Gysi⟩[7], hatte ⟨Kunert⟩ die Genehmigung in München beim HANSA[8]-Verlag seine Gedichte anzubieten, was auch von Seitens ⟨Kunerts⟩ mit Vorbehalt geschehen ist. ⟨Kunert⟩ hatte beim HANSA-Verlag ausgemacht, das sein Gedichtsband:
1. Das er noch einige Vorbehalte hat,
2. Das er noch die Möglichkeit der Änderung hat.
Nach der Kritik an ⟨Kunert⟩, hat ⟨Kunert⟩ sofort an den HANSA-Verlag geschrieben und gebeten von der Veröffentlichung seiner Gedichte Abstand zunehmen.

Zur Lyrik äußerte ⟨Kunert⟩ sich wie folgt:

Beim schreiben von Gedichten habe er manchmal eine schwarze Strähne gehabt welches zur Folge hatte, dass manches unverständlich geworden ist. Nach seiner Rückkehr von Hiddensee hat ⟨Kunert⟩ die Absicht den Aufbau-Verlag aufzusuchen und einige Gedichte zu Koregieren, so das sein Buch erscheinen kann.

⟨Kunert⟩ brachte dem GI gegenüber zum Ausdruck:

daß er ⟨Kunert⟩ eine Reihe von Dingen die ihm in der Vergangenheit Schwierigkeiten gemacht haben, wie seine eigene Vergangenheit z. B. (Seine Eltern und sämtliche Angehörigen[9] sind im KZ umgekommen, er selbst, hat illegal Kind und junger Mensch unter den unmöglichsten Verhältnissen in Deutschland gelebt und ist wie ein Wunder der Verfolgung des Faschismus entkommen) einfach beiseite geschoben hat um sie zuvergessen, trotzdem er mit diesen Problemen noch nicht fertig ist. ⟨Kunert⟩ kommt sich wie ein Märtyrer vor (auf Grund seiner Vergangenheit) Er hat jetzt die Absicht seine Lebensgeschichte, die eines kleinen jüdischen Jungen zuschreiben. Der GI schätzt ein das ⟨Kunert⟩ ehrlich nach einem Weg sucht um die gemachten Fehler nicht zuwiederholen jedoch wird das für ⟨Kunert⟩ sehr schwierig sein da ⟨Kunert⟩ faßt isoliert lebt und mit denen er Verbindung hat wie zum Beispiel ⟨Stahnke⟩, diese Verbindung sich auch nicht positiv auswirkt.

Die Ehefrau von ⟨Kunert⟩ ist um ⟨Kunert⟩ wie eine Mutter besorgt, die ihn in seinen Fehlern noch bestärkt, der GI schätzt es so ein, dass die Ehefrau auch nicht in der Lage ist (ideologisch) ⟨Kunert⟩ zuhelfen. ⟨Kunert⟩ sagt der GI, spinnt von Katzen und läuft jeder Katze hinterher um diese zustreicheln.

⟨Kunert⟩ ist ein verklemmter Mensch, der eine böse Geschichte hinter sich hat, deshalb ist er auch Mißtrauisch und in ihm steckt die Furcht vor vor einem Atomkrieg tief in die Knochen (wörtlich von dem GI übernommen) Auf Grund der hochentwickelten Technik hängt nach der Auffassung ⟨Kunerts⟩ die Frage «Krieg oder Frieden» im Schwebezustand. Er stellte dem GI die Frage was er als Schriftsteller dagegen tun kann? Der GI hat ⟨Kunert⟩ die Frage Sinngemäß wie folgt beantwortet:

Die Aufgabe des Schriftstellers ist es die Wahrheit zuschreiben, aus der unbedingt hervorgehen muß, dass es ein Sinn hat zuleben und das man deshalb sich für die Sache des Frieden mit ganzer Kraft einsetzen muß um den Feinden des Friedens das Handwerk zulegen.

⟨Kunert⟩ brachte zum Ausdruck das er sich über den Besuch des GI sehr gefreut hat und das er ⟨Kunert⟩ auf der nächsten Parteiversammlung selbstkritisch zu all seinen Problemen Stellung nehmen will.

Kurz nach seiner Ankunft in Berlin, teilte ⟨Kunert⟩ dem GI mit, dass er in Berlin eingetroffen ist und das er den Wunsch habe sich mit dem GI zu treffen. Das Wiedersehen mit ⟨Kunert⟩ erfolgte bei ⟨...⟩. Dem GI wurde empfohlen den KONTAKT zu ⟨Kunert⟩ zufestigen.

Der junge Lyriker ⟨Wolf Biermann⟩ hat den GI mehrfach angerufen und den GI nach Rat befragt. Vor kurzen traf der GI ⟨Biermann⟩ in der Kulturredaktion des ND.

⟨Biermann⟩ hatte anläßlich der Ermordung des Genossen ⟨Julian Grimau⟩ [10] nach der Auffassung des GI ein sehr gutes Gedicht geschrieben und dieses gleich vertont.

168

Die Kulturredaktion des ND hat ⟨Biermann⟩ das Gedicht nicht abgenommen, weil ⟨Biermann⟩ von der Kandidatenliste gestrichen wurde. (⟨Biermann⟩ hat gegen die Streichung schriftlich Einspruch erhoben)

⟨Biermann⟩ hat dan noch in anderen Redaktionen versucht sein Gedicht loszuwerden jedoch keine Redaktion hat ihm das Gedicht abgenommen.

Nach Meinung des GI muß erst wieder ein verantwortlicher Genosse des ZK sagen das man die guten Gedichte von ⟨Biermann⟩ auch veröffentlichen darf, damit die Redaktionen wieder den Mut haben Gedichte von kritisierten Schriftstellern zuveröffentlichen. (Bei ⟨Kunert⟩ ist ein ähnlicher Fall sagt der GI. ⟨Kunert⟩ wird nicht einmal mehr seine guten Gedichte los, welches zur Folge hat das ⟨Kunert⟩ im letzten viertel Jahr nur 65,– DM verdient hat.)

⟨Biermann⟩ hat dann versucht auf der gemeinsamen Veranstaltung der Schriftsteller und Journalisten, sein Gedicht über die Ermordung des Genossen ⟨Julian Grimau⟩, vorzutragen dieses wurde ⟨Biermann⟩ von dem Genossen ⟨Singer⟩ [11] untersagt.

⟨Hermlin⟩ ist wüttend das keine Redaktion gegenwärtig was gut geschrieben ist von ⟨Biermann⟩ abnimmt, was die Veranstaltung im Presseclub betrifft vertritt ⟨Hermlin⟩ die Auffassung das es richtig war das man ⟨Biermann⟩ nicht hat auftreten lassen, da ⟨Biermann⟩ einen starken Hang hat unter den Kreisen der Prominez aufzutreten und zuverkehren. ⟨Hermlin⟩ vertritt den Standpunkt, dass das für die Entwicklung des ⟨Biermann⟩ nachteilig ist und sich hemmend auswirkt.

Auch der DFF nimmt ⟨Biermann⟩ nichts mehr ab d. h. keine guten Gedichte. In Leipzig solte eine Lyrikveranstaltung stattfinden zu der ⟨Biermann⟩ eingeladen war. Von dem zuständigen Leipziger FDJ-Clubrat erhielt ⟨Biermann⟩ kurz vor der Veranstaltung ein Telegramm aus dem hervorging dass er ⟨Biermann⟩ lieber nicht zur LYRIK-Veranstaltung kommen möchte. Der GI war bei ⟨Hermlin⟩ um diesen anläßlich seines Geburtstages [12] zugratulieren. ⟨Hermlin⟩ bemerkte dem GI gegenüber «das einige seiner sonst ständigen Gratulanten ausgeblieben sind»

⟨Hermlin⟩ äußerte dem GI gegenüber das er die Absicht habe wieder zu schreiben.

⟨Hermlin⟩ hält die Auszeichnung ⟨Peter Huchels⟩ von der Westberliner Akademie der Künste mit dem «Fontane Preis» als eine Provokation.[13] ⟨Hermlin⟩ vertritt den Standpunkt das ⟨Peter Huchel⟩ die Annahme der Auszeichnung ablehnen mus, sollte er dieses nicht tun dann muß man ⟨Peter Huchel⟩ aus der Akademie ausschließen zumal bekannt ist das der mit ⟨Huchel⟩ ausgezeichnete Komponist ⟨Paul Hindemith⟩ seinen Preis, 10 000,00 DM, den «politisch verfolgten sowjetzonenflüchtlingen» (lt. Westpresse die Welt[14]) zur Verfügung gestellt hat.

⟨Huchel⟩ soll schon vorher einen Preis von der «Freien Akademie Hamburg» erhalten haben.[15]

Der GI hat das Manuskript «BONIFAZ oder der Matrose in der Flasche» gelesen. (Roman von ⟨Manfred Bieler⟩)

Sein Eindruck ist, dass der Roman nicht zu den Besten gehört, literarisch und politisch nicht so gut wie die Hörspiele von ⟨Bieler⟩[16], jedoch als Geschichte gut, und er versteht nicht worauf sich die Ablehnung des Romans begründet im Gegenteil er ist der Meinung das der Roman für Westdeutschland große Bedeutung hat, indem der Roman aufzeigt das man nicht als «Neutraler» leben kann und das richtige Leben in der DDR ist.[17]

Von seitens des DSV wird noch einmal zu dem Roman Stellung genommen. Auch die Schriftsteller ⟨Max Walter Schulz⟩[18] u. ⟨Bobrowski⟩ halten den Roman für gut.

Aufträge:
Meinungen und Stimmungen zur Kulturpolitik der Partei und Regierung. Fortsetzen der Besuche bei ⟨Hermlin⟩ u. ⟨Kunert⟩, Festigen der Kontakte, Aufklären der weitern Verbindungen und Stimmungen, sowie Tätigkeit. Besuch des Buchbasars, bei Vorkommnissen das MfS verständigen.

Nächster Treff:
15. 05. 1963

Maßnahmen:
Bericht in der Analyse am 30. 04. 63 mitauswerten.
⟨Biermann⟩ FA 10 überprüfen.

Über Referat II, versuchen eine Fahne des Manuskript von ⟨Bieler⟩ «BONIFAZ oder der Matrose in der Flasche» zur Auswertung zu bekommen.

Treike

Mitarb. – Obltn.–

Bemerk: Bei der Auswertung des Berichts darf die Quelle nicht gefährdet werden.

---

1 Das «Neue Deutschland» meldet einen einwöchigen Besuch Kants in Finnland erst am 29.9.1966.

2 Sonntag vor Ostern – der 7. April 1963.

3 Marianne Dreyfuss wurde nach ihrer Rückkehr aus der Emigration nach Shanghai Lektorin bei «Volk und Welt», nicht bei «Volk und und Wissen».

4 Dieter Noll, *31.12.1931, Erzähler, Romancier, Verfasser von Reportagen. Bekannt geworden durch «Die Abenteuer des Werner Holt. Roman einer Jugend» (1960).

5 Günter Stahnke, *1929, Regisseur. Er führte bei Kunerts Fernsehfilmen «Fetzers Flucht» und dem vor Sendung verbotenen «Monolog für einen Taxifahrer» Regie und mußte deswegen im April 1963 Selbstkritik üben. Sein Kinofilm «Der Frühling braucht Zeit» wurde 1965 nach der Premiere verboten. Danach hatte Stahnke zwei Jahre Berufsverbot. Erst Ende der sechziger Jahre konnte er wieder inszenieren – Unterhaltungsware beim DFF.

6 Aufgrund seiner Krankheit hatte Kunert, obwohl er persönlich geladen worden war, nicht an der Beratung des Politbüros und des Ministerrats mit Schriftstellern und Künstlern vom 25./26. März teilgenommen und war über die Angriffe Kurt Hagers und Alexander Abuschs auf seine Stücke «Fetzers Flucht» und «Monolog für einen Taxifahrer» sowie auf seine Lyrik anscheinend erst indirekt informiert. Abusch z. B. hatte ihn gerügt: «Es ist hier bereits von dem Dichter Kunert gesprochen worden, von seinen ideologischen Wirrungen und Verwirrungen, die sich besonders kraß in seinem Fernsehstück ‹Monolog für einen Taxifahrer› ausdrücken. Wir bedauern sehr, daß ein Dichter wie Günter Kunert es nicht versteht, daß die Apologetik der bürgerlichen Existentialphilosophie in diesem Fernsehstück und auch in einigen seiner neueren Gedichte nichts, aber auch gar nichts mit einem neuen oder jungen oder gar sozialistischen Lebensgefühl zu tun haben. Wenn Günter Kunert nicht versteht, daß eine Philosophie der

Lebensangst, des isolierten Individuums in einer ihm feindlichen Umwelt zutiefst im Widerspruch steht zu der Entwicklung der neuen sozialistischen Beziehungen zwischen den Menschen, der gegenseitigen Hilfe und Solidarität, der humanistischen Kollektivität in unserer neuen Gesellschaft, so zeigt dies sein Unverständnis für die elementaren Fragen unserer gesellschaftlichen und geistigen Entwicklung» (Sonntag Nr. 6, 1963).

7 Klaus Gysi, *3.3.1912, war von 1957 bis 1966 Leiter des Aufbau-Verlags. Unter dem Decknamen «Kurt» lange Zeit inoffizieller Mitarbeiter des MfS, s. Walter Janka, Die Unterwerfung. Eine Kriminalgeschichte aus der Nachkriegs-Zeit. Mit einem Vorwort von Günter Kunert. Herausgegeben von Günter Netzeband. München 1994, S. 90 ff.

8 Gemeint ist der Carl Hanser Verlag in München. Kunert hatte 1961 einen Lyrikband mit diesem Verlag verabredet, und er erschien tatsächlich, trotz der angeblichen Absage Kunerts an den Hanser-Verlag, 1963 unter dem Titel «Erinnerung an einen Planeten». Der Band vereinigte Gedichte aus früheren Bänden des Autors mit einer Anzahl von neuen.

9 Dies trifft für die Angehörigen von Günter Kunerts Mutter, einer geborenen Warschauer, zu.

10 Julian Grimau wurde am 20.4.1963 hingerichtet. Wolf Biermann nahm sein 1963 geschriebenes «Portrait» «Genosse Julian Grimau» in den 1965 bei Wagenbach erschienenen Band «Die Drahtharfe. Balladen Gedichte Lieder» auf (S. 25).

11 Rudolf Singer, *10.7.1915, †1.1.1980, war von 1963 bis 1966 Leiter der Abt. Agitation beim ZK der SED und stellvertretender Vorsitzender der Agitations-Kommission beim Politbüro der SED.

12 Hermlins Geburtstag: 13. April.

13 Peter Huchel, *3.4.1903, †30.4.1981, Lyriker, Hörspiel-Autor, von 1945–48 künstlerischer Direktor und Sendeleiter beim Berliner Rundfunk, ab 1948 Chefredakteur der Zeitschrift «Sinn und Form». Mit Ende des Jahres 1962 schied Huchel laut Erklärung Willi Bredels, des Präsidenten der Deutschen Akademie der Künste, angeblich «auf eigenen Wunsch» aus seiner Funktion aus, Nachfolger wurde ab 1. Januar 1963 Bodo Uhse. Laut der zitierten Erklärung im 5./6. Heft 1962 von «Sinn und Form» sollte die Zeitschrift künftig «die Teilnahme der Akademie an der Entwicklung der sozialistischen Nationalkultur widerspiegeln». Huchel lebte von da an isoliert und überwacht in Wilhelmshorst bei Potsdam und konnte erst 1971 die DDR verlassen.

Die Auszeichnung Huchels mit dem Fontane-Preis der West-Berliner Akademie der Künste im April 1963 (Jury: Dieter Hildebrandt,

Kurt Ihlenfeld und Rudolf Hartung) war unausgesprochen ein Zeichen der Solidarität mit dem aus seinem Amt gedrängten Huchel und wurde von der offiziellen DDR als Provokation gewertet.

In einem Brief vom 19.8.1993 an Andreas W. Mytze hat Stephan Hermlin die Ausführungen des IM Martin in Sachen Hermlin/Huchel aus dem Abstand von 30 Jahren als «schlichte Lüge» bezeichnet (s. «europäische ideen», Heft 86/1994, S. 33, und die Entgegnung von Hans Dieter Zimmermann, ebda., S. 34f.).

Kant schrieb, ebenfalls in einem Brief an Mytze vom 19.8.1993: «Es ist schlechterdings absurd, Stephan Hermlin mit der hier beschriebenen Position zu Peter Huchel in einen Zusammenhang zu bringen» (a.a.O.). Das MfS ging jedoch vom Wahrheitsgehalt der Informationen Martins aus und speicherte den entsprechenden Passus unter der Überschrift «GI ‹Martin› am 29.4.1963» auch in der Akte Peter Huchels.

14 Die Meldung in der «Welt» war nicht zu finden – sie liegt auch im Hindemith-Institut in Frankfurt nicht vor.

15 In der Tat war Huchel am 7.11.1959 die Plakette der Freien Akademie der Künste, Hamburg, verliehen worden. In seiner Ansprache zur Preisverleihung sagte Willy Haas: «Sie geben jetzt, 1959, seit Jahren die Monatsschrift ‹Sinn und Form› heraus, im Osten Berlins, und haben in ihr die von uns beiden so tief bedauerte politische Zweiteilung Deutschlands ohne viel Umstände zu einer geistigen Einheit zusammengeschweißt» (s. «Über Peter Huchel». Herausgegeben von Hans Mayer. Frankfurt 1973, S. 160).

16 Manfred Bieler schrieb bis 1963 zahlreiche Hörspiele, u.a. «Hochzeitsreise», «Ich bin nicht mein Bruder», «Karriere eines Klaviers», «Die achte Trübsal», «Die linke Wand», «Die kleine Freiheit», «Das Hemd und der Rock», «Nachtwache», «Drei Rosen aus Papier».

17 Bielers Buch erschien 1963 bei Aufbau und bei Luchterhand in Neuwied.

18 Max Walter Schulz, *21.10.1921, †15.11.1991, Romancier und Essayist. 1962/63 fungierte er als Sekretär des Schriftstellerverbands. 1962 war gerade sein «Roman einer unverlorenen Generation» erschienen: «Wir sind nicht Staub im Wind».

40. Treffbericht:
Über Stephan Hermlin und andere
(13.6.63)

Hauptabteilung V/1/III   Berlin, den 13.6.1963

Treffbericht

Quelle: GI «Martin»
Zeit: 12.6.1963, 16.00–17.30 Uhr
Ort: Wohnung des GI
Mitarb.: Oltn. Treike

Treffverlauf:
Der GI berichtete, daß er am 11.6.1963 in den Abendstunden den
Schriftsteller ⟨Stephan Hermlin⟩ zu Hause besucht hat. ⟨Hermlin⟩
berichtete über seinen Aufenthalt in Moskau. Der GI brachte zum
Ausdruck, daß ⟨Hermlin⟩ sehr begeistert über die Verhältnisse in
der Sowjetunion, besonders auf politisch-kulturellem Gebiet, sei.
⟨Hermlin⟩ sagte, daß in der Sowjetunion auf dem Gebiet der Literatur eine gesunde Atmosphäre durch die bedeutende Rede des Genossen ⟨Chruschtschow⟩ auf der Beratung der Partei und Regierung vor
sowjetischen Künstlern, Schriftstellern und anderen Kulturschaffenden herrscht.[1] ⟨Hermlin⟩ erzählte dem GI, daß es in der Sowjetunion nach dem XX. Parteitag der KpdSU eine mittlere Schicht von
Funktionären (Kultur) gegeben hat, die den chinesischen Weg ein-
schlagen wollten. Diese falschen Auffassungen wurden durch die Beratung der Partei und Regierung mit Künstlern und Schriftstellern
bereinigt. ⟨Hermlin⟩ selbst sei voll Bewunderung für ⟨N. S. Chru-
schtschow⟩.[2]

   ⟨Hermlin⟩ ist in der Sowjetunion besonders durch das Ableben des
türkischen Schriftstellers ⟨Nazim Hikmet⟩[3] mit sehr vielen Persönlichkeiten des sowjetischen politisch-kulturellen Lebens zusammengetroffen. ⟨Hermlin⟩ hat an der Bahre des ⟨Hikmet⟩ Ehrenwache
gestanden. So traf ⟨Hermlin⟩ u. a. mit den sowjetischen Schriftstellern ⟨Ilja Ehrenburg⟩[4], ⟨Fradkin⟩[5] und dem Vorsitzenden des sowjetischen Schriftstellerverbandes[6] zusammen. Der GI konnte je-

doch über die von ⟨Hermlin⟩ geführten Gespräche wenig in Erfahrung bringen, da ⟨Hermlin⟩ vollkommen unter der Beeinflussung seiner am 5.7.1963 um 11.00 Uhr Moskauer Zeit, stattfindenden Eheschließung stand. ⟨Hermlin⟩ hat die Absicht, eine sowjetische Bürgerin zu heiraten. Diese soll nach Angaben ⟨Hermlins⟩ Literaturwissenschaftlerin und Germanistin sein. Sie arbeitet gegenwärtig auf dem Fachgebiet westdeutscher Literatur. Sie spricht perfekt deutsch. Nach der Eheschließung beabsichtigt ⟨Hermlin⟩, seine Frau nach Berlin zu holen. ⟨Hermlin⟩ geht damit die 4. Ehe ein. (...)

⟨Hermlin⟩ hat einen Vertragsabschluß in Moskau erreicht, in dem vorgesehen ist, daß im Herbst dieses Jahres ein Band Gedichte von ⟨Hermlin⟩ in der Sowjetunion erscheint.[7]

Zum Verlauf der Delegiertenkonferenz des DSV äußerte ⟨Hermlin⟩ sich dem GI ironisch gegenüber, daß nun ja sein Wunsch in Erfüllung gegangen ist und er nicht mehr Mitglied des Vorstandes des DSV ist.[8]

Der GI berichtete, daß er nicht die Möglichkeit hatte, mit den Schriftstellern ⟨Herbert Nachbar⟩ und ⟨Manfred Bieler⟩ Gespräche zu führen. Diese Gespräche werden nach der Rückkehr des GI aus Finnland nachgeholt.

Zu ⟨Bieler⟩ berichtete der GI, daß ihm bekannt ist, daß ⟨Bieler⟩ in Westdeutschland eine Schwester namens ⟨Elfie Bieler⟩, Schlagersängerin, hat. Diese ⟨Elfie Bieler⟩ soll einen Millionär geheiratet haben. ⟨Elfie Bieler⟩ hat ihrem Bruder mehrfach Angebote gemacht, nach WD zu kommen bzw. ihn finanziell zu unterstützen. ⟨Manfred Bieler⟩ soll diese Angebote abgelehnt haben.[9]

Der GI hatte ein Gespräch mit dem Schriftsteller ⟨Paul Wiens⟩[10]. ⟨Wiens⟩ erklärte dem GI, daß er sich mit dem Schriftsteller ⟨Stefan Heym⟩ unterhalten hat. ⟨Heym⟩ habe ⟨Wiens⟩ gegenüber geäußert, daß der DSV ihm gestohlen bleiben könne, da er ja nun sowieso nicht mehr Mitglied des Vorstandes des DSV ist.[11]

Die Parteileitung des DSV hat in einer Aussprache mit der Bezirksleitung der SED den Antrag gestellt, daß der DSV auf Grund seiner Besonderheit einen hauptamtlichen Parteisekretär erhält. Wieweit dieser Antrag genehmigt wird, ist nicht bekannt.

Der GI brachte im Verlaufe des Gesprächs zum Ausdruck, daß nach seiner Meinung sich evtl. nachfolgende Personen für eine Zusammenarbeit mit dem MfS eignen:

⟨...⟩

Schriftsteller, er wird unter den Künstlerkreisen als der «⟨...⟩» bezeichnet. ■ hat sehr viel Kontakte und Verbindungen zu anderen Künstlern und Schriftstellern

⟨...⟩

Schriftsteller, ist ein guter Genosse, hat umfangreiche Verbindungen sowie zahlreiche Frauenbekanntschaften.

Der GI berichtete, daß er nun endgültig am Sonntag, d. 16. 6. 1963, für 10 Tage nach Helsinki, Finnland, fährt. Dem GI wurden noch einmal eingehend die auf dem letzten Treff am 31. 5. gestellten Aufgaben erläutert.

Der GI hat durch seine Ehefrau die Bekanntschaft mit dem Hamburger Kaufmann ⟨...⟩ o. ä. gemacht. Obengenannter verfügt über eine große Import- und Exportfirma. Diese Firma trägt den Titel «⟨...⟩ Hamburg». Die Ehefrau des GI hatte von der Direktion der DIA[12] den Auftrag erhalten, den persönlichen Kontakt zu diesem Kaufmann im Interesse der DDR weiterzuentwickeln. Am Sonntag, dem 9. 6. 1963, war der GI mit seiner Ehefrau und dem o. g. Kaufmann nebst Ehefrau in Potsdam und besuchte in den Abendstunden das Potsdamer Theater. ⟨...⟩ äußerte sich im allgemeinen über die gesellschaftlichen Verhältnisse in der DDR positiv. Zum Abschluß des Besuches erbat sich ⟨...⟩ von der Ehefrau des GI das Buch «Ein bischen Südsee», das die Ehefrau ⟨...⟩ übergab.

Der GI hat von der Redaktion des ND den Auftrag erhalten, anläßlich des Staatsbesuches des amerikanischen Präsidenten ⟨Kennedy⟩ in Bonn und Westberlin an der Staatsgrenze Friedrichstraße am 26. 6. 1963 eine Reportage zu schreiben.[13]

Aufträge:

1. Fortsetzung der Gespräche mit dem Schriftsteller ⟨Hermlin⟩, besonders das Ergebnis der Unterhaltungen ⟨Hermlins⟩ mit ⟨Ehrenburg⟩ und ⟨Fradkin⟩ aufklären.
2. Erfüllung der gestellten Aufträge vom 31. 5. 1963.

Maßnahmen:

1. Auswertung des Berichtes in der Quartalsanalyse
2. ⟨...⟩ FA 10 überprüfen

Nächster Treff:
27. 6. 1963, nach telefonischer Vereinbarung

Treike
Oltn.

1 Die Rede Nikita S. Chruschtschows wurde auf dem Treffen führender Funktionäre von Partei und Regierung mit Literatur- und Kunstschaffenden am 8. März 1963 gehalten und im «Neuen Deutschland» vom 14. März abgedruckt. S. auch den Wiederabdruck in dem Band «Dokumente zur Kunst-, Literatur- und Kulturpolitik der SED», hg. von E. Schubbe, S. 825–853.

2 Die Bewunderung Hermlins für Chruschtschow beruhte wohl darauf, daß er auf dem XX. Parteitag der KPdSU 1956 die Entstalinisierung eingeleitet und 1962 persönlich den Abdruck des «Iwan Denissowitsch» von Solschenizyn in der Zeitschrift «Nowyi mir» (Nov. 1962) genehmigt hatte.

3 Nazim Hikmet starb am 3. 6. 1963.

4 Ilja Ehrenburg, *27. 1. 1891, †31. 8. 1967, Lyriker und Romancier. Durch seinen kritischen Roman «Tauwetter» (1952, Neufassung 1956) gab er der Tauwetter-Phase nach Stalins Tod den Namen.

5 Ilja Fradkin, *Dez. 1914, Dozent am Gorki-Institut für Weltliteratur in Moskau, Herausgeber einer Literaturgeschichte der DDR, Kenner Brechts und Thomas Manns.

6 Vorsitzender des sowjetischen Schriftstellerverbands (erster Sekretär) war von 1959–77 Konstantin A. Fedin, *24. 2. 1892, †15. 7. 1977. Er wiederum entwickelte sich zum erbitterten Gegner Solschenizyns. Die Publikation der «Krebsstation» und des «Ersten Kreises der Hölle» lehnte er entschieden ab.

7 Ein Gedichtband von Hermlin erschien im Herbst 1963 in der SU unter dem Titel «Polet golubja. Stichi.» Komment. I. Fradkina. Predisl. I. Erenburga. Es handelt sich vermutlich um die russische Übersetzung von Hermlins Band «Der Flug der Taube», der 1952 bei Volk und Welt erschienen war.

8 Hermlin war in der Tat nur bis 1963 Vizepräsident des Schriftstellerverbands. Seine Ablösung hing offenbar mit der Kritik an ihm wegen der Akademieveranstaltung im Dezember 1962 (Auftritt Wolf Biermanns) und mit seinem Rücktritt als Sektionssekretär der Akademie der Künste zusammen.

9 Hier handelt es sich um ein Ammenmärchen. Die Wiener Schlagersängerin Ernie (nicht Elfie!) Bieler («Ich möcht' gern dein Herz klop-

fen hör'n!») ist mit Manfred Bieler weder verwandt noch verschwä-
gert.

10 Paul Wiens war selbst IM (IM Dichter).

11 Stefan Heym merkt dazu an: «Wenn ich mich recht erinnere, bin ich
aus dem Vorstand des Schriftstellerverbandes ausgeschieden, weil
man mich ganz einfach bei den Wahlen nicht mehr als Kandidaten
aufgestellt hat.»

12 DIA = Deutscher Innen- und Außenhandel.

13 Eine Reportage Kants über den Staatsbesuch Kennedys am 26.6.63
im ND ist bibliographisch nicht nachgewiesen.

Spitzel in Ost- und Westliteratur

41. Treffbericht:
Westkontakte auf der Frankfurter Buchmesse
(17. 10. 63)

HA/V/1/III   Berlin, den 17. 10. 1963

Treffbericht!

Zeit: 17. 10. 1963 v. 10.30–11,30
Ort: In der Wohnung des GI
Quelle: GI – «MARTIN»
Mitarb.: Obltn. Treike

Treffverlauf:
Der GI berichtete über seinen Aufenthalt auf der Frankfurter Buchmesse.

Bei seiner Ankunft erfuhr der GI durch ⟨Klaus Gysi⟩[1], von der
Verhaftung des Verlagleiter ⟨Hofé⟩[2].

⟨Gysi⟩ und der GI begaben sich daraufhin zum Bundesgericht
nach Karlsruhe, dort erfuhren sie, dass der Haftbefehl gegen ⟨Hofé⟩
bereits am 26. Juni 1963 von der Bonner-Staatsanwaltschaft erlassen
worden war. Nähere Haftgründe wurden ihnen nicht mitgeteilt. In
der Karlsruher Dienststelle gab man ⟨Gysi⟩ und dem GI zuverste-
hen, dass sie nicht empfangen werden.

Der GI nimmt an dass man ⟨Hofé⟩ auf Grund von Aussagen des
inhaftierten ⟨Carl August Weber⟩[3] eventuell verhaftet hat. (⟨We-
ber⟩ wurde von einem westdeutschen Gericht auf Grund von «Agen-
tentätigkeit» zu 5 Jahren Zuchthaus verurteilt.)

Der GI hat während der Frankfurter Buchmesse mit mehreren westdeutschen Schriftsteller gesprochen z. B. ⟨Wagenbach,
Klaus⟩[4], ⟨Reich-Ranicki⟩[5] u. a. alle erklärten das sie mit der Ver-

haftung 〈Hofés〉 nicht einverstanden sind, außer der Schriftsteller 〈Schnurre〉, der erklärte, «bei Euch in der DDR sperrt man ja Leute auch ein wenn sie nach Westdeutschland schreiben und um ein Pfund Butter bitten».

Information über den westdeutschen Lektor des S. Fischer-Verlags – 〈Klaus Wagenbach〉.

Mit 〈Wagenbach〉, hatte der GI eine längere Aussprache. 〈Wagenbach〉 erkundigte sich bei dem GI nach 〈Huchel〉. Er bedauerte, dass 〈Bieler〉 und 〈Bobrowski〉 nicht nach Westdeutschland gekommen sind und damit und dadurch auch die Veranstaltungen der Gruppe 47 in mitleidenschaft gezogen wird.

〈Wagenbach〉 sagte dem GI, dass er (〈Wagenbach〉) einen BRIEF an den Genossen Kurt HAGER schreiben wird.

In diesen Brief will 〈W.〉 den Gen. Hager um eine Aussprache bitten. 〈W.〉 hat die Absicht auf dieser Aussprache seinen Standpunkt zu einigen kulturpolitischen Fragen, zur Verbesserung der Kontakte zwischen westdeutschen und DDR-Kulturschaffenden, besonders Schriftsteller zuerläutern. 〈W.〉 hält den Gegenwärtigen Zustand der Kontakte zwischen Ost und West und die sich daraus ergebenden politisch-kulturellen Fragen für untragbar. 〈W.〉 vertritt den Standpunkt die DDR müßte in den Obengenannten Fragen mehr entgegen kommen zeigen.

I Angaben über Personen die der GI auf der Frankfurter Buchmesse kennen gelernt hat:

〈Dieter Zimmer〉[6]
geb. (etwa 25 Jahre)
wohnh.
tätig. Bei der Redaktion die Zeit in Hamburg.

Obengenannter erzählte dem GI, dass er im Zuge der Auswertung der Post und Telefon-Kontrolle durch die Bonner-Behörden, eine Analyse über die Beschlagnahmten Bücher durch die westdeutschen Behörden, erarbeiten will. Das Ergebnis dieser Analyse will der Obengenannte dann der Öffentlichkeit mitteilen. Der GI sagte, dass der Obengenannte positiv zu den Verhältnissen in der DDR steht.

〈...〉
geb.
wohnh. Berlin – 〈...〉 1 Treppe
tätig.

180

Der Ehemann der Obengenannten arbeitet im westdeutschen Ro-
wold-Verlag-Berlin.

Die Obengenannte will sich mit ihrem Ehemann, selbständig machen. Sie beabsichtigen eine Art Bücheraustausch Einrichtung zu
eröffnen. Bücheraustausch zwischen der DDR und Westberlin,
bezw. Westdeutschland. Die Obengenannte machte auf dem GI
einen sehr positiven aufgeschloßenen Eindruck.

Der GI hat die Absicht auf Wunsch der Obengenannten, eines seiner Bücher zuschicken.

⟨Ansgar Skriver⟩ [7]

geb.

wohnh.

tätig. Lektor beim KREUZ-Verlag, Stuttgard, (...)

Der GI hält den Obengenannten für eine intressante Person. Der
Obengenannte ist mit ⟨Dibelius⟩, bekannt. Er hat jahrelang aktiv
an der westberlin FU mitgearbeitet. Tauchte bei ost-west-Gesprä-
che auf. Hat im allg. gute Kenntnisse auf dem Gebiet der Literatur.
Steht der SPD – positiv gegenüber. Hatte vor Jahren einen eigenen
Verlag, geründet. Kommt sehr oft in die DDR. Der GI hat den
Obengenannten am 1. Mai 1963 auf den Berliner Buchbasar, in der
Karl Marx-Allee getroffen. Die Verlobte des Obengenannten ist
DDR-Bürgerin. Der Obengenannte hat nach eigenen Aussagen an
das MDI [8] geschrieben und gebeten, dass seine Verlobte West-
deutschland besuchen darf. Der Antrag wurde vom MDI abge-
lehnt.

Der GI informierte Unterzeichner, dass er in der letzten Woche
bei dem Schriftsteller ⟨Hermlin⟩ war. Da die Mutter des Obengenannten anwesend war kam nur ein allgemeines Gespräch zustande.

Aufträge:
– Fortsetzen der Gespräche mit ⟨Hermlin⟩, entsprechen der gegebenen Aufgabenstellung.
– Die Kontaktbemühungen zu der ⟨...⟩ fortsetzen, mit dem Ziel
  sie allseitig aufzuklären.
– Bis zum 23.10. schriftlichen Bericht über die geführten Gespräche, WD

Maßnahmen:
– Berichte auswerten, genannte Personen FA 10^9 überprüfen. Falls die WD-Personen nicht erfaßt sind mit dem Ref. Ltr. absprechen wie unsere Diensteinheit op. an die genannten Personen intressiert ist.

Nächster Treff:
Am 23. 10. 1963 um 15,30 in der KW-CASINO»

Treike
Mitarb. Obltn.–

---

1 Klaus Gysi besuchte offenbar 1963 als damaliger Direktor des Ost-Berliner Aufbau-Verlags und als Vorsteher des Börsenvereins der Deutschen Buchhändler zu Leipzig die Frankfurter Buchmesse. Aparterweise war Gysi ebenfalls IM (IM Kurt) und fuhr mit dem IM Martin nach Karlsruhe, um sich für den mutmaßlichen Agenten Hofé einzusetzen.
 Kant berichtete über die Affäre im ND vom 24. 10. 1963 unter dem Titel «Die Messe und Herrn Martins Horn».
 (Wiederabgedruckt in dem Band: Hermann Kant, «Zu den Unterlagen. Publizistik 1957–1980». Auswahl: Leonore Krenzlin. Berlin und Weimar 1981, S. 50–54.)
2 Günter Hofé, *17. 3. 1914, †27. 12. 1988, Erzähler, Publizist, Verleger, seit 1950 Direktor des Verlages der Nation in Berlin, am 6. Oktober 1963 aus dem Interzonenzug heraus verhaftet wegen des Verdachts, Spion «des sowjetischen und sowjetzonalen Geheimdienstes» zu sein. Nach zehnmonatiger Untersuchungshaft am 24. August 1964 wieder auf freien Fuß gesetzt.
3 Carl August Weber, *4. 5. 1911, †7. 9. 1991, Novellist, Essayist, von 1951 bis 1962 Herausgeber der Zeitschrift «Deutsche Woche», Verfasser von «Frankreich, Dichtung der Gegenwart» (1947), «Wir heißen euch hoffen» (1951), «Blick über die Grenzen» (1955).
 Ende Mai 1963 wurde Weber vom Bundesgerichtshof zu zwei Jahren und sechs Monaten Gefängnis verurteilt wegen verfassungsfeindlicher und landesverräterischer Beziehungen zur verbotenen KPD und zum Ministerium für Staatssicherheit der DDR in Tateinheit mit Nachrichtensammeln. Der Agentenlohn von 16 500 DM wurde eingezogen.
4 Klaus Wagenbach, *13. 7. 1930, damals Lektor des S. Fischer Verlags in Frankfurt. Er erinnert sich: «Die Verhaftung von Hofé [siehe das fol-

gende Dokument] habe ich in der Tat für eine Idiotie gehalten und auch einen entsprechenden Brief an Bundesanwalt Martin geschrieben, der mir freilich nicht nur nicht antwortete, sondern die Geschäftsleitung des S. Fischer Verlages (Janko Musulin) anrief – ein paar Tage später war ich gefeuert. So waren damals die Zeiten ...»

5 Marcel Reich-Ranicki hatte seit 1960 folgende Bücher veröffentlicht: «Auch dort erzählt Deutschland – Prosa von drüben» (1960), «Sechzehn polnische Erzähler» (1962), «Deutsche Literatur in West und Ost» (1963).

6 Dieter E. Zimmer, *24.11.1934, Journalist. Dieter E. Zimmer erinnert sich nicht an ein Gespräch mit dem damals, zwei Jahre vor Erscheinen der «Aula», noch recht unbekannten Hermann Kant. Auch einen Artikel über die beschlagnahmten Bücher der DDR-Verlage hat er nicht geschrieben. Allerdings war er Verfasser eines Artikels «Darf das Brecht-Ensemble in der Bundesrepublik auftreten?» in der ZEIT vom 7. Juni 1963. Die mit Ja beantwortete Frage könnte seiner Meinung nach der Anlaß gewesen sein zu behaupten, er stehe positiv zu den Verhältnissen in der DDR.

7 Ansgar Skriver, *4.6.1934, politischer Redakteur. Er verlegte in den späten fünfziger Jahren «Lyrische Blätter».

8 MDI = Ministerium des Inneren.

9 FA 10 bedeutete eine Anfrage beim Speicher (HA XII) mit dem Formblatt 10.

42. Notiz über ein Gespräch mit Klaus Wagenbach (17.10.63)

Gespräch zwischen ⟨M.⟩[1] und ⟨Wagenbach⟩[2]

⟨W.⟩ erkundigte sich zunächst, warum ⟨Bieler⟩ nicht mitgekommen sei, das mache doch einen schlechten Eindruck, der umgekehrte Fall aber hätte sicher sehr positiv beeindruckt.

Er wollte wissen, ob es denn wenigstens mit der Einladung zur diesjährigen Tagung der Gruppe 47[3] klappen würde, er habe gehört, daß nicht, und ob sich da gar nichts machen ließe. Es sei heutzutage möglich, daß 10 sowjetische Schriftsteller zur Gruppentagung kämen, aber nicht einer aus der DDR, und das heiße doch, die Dinge immer noch mehr auseinandertreiben. Und mit ⟨Huchel⟩ könne es auch nicht gut ausgehen. Bei ⟨Fischer⟩ sei jetzt ⟨H.s⟩ Band «Chausseen, Chausseen» erschienen, aber werde denn jemals wieder etwas von ihm in der DDR erscheinen? ⟨H.⟩ sei nicht der gefährliche Mann, zu dem man ihn machen wolle, vielleicht sähe er manches falsch, aber er sei doch im Prinzip ein DDR-Mann, trotz des Preises der westberliner Akademie.[4] Er, ⟨W.⟩, habe die Absicht, im November, wenn er ohnedies in Berlin sein werde, bei Kurt Hager[5] um eine Unterredung nachzusuchen. Er sei überzeugt davon, daß eine Reihe von Mißverständnissen ausgeräumt werden müßten, und dies wolle er im Gespräch mit Kurt Hager versuchen. Natürlich gäbe es Feinde der DDR in Westdeutschland, und auch unter den Intellektuellen gäbe es sie, aber jene Leute, zu denen er, ⟨W.⟩, sich zähle, seien keine Feinde, und das Gespräch mit ihnen müsse doch möglich sein. Auf den Fall ⟨Hofé⟩ angesprochen, erklärte ⟨W.⟩, er halte die Sache für eine Idiotie der einschlägigen Behörden, und wenn er eine Chance sähe, daran zu drehen, so wolle er es tun. Aber man solle die Sache nicht dramatisieren, sie werde schon nicht lange dauern.

Dies der Inhalt von zwei kurzen Gesprächen; ⟨W.⟩ war sehr beschäftigt.

Martin

---

1 M = Martin.
2 Das Gespräch zwischen Kant und Wagenbach fand auf der Frankfurter Buchmesse 1963 statt – einer der wenigen schriftlichen Berichte Kants für die Hauptabteilung V!
3 Die Tagung der Gruppe 47 fand vom 25. bis 27. 10. 1963 in Saulgau statt. Eingeladen waren aus der DDR Johannes Bobrowski, Peter Huchel, Christa Reinig, Günter Kunert und Manfred Bieler. Ausreisen durften dann nur Bobrowski und Max Walter Schulz. Von den sowjetischen Schriftstellern, die eingeladen waren – u. a. Wosnessenskij und Bella Achmadulina –, durfte niemand kommen.
4 Gemeint ist der Fontane-Preis.
5 Kurt Hager war seit 1955 Sekretär des ZK der SED, verantwortlich u. a. für Wissenschaft, Volksbildung und Kultur, seit 1963 Mitglied des Politbüros der SED.

43. Bericht über eine Einladung durch Walter Ulbricht (16.12.63)

HA/V/1/III

Treffbericht[1]

Zeit: 16.12.1963
Ort: KW – «CASINO»
Quelle: GI – «WEGENER»
Mitarb. Obltn. Treike
(...)

Der GI berichtete, daß er mit KANT u. BAIERLE[2] zu einem Distelprogramm «Spargang 1963» von dem Gen. Walter Ulbricht eingeladen worden war.

Andere Gäste und auch er (der GI) waren von der Freundlich [sic] und Herzlichkeit der Genossen der Partei und Regierung tief beeindruckt. Sie alle (die Gäste) haben sehr viel positives aus dieser Veranstaltung mitgenommen.

(...)

Treike
Obltn.

---

1 Das Dokument stammt aus der Akte von Günter Görlich.
2 Gemeint ist Helmut Baierl, *23.12.1926, Dramatiker, Filmautor und Übersetzer, 1959/67 Dramaturg am Berliner Ensemble. Von ihm lagen damals das Lehrstück «Die Feststellung» (1958) und die Komödie «Frau Flinz» (1961) vor.

44. Treffbericht:
Über Stephan Hermlin, Wolf Biermann,
Peter Hacks und andere
(7.1.64)

HA/V/1/III   Berlin, den 7.01.1964

Treffbericht

Zeit: 7.01.1964 von 14,10– 15,30
Ort: KW – «CASINO»
Quelle: GI – «MARTIN»
Mitarb.: Obltn. Treike

Treffverlauf:
Der GI machte einen sehr aufgeschloßenen Eindruck, er berichtete
mündlich über folgendes:
    Von dem westdeutschen Lektor des KREUZ-Verlages
    ⟨Skriver, Ansgar⟩ [1]
    hat der GI einen Brief erhalten. Der Brief trägt den Absender der
Verlobten des ⟨Skriver⟩, von Fräulein
    ⟨...⟩,
    Dresden, ⟨...⟩
    Der GI vertritt den Standpunkt, dass der Inhalt des Briefes für ope-
rative Zwecke bei Auswertung (Verehelichungsgenehmiung) für die
DDR ausgenutzt werden kann. Da nach seiner Auffassung der ⟨Skri-
ver⟩, den Verhältnissen der DDR gegenüber aufgeschloßen ist.
    Der GI überließ den Brief zur Einsichtsnahme.
    Heute um 17.00 wird der GI mit dem westberliner Schriftsteller
    ⟨Völker, Klaus⟩ [2]
    im Cafe Praha, Ecke Friedrichstr. zu einer Absprache zusammen
Treffen. ⟨Völker⟩, will den GI für zwei schriftsteller Lesungen in
Westberlin gewinnen.
1) ⟨...⟩, vor Studenten
2) Literatenkeller vor Schriftsteller, Künstler, u. a.
Der GI will zusagen. Die Durchführungen der Lesungen wurden auch
von der Leitung des DSV befürwortet,

186

In der Woche zwischen Weihnachten und Neujahr haben sich einige Personen in der Wohnung des Bildhauer
⟨Cremer, Fritz⟩ [3]
getroffen. Zu den Gästen gehörten u. a. Prof. Dr. ⟨Havemann⟩ [4], ⟨Sandberg, Herbert⟩ [5] und ev. ⟨...⟩.

⟨Hermlin⟩ hat dem GI darüber folgendes berichtet:

Er (⟨Hermlin⟩) habe bei ⟨Cremer⟩ mit ⟨Biermann⟩ eine heftige Diskussion gehabt. ⟨Biermann⟩ vertrat den Standpunkt «das die Entwicklung Jugoslaviens den Beweis erbracht hat dass Jugoslavien, im Gegensatz zur DDR den richtigen in seiner Entwicklung beschritten hat. Jugoslavien hat nach Auffassung ⟨Biermanns⟩ das richtige Rezept in der Beschreitung des Weges gefunden. ⟨Hermlin⟩ soll in der Diskussion sich als einziger der Anwesenden bemüht haben, dem ⟨Biermann⟩ zu Beweisen das seine (⟨Biermanns⟩) Auffassungen falsch sind. Die Diskussion ist dann soweit gegangen das sich ⟨Hermlin⟩ mit ⟨Biermann⟩ überworfen hat.

Der GI bemerkte das der Umgangs ⟨Biermanns⟩ mit ⟨Cremer⟩, ⟨Havemann⟩ u. a. sich wesendlich nachteilig auf die Entwicklung des Biermann auswirken wird.

Während des Besuchs bei ⟨Stephan Hermlin⟩ lernte der GI auch dessen neue Ehefrau kennen. Es handelt sich um die sowjet. Bürgerin
⟨Belakonewa, Irina⟩
etwa 28 Jahre alt. Der GI beschreibt diese als eine sehr intelligente Frau. Sie hat ihm erzählt, dass ihr Vater zu Stalinszeiten stellv. des Eisenbahnminister gewesen ist, der jedoch aus gesundheitlichen Gründen jetzt ausgeschieden ist. (...)

⟨Hermlin⟩ hat dem GI berichtet, dass er von ⟨Raddatz⟩ [6], Cheflektor des ROWOHLT-Verlag 2 Briefe erhalten hat. ⟨R.⟩ bat ⟨H.⟩ in einem Brief an einer deutschen Ausgabe, über die «franz. Erfinder Künster» (auf deutsch) zu arbeiten. ⟨H.⟩ hat dieses Ersuchen mit der Begründung abgelehnt mit der Begründung «das dieses eine unütze Arbeit ist, welche keinen polit. noch literarischen Wert habe.» Wenn man unbedingt etwas von ihm (⟨Hermlin⟩) haben wolle so solte man seinen Gedichtsband drucken. ⟨Raddatz⟩ hat dieses in seinem zweiten Brief zur Zeit abgelehnt.

Der GI berichtete weiter das ⟨Hermlin⟩ mit seiner Übersetzungsarbeit an einem engl. Buch, für den Verlag VOLK und WELT, [7] inmitten der Arbeit aufgehört hat, weil das Buch unintressant ist.

⟨Hermlin⟩ hat mit ⟨Bredel⟩[8] zwecks einer bezahlten Beschäftigung bei der DAK gesprochen. ⟨Bredel⟩ hat daraufhin mit ⟨Abusch⟩[9] gesprochen, der dem Wunsch ⟨Hermlins⟩ nachgegeben hat mit der Weisung ⟨Hermlin⟩ das Doppelte entsprechen der Forderung des ⟨H.⟩ zuzahlen. ⟨H.⟩ leistet jetzt eine wissenschaftliche Forschungsarbeit im Auftrag der DAK.

Am 27.12.1963 hat der GI den Schriftsteller

⟨Hacks, Peter⟩

besucht. ⟨Hacks⟩ arbeitet beruflich gegenwärtig sehr intensiv. ⟨Hacks⟩ schimpft auf die Verhältnisse in Westdeutschland. In seinem Gespräch so sagte der GI bracht ⟨Hacks⟩ aber auch zum Ausdruck, dass er mit der Kulturpolitik der Partei und Regierung nicht einverstanden ist. ⟨Hacks⟩ hat dem GI berichtet, dass zu einer Diskussionsveranstaltung zu einem Theaterstück «die Sorgen und die Macht» der Betrieb EAW[10] 20 Taubstumme-Arbeiter geschickt hat. ⟨Hacks⟩ und auch der GI waren darüber empört. Der GI ist dabei die Angelegenheit zuüberprüfen. ⟨Hacks⟩ hat dem GI berichtet das sein Theaterstück «FRIEDEN»[11] in zwei westdeuschen Städte und in London mit Erfolg aufgeführt wird. Er hat den Wunsch, sich diese anzusehen aber leider hat er bis heute noch keine Genehmiung zur Ausreise erhalten.

Der GI hat erfahren, dass die Schriftstellerin

⟨Reinig, Christa⟩

den Henry Jahn-Preis der Stadt Bremen, verliehen bekommen hat.[12] Die ⟨R.⟩ beabsicht[igt] diesen in Kürze in Westdeutschland im Empfang zu nehmen.

Der [GI] brachte im Gespräch während des Treffs zum Ausdruck: «dass er die Feststellung gemacht hat, daß die gesamte Westpresse, sehr viel über die Verhältnisse der DDR schreibt, dass in dieser Hinsicht bei den Ilustrierten ein Konkurenzkampf zuverzeichnen ist. Er sieht darin die Methode der Umarmung der die Erdrosselung folgen soll.

Der GI hat mit dem westdeutschen Schriftsteller

⟨Dr. Franz Schonauer⟩

kurz getroffen. ⟨Schonauer⟩ sagte dem GI das er sich bemüht die DDR Reise fortzusetzen, damit er so schnell wie möglich sein Buch über die DDR schreiben kann. ⟨Schonauer⟩ beabsichtig einen eigenen Verlag auf zu machen.[13] Der GI erzählte, dass er das Buch ⟨Schonauers⟩ «Deutsche Literatur im Dritten Reich», (Walter-Verlag Olten und Freiburg im Breisgau, 1961) kennt. Er hält dieses Buch für sehr gut. Das Erscheinen dieses Buches erregte in Westdeutschland großes Aufsehen.

In der Westkommission des DSV so berichtete der GI vertritt man den Standpunkt, dass man in der gesamtdeutschen Arbeit aktiver werden muß, d. h. mehr DDR Schriftsteller in WD lesen und auch westdeutsche Schriftsteller im DSV lesen sollen.

Auftrag:
Bei der Aussprache mit dem westbln. Schriftsteller ⟨Völker, Klaus⟩ seine politische Haltung feststellen, sowie seine Verbindungen ermitteln. Die Einladungen nach Westberlin annehmen und Kontakte zu Schriftsteller, Künstler und anderen Personen herstellen. Nach Möglichkeit, die ⟨...⟩ in Westberlin aufsuchen und aufklären. Die Bekanntschaft mit ⟨Höllerer⟩ wenn Vorausetzungen sind machen. Währen des Aufenthalts im Literaten-Keller, feststellen welche bekannte Personen halten sich dort auf und wie ist die Meinung und Stimmung unter den Anwesenden.

Fortsetzung der Besuche bei ⟨Hermlin⟩ weiterhin seine politische Haltung zur Kulturpolitik der Partei und Regierung feststellen, sowie die weiteren Verbindungen, besonders zu ⟨Cremer⟩ und ⟨Havemann⟩, ermitteln.

Maßnahmen:
– Information über ⟨Cremer⟩ an Ref. II.
– BRIEF des ⟨Skriver⟩ an den GI fotokopieren und Auswerten, Rücksprache mit dem Ref. Ltr. genannte Personen FA 10 aufklären. Rücksprache ob SK. in der V/4 bekannt ist durch seine Tätigkeit b. KREUZ-Verlag
– Berichte nach Auswertung zu den Akten.

Nächster Treff:
erfolgt nach telefonischer Vereinbarung.

                                        Treike
                                        Mitarb.: – Obltn. –

1 Skriver versuchte damals, seine Verlobte mit Erlaubnis der DDR-Behörden in den Westen zu holen. Zu diesem Zweck nahm er auch Kontakt zu Prominenten auf, von denen er sich Unterstützung erhoffen konnte. Zu Kant hatte sich ein erster unfreiwilliger Kontakt beim Studentenkongreß gegen Atomrüstung Anfang 1959 in den Räumen der Freien Universität Berlin ergeben, als die Organisatoren (zu denen Skriver gehörte) von ungebetenen Besuchern aus Ost-Berlin, Jena und anderen Universitätsorten der DDR bedrängt wurden.

Skriver erhielt seit April 1963 auf Veranlassung des «Presseamts beim Ministerpräsidenten der DDR» einmal wöchentlich einen Passierschein für den Besuch in Ost-Berlin, weil er für verschiedene Gewerkschaftszeitungen über die wirtschafts- und sozialpolitische Entwicklung berichtete. Anfang Juli 1963 versuchte das MfS, Skriver für eine Mitarbeit zu gewinnen. Da er dies ablehnte, fürchtete er seine Verhaftung und hinterlegte bei einem West-Berliner Anwalt eine umfangreiche Erklärung (datiert auf den 29.7.63). Aufgrund seiner energischen Weigerung blieb er künftig vom MfS unbehelligt. Ende 1964 konnte seine Verlobte aus der DDR ausreisen.

2 Klaus Völker, *27.9.1938, Literaturwissenschaftler, Dramaturg. Der Terminkalender Völkers bestätigt die Verabredung mit Kant am 7.1.1964 im Café Praha. Er lud Kant zum 23.1.1964 in das SDS-Tagungslokal in der Waitz-Straße ein und vermittelte einen Kontakt zu Ingrid Weickert, die im Studentenheim «Siegmundshof» in Eichkamp Schriftsteller-Lesungen organisierte.

3 Fritz Cremer, *22.10.1906, †1.9.1993, Bildhauer. Schöpfer vieler Mahnmale für die Opfer des Nationalsozialismus (Zentralfriedhof Wien, KZ Mauthausen, KZ Ebensee, KZ Ravensbrück. Buchenwald-Denkmal, Denkmal für die deutschen Spanienkämpfer auf republikanischer Seite in Berlin-Friedrichshain).

4 Robert Havemann, *11.3.1910, †9.4.1983, Physikochemiker, Philosoph. 1943 wegen Widerstands gegen das III. Reich verhaftet und zum Tod verurteilt. Überlebte wegen kriegswichtiger Forschungsarbeiten in der Todeszelle des Zuchthauses Brandenburg-Görden. 1945–50 Direktor der Berliner Institute der Kaiser-Wilhelm-Gesellschaft, aber 1946 auch Professor an der Humboldt-Universität. 1950 zeitweilige Inhaftierung in West-Berlin wegen öffentlichen Protestes gegen die amerikanische Wasserstoffbombe, nach der Entlassung endgültige Übersiedlung in die DDR. Ordentlicher Professor und Direktor des physikalisch-chemischen Instituts der Humboldt-Universität, 1957–62 Prodekan der mathematisch-naturwissenschaftlichen Fakultät, seit 1961 korrespondierendes Mitglied der Deutschen Akademie

der Wissenschaften. Angeregt vom XX. Parteitag der KPdSU, wurde Havemann von 1956 an zum bekanntesten Systemkritiker der DDR, 1963 nicht wieder als Kandidat für die Volkskammerwahlen nominiert, 1964 Ausschluß aus der SED und fristlose Entlassung aus seiner Professur.

5 Herbert Sandberg, *18.4.1908, †18.3.1991, Graphiker, Karikaturist. 1934–45 im Zuchthaus Brandenburg-Görden und im KZ Buchenwald inhaftiert, 1947–61 Bühnenbildner für Berliner Theater, 1954–57 Chefredakteur der Zeitschrift «Bildende Kunst», danach freischaffend in Berlin.

6 Fritz J. Raddatz, *3.9.1931, Lektor und Publizist. Raddatz war bis 1958 stellvertretender Cheflektor bei «Volk und Welt», übersiedelte dann in die Bundesrepublik und wurde Cheflektor des Kindler-Verlags. Von 1960–69 war er stellvertretender Leiter des Rowohlt-Verlags.

7 Das Projekt, eine Publikation über die Geschichte der englischen Arbeiterbewegung, wurde schon im Bericht vom 1.3.1963 erwähnt und ist nicht erschienen.

8 Willi Bredel war 1962/64 Präsident der Akademie der Künste.

9 Alexander Abusch war Mitglied der Akademie der Künste und von 1961 bis 1971 Stellvertreter des Vorsitzenden des Ministerrats.

10 Betrieb EAW = Elektroapparatewerk Berlin.

11 Hacks' Stück «Der Frieden» wurde am 4.12.1963 in Köln uraufgeführt, eine weitere Inszenierung brachten die Münchner Kammerspiele am 20.9.1964 heraus, die damit die Winterspielzeit eröffneten. Ein Gastspiel des Deutschen Theaters aus Ost-Berlin fand im Dezember 1964 in Wien statt – Hacks war Augenzeuge dieses Gastspiels. Eine Aufführung auf englischem Boden läßt sich erst für 1970 in Edinburgh nachweisen. Welche Aufführungen Hacks besuchen wollte, ist unklar. Die Ausreiseschwierigkeiten lagen seiner Erinnerung nach eher bei den kapitalistischen Ländern, die einen «damals nicht hereinließen», als bei der DDR.

12 Christa Reinig, *6.8.1926, Lyrikerin und Roman-Autorin, «Die Steine von Finisterre» (1960), «Der Traum meiner Verkommenheit» (1961), «Gedichte» (1963) – alle in der Bundesrepublik und West-Berlin erschienen. Sie erhielt den Rudolf-Alexander-Schröder-Preis der Freien Hansestadt Bremen 1964 und nutzte die Preisverleihung, um im Westen zu bleiben.

13 Franz Schonauer gründete keinen eigenen Verlag.

45. Treffbericht: Treffen von DDR- und westdeutschen Schriftstellern bei Hans Werner Richter: Über Uwe Johnson, Peter Weiss und andere (19.3.64)

HA/XX/1/III   Berlin, den 19.03.1964

Treffbericht

Zeit: 19.03.1964 v. 13.00–14,30
Ort: In der Wohnung des GI
Quelle: GI–.«MARTIN»
Mitarb.: Obltn. Treike

Der GI berichtete, daß am 17. 03. 1964 in der Zeit von 19,00–23,20 Uhr, in Westberlin (Berlin-Süd-Ende, Karl Fischer Weg 27) in der ehemaligen Wohnung des WD-Schriftstellers ⟨Hans Werner Richter⟩ eine Aussprache zwischen DDR und westdeutschen-westberliner Schriftsteller stattfand.

Es nahmen teil:

Von der DDR	Von Westberlin bezw. Westdeutschland
die Schriftsteller	Die Schriftsteller
⟨Apitz, Bruno⟩[1]	⟨Richter, Hans Werner⟩[3] + Ehefrau
⟨Cwojdrake, Günter⟩[2]	⟨...⟩
KANT, Hermann	⟨Johnson, Uwe⟩[4]
⟨Schulz, Max Walter⟩	⟨Rühmkorf, Peter⟩[5]
⟨Wiens, Paul⟩	⟨Weiss, Peter⟩[6]
	⟨v. Cramer, Heinz⟩[7] + Ehefrau
	⟨Roehler, Klaus⟩[8]
Bemerk: ⟨...⟩ sollte am Gespräch teilnehmen, lehnte jedoch aus «gesundheitlichen Gründen» die Teilnahme ab.	sowie ein Techniker des SFB, der die Bandaufnahme, eines Gesprächs, machte Namens: ⟨...⟩

Das Gespräch fand unter dem Thema:
«Was haben wir als Schriftsteller noch gemeinsames, haben wir überhaupt noch gemeinsamkeiten»?
statt.

Vor dem Gesprächsbeginn, einigten sich die Anwesenden, daß keine Grundsätzlichen strittigen bezw. Provokatorischen Fragen gestellt werden.

⟨Richter⟩ brachte vor dem Gespräch zum Ausdruck, daß ⟨...⟩ ihm gesagt habe, daß es notwendig ist, nachdem sich durch Bonn, die Verhandlungen auf dem Gebiet der Passierscheinfragen, festgefahren haben,[9] daß die Schriftsteller durch Ost-West-Gespräche beweisen, daß solche Gespräche nützlich sind.

⟨Richter⟩ und die Anwesenden vertraten die Auffassung, dass das Passierscheinabkommen auf der Grundlage des Weihnachtsabkommen wieder weiter geführt werden könnte.

Nachdem man sich im allgemeinen über das Gespräch welches auf Band aufgenommen werden sollte geeinigt hatte, nahmen an der Bandaufnahme folgende Gesprächspartner teil:

⟨Richter, Hans Werner⟩
(Leiter des Gesprächs)

KANT, Hermann	⟨...⟩
⟨Schulz, Max Walter⟩	⟨Johnson, Uwe⟩
⟨Wiens, Paul⟩	⟨v. Cramer, Heinz⟩

Das Bandgespräch dauerte 1 Std. und 20 Minuten und wird am 31.03.1964 auf UKW, 96,3 Mgh. im III. Programm des NDR u. SFB, gesendet. Die Teilnehmer der DDR erhalten die Tonbandaufnahme am 19.03.64 um 15.00 zur Kenntnisnahme. (Das Band wird vor den DDR Teilnehmern am 19.3.64 um 20.00 zur Bestätigung abgespielt)

Der GI berichtete, dass, das Gespräch zum Beginn einen sachlichen Charakter trug, es hatte den Anschein als ob sich alle Gesprächspartner an die festgelegte Abmachung hielten. Nach etwa einer Stunde fing jedoch der westberliner Schriftsteller ⟨...⟩ provokatorische Fragen zu stellen. z.B. ⟨Havemann⟩ über das Leben der Polnischen Schriftsteller (die Angeblich mehr Freiheit, als die DDR Schriftsteller haben.)

Die DDR-Gesprächsteilnehmer, haben darauf sachlich geantwortet und Beweiskräftige Gegenargumente dargelegt. ⟨Richter⟩ überging die provokatorischen Fragen von ⟨...⟩, ⟨von Cramer⟩ und Johnson reagierten auch nicht darauf.

Nach der Beendigung des Gesprächs, erklärte ⟨...⟩ und brüllte dabei «er mache soetwas nicht mehr mit, die DDR-Schriftsteller sollten doch endlich sagen, was sie bedrückt, es wäre doch unmöglich, dass sie sich mit den Verhältnissen in der DDR einverstanden erklären könnten usw.»

Daraufhin wurde der DDR-Schriftsteller ⟨Wiens⟩ in seinen zurückweisenden Antworten gegenüber ⟨...⟩ laut.

⟨Richter⟩ stellte sich Abseits und beteiligte sich nicht an der Auseinandersetzung. ⟨Johnson⟩ und ⟨von Cramer⟩ nahmen in der Diskussion gegen ⟨...⟩ Stellung.

Zu einer konreten Vereinbarung wann die Gespräche fortgesetzt werden sollte kam es an diesen Abend nicht. Der weitere Abend verlief in Einzelgespräche.

In einem einzelnen Gespräch mit dem GI bemühte sich der Schriftsteller ⟨Johnson⟩ dem GI zu erklären, dass er kein Gegner und auch kein Feind der DDR ist sondern im Gegenteil. So habe er in einer öffentlichen Aussprache unter Schriftstellern in Westdeutschland in einer Diskussion den Genossen ⟨Walter Ulbricht⟩ gegen die Anschuldigungen des RF Literaturwissenschaftler Prof. ⟨Mayer, Hans⟩, verteidigt, so das ⟨Mayer⟩ sagte «der ⟨Johnson⟩ ist ein ⟨Ulbricht⟩-Mann und wo ⟨Johnson⟩ ist werde ich (⟨Mayer⟩) nicht mehr hingehen».[10] ⟨Johnson⟩ erzählte weiter das er sich in der Westpresse (Die Zeit) gegen die Fahrpreiserhöhungen der West-BVG, ausgesprochen.[11] Er würde gerne die DDR besuchen, jedoch fürchte er, da er auf Fahndung stehen soll, das er festgenommen wird. Zur RF seiner Ehefrau sagte er, dass er keine Verbindung zur ⟨...⟩ – Gruppe gehabt habe, sondern seine Frau habe ihn mit ihrer Ankunft überrascht.

⟨Johnson⟩ machte dem GI den Vorschlag dass er ihn für 14 Tage besuchen kommt und dann umgekehrt wobei jeder die Kosten für den andern trägt. Der GI ging auf diesen unrealen Vorschlag nicht ein. Desweiteren bat ⟨Johnson⟩ um einen Bücheraustausch untereinander.

Zu ⟨Weiss, Peter⟩[12] berichtete der GI wie folgt:

⟨Weiss, Peter⟩ ist ein jüngerer Schriftsteller (er hat bisher 3 Bücher geschrieben) der in der westdeutschen Literatur gleich neben ⟨...⟩ genannt wird. ⟨Weiss⟩ ist ein außerordentlich guter Literatur Kenner. Er wird im allgemeinen als ein realistischer Schriftsteller eingeschätzt. ⟨Weiss⟩ ist Halbjude und ist mit seinen Eltern 1933 von Deutschland nach Schweden emigriert, seine Eltern sind von dort aus nach den USA ausgewandert und leben geschieden. (siehe Spiegel 1963 Ergänz.) ⟨Weiss⟩ hat den Auftrag vom westberliner Senat erhalten eine Akademie für Film und Fernsehen ins Leben zurufen. Diese sollte er als Leiter übernehmen. Er habe sich jedoch die Sache überlegt und ist nur bereit die künstlerische Leitung dieser «Akademie» zu übernehmen, da er von Senat nicht abhängig sein möchte. Die Akademie soll die Aufgabe haben das Westberliner-Film und Fernsehleben zu beleben und vorallem jüngere Menschen zur Mitarbeit heranzuziehen. (In Paris soll es ähnliche Einrichtungen schon geben, die mit Erfolg arbeiten.)

Der GI schätzt ⟨Weiss, Peter⟩ als einen ruhigen und sachlichen Menschen ein mit dem sich zusammen arbeiten läßt. Die Mutter des ⟨Weiss⟩ war in früheren Jahren einmal mit der Mutter von Hermlin befreundet. Eine Verbindung zwischen diesen besteht jedoch seit Jahren nicht mehr.

Der westdeutsche Schriftsteller Heinz von CRAMER (schreibt sich nach den Aussagen des GI mit C) lebt in Neapel als Westdeutscher-Bürger. Er ist mit einer Französin verheiratet.

⟨Cramer⟩ ist 1924 in Stettin geboren

Von 1938–1943 hat er in Berlin Musik studiert, hat gleichzeitig Operrettentexte und mehere Romane geschrieben.

Seit 1953 lebt ⟨Cramer⟩ in Italien.

1959 erhielt er den westdeutschen Fontane Preis.[13]

Von dem westdeutschen Schriftsteller ⟨Richter, Hans Werner⟩ berichtete der GI folgendes:

⟨Richter⟩ arbeitet im Auftrage des SFB (III. Programm) hat die Aufgabe Westberliner-Kulturpolitische Sendungen zugestalten und leiten. Vorläufig an jedem 28. des Monats.

Ab Herbst erklärte ⟨Richter⟩ dem GI bekommt er (⟨Richter⟩) eine sehr große Wohnung zur Aufnahme der Sendungen und Arbeitsräumen, zur Verfügung gestellt. Die Wohnung wird vom Westberliner Senat, vom SFB, und von der FORD-Stiftung finanziert werden.

Der GI glaubt gehört zu haben das sich auch der Bundes-Verband der Deutsche Industrie an der Finanzierung beteiligen will, kann dieses jedoch nicht mit Bestimmtheit sagen.

Der GI nimmt an, dass die Tätigkeit RICHTERS, als Schützenhilfe für die Wahlen der SPD (Brandts) dienen soll. Ihm ist aus Redewendungen RICHTERS bekannt, das dieser persönliche Verbindung zu BRANDT (SPD) haben muß. Beweisen kann der GI jedoch nichts.

Kurz vor der Beendigung des Abends, erklärte der Aufnahmetechniker des SFB, ⟨...⟩, dass jedem Gesprächsteilnehmer 250,- WM zustehen, wohin der SFB das Geld überweisen solle? Da diese Frage unter den DDR Teilnehmer vorher nicht abgesprochen wurde zeigte sich eine Unschlüssigkeit bei den DDR-Schriftstellern. Daraufhin schlug ⟨Johnson⟩ vor das Geld der SED in Westberlin zu überweisen. ⟨...⟩ erklärte daraufhin das wäre unmöglich der SFB könnte an die SED in Westberlin kein Geld überweisen. Daraufhin schlug ⟨Johnson⟩ vor das Geld an ihn (Vorausgesetzt die DDR-Teilnehmer sind einverstanden) zuüberweisen und er würde es der SED weiterleiten. Der Schriftsteller KANT lehnte die Annahme des Geldes überhaupt ab, daraufhin einigten sich alle DDR-Schriftsteller, das Geld abzulehnen. Nach dem dieses feststand bat ⟨Richter⟩ die DDR-Schriftstellern, das Geld, insgesamt 750.– WM, doch minderbemittelten Schriftstellern der Bundesrepublik zu Verfügung zustellen, da es doch davon noch sehr viele besonders Junge Schriftsteller, gibt und es wäre doch Schade, so sagte ⟨Richter⟩, wenn man das Geld verfallen lassen würde. Diesen Vorschlag stimmten die DDR-Schriftsteller zu.

Mehr konnte der GI zum Thema «Treffen in Westberlin» nicht berichten.

Weiterhin berichtete der GI das er in Westberlin die Buchverkäuferin ⟨...⟩ (intime Freundin von ⟨Schonauer⟩ und ⟨Bobrowski⟩) Auftragsgemäß besucht hat. Die ⟨...⟩ erzählte dem GI das sie zu den Weihnachtstagen in der DDR war und mit ⟨Bobrowski⟩ zusammen ein Theater besucht habe. Sie schimpfte auf die Grenzorgane die sie bei einer Fahrt von WD nach Westberlin zusammen mit ⟨Schonauer⟩ äußerst intensiv Kontrolliert haben. Dabei habe sie bemerkt, dass auf der Liste der Grenzorgane hinter den Namen ⟨Schonauer⟩ ein Vermerk gestanden habe, woraus sie und ⟨Schonauer⟩ schließen, dass, er (⟨Schonauer⟩) unter ständiger Kontrolle stehen, den dieses beweisen auch die ständigen Kontrollen denen ⟨Schonauer⟩ ausgesetzt sei.

⟨Schonauer⟩ habe die Absicht, sich bei Minister ⟨Wendt⟩[14] brieflich zu beschweren. Die ⟨...⟩ und ⟨Schonauer⟩ haben eine Einladung zu der nächsten Weimarer Akademie erhalten. ⟨Schonauer⟩ muß eine Haftstrafe von 6 Wochen wegen Voltrunkenheit am Steuer antreten.

Aufträge:
– Bei weiteren Gesprächen mit WD-Schriftstellern u. a. Personen, sofort Information, vor und nach den Gesprächen an den Unterzeichner.
– Festellen der Meinungen und Stimmungen unter den Kulturschaffenden, Schriftstellern zur Kulturpolitik (Bitterfelderkonf.[15]) und zum Deutschlandtreffen.[16]
– Fortsetzung der Gespräche mit ⟨...⟩ entsprechend der Aufgabenstellung.

Maßnahmen:
– Mündliche Sofortinformation an den Ref.Ltr.
– Einsatz des GI zur Weimarer Tagung. Ziel: Aufklärung der WD-Teilnehmer insbesondere ⟨...⟩ und den DDR-Schriftsteller ⟨Bobrowski⟩. *nicht real.*
– Bericht über die Beratung in Westberlin zu den Personen auswerten, über ⟨Weiss⟩ und ⟨Cramer⟩ informationen sammeli und Handakten anlegen, Einzelheiten der Auswertung nach der Absprache beim Ref.Ltr. festlegen.
Nächster Treff:
Nach telf. Vereinbarung am 25/26.

Treike

---

1 Bruno Apitz, *28.4.1900, †7.4.1979, Romancier und Erzähler. Bekannt geworden durch seinen Buchenwald-Roman «Nackt unter Wölfen» (1958).
2 Günther Cwojdrak, *4.12.1923, Kritiker und Essayist. 1945/47 am Nordwestdeutschen Rundfunk in Hamburg tätig, 1948/52 Leiter des Literaturprogramms am Berliner Rundfunk, 1952/58 Redakteur der NDL, danach freier Schriftsteller.
3 Hans Werner Richter, *12.11.1908, †23.3.1993, Romancier, Be-

gründer der Gruppe 47. Verfasser von Romanen wie «Die Geschlage-
nen» (1949), «Spuren im Sand» (1953), «Du sollst nicht töten»
(1955), «Linus Fleck oder der Verlust der Würde» (1958) und der
«Bestandsaufnahme. Eine deutsche Bilanz 1962». Jünstes Buch damals «Die Mauer oder der 13. August 1961» (1963).

4 Uwe Johnson, *20.7.1934, †23./24.2.1984, Romancier, Studium in
Leipzig bei Hans Mayer, lebte seit 1959 in West-Berlin. Von ihm lagen
damals vor: «Mutmaßungen über Jakob» (1959), «Das dritte Buch
über Achim» (1961).

5 Peter Rühmkorf, *25.10.1929, Lyriker, Dramatiker. Von ihm lagen
damals vor: «Irdisches Vergnügen in g» (1959), «Kunststücke»
(1962).

6 Peter Weiss, *8.11.1916, †10.5.1982, Erzähler, Dramatiker. Von
ihm lagen damals vor: «Von Insel zu Insel» (1947), «Die Besiegten»
(1948), «Der Vogelfreie» (1949), «Das Duell» (1953), «Der Turm»
(1963), «Das Gespräch der drei Gehenden» (1963), «Nacht mit den
Gästen» (1963). 1964 folgten «Abschied von den Eltern» und «Der
Schatten des Körpers des Kutschers».

7 Heinz von Cramer, *12.7.1924, Regisseur, Romancier, Librettist,
Hörspiel-Autor. Von ihm lagen damals folgende Romane vor: «San
Silverio» (1955), «Die Kunstfigur» (1959), «Die Konzessionen des
Himmels» (1961).

8 Klaus Roehler, *25.10.1929, Erzähler und Essayist. «Die Würde der
Nacht» (1958).

9 Das erste Passierscheinabkommen nach dem Mauerbau war am
17.12.1963 geschlossen worden. Zwischen dem 10.1. und dem
23.9.1964 kamen Staatssekretär Erich Wendt (DDR) und Senatsrat
Horst Korber (West-Berlin) zu 28 Besprechungen zusammen, bis am
24.9.1964 ein zweites Passierscheinabkommen geschlossen wurde.

10 Hans Mayer hatte am 2.9.1963 die DDR verlassen. In einem Brief
vom 10.2.1993 an den Hg. bemerkt er zu dem fraglichen Treffbericht:
  «Ein Lob Ulbrichts aus dem Munde von Johnson halte ich für ganz
unwahrscheinlich. Schließlich war es der Ulbricht-Liebling, der wi-
derliche Leipziger Bezirkssekretär Paul Fröhlich, der den noch ganz
unbekannten Studenten Johnson nach einigen persönlichen Begegnungen mit Hartnäckigkeit verfolgte und verbot, daß dieser nach dem
Examen irgendwo angestellt werden dürfe. Da möchte ich annehmen,
daß der Spitzel sich ein bißchen einschmeicheln wollte. Ich halte es
auch für ebenso unwahrscheinlich, daß ich selbst gesagt haben kann,
wenn Johnson so redet, dann will ich damit nichts mehr zu tun haben.
Ich habe Johnsons tagespolitische Ansichten ebenso wenig ernst ge-

nommen, wie übrigens auch die entsprechenden Verlautbarungen mit der Unterschrift von Ernst Bloch. Wenn ich also in jenem Bericht erwähnt werde, so will Kant offenbar erneut auf meine Schädlichkeit hinweisen.»

11 ZEIT vom 10. 1. 1964, «Boykott der Berliner Stadtbahn».

12 Peter Weiss emigrierte 1934 mit seinen Eltern über England nach Prag, 1939 über die Schweiz nach Schweden.

13 Den Fontane-Preis 1959 erhielt nicht Heinz von Cramer, sondern Gregor von Rezzori.

14 Erich Wendt, *29. 8. 1902, †8. 5. 1965, 1947–1954 Leiter des Aufbau-Verlags, 1954–57 Leiter des Instituts für Marxismus-Leninismus, seit 1957 stellvertretender Kulturminister.

15 Die II. Bitterfelder Konferenz «Über die Entwicklung einer volksverbundenen sozialistischen Nationalkultur» sollte am 24. und 25. April 1964 stattfinden.

16 Das (dritte) Deutschlandtreffen der Jugend sollte vom 16. bis 18. 5. 1964 in Ost-Berlin stattfinden und unter dem Motto stehen «Frieden, Demokratie, Humanismus, Sozialismus … in ganz Deutschland».

46. Treffbericht:
Stasi-Vorwürfe in der «Welt»
(7.4.64)

HA/XX/1/III   Berlin, den 7.04.1964

Treffbericht

Zeit: 7.04.1964, von 14.00–15.20
Ort: In der Wohnung des GI
Quelle: GI – «MARTIN»
Mitarb.: Obltn. Schindler u. Obltn. Treike

Treffverlauf:
Der Treff verlief ohne Vorkommnisse.

   Mit dem GI wurde über den Artikel in der «WELT» von
3.04.1964, Redakteur ⟨Zehm, Günther⟩[1], gesprochen, indem der
GI verleumdet wird. Der GI brachte zum Ausdruck, daß er bereits bei
Prof. ⟨Kaul⟩, gewesen ist und die Absicht hat, die Zeitung «Die
WELT» zu verklagen. Auf Grund dessen arbeitete der GI bereits an
einem Artikel für das ND, wo er die haltlosen Angriffe der «WELT»
zurück weist.[2] Der GI vertritt den Standpunkt, daß von seiner Zusammenarbeit mit dem MfS niemand etwas weiß, daß er sich nirgens Dekonspiriert hat. Auch seine Aufträge bezüglich Westdeutschland,
sind immer so gewesen, daß eine Dekonspiration nicht erfolgen
konnte. Auch hat der GI niemals, auf seinen Reisen nach Westdeutschland, operative Materialien mit sich geführt bzw. hat er keine
Personen angesprochen, die daraus Schluß folgern konnten, dass der
GI Kontakt zum MfS hat.

   Bisher ist im allgemeinen noch keine Reaktion auf Grund des Er-
scheinens seines Artikels erfolgt. Lediglich hat der GI mit dem Schriftsteller ⟨Stephan Hermlin⟩ darüber gesprochen. Dieser war empört
über die Verleumdungen in der «WELT». ⟨H.⟩ vertrat den Standpunkt, daß die Schriftsteller und auch er in ihren Briefen nach WD.
auf diese Verleumdung hinweisen müßten, um damit die praxis der
Bonner Demokratie zudemonstrieren. Der GI berichtete weiterhin,
sollten sich die WD-Gesprächspartner bis morgen nicht melden, dann

ist beabsichtigt das er und der Schriftsteller ⟨Wiens, Paul⟩[3] nach Westberlin fahren und die WD Schriftsteller ⟨Johnson⟩, ⟨...⟩, ⟨v. Cramer⟩ u. ⟨Roehler⟩, aufsuchen und über diese offensichtliche Verleumdung der «WELT» mit ihnen sprechen. Da die Verleumdung einzig und allein der Torpedierung der Gespräche zwischen Schriftsteller aus Ost und West dienen.

Anhand einiger Unterlagen ist der GI in der Lage zubeweisen, daß die in der «WELT» aufgestellten Behauptungen, von A–Z erlogen sind. Unterzeichner brachte ebendfalls zum Ausdruck, daß von Seitens des MfS keinerlei Dekonspiration in Fragen der Zusammenarbeit mit dem GI erfolgt ist.

Der GI hat die Absicht für einen Tag an der Tagung der Weimarer Akademie teilzunehmen. Er vertritt die Meinung, daß nicht alle auf der Liste angeführten WD-Teilnehmer erscheinen werden.

Befragt nach Möglichkeiten zur Entwicklung von operativen Kombinationen[4] während der Weimarer-Tagung, sagte der GI, das nach seiner Auffassung, solche Möglichkeiten bei guter Vorbereitung vorhanden sind, da die Veranstaltungen einen sehr gelockerten Charakter tragen. Befragt nach den Meinungen und Stimmungen zur Vorbereitung und Durchführung der Bitterfelderkonferenz, sagte der GI das ihm bisher keine negative Meinungen bekannt sind. (...)

Im Gespräch sagte der GI, daß er ebendfalls wie ⟨...⟩ mit einigen Praktiken der Kulturpolitik der Partei und Reg. (gemeint die Durchführung einer kulturpolitischen Maßnahmen) nicht einverstanden ist. Er hat auch die Absicht zu diesen Fragen auf der Bitterfelder-Konferenz[5] zusprechen, leider hat er bisher noch keine Einladung für die Konferenz erhalten.

Aufträge:
– Bericht über die weiteren Gespräche mit WD-Schriftstellern u. a. WD-Personen, Bes. Reaktionen im Zusammenhang mit dem Artikel in der Welt.
– Information über die Meinungen und Stimmungen auf der Weimarer Akademie. – Berichte über Personen (Gespräche usw.)
– Informat. über Meinungen u. Stimmungen im Zusammenhang mit der Vorbereitung u. Durchführung der Bitterfelderkonf.
– Fortsetzung der Gespräche mit ⟨...⟩ entsprechend der Aufgabenstellung (siehe letzten Treff)

Maßnahmen:
- Betr: Artikel der WELT v. 3.04.64, gemeinsame Auswertung mit
  der HA II.

Nächster Treff. Nach telfonischer Vereinbarung

Treike

Mitarb. – Obltn. –

---

1 Günther Zehm, *1935, Assistent Ernst Blochs, 1957–1961 in politischer Haft, dann Übersiedlung in die Bundesrepublik, Journalist bei der *Welt*.

   Sein Artikel hatte folgenden Wortlaut:

Gespräche

gaz. – Am 12. Oktober 1955 trägt der Ordinarius für Neue deutsche Literatur an der Ostberliner Humboldt-Universität, Prof. Alfred Kantorowicz, seufzend in sein Tagebuch ein: «... dann wollte mich an stets stramme und beflissene Vorsitzende der Parteigruppe Germanisten, Hermann Kant, sprechen. Er geht nun ins Examen; sein weiterer Weg wird ihn zwangsläufig in die Reihen der Parteikader führen. Vielleicht hat er uns in zwei Jahren von irgendeinem Schreibtisch im Parteihaus Anweisungen zu geben, wie Germanistik gelehrt werden muß.»

Was Kantorowicz damals noch nicht wußte, was er erst danach durch Zufall erfahren sollte: Kant war ein Spitzel der Staatsmacht, den man «speziell auf Kantorowicz angesetzt» hatte. Als der Professor sich später dieser Bespitzelung durch die Flucht entzog, machte Kant eine steile Karriere. Er wurde Parteichef des Ostberliner Schriftstellerverbandes und Redakteur des «Neuen Deutschland».

Seine Hauptbeschäftigung bestand nun darin, seinen Verbandskollegen ideologische Standpauken zu halten, für die Linie zu sorgen. Nach dem Vorbild der Abusch und Kurella nannte er sich von da an «Schriftsteller», «Lessingpreisträger» gar, unternahm im Parteiauftrag regelmäßig Reisen nach Westdeutschland und spielte sich dort als junges, nonkonformistisches DDR-Talent auf. Und viele westdeutsche Schriftsteller glaubten ihm.

Im «Kölner Stadt-Anzeiger», in einem leider von peinlicher Ungenauigkeit durchwölkten Aufsatz, nennt Franz Schonauer ihn – zusammen mit anderen perfiden Nichtskönnern, wie Neutsch oder Noll – als einen «Autor der jüngeren Generation, dem kein Geheimnis mehr zu sein scheint, daß der Bitterfelder Weg in eine Sackgasse führte». Und im dritten Programm einer westdeutschen Rundfunkanstalt tauchte Kant jetzt als Gesprächspartner von Hans Werner Richter, Heinz v. Cramer, (...) und Uwe Johnson auf und wurde widerspruchslos akzeptiert. Dreistigkeit siegt.

Wir können nun freilich von kulturpolitisch agierenden westdeutschen Schriftstellern nicht erwarten, daß sie Rücksicht auf die Gefühle nehmen, die die Opfer der Diktatur empfinden, wenn sie die Mitverwalter der Diktatur derart aufgewertet sehen. Gefühle zählen nicht in einer Politik, die sich ausschließlich an den gröbsten «Tatsachen», nämlich an den gegebenen Machtverhältnissen orientiert. Wir können nicht einmal erwarten, daß westdeutsche Schriftsteller den Unterschied zwischen Peter Hacks und Harald Hauser, zwischen Reiner Kunze und Erik Neutsch, zwischen Peter Huchel und Kuba begreifen – das erfordert manchmal einen gar nicht kleinen Aufwand an Recherche und Einfühlung.

Wir müßten aber eigentlich erwarten können, daß auch westdeutsche Schriftsteller, wenn sie sich mit jemand an einen Tisch setzen, erst einmal nach der Befähigung dieses Jemand fragen, einen Gesprächspartner abzugeben, beispielsweise nach der schriftstellerischen Legitimation des Hermann Kant. Gespräche zwischen Schornsteinfegern und Rosenzüchtern, Bibliothekaren und Bademeistern sind im allgemeinen nicht sehr fruchtbar. Und wie die Dinge stehen, wäre Kant bestenfalls der geeignete Gesprächspartner für einen Beamten des Kölner Amtes für Verfassungsschutz, niemals aber der Partner für einen Dichter.

Mit dem Vorwurf, er sei auf Alfred Kantorowicz als Spitzel angesetzt gewesen, hat sich Kant in seinem «Abspann», S. 249 ff. auseinandergesetzt und ihn energisch bestritten. Genaueres wird wohl erst die Stasi-Akte über Kantorowicz ergeben.

Die Anschuldigung Kantorowiczs gegen Kant, er sei «vom Hochschulsekretariat des SED-Apparats als Spitzel» auf ihn angesetzt worden, erschien schon 1961, im zweiten Teil des «Deutschen Tagebuchs». Daß Kant damals erwog, mit der Hilfe Prof. Kauls dagegen zu klagen, belegt seine Akte nicht. Er behauptet es allerdings so im «Abspann» (S. 253):

«Ich ging, als Kantorowicz seine Auffassung meiner Rolle dargeboten hatte, zum Anwalt Friedrich Karl Kaul, weil ich der Schurke im Stück nicht bleiben wollte. Kaul, ich weiß nicht, ob die gültige Ordnung das von ihm verlangte, fragte Kurt Hager, und der wußte die Antwort: ‹Man prozessiert nicht mit dem Klassenfeind!›»

Es ist denkbar, daß Kant die Absicht, mithilfe Kauls zu prozessieren, aus dem Jahr 1964 ins Jahr 1961 zurückprojiziert.

2 Der Artikel, den Kant für das «Neue Deutschland» schrieb, erschien am 22. 4. 1964 unter dem Titel «Wie ich ein Türke wurde». Er versuchte in vielen Details eine Widerlegung von Zehms Artikel, und in einigen Punkten gelang ihm das auch, wie er dartun konnte, daß Kantorowicz nach seiner Flucht den Wortlaut seiner Tagebücher (zumindest an manchen Stellen) für die Publikation geändert hatte. Nicht widerlegen

konnte er freilich die Behauptung, ein «Spitzel der Staatsmacht» gewesen zu sein. «Sie ist auch nicht zu widerlegen; sie ist ihrer Natur nach ebenso unwiderlegbar, wie es etwa die Behauptung wäre, ich sei in Wirklichkeit der Mann im Mond oder ein stiller Bewunderer von Alfred Kantorowiczens Stilkunst.»

3 Sinnigerweise war der prospektive Helfershelfer Paul Wiens ja ebenfalls langjähriger IM des MfS (IM Dichter).

4 Eine «Operative Kombination» ist laut «Wörterbuch der Staatssicherheit» eine «operative Methode, die sich darstellt als ein Komplex sich bedingender und ergänzender sowie aufeinander abgestimmter Maßnahmen mit dem Ziel, bei Wahrung der Konspiration der Absichten, Maßnahmen, Kräfte, Mittel und Methoden des MfS bestimmte Personen zwingend zu solchen Reaktionen zu veranlassen, die die Lösung operativer Aufgaben ermöglichen, oder dafür günstige Voraussetzung schaffen. (...) Hauptbestandteil der K. ist der legendierte Einsatz zuverlässiger, operativ erfahrener und für die Lösung der Aufgaben geeigneter IM.» («Das Wörterbuch der Staatssicherheit. Definitionen des MfS zur ‹politisch-operativen Arbeit›». Herausgegeben vom Bundesbeauftragten für die Unterlagen des Staatssicherheitsdienstes der ehemaligen Deutschen Demokratischen Republik, Abt. Bildung und Forschung. Reihe A Nr. 1/93, S. 216).

5 Am 24. und 25. April 1964 fand – nach der ersten von April 1959 – eine zweite Bitterfelder Konferenz statt mit einem langen Referat Walter Ulbrichts, einem Diskussionsbeitrag Kubas u. a.

47. Notiz von Oberleutnant Treike zu den Vorwürfen der «Welt» (8.4.64)

Hauptabteilung XX/1/III   Berlin, den 8.4.1964

In der westdeutschen Zeitung «Die Welt» vom 3.4.1964 wird in einem Hetzkommentar im Zusammenhang mit den am 17.3.1964 in Westberlin stattgefundenen Kontaktgesprächen zwischen DDR-Schriftstellern und Schriftstellern der «Gruppe 47» der DDR-Schriftsteller

Hermann Kant

massiv verleumderisch angegriffen. K. ist IM unserer Diensteinheit.

Die in dem Artikel hervorgebrachten Behauptungen entbehren jeglicher Grundlage und tragen offensichtlich verleumderischen Charakter.

In einem am 7. 4. 1964 mit dem IM geführten Gespräch brachte dieser zum Ausdruck, daß er nach Rücksprache mit ⟨Prof. Dr. Kaul⟩ die Absicht habe, «Die Welt» gerichtlich wegen Verleumdung zu verklagen, da er schriftliche Unterlagen besitze, die den Verfasser des Artikels der Lüge überführen.

Der IM hat im Auftrag der Hauptabteilung II[1] mehrfach Aufträge in Westdeutschland durchgeführt. Diese Aufträge waren jedoch so gehalten, daß eine Dekonspiration ausgeschlossen war.

Von seiten der Hauptabteilung II und unserer Diensteinheit sind keinerlei Dekonspirationen des IM bekannt.

Treike
Oberltn.

Major Schneider II[2]

---

1 Die Hauptabteilung II war vor allem für Spionageabwehr zuständig. Kant war zuerst für diese HA tätig, bevor er zur HA V transferiert wurde.
2 Hans-Georg Schneider, *13. 12. 1928, seit 1. 7. 1962 Abteilungsleiter der HA II/2. Er war offensichtlich Adressat eines Durchschlags dieser Notiz.

48. Bericht von «Martin» über eine Beobachtung des Rings der politischen Jugend in Westberlin (10.6.64)

Einsatzort: W-Berlin,Haus des "Ringes der politischen Jugend"
Kurfürstendamm,Ecke Joachim-Friedrich-Str. u.Haus der DGB-Jugend,
Friedrich-,Ecke Kochstr.Beide Punkte waren Beratungsstellen für
westdtsch.Teilnehmer am Deutschlandtreffen.

Beide Punkte wurden jeweils über etwa 2 Stunden beobachtet.
Während dieser Zeit kam zum DGB-Punkt nicht ein Jugendlicher,
zum Ring kam ein Kleinbus,mit acht Jugendlichen aus Itzehoe,
Holstein.

Im gleichen Haus mit "Ring" befindet sich im 3.Stock eine
Dienststelle der <u>französischen Militärregierung</u>,dies ist an
einem Briefkasten unten kenntlich,nicht aber in der Etage selbst.
Der einzige regere Verkehr in unsere Richtung fand Übergang Heinr.
Heine-Str.statt,wo auch Flugblätter verteilt wurden,die zum Be=
such einer Gegenveranstaltung in der Techn.Universität,Pfingst=
sonntagabend,aufforderten.

Auftraggeber war (durch Vermittlung der Redaktion "Forum" - Nahke
Jugendkommission beim Politbüro,Gen.████████

Auswertung erfolgte nicht,da ab Pfingstmontagabend Krankenhaus=
aufenthalt.

10.VI.64   Martin

Anm. zu diesem Faksimile: Ausgerechnet diesen – einen seiner wenigen bislang gefundenen schriftlichen Berichte – dementiert Kant in seiner «Stellungnahme zu den Stasi-Vorwürfen» unter dem Titel «Ich, der Geheime» (FAZ vom 6.10.1992, S. 33) als eine «Absurdität»: «Ich lauerte im Juni 1964, getarnt als ein gewisser Martin, ‹2 Stunden› am DGB-Jugendhaus, ‹um zu sehen, ob dort Jugendliche zur Teilnahme am Deutschlandtreffen 1964 anrücken›, kontrollierte Briefkästen (tot oder lebendig?), beobachtete Fenster – und weiß immer noch nicht, wie ich mir unbekannte Teilnehmer eines mir unbekannten Treffens vor einem mir unbekannten Haus erkannt haben könnte.»

Das von der FDJ organisierte dritte Deutschlandtreffen fand in Ost-Berlin vom 16. bis 18.5.1964 statt. Kant beobachtete im Auftrag von Heinz Nahke, Redaktion des FDJ-Blatts «Forum», die West-Berliner Beratungsstellen für westdeutsche Teilnehmer am Deutschlandtreffen.

Pfingstmontag fiel 1964 auf den 25. Mai.

49. Treffbericht:
Verhör des Schriftstellers Heinz Kahlau
durch den Verfassungsschutz
(5.10.64)

Hauptabteilung XX/1/III   Berlin, den 5.10.1964

Treffbericht

Quelle: GI «Martin»
Zeit: 3.10.1964 – 8.20–9.00 Uhr
Ort: In der Wohnung des GI
MA: Oltn. Treike

Der Treff fand auf Grund eines telefonischen Anrufes des GI statt.

Der GI berichtete, daß er Gestern, am 2.10.1964, in den Abendstunden auf einer gemeinsamen Veranstaltung des VdJ[1] und des DSV im Presseklub vom Schriftsteller ⟨Kahlau⟩[2] angesprochen wurde.

Dieser teilte ihm in einer ziemlich aufgeregten Form mit, daß er ihm als stellvertretener Parteisekretär des DSV auf Empfehlung der Genn. ⟨Lange⟩, Abteilungsleiterin der Auslandsabteilung des DSV sprechen möchte.

Der obengenannte Schriftsteller teilte dem GI mit, daß er auf der Rückreise nach dem Besuch der Frankfurter Buchmesse[3] in Westdeutschland von den Organen des westdeutschen Verfassungsschutzes für etwa zwei Stunden festgenommen wurde.

Der obengenannte Schriftsteller wurde von zwei Beamten des Verfassungsschutzes aus dem Zug geholt und in einem Raum eines Dienstgebäudes gebracht.

In diesem Raum führten die beiden Beamten ein Verhör mit den

Obengenannten durch. Bevor das Verhör begann, stellten sie eine Aktentasche auf den Tisch, welche während der Dauer des Gespräches auf dem Tisch stand und nicht benutzt wurde.

Das Verhör begann damit, daß sie den Obengenannten die Fotokopie einer Einladung, welche der Obengenannte von einem westdeutschen Verleger erhalten hatte, vorlegten und sagten, «wir wissen alles über sie, ein Leugnen hat keinen Zweck. Wir besitzen auch die notwendigen Unterlagen über sie, geben sie zu, daß sie im Auftrage des MfS in Westdeutschland wären und bestimmte Aufgaben durchgeführt haben».

Desweiteren brachten die Beamten zum Ausdruck, daß der Obengenannte während seines letzten Aufenthaltes in Westdeutschland nicht den angegebenen Ort aufgesucht habe, sondern in München war.

Der Obengenannte war durch die Kenntnisse des Verfassungsschutzes so beeindruckt, daß er den Beamten erklärte, daß er die Formen, Methoden und Folterungen kenne, deshalb Angst vor dem Verfassungsschutz habe und er bereit sei, die volle Wahrheit zu sagen.

So habe er u. a. berichtet, daß er vor längerer Zeit von zwei Mitarbeitern des MfS aufgesucht wurde und diese mit ihm gesprochen haben. Er habe den Verfassungsschutz vom Inhalt des Gespräches sowie über die Angaben der beiden Mitarbeiter Mitteilung gemacht.

Desweiteren wurde er nach Persönlichkeiten unserer Republik, so u. a. nach ⟨Karl Eduard von Schnitzler⟩[4] u. a. Personen und Organisationen befragt.

Dem GI gegenüber sagte der Obengenannte, daß er während des Verhörs pausenlos gesprochen habe, da er Angst vor dem Verfassungsschutz habe.

Der Obengenannte nimmt an, daß er von einem ⟨…⟩, der vor einigen Jahren republikflüchtig wurde, verraten wurde. Diesen habe der Obengenannte einmal von seiner Verbindung zum MfS erzählt.

Der GI hat dem Obengenannten gegenüber zum Ausdruck gebracht, daß er als stellvertretener Parteisekretär des DSV diese Sache nicht für sich behalten darf, sondern dieses offiziell dem MFS mitteilen muß, da es sich ja um eine Angelegenheit handelt, von der das MfS Kenntnis haben muß.

Der GI hat nach dem Gespräch die Abteilungsleiterin der Auslandsabteilung des DSV – Genn. ⟨Lange⟩ – angerufen und diese gebeten, dem MfS von dem Sachverhalt Mitteilung zu machen, da er selbst (der GI) den Mitarbeiter des MfS nicht näher kennt.

Nach Beendigung des Verhörs hat der obengenannte Schriftsteller von den Beamten des Verfassungsschutzes ein leeres Abteil im Zug nach Leipzig zugewiesen bekommen, damit er nicht mit den anderen Delegationsmitgliedern des DSV in Berührung kommt.

Der GI nimmt an, daß der Obengenannte bereits mit anderen Personen über den Vorfall gesprochen hat.

Dem GI wurde gesagt, daß er richtig gehandelt habe, in dem er den Unterzeichneten über den Sachverhalt informierte.

Der GI wurde gebeten, Stillschweigen über die Angelegenheit zu wahren.

Treike
Oberleutnant

N. S.

⟨Kahlau⟩ wurde am 28.8.64 von uns schriftlich entpflichtet. Er erhielt keinerlei Aufträge für seine Reise zur Frankfurter Buchmesse 1964.

Auch die vorher durchgeführten Reisen des ⟨Kahlau⟩ nach Westdeutschland waren mit keinerlei Aufträgen verbunden.

Zur Zeit wird überprüft, ob ⟨Kahlau⟩ tatsächlich alleine von der Buchmesse abgefahren ist.

siehe: schriftliche Information der Gen. Lange, Leiterin der Auslands-Abtg. des DSV vom 10/12.10.64.

⟨*Namenskürzel*⟩

---

1 VDJ = Verband der Journalisten der DDR.
2 Heinz Kahlau, *6.2.1931, Lyriker, Fernseh- und Filmautor, Verfasser von Kinderstücken. Seit 1953 Meisterschüler Brechts. «Hoffnung lebt in den Zweigen der Caiba» (1954), «Probe» (1956), «Die Maisfibel» (1960), «Der Fluß der Dinge» (1964). Kahlau war seit 1959 unter dem Decknamen «Hochschulz» inoffizieller Mitarbeiter des MfS.
3 Die Frankfurter Buchmesse dauerte vom 17.–22.9.1964.
4 Karl Eduard von Schnitzler, *28.4.1918, seit 1952 Leiter der Kommentatorengruppe des Staatlichen Rundfunkkomitees, dann auch Chefkommentator in Hörfunk und Fernsehen der DDR.

50. Treffbericht:
Über Anna Seghers, Max von der Grün
und andere
(30. 3. 65)

Hauptabteilung XX/1/III   Berlin, den 30. 3. 1965

Treffbericht

Quelle: GI «Martin»
Zeit: 30. 3. 65, 14.00–15.00 Uhr
Ort: KW «Casino»
Mitarbeiter: Hptm. Paroch, Oltn. Treike

Der GI berichtete, daß er vor seiner Abreise nach Westdeutschland
von der westdeutschen Bürgerin
⟨...⟩
Inhaberin der ⟨...⟩-Buchhandlung
in Hamburg
davon informiert wurde, daß sich kurz nach seinem letzten Aufenthalt
in Westdeutschland Beamte des Bundesverfassungsschutzes bei ihr
nach dem Grund des Aufenthaltes des GI in WD erkundigt hätten.[1]
Von seiten der Beamten des Bundesverfassungsschutzes wurde gefragt,
in wessen Auftrag der GI in WD war,
welche Aufträge er dort erledigte
und mit welchen Personen er sich getroffen hat.
Frau ⟨...⟩ hätte gegenüber den Beamten zum Ausdruck gebracht,
daß der GI auf Einladung des Vereins «Christlicher Männer» (Stu-
dentischer Arbeitskreis) zu einer Buchlesung in WD (Hamburg)
weilte. Von DDR-Auftraggebern und Aufträgen sei ihr nichts bekannt, das könne sie sich auch nicht vorstellen.
Der GI schätzt Frau ⟨...⟩ als eine sehr positive Frau ein, die wahrscheinlich Genossin ist.
Als der GI auf seiner letzten Westdeutschlandreise die DDR-
Schriftstellerin ⟨Anna Seghers⟩ begleitete, wurden sie ⟨...⟩ von der
Inhaberin der ⟨...⟩-Buchhandlung, Frau ⟨...⟩, persönlich mit

einem PKW von Berlin abgeholt. An den Grenzübergängen gab es von westdeutscher Seite keine Schwierigkeiten. Lediglich Frau ⟨...⟩ mußte das Auto zur Kontrolle verlassen und dem Grenzbeamten bestätigen, daß die beiden Insassen auch tatsächlich DDR-Schriftsteller sind.

An der Lesung, die ⟨Anna Seghers⟩ in Hamburg durchführte,[2] nahmen etwa 1.000 Personen teil. Sie und auch die anschließende Diskussion müssen als ein Erfolg eingeschätzt werden, auch wenn der 2. Teil der Diskussion, bedingt durch Ermüdungserscheinungen bei ⟨Anna Seghers⟩, etwas schwach war. ⟨Anna Seghers⟩ hatte dem GI vor der Veranstaltung zu verstehen gegeben, daß sie sich kräftemäßig allein in der Lage fühle, die Diskussion mit den Zuhörern zu führen, was auch geschah. Nach der Veranstaltung sagte sie dem GI, daß sie so etwas nicht wieder mache. Offensichtlich war es doch zu anstrengend.

Am Abend fand dann zu Ehren ⟨Anna Seghers'⟩ im Künstlerclub «Die Insel» in Hamburg ein Empfang statt, an dem etwa 20 Personen teilnahmen. Der Abend verlief ohne besondere Vorkommnisse. ⟨Anna Seghers⟩ wurde in Westdeutschland geachtet und geehrt. Die westdeutsche Presse hat wohlwollend über ihren Aufenthalt und ihr Auftreten berichtet.

Zu dem Offenen Brief («Die Zeit» vom 12. 3. 65) des westdeutschen Schriftstellers ⟨Max von der Grün⟩[3] an den Präsidenten des PEN-Zentrums Ost-West, ⟨Arnold Zweig⟩, berichtete der GI folgendes:

In diesem Brief zeige sich der wahre Charakter und die Absichten des ⟨Max von der Grün⟩. Durch einen unglücklichen Zufall wurde ihm die Einreise erstmalig und wahrscheinlich auch nur einmalig verweigert. Schon nutzt er seine in Weimar 1964 geknüpfte Verbindung zur «Gruppe 47» aus, um sich bei ihr «Liebkind» zu machen, indem er in ihrem Sinne die DDR, das PEN-Zentrum und damit die DDR-Schriftsteller angreift.

Im Vorstand des DSV wurde beschlossen, daß seitens der Schriftsteller ⟨...⟩, ⟨...⟩, und des Genossen ⟨...⟩ zu diesem Offenen Brief Stellung genommen wird.

Auf Grund der Reise von ⟨Anna Seghers⟩ und des GI nach Westdeutschland wurde festgelegt, daß ⟨Anna Seghers⟩ in ihrer Diskussionsrede dazu Einiges sagt, was auch geschah und vom GI als sehr gut eingeschätzt wurde.

Außerdem hat der GI mit dem westdeutschen Journalisten

⟨...⟩

über dieses Problem gesprochen. Dieser will darüber in seiner Zeitung schreiben. Gleichzeitig stellte er an den GI die Frage, ob es zweckmäßig wäre, sich beim Presseamt der DDR akkreditieren zu lassen. Der GI hat diese Frage mit «ja» beantwortet.

Weiterhin führte der GI aus, daß er den jungen Lyriker und Sänger

⟨Biermann, Wolf⟩

in der letzten Zeit wenig gesehen habe. Der GI hält ⟨Biermann⟩ für ein begabtes Talent, in politischen Fragen jedoch relativ dumm. Der Einfluß ⟨Havemanns⟩ und ⟨Cremers⟩, mit denen er befreundet ist, wirke sich negativ auf ihn aus.

In den Grundfragen stehe ⟨Biermann⟩ nach der Einschätzung des GI zur Politik der Partei und Regierung und sei «unser Mann».

Sehr positiv werde das Auftreten ⟨Biermanns⟩ in Westdeutschland eingeschätzt. ⟨Biermann⟩ habe in WD mehrfach zum Ausdruck gebracht, daß er Kommunist sei. Diese Tatsache habe sowohl in WD als auch in der DDR starke Beachtung gefunden.

Auch die Lieder und Gedichte, die ⟨Biermann⟩ in WD vortrug, müßten in ihrer Mehrheit positiv eingeschätzt werden.

Im Verlauf des Treffs berichtete der GI über die am 16./17.3.1965 stattgefundene Vorstandssitzung des DSV. Während dieser Sitzung übten die Vorstandsmitglieder gegenüber der Leitung heftige Kritik. Der berechtigte Grund dafür waren die mangelhaften Leitungsmethoden sowie das ungenügende Vertrauen zu den Mitgliedern des Vorstandes als das gewählte Organ des DSV.

Der GI meinte, daß es endlich Zeit werde, daß man mit der politischen Bevormundung des Vorstandes aufhöre und die Vorstandsmitglieder nicht wie politische Analphabeten behandelt.

Der Anlaß für diese kritische Auseinandersetzung war ein Offener Brief (veröffentlicht in «Die Zeit» vom 12.3.65) des westdeutschen Schriftstellers ⟨Max von der Grün⟩ an den Präsidenten des PEN-Zentrums Ost-West, ⟨Arnold Zweig⟩. Die Leitung des DSV wollte den Vorstandsmitgliedern den vollen Inhalt des Briefes vorenthalten.

Wie der GI sagte, ist dabei das Verhalten des Genossen

⟨...⟩,

Mitarbeiter der Kulturabteilung des ZK der SED,

zu beachten. Während der Auseinandersetzung hat ⟨...⟩ indirekt die Haltung der Leitung unterstützt. Bedingt durch sein Verhalten, hätten viele Vorstandsmitglieder von ihm eine schlechte Meinung.

Z. B. bringt es Genosse ⟨...⟩ fertig, Schriftsteller einzelne Sätze aus der Westzeitung lesen zu lassen, während er die anderen, damit im Zusammenhang stehenden Sätze verdeckt, und sie zusammenhanglos nach ihrer Meinung darüber befragt. Ähnlich behandelt er auch Dinge als Geheimnisse, die keine sind, und über die andere Personen bereits Kenntnis erhielten.

Dieses Verhalten des Genossen ⟨...⟩ ruft Verärgerung hervor und wird von vielen Genossen kritisiert (siehe auch Information vom 1. 4. 65.)

---

1 Die Recherchen des Verfassungsschutzes hängen möglicherweise mit dem Artikel Günther Zehms in der WELT vom 3. 4. 1964 zusammen, in dem es zum Schluß geheißen hatte: «Und wie die Dinge stehen, wäre Kant bestenfalls der geeignete Gesprächspartner für einen Beamten des Kölner Amtes für Verfassungsschutz, niemals aber der Partner für einen Dichter.»

2 Die Lesung von Anna Seghers auf Einladung des CVJM und einer Buchhandlung fand am 25. 3. 1965 im Auditorium maximum der Hamburger Universität statt.

3 Max von der Grüns Artikel trug den Titel «Warum darf ich nicht in die DDR einreisen? Max von der Grün möchte wissen, warum er in Erfurt nicht mehr willkommen ist».

Von der Grün hatte vom 13. 11. bis 25. 11. 1964 u. a. auf Einladung des Aufbau-Verlags eine Reise durch die DDR gemacht und auch Erfurt besucht. Daraufhin stellte er den Antrag, am 15. 1. 1965 zu einer Premiere des Stücks «Korczak und die Kinder» von Erwin Sylvanus nach Erfurt reisen zu dürfen. Dies wurde nicht genehmigt, vermutlich weil er geäußert hatte, er halte «nicht viel von Ulbricht».

51. Information über Fritz J. Raddatz (6. 4. 65)

GI – «Martin» am 6. 4. 65

Fritz Raddatz[1]

Mitarbeiter im Rowohlt-Verlag. Raddatz gehört zur Spitzenfigur im Rowohlt-Verlag. Er hat wesentlichen Einfluß bei der Leitung des Verlages (...)

Dem GI ist bekanntgeworden, daß Raddatz im Rahmen der Gruppe 47 zusammen mit Hans Mayer dagegen aufgetreten ist, da der GI im Rahmen der Gruppe 47 trotz mehrerer Vorschläge lesen sollte. Raddatz hat zur Verwunderung des GI diesen im Krankenhaus nach seinem Unfall angerufen[2] und sich nach seinem Wohlergehen erkundigt. Raddatz unterhält einen ständigen Briefwechsel mit dem Schriftsteller Gerhard Schneider.

---

1 Das Dokument stammt aus der Akte von Fritz J. Raddatz, die in der Außenstelle Schwerin der Gauck-Behörde archiviert ist (Nr. AP 3789/92).

2 Im «Abspann» (S. 211 f.) berichtet Kant über diesen Kontakt: «Fünfundzwanzig Dezember zurück [1964] war Rowohlts Raddatz um andere Gemeinsamkeiten bemüht, wie er den telefonischen Weg aus Reinbek nach Ückermünde suchte. Er wollte die Option auf ein Buch, das erst zur Hälfte fertig war und von dem er ein Hundertzwanzigstel im ‹Neuen Deutschland› gelesen hatte. Das sprach sich mit meiner Hilfe herum, und bald galt ich im vorpommerschen Spital als ein Mann, um den sich Westens Verleger rissen. Wen wundert es, daß man mich fortan mit noch größerer Freundlichkeit behandelte, und wen wollte die Behauptung erstaunen, am Anfang aller meiner unermeßlichen Privilegien habe Fritz J. Raddatz gestanden.»

52. Information über ein Treffen mit Fritz J. Raddatz (6. 7. 65)

GI Martin am 6. 7. 65

In Westdeutschland ist der GI mit dem Schriftsteller u. Cheflektor, dem RF. (1958)
    RADDATZ, Fritz [1]
    Stellv. Leiter des
    Rowohlt Taschenbuch Verlag G.m.b.H.
    Reinbeck bei Hamburg
zwecks Verlegung seines Romans «Die Aula» zusammen getroffen. Die Absprache erfolgte auf Ersuchen des Aufbau Verlages.

Der GI schätzt ein das R. sich im Rowohlt Verlag eine Vormachtstellung erarbeitet hat. Er ist heute der entscheidende Mann bei Rowohlt der bestimmt was im Verlag verlegt wird. (Außer Kriminalliteratur)

R. demonstriert den «Wirtschaftswunder Mann». Er ist eng mit der «Gruppe 47» verbunden. In der letzten Woche ist R. extra nach Berlin (West) geflogen um als Mitglied der «Gruppe 47» an der Hochtzeit des Schriftstellers Walter HÖLLERER teilzunehmen.

Nach der Meinung des GI hat RADDATZ ein oberflächliches Wissen, er verdeckt dieses durch seine Redegewandtheit. Er lebt extravargant, läßt sich speziell Zigaretten aus England kommen usw.

R. lud den GI zum Mittagessen ein, sie nahmen es im Lokal «Aumühle» [2] ein. Diese Gaststätte befindet sich auf den Gütern des Fürst v. Bismarck dem die Gaststätte auch gehört.

Während des Essen erkundigte sich R. bei dem GI u. a. nach HARRICH [3], der GI hat dem R. geantwortet, daß es diesem gut geht.

Ein weiteres Gespräch mit R. wird beim nächsten Aufenthalt in WD warscheinlich folgen. [4]

---

1 Das Dokument stammt wie das vorige aus der Akte von Fritz J. Raddatz in der Außenstelle Schwerin der Gauck-Behörde. Der Herausgeber dankt Fritz J. Raddatz in beiden Fällen für die Überlassung der Kopien.

2 Gemeint ist ein Lokal in der Ortschaft Aumühle unweit des Rowohlt-Verlags in Reinbek, das von den Verlagsmitarbeitern damals häufiger für Geschäftsessen aufgesucht wurde.

3 Wolfgang Harich war am 29. 11. 1956 verhaftet und am 9. 3. 1957 wegen «Bildung einer konspirativen, staatsfeindlichen Gruppe» zu zehn Jahren Zuchthaus verurteilt worden. Am 18. 12. 1964 war Harich im Zuge einer Amnestie entlassen worden.

4 Raddatz lehnte gut einen Monat später eine Lizenzausgabe der «Aula» im Rowohlt-Verlag ab. Der Wortlaut seines Absage-Briefs an Kant vom 10. 8. 1965 («Express / Einschreiben») befindet sich ebenfalls in Raddatz' Schweriner MfS-Akte.

53. Aktenvermerk:
Über die Aufnahme von Wolf Biermann in das PEN-Zentrum Ost-West (16. 9. 65)

GI – MARTIN am 14. 09. 65

Hauptabteilung XX / 1 / III   Berlin, am 16. 9. 1965

AKTENVERMERK

Betr.: PEN-Zentrum Ost-West

Inoffiziell wurde bekannt, daß der Lyriker ⟨Wolf Biermann⟩ als Mitglied des PEN-Zentrums mit einer Stimme Mehrheit im Monat April 1965 aufgenommen wurde.

Der GI «Martin» berichtet dazu wie folgt:

Er war an dieser Sitzung anwesend, konnte jedoch nicht feststellen, wer den Vorschlag zur Aufnahme des ⟨B⟩ in das PEN-Zentrum Ost-West gemacht hat.[1]

Zu den einzelnen Diskussionen, die sich im Zusammenhang mit der Person ⟨Biermann⟩ ergeben haben, konnte der GI nichts konkreteres berichten, da der GI nur zeitweilig an der Veranstaltung des PEN-Zentrums teilnahm.

Die Wahl erfolgte wie bei allen anderen Kandidaten in geheimer Abstimmung. Vor der Wahl erfolgte eine kurze Aussprache der Genossen der Partei. Auf dieser Aussprache wurde beschlossen, gegen die Kandidatur ⟨Biermanns⟩ auf Grund seines in der Vergangenheit gezeigten Verhaltens zu stimmen.

Da jedoch die Genossen im PEN-Zentrum nicht in der Mehrheit sind, konnte es vorkommen, daß ⟨B⟩ als Mitglied gewählt wurde.[2]

Die Mitgliedschaft im PEN-Zentrum hat innerhalb der DDR mehr repräsentative Bedeutung für das Mitglied, da die Interessen der einzelnen Berufsgruppen, wie z. B. Schriftsteller, Künstler u. a. in den verschiedenen Verbänden vertreten werden.

Vom Ausland her wird der Mitgliedschaft des PENs höhere Bedeutung beigemessen, auf Grund der Kontakte zu Mitgliedern anderer ausländischen PEN-Zentrums, wie z. B. den westdeutschen, den englischen oder den österreichischen u. a.

Das öffentliche Auftreten der Genossin ⟨Ingeburg Kretzschmar⟩, Generalsekretär des PEN-Zentrum Ost-West, auf den einzelnen Tagungen und Beratungen des PEN-Zentrums schätzt der GI als sehr parteilich ein. Dies steht jedoch im Widerspruch zu ihrem Verhältnis zum Schriftstellerverband.

Von Seitens des DSV wird eingeschätzt, daß die Genossin ⟨Kretzschmar⟩ den Verband negiert und nicht interessiert ist, mit dem Verband gut zusammenzuarbeiten.[3]

Das PEN-Zentrum wird nach Auskunft des DSV direkt von der Kulturabteilung des ZK angeleitet.

Treike
Oberleutnant

---

1 Laut Bericht vom 7. Februar 1966 scheint es, als habe Stephan Hermlin Biermann «in den PEN lanciert».

2 In einer Erklärung vom 20. 10. 1992 gegenüber dpa behauptete Kant, er sei «einer von denen» gewesen, «die Biermann in den PEN wählten».

3 Nach eigener Aussage Ingeburg Kretzschmars rührten die Spannungen zwischen ihr und dem Schriftstellerverband u. a. daher, daß sie für den PEN ein schönes Büro eingerichtet hatte und es dem DSV nicht zur Verfügung stellte. 1968 wurde sie nach 16jähriger Tätigkeit als Generalsekretärin des PEN abgelöst und vom MfS jahrelang massiv verfolgt.

54. Telegramm von Hermann Kant an Klaus Höpcke (5. 12. 65)

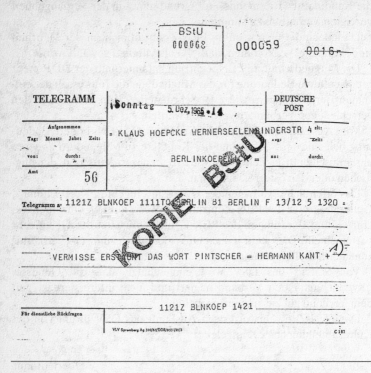

TELEGRAMM   Sonntag   5. Dez. 1965 · 14   DEUTSCHE POST

Aufgenommen
Tag: Monat: Jahr: Zeit: = KLAUS HOEPCKE WERNERSEELENBINDERSTR 4 ...

von: durch: BERLINKOEPENICK =   an: durch:

Amt   56

Telegramm a: 1121Z BLNKOEP 1111TO BERLIN 81 BERLIN F 13/12 5 1320 =

VERMISSE ERSTAUNT DAS WORT PINTSCHER = HERMANN KANT +

Für dienstliche Rückfragen   1121Z BLNKOEP 1421

VLV Spremberg Ag 310/65/DDR/853 I/21/3   C 187

Protest-Telegramm an Klaus Höpcke wegen seines Artikels gegen Biermann im ND vom 5. 12. 1965, «... der nichts so fürchtet wie Verantwortung. Über ‹Antrittsrede› und ‹Selbstporträt› eines Sängers». Kant spielt mit dem Wort «Pinscher» dabei auf Ludwig Erhards sprichwörtlichen Ausfall gegen Rolf Hochhuth an.

55. Auszug aus einer Information der HA XX/2 über das Telegramm an Klaus Höpcke (2.2.66)

Berlin, 2. Februar 1966

Genossen Obltn. Treike – Ref. III

Auszug aus einer Information der HA XX/2 vom 31.1.1966

Der ⟨...⟩ erzählte, daß er erfahren habe, daß der Autor Hermann KANT nach dem Artikel im ND gegen BIERMANN an Klaus HÖPCKE ein Telegramm sandte mit dem Inhalt: «Herzlichen Glückwunsch – fehlt am Ende nur noch das Wort Pinscher!»[1]

---

1 Charakteristische Änderung des ursprünglichen Wortlauts – Beispiel für die Wirkung von ‹stiller Post› im MfS.

56. Treffbericht: GI «Wegener» über die Parteiversammlung des Schriftstellerverbandes am 4.2.66 (5.2.66)

Hauptabteilung XX/1/III   Berlin, 5. Februar 1966

Treffbericht (Tonbandabschrift)

Quelle: GI «Wegener»[1]
Zeit: 4.2.1966 – 21.00–22.00 Uhr
Ort: KW «Casino»
MA: Oltn. Treike

Parteiversammlung der Berliner Grundorganisation des Schriftstellerverbandes.

Beginn: 16.00 Uhr

Anwesend waren: 92 Genossen

Im Präsidium saßen die Genossen: Abusch, Gysi, Ria Scheerer[2] und einige Leitungsmitglieder, darunter auch Roland Bauer[3] von der Bezirksleitung.

Die Diskussion begann mit einer Anfrage, mit einer einleitenden Rede der Ria Scheerer, mit einer kurzen Bemerkung der Auswertung der vergangenen Versammlung, die sie kritisch einschätzte und aufforderte, zu Grundfragen Stellung zu nehmen.

Als erste Frage tauchte auf, da HERMLIN da war, die damals offen gebliebene Frage – warum hast du BIERMANN vorgeschlagen, in das PEN-Zentrum? HERMLIN antwortete darauf sehr ausweichend, er ist nach wie vor der Meinung, daß das richtig war und er ist auch jetzt der Meinung, daß es richtig war, BIERMANN dort hineinzunehmen. Er sei der Auffassung, BIERMANN ist ein großes Talent, das man für uns gewinnen müsse und müßte – das war die erste Antwort. Das PEN-Zentrum sollte für den (…) BIERMANN evt. dort eine Möglichkeit finden, um erzogen zu werden.

Daraufhin allgemeiner Protest von sehr vielen Leuten – genaue Namen kann ich jetzt nicht dazu sagen.

KURELLA sprach dann und sagte, er hätte nie gewußt, daß das PEN-Zentrum eine Erziehungsanstalt gewesen wäre, im Gegenteil, es ist ein internationales Gremium und ein BIERMANN dort reinzunehmen, wäre also doch eine internationale Geste, die also auch Auswirkungen hat.

Die ganze Diskussion – HERMLIN und PEN ging jetzt soweit, daß sich HERMLIN ziehmlich schützte. Er wurde jetzt direkt gefragt von ABUSCH und von Zwischenrufen (Kurella und Eduard Klein[4]), ob denn seine Haltung zu BIERMANN sich geändert hat. Er meinte, sie hätte sich geändert, denn er beuge sich den Parteibeschlüssen. Daraufhin wurde er gefragt, was bedeutet, sich Parteibeschlüssen zu beugen. Er sollte doch klar sagen, ob er nun meint, daß seine damalige Haltung schädlich war. Daraufhin antwortete er: Ja sie war schädlich. Dann ging er weg – in einer Pause.

Die Haltung HERMLINS wurde ein bißchen ungeschickt von Hermann KANNT unterstützt. Da erscheint sein Freund, der die Zwischenbemerkung machte, man sollte bei dieser ganzen Handlung

220

des Themas, HERMLIN und BIERMANN nicht nur sehen, daß HERMLIN also den BIERMANN vorgeschlagen hat, sondern auch ihn, Kannt und andere junge Schriftsteller und sich mehr als andere, um junge Leute gekümmert hat. Das wurde unsachgemäß behandelt. Es ging ja nicht um Dinge, die also in dieser Richtung liegen, sondern es ging konkret um BIERMANN und seine Haltung, obwohl sich HERMLIN klar und eindeutig von HAVEMANN u. a. distanzierte und auch sagte, daß er seit langem mit BIERMANN nicht mehr zusammen sei, daß bereits vor seinen Zusammenkünften vor 1 ½ Jahren Mißtöne aufgekommen wären (...) Aber die Haltung von Stephan HERMLIN war natürlich offensichtlich, daß er mit vielen Fragen des 11. Plenums[5] nicht klargekommen ist und das er auch so viele eigene Ansichten hat, aber zum ersten Mal ist es eigentlich hier zu einer ziehmlich deutlichen Ablehnung Hermlins gekommen. Er konnte seine elegante Haltung nicht bewahren, er ist auch ziemlich durcheinander gekommen.

Er hat nur zu BIERMANN und HAVEMANN Stellung genommen. HEYM[6] erwähnte er gar nicht. Er wurde auch nicht danach gefragt.

Es wurde in diesem Zusammenhang beschlossen, eine Kommission ein zusetzen, die also die Probleme an dem PEN-Zentrum untersuchen wie weit die Demokratie mißbraucht wurde. Es ist doch verständlich, daß sich Genossen, wenn sie jemand vorschlagen in den PEN-Zentrum, (wenn sie Genossen sind), an die Partei wenden – an die übergeordnete Leitung, um zu wissen, wie man dazu steht.

Dieser große Abschnitt, der dann auch mit vielen, also ich kann das jetzt nicht (ich habe das jetzt nicht mehr im Gedächtnis), nur als großes Problem scheint mir das so zu liegen. Wobei der Vorteil war, daß also in diesem Falle doch einige Grundfragen konkret geklärt werden konnten, daß also dieses Beispiel Stephan HERMLIN doch günstig war – in gewisser Beziehung günstig für einige Fragen, um diese zu klären.

Dann sprach Alexander ABUSCH. Er bedauerte, daß HERMLIN gegangen sei. Viele anderen bedauerten das auch. ABUSCH warf noch einmal Grundprobleme auf des gesamten 11. Plenums – der Kulturpolitik und sonstigen Arbeit. ABUSCH erwähnte, daß er das Protokoll der letzten Versammlung gelesen hatte und wandte sich direkt an HAUSER[7] und polemisierte gegen HAUSERS Meinung, daß vor Westdeutschen, auch wenn einem der Artikel, den HÖPKE im ND[8] geschrieben hat nicht gefalle, daß vor dem Westdeutschen aber nicht als wesentlichste herausstellen dürfe, sondern zunächst einmal das Problem BIERMANN in der Diskussion behandeln müsse.

ABUSCH präzisierte noch einmal vom Standpunkt der Führung, die Probleme des 11. Plenums in ihrer Gesamtheit, daß es nicht um Kritik an Schriftsteller ginge, sondern Kritik an ideologischen Tendenzen, die also zu Machtfragen und zu anderen Problemen unseres Staates führen. HAUSER erwiderte daraufhin, – ABUSCH in einer längeren Polemik, wo er also vernünftige Dinge sagte, also über die Verantwortung der Schriftsteller, über Machtfunktion – aber zur gleichen Zeit nach wie vor der Meinung war, daß man also, wenn ein Artikel schlecht ist im ND, daß man das auch vor Westdeutschen vertreten könne, wenn man zugleich scharf und prinzipiell im wesentlichen antworte. Das wurde von den meisten wie an den bestimmten Äußerungen geschehen war, nicht richtig betrachtet. Im Großen und Ganzen wurde HAUSERS Rede sehr angenehm aufgenommen, denn er hat ziehmlich klar zu einigen Fragen Stellung genommen – zu Fragen der Diktatur des Proletariats und der Notwendigkeit, um unsere Gegner zu administrieren usw. Herr Hermann MEYER[9] und auch einige ältere Genossen sprachen leider etwas allgemein über nähere Traditionen usw. und es kam ein Ton des Belehrens hinein. Hans-Georg Meyer, ich weiß nicht genau, wie er heißt, auf jedem Fall der Meyer aus Berlin (Schriftsteller) – das war ehrlich gemeint, aber in dieser Versammlung fand ich sehr allgemein, daß was Gysi und Abusch gesagt haben, war viel konkreter, viel präziser, viel genauer und traf auch allgemeine Phrasen – also, wenn sie auch gut gemeint sind, überzeugen den Genossen doch nicht. Wenn man so sagt – wir müssen zusammenstehen und ich habe das gewußt, dann kommen natürlich auch Zwischenrufe. Ich möchte sagen, die anderen Beiträge waren alle zustimmende, aber auch in der Qualität sehr unterschiedlich.

Als Letzter sprach dann wieder Gysi – sehr lange und noch einmal auf das Thema einging und auf die Probleme der internationalen Bedeutung einiger Tendenzen bei uns, die von vielen nicht verstanden wurden. Also Tendenzen, daß in den soz. Ländern auch Artikel veröffentlicht wurden, die nicht nur in soz. Ländern von HEYM und auch in der komm. Presse Frankreichs, also viel darum ginge, den

Standpunkt zu haben. Wir müssen uns nicht in die Angelegenheiten, besonders in der Taktik der komm. Parteien, z. B. Frankreich oder Italien einmischen, sind aber der Auffassung, da unserer Problem wir genauer beurteilen können, also z. B. auch Aragon, denn die Jeanne Stern[10] warf dazwischen, Aragon sei Mitglied des ZK der komm. Partei Frankreichs und ein ganz großer Dichter. Das bestritt auch Gysi nicht. Er meinte nur, es ginge hier nicht um Dichter, sondern es ginge hier um konkrete Probleme bei uns, die man also so und so betrachten müsse, von unserem Standpunkt und von unserer Kenntnis der wirklichen Lage in Deutschland.

Die allgemeine Stimmung war besser als das letzte Mal – klarer – man hat Zeit gehabt, über einiges nachzudenken. Es waren kaum – außer mit HERMLIN Auseinandersetzungen – die natürlich auch viel Klarheit schuf. Es war alles ziehmlich eindeutig und es wurde auch einstimmig der Bericht der Parteileitung, der auf der vergangenen Versammlung gehalten wurde, als Beschluß gefaßt.

Zu Problemen der Mitgliederversammlung wurde nur gesagt, daß man sich also darauf vorbereiten wird, daß noch eine sog. Aktivtagung oder Besprechung der Genossen aller Verbandsmitglieder also auch derjeniger, die nicht in der Parteiorganisation des Verbandes sind, stattfinden wird (im Februar).

Zu Problemen der Entschließung Dresden wurde nichts gesagt – gar nichts, auch nicht erwähnt, daß WIENS und SCHRITTMATTER nicht unterschrieben haben.

Ich möchte noch einmal wiederholen, ich glaube, daß diese HERMLIN-Diskussion am Anfang doch ziehmlich viele Dinge über BIERMANN, HERMLIN – grundsätzliche Fragen konkret geklärt hat.

---

1 Das Dokument stammt aus der Akte von Günter Görlich – der Bericht ist u. a. deshalb interessant, weil er dieselbe Veranstaltung schildert wie der folgende von Hermann Kant vom 5. 2. 1966 und vom selben Führungsoffizier (Oberleutnant Treike) angenommen wurde. Das MfS konnte sich anhand solcher paralleler Berichte ein ziemlich genaues Bild von den Ereignissen machen und auch die Zuverlässigkeit der inoffiziellen Mitarbeiter überprüfen.

2 Ria Scherer, *1922, später verheiratet mit Paul Wiens, von

1972–1987 Sekretärin des Schriftstellerverbands, zuständig vor allem für Sozialfragen.

3 Roland Bauer, *19.3.1928, 1962–64 Direktor des Instituts für Marxismus-Leninismus beim ZK der SED, danach Sekretär der Bezirksleitung Berlin für Volksbildung, Wissenschaft und Kultur.

4 Eduard Klein, *25.7.1923, Romancier, Erzähler, Übersetzer, schrieb vor allem Romane, die aus seiner chilenischen Exil-Erfahrung gespeist wurden: «Señor de Contreras und die Gerechtigkeit», 1954, «Der Indianer», 1958.

5 Das berüchtigte 11. Plenum des ZK der SED vom 16. bis 18. Dezember 1965 brachte bekanntlich eine erhebliche Verschärfung des kulturpolitischen Kurses und namentlich Angriffe auf Wolf Biermann und seine Sympathisanten. So hieß es im Bericht des Politbüros an das 11. Plenum, vorgetragen von Erich Honecker: «Biermanns sogenannte Gedichte kennzeichnen sein spießbürgerliches, anarchistisches Verhalten, seine Überheblichkeit, seinen Skeptizismus und Zynismus. Biermann verrät heute mit seinen Liedern und Gedichten sozialistische Grundpositionen. Dabei genießt er wohlwollende Unterstützung und Förderung einiger Schriftsteller, Künstler und anderer Intellektueller. Es ist an der Zeit, der Verbreitung fremder und schädlicher Thesen und unkünstlerischer Machwerke, die zugleich auch stark pornographische Züge aufweisen, entgegenzutreten.» (Dokumente zur Kunst-, Literatur- und Kulturpolitik der SED, hg. von Elimar Schubbe, S. 1078).

6 Auch Stefan Heym war von Honecker auf dem 11. Plenum persönlich angegriffen worden: «Werktätige haben in Briefen gegen Stefan Heym Stellung genommen, weil er zu den ständigen negativen Kritikern der Verhältnisse in der DDR gehört. Er ist offensichtlich nicht bereit, Ratschläge, die ihm mehrfach gegeben worden sind, zu beachten. Er benutzt sein Auftreten in Westdeutschland zur Propagierung seines Romans ‹Der Tag X›, der wegen seiner völlig falschen Darstellung der Ereignisse des 17. Juni 1953 von den zuständigen Stellen nicht zugelassen werden konnte. Er schreibt Artikel für im Westen erscheinende Zeitschriften und Zeitungen, in denen er das Leben in der Sowjetunion und in der DDR falsch darstellt. Er gibt vor, nur der Wahrheit das Wort zu reden, womit er aber die westlich orientierte ‹Wahrheit› meint.» (ebda.)

7 Harald Hauser, *17.2.1912, Dramatiker und Prosa-Autor, «Wo Deutschland lag», «Am Ende der Nacht» (1955), «Im himmlischen Garten» (1958), «Weißes Blut» (1959), «Barbara» (1964).

8 Gemeint ist Klaus Höpckes Attacke auf Biermann, «... der nichts so

fürchtet wie Verantwortung. Über ‹Antrittsrede› und ‹Selbstporträt› eines Sängers», im ND vom 5. 12. 1965.

9 Vermutlich Helmut Meyer, *18. 11. 1904, Romanschriftsteller, «Herz des Spartakus» (1959), «Lena in Berlin» (1962), «Geheimauftrag für Kasper B.» (1966).

10 Jeanne Stern, *20. 8. 1908, Übersetzerin (Kisch, «China geheim», Seghers, «Der Weg durch den Februar» und «Transit», Engels, «Ursprung der Familie», Brecht, «Der gute Mensch von Sezuan»), Drehbuchautorin, «Das verurteilte Dorf» (1952), «Stärker als die Nacht» (1954).

57. Treffbericht:
GI «Martin» über die Parteiversammlung
des Schriftstellerverbandes am 4. 2. 66
(7. 2. 66)

Hauptabteilung XX/1   Berlin, 7. Februar 1966

Treffbericht

Quelle: GI «Martin»
Zeit: 5. 2. 1966 – 9.00 – 11.15 Uhr
Ort: KW «Casino»
MA: Oltn. Treike

Der Obengenannte informierte den Unterzeichner, daß am 4. 2. 1966 die Parteimitglieder-Versammlung des Berliner DSV stattfand. Die Versammlung war sehr gut besucht. Es nahmen über 90 Genossen teil; ca 30 Genossen sprachen zur Diskussion.

Der Bericht der Parteileitung, den die Genossin ⟨Ria Scherer⟩, Parteisekretärin im Auftrage der Parteileitung gab, war gut.

Der Obengenannte ist Mitglied der Parteileitung.

⟨Ria Scherer⟩ stellte dem anwesenden Genossen ⟨Hermlin⟩ die Frage, «warum er (⟨Hermlin⟩) ⟨Biermann⟩ in den PEN lanciert habe.

Worauf ⟨Hermlin⟩ entgegnete, er halte ⟨Biermann⟩ für ein Talent, obwohl er selbst beim Zusammensein mit ⟨Biermann⟩ ständig parteiliche Auseinandersetzungen gehabt habe.

Mit der Befürwortung der Aufnahme des ⟨Biermann⟩ als PEN-Mitglied wollte er (⟨Hermlin⟩) erreichen, daß ⟨Biermann⟩ erzogen und gefördert wird, als Talent im Sinne unserer DDR.

Keinesfalls wollte er sich gegen die Partei stellen. Zum Zeitpunkt der Aufnahme des ⟨Biermann⟩ in den PEN war die ⟨Biermann⟩-frage auch nicht so aktuell wie gegenwärtig. Er wollte damit ⟨Biermann⟩ von ⟨Heym⟩ und ⟨Havemann⟩ isolieren.

Der GI sagte, daß ⟨Hermlin⟩ in der Diskussion eine sehr schlechte Haltung einnahm, vor allen Dingen dadurch, daß er (⟨Hermlin⟩) sagte, «zu den Fragen der Schriftsteller habe er eine andere Auffassung, aber er beuge sich der Parteidisziplin.»

Durch diese falsche Haltung, so sagte der GI, hat ⟨Hermlin⟩ die Versammlung gegen sich gehabt.

Der GI sagte, er habe dann zur Diskussion gesprochen, da er ⟨Hermlin⟩ helfen wollte, die berechtigte und richtige, sachliche Kritik anzuerkennen und den richtigen Weg zu finden. Aber wahrscheinlich habe er damit nicht zur Klärung beigetragen. So habe er u. a. gesagt, daß ⟨Hermlin⟩ sich sehr um die jungen Schriftsteller kümmert und nicht nur ⟨Biermann⟩, sondern auch ihn und andere unterstützt habe, bei der Aufnahme als PEN-Mitglied. Nach der Versammlung habe die Genossin ⟨Ruth Werner⟩[1] ihm gesagt, daß sein Diskussionsbeitrag schlecht war, er damit der Partei einen schlechten Dienst erwiesen habe.

Genosse ⟨Kurella⟩ hat u. a. in der Diskussion zum Ausdruck gebracht, daß das PEN bisher noch keinen Schriftsteller erzogen hat und auch nicht ⟨Biermann⟩ erziehen wird.

Es wurde beschlossen, eine Kommission zu bilden, die die Parteiarbeit im PEN-Zentrum analysiert.

Der Kommission gehören an:

⟨Walter Gorrish⟩[2]

⟨Eduard Klein⟩[3]

⟨Karl Erpenbeck⟩[4]

Nach der Versammlung hat der GI noch telefonisch mit ⟨Hermlin⟩ gesprochen. In diesem Telefongespräch hat ⟨Hermlin⟩ zum Ausdruck gebracht,

daß er die scharfe Kritik anerkennt, jedoch ist er verärgert, daß solche Genossen wie ⟨...⟩, ⟨...⟩, ⟨...⟩, die kaum bekannt sind und bisher noch nichts Wesentliches geleistet haben, ihn unsachlich und unberechtigt kritisieren.

So hat ⟨...⟩ allgemein gesagt, es ist an der Zeit, daß man sich mit den Stefan's und Stephan's ideologisch auseinandersetzt. Gemeint war damit von ⟨...⟩ – ⟨Heym⟩ und ⟨Hermlin⟩. ⟨Hermlin⟩ sagte dem GI, er läßt sich mit ⟨Heym⟩ nicht auf eine Stufe stellen.

Weiten Raum nahm in der Versammlung der Bericht des Genossen Dr. ECKERT[5] über die Entwicklungsgeschichte des Stefan HEYM[6] ein. Dieser Bericht war sehr gut, da er einige wesentliche Zusammenhänge aufzeigte und die Haltung Heyms verurteilte – wozu die Mitgliederversammlung ihre Zustimmung gab.

Ausführlich wurde auch über einen Bericht des Genossen Roland Bauer von der Bezirksleitung der SED, Mitglied der ideologischen Kommission der Bezirksleitung diskutiert, den Genosse B. auf der letzten Versammlung gegeben hatte.[7]

Zwischen der letzten und gestrigen Versammlung wurde der Sachverhalt im Auftrage der Parteileitung überprüft und es stellten sich einige Widersprüche heraus, die darauf zurückzuführen waren, daß die Bezirksleitung nur ungenügend informiert wurde und der wahre Sachverhalt nicht richtig dargestellt worden ist.

Zum Sachverhalt:
Vor einiger Zeit waren im Pankower Kulturhaus ca 30–40 westdeutsche Studenten zur Diskussion mit dem Schriftsteller Harald Hauser und anderen Genossen zusammengekommen. Hauser hat auf dieser Diskussion zum Problem Biermann u. a. folgendes gesagt:
«Der Höpke Artikel im ND über Biermann[8] ist politisch
nicht gut – er ist blöd.
Biermann muß man ablehnen, weil er ein Anarchist
und gegen die Partei ist.»
Dieser Sachverhalt wurde richtig gestellt, da auf der ersten Parteiversammlung behauptet wurde, daß Hauser nicht mit der Kritik der Partei an Biermann einverstanden ist.

Genosse Bauer hat in der Versammlung u. a. gesagt, daß man zu westdeutschen Studenten nicht über das ND so sprechen kann.

Obwohl Genosse Bauer der Parteileitung gegenüber zum Ausdruck brachte, er werde sich in der Versammlung von seinem Diskussionsbeitrag, was die Fragen Hauser betrifft (den er auf der ersten Versammlung gehalten hatte), distanzieren, was jedoch nicht geschah.

Weitere wesentliche Diskussionen sagte der GI, gab es nicht, die für den Unterzeichner von Interesse sein könnten.

Desweiteren berichtete der GI, daß er in Anwesenheit der Genossin Ria Schera mit dem Schriftsteller

Paul WIENS

Vors. des Berliner DSV

am 4. 2. 1966 eine heftige Auseinandersetzung hatte.

Der Grund der Auseinandersetzung war, daß Paul WIENS erklärte:

«er habe die Absicht, die Funktion des Vorsitzenden des Berliner DSV niederzulegen».[9]

Daraufhin hat der GI dem Paul WIENS gesagt, daß er das als eine offene Demonstration gegen die Partei und das 11. Plenum betrachte.

Daraufhin hat Paul WIENS zum Ausdruck gebracht, daß er dieses nicht beabsichtige, jedoch werde ja alles in der Partei so wie so vorher besprochen und beschlossen.

Der GI hat dem W. daraufhin klar gemacht, daß dieses ein Recht der Genossen der Partei ist usw.

In der weiteren Diskussion machte Paul WIENS einen Rückzieher. Tatsache ist, sagte der GI, daß WIENS gegenwärtig (...) ist, daß er sich von der Verbandsarbeit zurückgezogen hat.

Der Unterzeichner brachte dem GI gegenüber zum Ausdruck, daß der GI durch seinen Diskussionbeitrag[10] bei den Genossen erneut den Eindruck erweckt habe, «daß er sich gegen einige Fragen der Kulturpolitik der Partei gestellt habe.

In diesem Zusammenhang müsse man ja auch sein Telegramm an das ND sehen, wo er Partei für Biermann gegen das ND ergreift.[11]

Es entsteht der Eindruck, als habe er (der GI) zwei Gesichter, da er auf der anderen Seite oft auch sehr parteilich wie Z. B. im Fall BIELER[12] und anderen auftritt

Der GI sagte, daß er sich darüber bisher wenig Gedanken gemacht hat. Tatsache ist natürlich, daß er einige Neider hat, die ihn z. B. nicht verzeihen, daß er:

– seit 10 Jahren ständig nach Westdeutschland fährt;

– daß sein Buch sofort vergriffen war und in Westdeutschland verlegt wird;[13]

– daß ihm eine Freundschaft mit ⟨Hermlin⟩ verbindet.

Er ist sich darüber im Klaren, daß diese Freundschaft falsch ausgelegt wird, jedenfalls von Einigen.

Jedoch sehen diese nicht, daß er sich ständig mit ⟨Hermlin⟩ ideologisch auseinandersetzt, worüber er ja auch schon berichtet hat. Er hat noch nie die Partei verraten. Sein Auftreten in Westdeutschland ist immer parteilich gewesen.

Er ist nicht gegen die Kulturpolitik der Partei, sondern für diese und setzt sich auch ein, daß sie durchgesetzt wird. Einverstanden ist er nicht mit einigen Formen und Methoden, die meistens in Extreme ausarten. Für ihn ist es eine Selbstverständlichkeit, daß er nicht dazu ruhig sein kann. Natürlich macht er auf Fehler, wie z. B. beim Biermann-Telegramm, ein Gespräch mit dem Genossen Hermann AXEN[14], hat alles wieder richtig gestellt. Bisher habe jedoch noch nicht ein einziger Genosse, außer Hermann AXEN über sein Telegramm, obwohl es allen bekannt ist, mit ihm sachlich gesprochen, bzw. ihm kritisiert – d. h., daß man nicht offen und ehrlich zu ihm ist.

Er dankte dem Unterzeichner für die offene Kritik und brachte zum Ausdruck, daß er sich die an ihm geübte Kritik durch den Kopf gehen lassen will.

Der GI vertritt den Standpunkt, daß nur offene und ehrlich gemeinte Kritik ihm weiterhilft und ihn vor Fehlern bewahrt.

Einschätzung:
Der Unterzeichner hatte den Eindruck, daß der GI durch die sachliche jedoch offene und scharfe Kritik des Unterzeichner sich erstmalig klar wurde, daß sein Auftreten und Verhalten, sich teilweise gegen die Partei richtet.

Der Unterzeichner ist überzeugt, daß er aus der Kritik keine falschen Schlüsse ziehen wird. Der weitere Verlauf des Gesprächs war sachlich und freundschaftlich.

Treike
Oberleutnant

---

1 Ruth Werner, *15.5.1907, Schriftstellerin und Journalistin, Mitarbeiterin des sowjetischen Geheimdienstes unter dem Decknamen Sonja, 1950 Rückkehr in die DDR, wo sie Abteilungsleiterin im Amt für

Information und in der Kammer für Außenhandel war, legte 1958 den Roman «Ein ungewöhnliches Mädchen» und 1961 den biographischen Roman «Olga Benario. Die Geschichte eines tapferen Lebens» vor.

2 Walter Gorrish, *22. 2. 1909, †1981, Erzähler, Dramatiker, Filmautor, 1963–1967 Kandidat des ZK der SED, Vorstandsmitglied im Schriftstellerverband, schrieb vor allem Bücher und Drehbücher über seine Zeit im spanischen Bürgerkrieg, so «Mich dürstet», 1946 und 1956, «Die tönende Spur», 1950, «Fünf Patronenhülsen», 1960.

3 Eduard Klein, *25. 7. 1923, Jugendbuchautor, Redakteur von NDL, «Señor Contreras und die Gerechtigkeit» (1954), «Goldtransport» (1957), «Der Indianer» (1958), «El Quisco» (1962), «Die Straße nach San Carlos» (1965).

4 Gemeint ist wohl Fritz Erpenbeck, *6. 4. 1897, †1975, Erzähler, Essayist und Theaterkritiker, im Moskauer Exil Redakteur der Zeitschriften «Das Wort» und «Internationale Literatur». 1945 Rückkehr nach Deutschland mit der Gruppe Ulbricht, Redakteur bzw. Chefredakteur der Zeitungen und Zeitschriften «Theater der Zeit», «Vorwärts» und «Volkszeitung», veröffentlichte 1949 Aufsätze und Kritiken «Lebendiges Theater», 1951 ein Lebensbild Wilhelm Piecks, 1954 den Roman «Emigranten», 1959 weitere Aufsätze und Kritiken «Aus dem Theaterleben».

5 Stefan Heym merkt dazu an: «Ein Dr. Eckert ist mir nicht bekannt. Ich weiß auch nichts von einem Bericht in der erwähnten Versammlung, der sich auf mich bezieht.»

6 Stefan Heym war auf dem 11. Plenum des ZK der SED vom 16.–18. 12. 1965 persönlich angegriffen worden, z. B. von Horst Sindermann: «Woher kommt eigentlich der geistige Hochmut bei solchen Leuten wie Stefan Heym, an die Stelle der historisch gesetzmäßigen Führung durch die Partei der Arbeiterklasse eine Führung durch eine eingebildete Elitemission einiger Schriftsteller zu fordern? Wollen sie mit ihrer Forderung der Übernahme der Funktion der Macht, wie Heym sagt, das Bündnis mit der Arbeiterklasse, mit den Bauern, mit dem städtischen Bürgertum einer Fiktion opfern. Kann man denn so leichtsinnig mit einer historischen Errungenschaft spielen, nur weil man sie nicht begreift?» (Elimar Schubbe, «Dokumente zur Kunst-, Literatur- und Kulturpolitik der SED», S. 1092).

7 Dieser Bericht konnte nicht ermittelt werden.

8 Gemeint ist die Rezension vom 5. 12. 1965.

9 Paul Wiens war noch rund drei Jahre lang, bis 1969, Vorsitzender des Berliner Verbands.

10 Gemeint ist möglicherweise ein Diskussionsbeitrag auf dem 11. Plenum des ZK der SED vom 16.–18.12.1965, das bekanntlich einen großen Kahlschlag auf dem Gebiet der Kultur mit sich brachte. S. dazu die Stellungnahmen in der Sammlung von Elimar Schubbe, S. 1076ff. Namentlich wurden neben Stefan Heym Wolf Biermann und Manfred Bieler (wegen des nach seinem verbotenen Roman «Das Kaninchen bin ich» gedrehten Films) attackiert.
Kants Diskussionsbeitrag ist a. a. O. nicht überliefert.

11 Anspielung auf das Protest-Telegramm Kants an Klaus Höpcke vom 5.12.1965.

12 Der Treffbericht klingt so, als habe sich Kant gegen Manfred Bieler – vielleicht in Zusammenhang mit dem Film «Das Kaninchen bin ich» – ausgesprochen. In seinem «Abspann» (S. 291) behauptet er das Gegenteil: «Ich gehörte zu den geladenen Gästen der ZK-Tagung (vom Dezember 1965), denen man vorsorglich die Dokumente und Instrumente zeigte, und in einer Pause äußerte ich freundliches Urteil über einen Film, den Maetzig nach dem Buch ‹Das Kaninchen bin ich› gedreht hatte. Ich wiederholte nur, was die beiden Autoren seit einer Voraufführung in Babelsberg von mir kannten.»

13 Nach der Ablehnung der «Aula» durch Fritz J. Raddatz bei Rowohlt erschien sie bei Rütten und Loening.

14 Hermann Axen war von 1956 bis 1966 Chefredakteur des ND, seit Januar 1963 Kandidat des Politbüros, seit 1966 Sekretär des ZK der SED.

58. Treffbericht:
Über «Probleme der Verbandsarbeit»
(3.5.66)

Hauptabteilung XX/1/III   Berlin, 3. Mai 1966

Treffbericht

Quelle: GI «Martin»
Zeit: 2.5.66, 10.00–12.00
Ort: Wohnung des GI
Mitarb.: Oltn. Treike

Vereinbarungsgemäß informierte der GI zu Beginn des Treffs den
Unterzeichnet über den
   «Berliner Bild-, Buch- und Noten-Basar».
   Die dem GI gestellten Aufgaben konnte der GI nicht erfüllen, be-
dingt durch die Tatsache, daß der GI auf dem Buchbasar einen außer-
gewöhnlich großen Besucherandrang zu verzeichnen hatte. Der GI
hatte in 3 Stunden über 385 Bücher signiert und Fragen beantwortet.
Er hatte damit die höchste Verkaufanzahl auf dem Buchbasar er-
reicht. Bei den von dem GI verkauften Buch handelt es sich um das
Buch «Die Aula».[1]
   Nach der Beendigung des Buchbasars um 17.00 Uhr ist der GI (...)
nach Hause gefahren.
   Von einer Zusammenkunft einiger Schriftsteller nach dem Buchbasar ist dem GI nichts bekannt.
   Auf einige Probleme der Verbandsarbeit (DSV) eingehend sagte
der GI, daß sich die neue Leitung des DSV[2] fruchtbringend auf die
Arbeit des Verbandes bereits jetzt besonders auf organisat. Gebiet
auswirkt.
   Negative Meinungen über die neue Leitung des Verbandes hat der
GI noch nicht in Erfahrung gebracht. Im Gegenteil, die Präsidentin
des DSV Genossin Dr. Anna Seghers ist von der neuen Leitung sehr
angetan.
   Der GI informierte den Unterzeichner, daß er am 2. Mai 1966 von
dem Schriftsteller 〈Hermlin, Stephan〉 angerufen wurde, mit dem er

232

sehr gut befreundet ist. H. teilte dem GI mit, daß er soeben vom MfK die Mitteilung erhalten habe, daß seine in der Zeit vom 2.5.–10.5.66 nach Stuttgart geplante Reise zwecks Schriftsteller-Lesung vor Studenten im Club «Voltairie»[3] abgelehnt worden sei. Als Begründung sei ihm ⟨H.⟩ gesagt worden

«das er (⟨Hermlin⟩) wohl nicht der richtige
Botschafter der DDR»

sei. Der GI konnte nicht sagen, wer bzw. welcher Mitarbeiter des MfK ⟨H.⟩ dieses gesagt habe. Daraufhin hat ⟨H.⟩ sich beim Minister für Kultur, Genossen Gysi, beschwert und hat die Ausreiseerlaubnis erhalten.

⟨Hermlin⟩ ist sehr verärgert und verzweifelt. Sinngemäß sagte ⟨Hermlin⟩ zum GI:

«Wenn man mich weiter nicht ausreisen läßt, werde ich noch gezwungen werden auszuwandern – als Genosse und Bürger der DDR vertrete und verteidige ich die DDR überall nach besten Gewissen als überzeugter Sozialist – Auf der einen Seite erhalte ich zum 50. Geburtstag ein persönliches Schreiben des Genossen Walter Ulbricht und eine hohe staatliche Auszeichnung (Banner der Arbeit),[4] auf der anderen Seite hat man kein Vertrauen zu mir, indem man mich nicht reisen läßt.»

Gleichfalls ist ⟨Hermlin⟩ verärgert, daß er nicht zur Tagung des «Internationalen PEN-Kongreß»

vom 12.–18. Juni 1966

nach New York fahren darf. ⟨Hermlin⟩ hat zu diesem «PEN-Kongreß» eine persönliche Einladung des Sekretärs des Internationalen PEN-Clubs.[5] Diese Einladung ergibt sich aus der Tatsache, daß sich der Kongreß lt. Tagesordnung mit internationaler Lyrik[6] befaßt u. a. auch mit der Lyrik von ⟨Hermlin⟩ (dieses soll auf der Tagung ausgedrückt sein).

Das deutsche PEN-Zentrum «Ost und West» soll durch nachfolgende Personen auf dem «Internationalen PEN-Kongreß» vertreten werden:

1. Dr. GIRNUS, Wilhelm
   geb. ⟨27.1.1906⟩
   tätig: Chefred. der Zeitschrift «Sinn und Form»
2. Prof. HERZFELDE, Wieland
   geb. ⟨11.4.1896⟩

tätig: Literaturwissenschaftler

3. Prof. Dr. KAMNITZER, Heinz
   geb. ⟨10.5.1917⟩
   tätig: Rechtswissenschaftler

Als WD-Vertreter des PEN-Zentrum «Ost und West» nimmt der

4. WEISS, Peter
   geb. ⟨8.11.1916⟩
   tätig: Schriftsteller

teil.

Der GI hält die Zusammensetzung dieser Delegation als sehr unglücklich zum Nachteil der DDR. Wenn man bedenkt, daß die Delegation die erste offizielle DDR-Delegation in den USA sein wird. Die Gründe für die ungünstige Zusammensetzung sieht der GI in folgendem:

1. Der Delegation gehört kein Schriftsteller an, der bereits mehrere schriftstellerische Arbeiten nachweisen kann und international bekannt und anerkannt ist.[7]

2. Die altersmäßige Zusammensetzung der Delegation ist äußerst ungünstig,[8] z. B. ⟨...⟩ ist geistig nicht besonders rege.

3. ⟨Kamnitzer⟩ kommt mehr aus der wissenschaftlichen Arbeit, hat sich selbst nicht schriftstellerisch betätigt.

Auf Grund dieser Sachlage hat der GI sich beim Gen. Prof. Hager, Mitglied des Politbüros, zu einer Aussprache angemeldet, um seine Bedenken als Genosse und Schriftsteller sowie Funktionär des DSV über die Zusammensetzung der Delegation zum Ausdruck zu bringen.

(...)

Vor einigen Tagen hat der GI an einer Konferenz über kulturpolitische Fragen teilgenommen.

Auf dieser Konferenz hielt Genosse Gysi, Minister für Kultur, ein freisprechendes Referat von etwa 2½ Stunden.[9] Dieses Referat sollte Grundsatzfragen zur Kulturpolitik der DDR beinhalten. Es wurde jedoch durch das schlechte Referat des Genossen Gysi das Gegenteil erreicht.

Die überwiegende Mehrheit der Anwesenden waren über die Zumutung des Genossen Gysi empört und lehnten sein schlechtes Referat ab. So auch der GI, die Schriftsteller Kohlhaase, Küchenmeister, Rückert[10] und andere. Der GI vertritt den Standpunkt, daß man durch diese Konferenz der Kulturpolitik der DDR einen schlechten Dienst erwiesen habe.

Gegenwärtig arbeitet der GI mit dem Schriftsteller Günter Rükkert an einem Buch, das den «Kölner Kommunistenprozeß von 1852»[11] auf satirische Weise behandelt, zusammen.

(...)

Der GI teilte dem Unterzeichner mit, daß er sich auftragsgemäß bemüht habe in den vorbereitenden Gremien zur Jahreskonferenz des DSV mitzuarbeiten.

Der GI arbeitet in der Redaktionskommission zur Vorbereitung und Durchführung der Jahreskonferenz des DSV mit.

Auf den nächsten Treffs wird der GI über besondere Fragen, die sich in diesem Zusammenhang ergeben sollten, berichten.

Befragt nach der Hamburger Buchhandlung ⟨...⟩ sagte der GI, daß ihm diese nicht bekannt ist, jedoch wird er sich bei seinem nächsten Aufenthalt in Hamburg genauer informieren.

Der GI informierte den Unterzeichner, daß er in der Zeit vom 18.–24.5.1966 nach Hamburg und München zwecks Schriftstellerlesung fährt.

So wird er am 18.5.1966 vor dem «CVJM» Christlicher Verein Junger Männer und

am 23.5.1966 vor Studenten und anderen Personen Münchner Akademie

aus seinem Roman *Die Aula* lesen.

Beim letzten Passierscheinabkommen wurde der GI von dem Westberliner ⟨...⟩

Journalist der Zeitschrift «Konkret» angerufen. Der GI kennt den ⟨...⟩ seit früheren Jahren. ⟨...⟩ wird den GI demnächst besuchen. Der GI wird dem Unterzeichner darüber berichten.

Aufträge:

1. Fortsetzung der Gespräche mit ⟨Hermlin⟩
2. Information über den Stand der Vorbereitung der Jahreskonferenz und den damit im Zusammenhang stehenden Problem – ständig –
3. Information über aktuelle politische Meinungen und Stimmungen, bes. unter den Kreisen von Schriftstellern, Künstlern und Journalisten.

4. Informierung in Hamburg, ob es eine (⟨...⟩)-Buchhandlung gibt.
5. Den Kontakt zu den Westberliner Personen
   ⟨...⟩ und ⟨...⟩
   fortsetzen und die politische Haltung sowie Verbindungen und Absichten dieser Personen aufklären.
6. Informierung über das Ergebnis der Lesungen in Westdeutschland und die sich daraus ergebenen Probleme, Diskussionen, Verbindungen usw.

Maßnahmen:
1. Information über ⟨Hermlin⟩ auswerten.
   Beim DSV am 5.5.1966 nochmalige Rücksprache bezüglich der Internationalen PEN-Tagung in den USA
   Bericht im Zusammenhang mit angefallenen Personen im Referat auswerten.
   (...)
Nächster Treff nach telef. Vereinbarung.

Treike
Oberleutnant

---

1 In Konrad Frankes «Literatur der Deutschen Demokratischen Republik», Zürich und München 1974, S. 405, findet sich ein Foto von jenem Buchbasar, das Kant vor einer langen Schlange von Besuchern zeigt.
2 Seit März 1966 war Gerhard Henniger erster Sekretär des DSV.
3 Gemeint ist der Club Voltaire.
4 Der 50. Geburtstag Hermlins fiel auf den 13.4.1965.
5 Sekretär des Internationalen PEN–Club war zwischen 1951 und 1974 David Carver.
6 Zu dem Thema «The Writer as Independent Spirit» bei der Internationalen PEN-Tagung in New York, 12.–18.Juni 1966, gab es eine Reihe von «Sub-themes», darunter das «Poetry Aloud». Dazu heißt es: «A number of poets of our century have reaffirmed their independence by reading their own poems to public audiences, often to musical accompaniment. (...) In the present decade, as is well known, Russian poets have read their poems before vast crowds; Stefan Hermlin in East Berlin, Erich Kaestner in West Berlin (both introducing younger poets) (...)».

Nichtsdestotrotz durfte Hermlin nicht nach New York reisen, es fuhren Kamnitzer, Girnus und Herzfelde.

7 Girnus war seit 1964 Chefredakteur von «Sinn und Form». Für die Teilnahme Herzfeldes und Kamnitzers an dem New Yorker PEN-Kongreß mochte sprechen: Herzfelde hatte während des II. Weltkriegs in New York gelebt und dort den «Aurora»-Verlag geleitet, Kamnitzer hatte von ca. 1937 an bis Kriegsende in England und Kanada gelebt. Sie waren also beide des Englischen mächtig.

8 Girnus war 60 Jahre, Herzfelde 70, Kamnitzer 49.

9 In Elimar Schubbes Sammlung von Dokumenten zur Kunst-, Literatur- und Kulturpolitik der SED ist Gysis Rede nicht dokumentiert – vielleicht weil sie frei gesprochen war.

10 Gemeint ist Günther Rücker.

11 Rücker veröffentlichte das Werk allein, ein Schauspiel mit dem Titel «Der Herr Schmidt. Ein deutsches Schicksal mit Polizei und Musik», uraufgeführt 1969, das laut Meyers Taschenlexikon «Schriftsteller der DDR» «Vorgänge der Zeit nach 1848 und Umtriebe der Reaktion, die zum Kölner Kommunistenprozeß führten, zum Inhalt hat».

Die Pause

59. Stellungnahme der Kaderabteilung zu einer Westreise Hermann Kants (8. 2. 68)

Berlin, den 8. 2. 1968

Reisekader-Nr. 220/V
Name Kant   Vorname Hermann
Geburtsdatum 14. 6. 1926   Ort Hamburg
Wohnanschrift 108 Berlin, Unter den Linden 37/3
Arbeitsstelle freisch. Schriftsteller
Vorgesehener Einsatz 27. 2. – 1. 3. 68, Wien, Buchausstellung der DDR
Überprüfungsergebnis der Abteilung XII erfaßt für HA XX/1
Datum 22. 2. 1968
Stellungnahme zum Einsatz
Der kurzfristigen Ausreise wird auf Grund des umseitigen Ermittlungsergebnisses zugestimmt.

Leiter der Abt. / KD
Paroch

Einschätzung der politischen Zuverlässigkeit

Gen. Hermann Kant ist seit 1949 Mitglied der SED – von Beruf Elektriker, Literaturwissenschaftler und jetzt freischaffender Schriftsteller. Er ist Mitglied des DSV und ist seit Jahren Vors. der Westkommission des DSV. Als Schriftsteller tritt er parteilich auf und nimmt dazu auch öffentlich Stellung. Seine Beiträge über die neonazistische Entwicklung in WD wurden mehrfach im ND veröffentlicht.

Sein bekanntestes literarisches Werk ist «Die Aula», die dem Autor zu großer Popularität und Anerkennung nicht nur im Kreis der Schriftsteller, sondern auch unter den Werktätigen der DDR verhalf.

Welche Westverbindungen unterhält der Reisekader?

Befinden sich darunter republikflüchtige Personen?

War bzw. ist der Reisekader Mitglied einer gesamtdeutschen oder internationalen Gesellschaft?

Einschätzung der Verbindungen im Zusammenhang mit der bevorstehenden Ausreise.

Gen. Kant unterhält auf Grund seiner gesellschaftlichen Tätigkeit im Auftrag des DSV eine Anzahl Westverbindungen, die er auch benutzt, um Aufträge wie Buchlesungen, Forumsdiskussionen u. a. durchzuführen.

Einschätzung der Familien- und Vermögensverhältnisse.

Hinweise auf negative Charaktereigenschaften.

Welche Garantien für die Rückkehr gibt es?

Gen. Kant wurde 1967 von seiner Ehefrau geschieden und lebt jetzt mit der Schauspielerin 〈Vera Oelschlegel〉 [1] zusammen.

Die wesentlichsten Bindungen zur DDR bestehen in seiner parteilichen Haltung und in seinem vielfachen öffentl. Auftreten in pers. Diskussionen und in der Presse.

(...) Welche Reisen wurden von dem Reisekader bereits in das nichtsozialistische Ausland durchgeführt?

Traten dabei operativ zu beachtende Momente auf?

Gen. Kant führte in den letzten 3 Jahren folgende Reisen durch:

17.–23. 9. 64 WD – Frankfurt

11.–14. 11. 64 WD – Hamburg

22. 6.–4. 7. 65 WD

13.–18. 10. 65 WD – Frankfurt

24. 9.–3. 10. 65 Norwegen, Schweden, Dänemark

16. 9. 65 WB

20. 9. 65 WB

7.–9. 10. 65 WB

10.–20. 10. 66 Österreich

23.–30. 10. 65 WD

20.–22. 11. 65 WB

22.–30. 1. 66 WD

10.–11. 3. 66 WB

10.–15. 2. 66 WD

22.–27. 9. 66 WD

Einschätzung des Umgangskreises des Reisekaders:

Befinden sich darunter Personen, über die operatives Material vorliegt?

Gen. Kant hat ein enges Verhältnis zu dem Schriftsteller und Nationalpreisträger 〈Stephan Hermlin〉. 〈Hermlin〉 zeigt gewisse Vorbehalte gegenüber der Kulturpolitik unserer Parteiführung, die sich in Diskussionen und Auseinandersetzungen mit Gen. K. bei ihm ideologische Spuren hinterlassen und es traten Momente in Erscheinung, wo Gen. K. nicht exakt und prinzipiell reagierte.

---

1 Vera Oelschlegel, *5.7.1938, Schauspielerin, Chansonsängerin, Theaterleiterin, 1958–61 am Theater in Putbus, 1961 Mitglied des Deutschen Fernsehfunks, 1966 Gründung des «Ensemble 66», Auslandsgastspiele in mehr als 20 Ländern, seit 1975 Intendantin des «Theaters im Palast», in erster Ehe mit dem Schriftsteller Günther Rücker, in zweiter mit Hermann Kant, in dritter Ehe mit Konrad Naumann verheiratet.

60. Treffbericht:
GI «Wegener» über eine Sitzung der Westkommission des DSV
(3.4.68)

Hauptabt. XX/1/II   Berlin, den 3.04.1968

Treffbericht

Treff mit: GI «Wegner»[1]
Treff am: 2.04.1968 von 13.00–14.20 h
Treffort: KW «Casino»

«Wegner» erschien pünktlich zum Treff. Er war aufgeschlossen und berichtete auftragsgemäß über
1. seine erste Teilnahme an den Sitzungen der Westkommission der Auslandsabt. des DSV
2. Zusammenhänge des Verhaltens 〈...〉

3. Vorbereitung des Volksentscheids

Über die Sitzung der Westkommission der Auslandsabteilung des DSV am 1.04.1968 gab «Wegner» folgende Einschätzung und Information.

Zu Beginn der Sitzung, die durch den Vorsitzenden der Kommission, den Schriftsteller Hermann Kant, geleitet wurde, wurden die Schriftsteller Neutsch[2] und Noll[3] von ihrer Funktion als Mitglied der Kommission von ihrer Funktion entbunden, da sie an keinen Sitzungen im vergangenen Jahr teilnahmen.

In der nachfolgenden Bilanz der Tätigkeit der Westkommission im Jahre 1967 wurde im wesentlichen auf Westreisen der Schriftsteller

Kant, Hermann u.

Hermlin, Stephan

verwiesen und festgestellt, daß die Westarbeit des Verbandes sich einseitig auf bestimmte Schriftsteller orientiert und den gestiegenen Anforderungen nicht mehr entspricht.

Durch die Kommission, die durch die Schriftsteller

Kant, Hermann, Vorsitzender

Kraft, Ruth[4]

Cwojdrak, Günter[5]

Plavius, Heinz[6]

Görlich, Günter

Voigtländer, Anni[7]

vertreten wurde, wurden folgende Anträge auf Westreisen behandelt.

Hermlin, Stephan zur Universität Tübingen

Schneider, Rolf[8] zur Westberliner Techn. Universität

Plavius, Heinz zur Gruppe 61 nach München u. Hamburg

Berger, Friedemann[9] zur Evang. Akademie Westberlin

«64» zu Lesungen vor westdeutschen Studenten

Entschieden wurde:

Hermlin fährt zu Lesungen an die Universität Tübingen im Verlauf des Jahres 1968.

Schneiders Antrag wurde abgelehnt. Die Kommission entschied, daß Schneider ideologisch nicht in der Lage ist, eine Vorlesung über Gegenwartsliteratur der DDR zu halten

Kant wird mit ihm sprechen und ihm dies mitteilen.

(…)

1 Das Dokument stammt aus der Akte von Günter Görlich.
2 Erich Neutsch, *21.6.1931, Journalist und Erzähler, «Bitterfelder Geschichten» (1961), «Spur der Steine» (1964), «Die Prüfung» (1967).
3 Dieter Noll, *31.12.1927, Reporter und Romancier, «Die Dame Perlon und andere Reportagen» (1953), «Sonne über den Seen» (1954), «Mutter der Tauben» (1955), «Die Abenteuer des Werner Holt. Roman einer Jugend» (1960).
4 Ruth Kraft, *3.2.1920, Kinderbuchautorin, Erzählerin, «Insel ohne Leuchtfeuer» (1959), «Menschen im Gegenwind» (1965).
5 Günter Cwojdrak, *4.12.1923, Essayist, Kritiker, Herausgeber, «Der Fall Fechter» (1955), «Die literarische Aufrüstung» (1957), «Wegweiser zur deutschen Literatur» (1962), «Eine Prise Polemik» (1965).
6 Heinz Plavius, *8.8.1929, Literaturwissenschaftler, Essayist und Kritiker, 1965–72 stellvertretender Chefredakteur von NDL.
7 Annie Voigtländer, als Mitarbeiterin der Zeitschrift «Aufbau» nachweisbar.
8 Rolf Schneider, *17.4.1932, Hörspiel- und Fernsehautor, Erzähler und Romancier, Dramatiker, «Verliebt in Mozart» (1960), «Prozeß Richard Waverley» (1961), «Der Mann aus England» (1962), «Zwielicht» (1966), «Prozeß in Nürnberg» (1968).
9 Friedemann Berger, *13.4.1940, Erzähler, Lyriker, «Eine lange, dunkle Nacht» (1968).

61. Einschätzung und Vorschlag zu Umregistrierung von GI «Martin» zum IMS (26.11.68)

HA XX/1   Berlin, 26.11.68

Einschätzung und Vorschlag zur Umregistrierung

GI «Martin» Reg. Nr. 5909/60
männlich
42 Jahre
Linie: Schriftsteller

Mit dem GI wird seit dem 6.8.1957 inoffiziell zusammengearbeitet. Die Werbung selbst erfolgte am 1.2.1963 auf der Basis der politisch-ideologischen Überzeugung. Er[st] seit diesem Zeitpunkt arbeitet der GI unter seinem Decknamen. Eine schriftliche Verpflichtung liegt nicht vor.

Der GI gehört zu den profiliertesten Schriftstellern der DDR. Er ist Mitglied des Vorstandes des Deutschen Schriftstellerverbandes und Vorsitzender der Westkommission des DSV.

Im Verlaufe der letzten Jahre hatte der GI zahlreiche Reisen nach Westdeutschland und übrige kapitalistische Ausland sowie ins sozialistische Ausland. Auf diesen Reisen hielt er Lesungen aus seinem literarischen Schaffen.

In der Zusammenarbeit zeigte der GI eine umfassende und zuverlässige Berichterstattung über sämtliche Probleme und Vorkommnisse, welche mit seinen Reisen zusammenhingen.

In seiner Berichterstattung über Personen aus Schriftstellerkreisen übt der GI jedoch eine gewisse Zurückhaltung, wobei durchaus nicht von unehrlicher Berichterstattung gesprochen werden kann. Der GI ist beruflich und persönlich stark liiert mit einem namhaften DDR-Schriftsteller, welcher unter operativer Kontrolle gehalten wird, da dieser eine ablehnende Haltung in den Fragen der Kulturpolitik der Partei und Regierung einnimmt.[1] Der GI kennt den Standpunkt dieses Schriftstellers, als dessen Zögling sich der GI betrachtet. In seiner Berichterstattung bemüht sich der GI daher, stets so zu berichten, daß keine Belastung für diesen Schriftsteller entsteht. Der GI berichtete bisher stets mündlich.

Er besitzt ein ausgesprochen kritisches und objektives Urteilsvermögen. Seine Allgemeinbildung ist sehr hoch. Er verfügt über eine ausgesprochen talentierte und anpassungsfähige Redegewandtheit.

Der GI besitzt auch operativ interessante Verbindungen zu westdeutschen Journalistenkreisen. Das trifft besonders auf die Hamburger Wochenzeitung «Die Zeit» zu.[2]

Eine Dekonspiration ist bisher nicht aufgetreten. Jedoch konnte operativ immer wieder in Erfahrung gebracht werden, daß in Schriftstellerkreisen der DDR[3] und auch Westdeutschlands[4] darüber geredet wird, daß der GI für das MfS arbeitet. Bisher ließen aber alle diese Äußerungen erkennen, daß es sich um Vermutungen handelt, welche in diesen Kreisen gelegentlich über viele andere Personen auch angestellt werden. Der GI selbst ist darauf bedacht, seine Dekonspiration zu wahren.[5]

Verdachtsmomente der Unehrlichkeit sind bisher bei dem GI nicht aufgetreten, wenn man davon absieht, daß er in seiner Berichterstattung über DDR-Schriftsteller zurückhaltend ist.

Die Perspektive der weiteren Zusammenarbeit mit dem GI besteht darin, daß er zur Absicherung innerhalb des Vorstandes des DSV eingesetzt wird und unter Ausnutzung seiner zahlreichen Auslandsverbindungen als Abschöpfquelle genutzt wird, wobei die Möglichkeit besteht, ihn zur Personenaufklärung außerhalb des Gebietes der DDR einzusetzen.

Der GI wurde bisher stets in seiner eigenen Wohnung getroffen. Er hatte aus Zeitgründen darum gebeten, ihn den Weg in eine KW zu ersparen.

Im Verlaufe der letzten 2 Jahre wurden mit dem GI keine Treffs durchgeführt.[6]

Die Verbindung zum GI wird zum Jahreswechsel 1968/69 erneut hergestellt.

Es wird vorgeschlagen, den GI als IMS[7] umzuregistrieren.

Schönfelder, Oltn.[8]
Brosche, Major[9]
Referatsleiter

1 Bei diesem Schriftsteller handelt es sich um Stephan Hermlin.
2 In einem Treffbericht vom 7. 4. 1965 hatte Kant umfangreiche «Einschätzungen» von ZEIT-Mitarbeitern wie Marion Gräfin Dönhoff, Kai Hermann, Dieter E. Zimmer, Rudolf Walter Leonhard, Theo Sommer, Uwe Nettelbeck und Marcel Reich-Ranicki geliefert.
3 Kant selber erwähnt in seinem «Abspann» (S. 488), daß Herbert Nachbar ihn zu einem nicht genannten Zeitpunkt «in Halles Hotel ‹Roter Ochse› aus sehr, sehr blauem Himmel zum Geheimen ernannte».
4 So in Alfred Kantorowicz' «Deutschem Tagebuch» und in Günther Zehms Artikel in der «Welt» vom 3. 4. 1964.
5 Gemeint ist: seine Konspiration zu wahren bzw. sich vor Dekonspiration zu wahren.
6 Kant arbeitete in diesen zwei Jahren, seit Beginn seiner Beziehung zu Vera Oelschlegel, intensiv an seinem Roman «Das Impressum».
7 IMS = Inoffizieller Mitarbeiter zur politisch-operativen Durchdringung und Sicherung des Verantwortungsbereiches, eine für das MfS besonders bedeutsame Kategorie von inoffizieller Mitarbeit. Laut «Wörterbuch der Staatssicherheit», hg. vom Bundesbeauftragten für die Unterlagen des Staatssicherheitsdienstes der ehemaligen Deutschen Demokratischen Republik, Reihe A, Nr. 1/93, S. 198f., ist der IMS ein «IM, der wesentliche Beiträge zur allseitigen Gewährleistung der inneren Sicherheit im Verantwortungsbereich leistet, in hohem Maße vorbeugend und schadensverhütend wirkt und mithilft, neue Sicherheitserfordernisse rechtzeitig zu erkennen sowie durchzusetzen. Seine Arbeit muß der umfassenden, sicheren Einschätzung und Beherrschung der politisch-operativen Lage im Verantwortungsbereich und der Weiterführung des Klärungsprozesses ‹Wer ist wer?› dienen.»
8 Werner Schönfelder, *11. 3. 1931, seit 1. 7. 1962 Sachbearbeiter in der HA XX.
9 Karl Brosche, *21. 10. 1926, seit 9. 3. 1964 Referatsleiter der HA XX/1.

62. Bericht:
Über Kontaktaufnahme mit IMS «Martin» (31. 10. 69)

Hauptabteilung XX/7/II   Berlin, den 31. 10. 1969

Bericht

zum Treff mit dem IMS «Martin»
am 31. 10. 1969 in der Zeit von 10/00 Uhr bis 11/00 Uhr
Wohnung des IMS

Verlauf des Treffs:
Der Treff mit dem IMS Martin fand auf Grund eines Anrufes des IMS
am 30. 10. 1969 statt. Mit dem IMS gab es in der Vergangenheit
Schwierigkeiten in der Treffdurchführung, es ist seit längerer Zeit der
1. Treff mit dem IMS.

Vereinbarungsgemäß suchte unterzeichnenten Mitarbeiter den
IMS in seiner Wohnung auf und stellte sich als verantwortlicher Mitarbeiter vor.

Darauf ging der IMS sofort zum Grund seines Anrufes, wo er um
eine dringende Aussprache bat über.[1]

Er erklärte, daß er auf seiner letzten Lesereise in Westdeutschland
im Oktober 1969 einige Vorkommnisse hatte, welche seiner Meinung
nach für unser Organ wichtig seien. Anschließend gab der IMS den in
der Anlage befindlichen Bericht.

Darauf wurde dem IMS erklärt, daß sich unterzeichnenter Mitarbeiter freut, daß er selbst diese Fragen als wichtig einschätzte und uns
selbständig trotz der langzeitigen Unterbrechung der Verbindung informierte.

Der IMS äußerte sich dazu in der Form, daß er der Meinung sei, daß
man nicht nur platonische Erklärungen zum Aufbau des Sozialismus
zum Ausdruck bringen kann, sondern sich auch dafür aktiv einsetzen
muß, schließlich sei er Genosse und nicht nur ein Parteibuchträger,
das MfS sei seiner Meinung nach ein Teil der Partei und demzufolge
sei es seine Pflicht auch das MfS zu unterrichten.

Auf der Grundlage seiner Information wurde dem IMS durch den

Mitarbeiter erklärt, daß gerade in der gegenwärtigen politischen Situation von seiten westlicher Geheimdienste der ideologischen Unterwanderung große Aufmerksamkeit geschenkt wird und daß unterzeichneter Mitarbeiter es deshalb sehr begrüßen würde, wenn der IMS bereit wäre uns etwas aktiver als es in der Vergangenheit war, bei der Sicherung unseres Staates zu unterstützen.

Dazu erklärte der IMS, daß er selbstverständlich dazu bereit sei. Er betrachte es als seine parteiliche Pflicht als Genosse.

Der IMS erklärte sich auch bereit, wenn es von unserer Seite als erforderlich gehalten wird an dem von ihm gegebenen Hinweis weiter zu arbeiten.

Einschätzung und Verhalten des IMS während des Treffs:

Der IMS machte in der Aussprache einen aufgeschlossenen Eindruck und gab die Mitteilungen ohne Zögern. Jedoch hatte es den Anschein, daß der IMS nur das berichtet, was er selbst als wichtig für das MfS erachtet. Er liebt keine große Aggitation sondern ist für kurze und exakte Aussprachen wo konkrete Aufgaben und Probleme abgesprochen werden. Bei einer allegemeinen Treffdurchführung ohne konkrete opr. Aufgaben, wo der IMS selbst in der Lage ist deren Bedeutung zumindest zu einem gewissen Teil einzuschätzen werden mit dem IMS in der opr. Arbeit keine Erfolge erzielt werden können, da er für solche Treffs seine Zeit zu kostbar hält.

Zur Frage an den IMS, welche Ursachen es geben könne, daß man sich von westlicher Seite gerade jetzt für den IM interessiert erklärte er, daß dies möglicherweise mit der Herausgabe seines neuen Werkes «Das Impressum» beim Aufbauverlag im Zusammenhang stehen könnte, da es dabei einige Schwierigkeiten gebe.[2] Er hoffe aber diese Fragen in der bevorstehenden Aussprache mit dem Gen. ⟨Haid⟩ und dem Gen. Hager zu klären.

Über die Probleme der Schwierigkeiten bei der Herausgabe seines neuen Buches ließ er sich beim Treff nicht aus.

Zu einem weiteren Treff war der IMS bereit und es wurde festgelegt, diesen etwa in 14 Tagen telefonisch zu vereinbaren.

Pönig[3]
Leutnant

1 Grund für die erneute Kontaktaufnahme Kants mit dem MfS war vor
  allem die Begegnung mit seinem früheren Kommilitonen Horst Strobel
  von der Arbeiter- und Bauernfakultät Greifswald in Bonn-Bad Godes-
  berg, die er im folgenden Bericht schildert.
2 Die Auseinandersetzungen um seinen Roman «Das Impressum» beschreibt Kant in seinem «Abspann» auf den Seiten 286ff. Beispielsweise nannte Bruno Haid, von 1963–1973 Leiter der Hauptverwaltung
  Verlage und Buchhandel, den Text in einem Atemzug «erstens philose-
  mitisch, zweitens antisemitisch und drittens pornografisch» («Abspann», S. 287). Der Vorabdruck in dem FDJ-Organ «Forum» wurde
  abgebrochen, die fertigen Druckbogen des Romans lagen rund drei
  Jahre ungebunden in einem Magazin.
3 Rolf Pönig, *16.10.1938, seit 1.9.1969 Sachbearbeiter der HA XX/7.

63. Bericht:
IMS «Martin» über die Begegnung
mit einem ABF-Kommilitonen
(31.10.69)

Hauptabteilung XX/7/II   Berlin, den 31.10.1969

Abschrift vom Tonband

Quelle: IMS «Martin»
entgegengenommen: Ltn. Pönig
Tag der Aufnahme: 31.10.1969

Bericht

Am 24. Oktober 1969 war ich im Verlauf einer Lesereise in Bad Go-
desberg bei Bonn. Kurz vor Beginn der Veranstaltung die im ehemaligen Godesberger Bahnhof stattfand. Dieser Bahnhof ist zu einem
Kulturinstitut sozusagen von privater Hand ausgebaut worden, erschien unter den vielen Besuchern ein Mensch der mich sehr enthu-
siastisch, wie einen guten alten Bekannten begrüßte und von dem ich
zunächst nicht wußte, wo ich ihn hintuen sollte. Aber langsam klärte

sich die Sache, ich kannte ihn einmal als einen Studienkameraden an der ABF in Greifswald, wo ich 1949 das Studium aufgenommen hatte. Ich hatte seinen weiteren Lebensweg längst aus dem Auge verloren, und wußte nicht recht, was mit ihm anzufangen war, merkte nur, daß er jetzt Bundesbürger war.[1]

Er erkundigte sich nach zwei Bekannten von mir einem ⟨Gerd Micklich⟩ («Puschkin» genannt)[2] und einem ⟨Dieter Knoll⟩[3], die sind beide Genossen und Wissenschaftler bei uns, er fragte wie es diesen so ginge, ich sagte es ginge ihnen gut und dann erzählte er von einigen Leuten die ebenfalls damals an der ABF gewesen sind, und die jetzt im Westen seien. Er nannte einen gewissen ⟨Mischa Hartwig⟩[4] der lange Zeit als Wissenschaftler in den USA gearbeitet hätte, jetzt aber irgendwo in einer kleinen Klitsche, wie er sich ausdrückte in WD beschäftigt sei und nicht auf die Füße gekommen sei und einem ⟨Kaminski⟩[5] der eine Wäscherei im Ruhrgebiet hätte. Im Laufe des Gesprächs wie gesagt es fand alles kurz vor Beginn meiner Veranstaltung statt, erzählte er von sich selber. Er habe jetzt gerade das Medizinstudium beendet, sei kurz vor dem Abschluß und hoffe zu Weihnachten Dr. med. zu sein und wolle sich dann als praktischer Arzt in ein kleines Dorf zurückziehen.

Nun passt diese Geschichte in sofern nicht ganz zu seinem Alter, er ist etwa, ich schätze 40 Jahre alt.

Das ist ansich in WD nicht das übliche Alter, wo man noch Medizin Studien betreibt

Dann plötzlich erkundigte er sich, wie er sich ausdrückte ob er mir nicht einen 50.Mark Schein zustecken könne, griff auch schon demonstrativ in die Taschen, und als ich das ziemlich erstaunt ablehnte und sagte ich sei auskömmlich versehen, meinte er, aber es gäbe doch Sachen die ich nicht hätte und die man bei uns auch nicht bekäme z. Bsp. Medikamente, er sei ja in diesem Bereich tätig und er könne mir jede Art von Medikamenten ohne weiteres besorgen und wenn ich jetzt nicht wüßte, welche ich brauchte dann könnte ich es ihn ja auch anders wissen lassen. Ich brauchte nur zu schreiben, seinen Namen ⟨Horst Strobel⟩ zu schreiben und die Adresse anzugeben Mensa Venusberg Bonn. Die Privatadresse gab er mir nicht. Diese Adresse benutzt er offenbar postlagernd in der Universitätsmensa.

Ich machte auch dazu ziemlich deutlich, daß ich keinen Bedarf an solchen Sachen hätte. Er merkte wohl, daß ich etwas erstaunt war und bemerkte noch es sei nicht so, daß er nichts hätte, machte plötzlich einen Schwenker und sagte es sei sehr komisch, was wir im Fernsehen da gemacht hätten über ihn und als ich ihn fragte wieso, sagte er na ja 〈Strobel〉, der Mauerbrecher[6] und jetzt war mir wirklich alles unklar, ich sagte erzähl mal, was heißt das, und dann erzählte er: «Er sei noch an der ABF verhaftet worden, wegen politischer Diversionstätigkeit» Eine Sache, die mir insofern erinnerlich ist, daß es einmal etwas gegeben hat, aber das muß zu einer Zeit gewesen sein, als ich entweder nicht mehr da war, oder ich habe die Dinge nicht sehr genau mitbekommen. Ich weiß nur, daß da einmal etwas war, aber daß er darin verwickelt war wußte ich nicht.

«Ja sagte er er sei dann zu 10 Jahren Zuchthaus verurteilt worden, 1961 entlassen, nach Westberlin gegangen und von dort aus habe er später einen gewissen 〈Erdmann〉[7] welcher mit ihm zusammen im Zuchthaus war und an derselben Universität an der ABF war, durch die Mauer geholt, wie er sich ausdrückte und darüber sei wohl bei uns im Fernsehen berichtet worden unter einer Überschrift wie etwa 〈Strobel〉 der Mauerbrecher».

Das sei ja alles Unsinn und es sei ja ganz anders gewesen usw.

Dies alles erzählte er in einem sehr leutseligen und fast plump vertraulichem Ton.

Es kam zu einem Natürlichem Ende des Gespräches, da der Beginn der Veranstaltung heran war.

Nach dieser Veranstaltung, die aus Lesung und Diskusion bestand, wollte er wieder zu mir herankommen, ich hatte aber vorher ohne von einer solchen Begegnung wie dieser zu wissen gesagt zu dem Veranstalter, daß es so üblich ist, daß bestimmte Leute das Bedürfnis hätten sich noch persönlich mit einem zu unterhalten, wozu ich aber keine Lust hätte weil es meistens Spinner wären. Ich sagte ihm als er kam, die Veranstalter hätten mich eingeladen, denn er wollte mit mir noch wohin, ein Glas Bier oder Wein trinken. Dann mußterte er diese Veranstalter und sagte, das wären ja lauter feine Leute, da passe er sowieso nicht hin. Aber seine Adresse hätte ich ja nun und wenn ich irgend etwas brauchte so solle ich mich ja Melden.

In diesen Zusammenhang gehört es nicht unbedingt aber es ist möglicherweise kein Zufall, ich hätte es möglicherweise nie gedacht, daß eine Verbindung zwischen diesem und dem anderem Ereignis, vom dem ich jetzt reden will bestehen könnte, aber ausgeschlossen sind ja solche Dinge nicht. In Düsseldorf ein paar Tage vorher bei einer ähnlichen Veranstaltung kam ich am Nachmittag zu dem Buchhändler ⟨...⟩ und ich erfuhr von ihm, wie er sagte, bedauerlicher Weise hätten sie versäumt mir ein Hotelzimmer zu bestellen, es sei nähmlich eine Modemesse in Düsseldorf und dementsprechend alles voll, aber es ließe sich da ja eine gewisse Aushilfe schaffen, es sei eine Kundin von ihm gekommen und hätte gesagt, sie hätte mal mit mir zusammen studiert irgendwo er wüsste nicht genau ob in Greifswald oder Berlin, sie hätte so einen Doppelnahmen, er wüsste auch den nicht mehr genau so wie Frau ⟨...⟩ – Bindesstrich und noch einen Nachnahmen hieße, und diese hätte ihm gesagt, falls ich keine Quartier haben sollte könnte ich ruhig bei ihr wohnen, sie hätte heute Geburtstag, deswegen könnte sie nicht kommen.

Aber wenn ich dann rauskommen wollte zu ihr, dann wäre ich jederzeit willkommen. Es handelte sich bei der Buchhandlung um eine, deren Inhaber ⟨...⟩ heist. Sie befindet sich in Düsseldorf Oberkassel

Eine dritte Anmerkung möchte ich auch noch machen, die mit den beiden vorgenannten Dingen allerdings weniger zu tun hat.

In Hamburg in der Buchhandlung ⟨...⟩, sagte mir die Inhaberin Frau ⟨...⟩, daß eine Woche vor mir der ehemalige DDR Bürger und Schriftsteller ⟨Manfred Bieler⟩[8] dort gewesen sei und der hätte zufällig gehört, wie sie am Telefon etwas über Plakate für meine Veranstaltung besprochen hätte. Und als sie fertig war hätte er gesagt, so der K. kommt auch hierher, was soll ich den davon halten, dann ist das hier wohl eine Anlaufstelle. Als sie sagte, was heist Anlaufstelle, wieso, was soll das, na sagte er, das ist doch bekannt, daß K. ein Offizier für Aufklärung ist und wenn ich gewußt hätte, daß der bei ihnen hier verkehrt würde ich nicht gekommen sein. Aber es ist gut daß ich das weiß ich fahre ja noch mehr herum in der Bundesrepublik und wenn ich irgendwohin komme werde ich mal davor warnen daß dieser Kerl, der angeblich Schriftsteller ist auch von denen aufgenommen wird. Er sagte weiter, daß Leute aus der DDR, die Schriftsteller sind und ausreisen dürfen in Wirklichkeit etwas ganz anderes sind.

Ich glaube das ist sehr nützlich zu wissen, denn so ist nun der Weg von Herrn ⟨Bieler⟩ verlaufen.

Das als Ende dieser Information.

Pönig
Leutnant

1 Es handelte sich um den ABF-Kommilitonen Horst Strobel,
  *2. 2. 1930.
  Strobel gehörte zu einer ganzen Gruppe von ABF-Studenten, die 1953
  verhaftet und aus politischen Gründen zu langjährigen Haftstrafen verurteilt wurde. Kant hielt ihn in typischer Projektion für einen Mitarbeiter westlicher Geheimdienste und berichtete darüber in seinem «Abspann»: diese schickten «einen Kerl gegen mich vor, der sich benahm,
  als habe Erich Loest ihn ersonnen. Er trug tatsächlich einen ehedem
  cremefarbenen schmuddeligen Ledermantel und versuchte tatsächlich,
  mir fünfzig Westmark in die büchersignierende Hand zu drücken, und
  tatsächlich bot er an, er werde jedes gewünschte und in der DDR nicht
  auftreibbare Medikament für mich besorgen, und erreichen könne ich
  ihn postlagernd in der Mensa der Bonner Universitätskliniken, tatsächlich. Während andere Besucher meine Unterschrift wollten oder nach
  meinen Vorbildern fragten, gab mir der hilfreiche Mensch Bescheid, er
  sei einmal Mitstudent von mir an der ABF, zugleich Mitarbeiter des
  Ostbüros der SPD, dann Häftling in Bautzen und schließlich tunnel-
  bauender Fluchthelfer in Westberlin gewesen, aber jetzt bei Willy
  [Brandt] gehöre ein Schwamm über das alles, und ob er mir wirklich
  nicht die eine oder andere Freude machen könne. Meine Andeutun-
  gen, das könne er, indem er verschwinde, drangen nicht durch sein
  schmuddelbeiges Leder. Aber als der literarischere Teil meiner Beglei-
  tung mich in das Weinlokal Maternus schleppte, ließ er von mir ab,
  wenngleich nicht ohne den Versuch, eine alte Gemeinsamkeit zwischen
  uns wiederherzustellen. Das sei kein Platz für uns einfache Leute, sagte
  er, und ich werde schon sehen: Dort söffen nur die oberen Zehntau-
  send.»
2 Hier liegt eine Verwechslung vor – den Spitznamen «Puschkin» hatte
  an der ABF Greifswald ein gewisser Gerd Ludwig, *3. 5. 1932.
3 Dieter Knoll, *12. 4. 1931.
4 Mischa Hartwig, *11. 3. 1930.
5 Karlheinz Kaminski, *26. 5. 1930, mußte als «nicht tragbar» die ABF
  verlassen, weil sein Vater, von Haus aus Schlossermeister, im Zweiten
  Weltkrieg Offizier geworden war. Wurde 1953 wegen «antisowjeti-
  scher Hetze» zu vier Jahren Haft verurteilt, von denen er dreiviertel
  Jahre verbüßte. Ging nach seiner Entlassung ins Ruhrgebiet und baute
  dort eine Kette von 15 chemischen Reinigungen auf.
6 Der DFF-Film über «Strobel, den Mauerbrecher», ein großangelegtes
  Fluchtunternehmen, bei dem rund 60 Menschen unterirdisch Ost-Berlin verließen, wurde nach Auskunft H. Strobels von einem gewissen
  Dieter Matern gedreht.

7 Horst Erdmann, *28.11.1927, 1949–1951 Student an der AFB Greifswald, anschließend Studium der Medizin, 1953 verhaftet und zu 11 Jahren Zuchthaus verurteilt wegen «Gruppenbildung und Widerstands-
tätigkeit» gegen das DDR-Regime. Nach voller Strafverbüßung im
August 1964 Flucht nach Westberlin. Tätigkeit als Journalist.
8 Manfred Bieler war 1965 aus Ost-Berlin nach Prag übersiedelt und 1968
nach München.

64. Bericht:
Recherche des MfS über das «Impressum» (12.11.69)

Hauptabteilung XX/7   Berlin, den 12.11.1969
                                            Bro/Ko

Bericht

Am 11.11.1969 führte der Unterzeichnete weisungsgemäß ein Gespräch mit dem Stellvertreter des Ministers für Kultur, Genossen
⟨Haid⟩.

Genosse ⟨Haid⟩ teilte mit, daß er dem Genossen Generalleutnant
⟨...⟩ bei einem Empfang bereits angedeutet habe, daß es gegenwärtig Schwierigkeiten mit dem Schriftsteller Hermann KANT gibt, bei
denen sich auch einige ernsthafte Mängel in der Leitungstätigkeit des
Aufbau-Verlages zeigen.

Hermann KANT hat ein bisher noch nicht veröffentlichtes Buch
mit dem Titel «Das Impressum» geschrieben und dem Aufbau-Verlag zur Veröffentlichung angeboten. Der Inhalt des Buches soll ausdrücken, wer und wie ein Bürger in der DDR Minister wird. Dabei
legt der Autor einige Aspekte der bisherigen Entwicklung, auch
durchgeführte parteierzieherische Probleme, die er über den Genossen ⟨Joachim Hermann⟩[1], Staatssekretariat für westdeutsche Fragen, in Erfahrung brachte, seinem Buch zugrunde. Dabei wurden
von ihm wesentliche Punkte seiner positiven Entwicklung weggelassen und negative Seiten subjektiv betrachtet und besonders verzerrt
herausgestellt.

Dadurch erhielt der Gesamtcharakter des Buches einen für die Deutsche Demokratische Republik nicht typischen, unrichtigen und schädlichen Inhalt.

Seit März 1969 gibt es nun die verschiedensten Auseinandersetzungen der Leitung des Aufbau-Verlages mit Hermann KANT, bei denen das Buch eingeschätzt und KANT zu Veränderungen aufgefordert wurde, denen er auch soweit nachkam – einzelne Worte oder Ausdrücke zu verändern – ohne, daß der eigentliche Sinn und Charakter des Buches verbessert wurde.

Genosse ⟨Haid⟩ klagte darüber, daß die Leitung des Aufbau-Verlages das Buchmanuskript des Hermann KANT mit ungenügenden Gutachten und unzureichenden Veränderungen dem Genossen ⟨Haid⟩ vor einiger Zeit zustellte und ihm die Auseinandersetzung mit KANT überließ. Dazu kam noch, daß der Leiter des Aufbau-Verlages Dr. ⟨Voigt⟩[2] keine Einwände gegen Vorabdrucke dieses Romans im «FORUM» beim Autor geltend machte und es gestattete, daß der Verlag diese Vorabdrucke an den westdeutschen Luchterhand-Verlag weitergab.

Daraufhin begann in Westdeutschland das Interesse für dieses Buch zu steigen. Ohne Kenntnis des Genossen ⟨Haid⟩ und vorheriger Ablehnung des Deutschen Schriftstellerverbandes, erhielt Hermann KANT in dieser Situation vom Minister für Kultur, Genossen ⟨Gysi⟩ im Oktober 1969 eine Befürwortung für eine Reise nach Westdeutschland, wo er Lesungen aus seinem Buch die «Aula» durchführen wollte. Darüberhinaus gab Hermann KANT in Westdeutschland, ohne daß er dafür autorisiert war, ein Interview und ließ sich zu Wertungen hinreißen, die im Zusammenhang mit der Regierungsübernahme durch ⟨Brandt⟩ standen, bevor seitens der DDR dazu offiziell Stellung genommen wurde.[3]

In der weiteren Auseinandersetzung der Hauptverwaltung Verlage und Buchhandel im Ministerium für Kultur mit Hermann KANT weigert sich dieser, Veränderungen am Inhalt seines Buches vorzunehmen und wandte sich beschwerdeführend an die Partei, weil sich die Hauptverwaltung Verlage unter diesen Umständen weigert die Drucklizenz zu erteilen.

Daraufhin wurde Anfang November (Genosse ⟨Haid⟩ konnte sich nicht genau erinnern) ein Gespräch bei dem Genossen Prof. HAGER zu diesem Komplex geführt, an dem neben Genossen ⟨Haid⟩

Genosse Dr. ⟨...⟩, Genosse Dr. ⟨Voigt⟩ auch Hermann KANT teilnahm.

In diesem Gespräch wurde eindeutig klargestellt, daß Hermann KANT durch die Vorabdrucke und sein Verhalten in Westdeutschland die DDR unter Druck setzen und damit die staatliche Genehmigung erzwingen wollte.

Genosse Prof. HAGER orientierte in dieser Aussprache darauf, daß die Hauptverwaltung Verlage ein starkes Lektorenkollektiv kurzfristig benennt, welches gemeinsam mit dem Autor das Buch inhaltlich so verändert, daß es noch ein brauchbares literarisches Werk wird.

Genosse ⟨Haid⟩ deutete an, den Leiter des Aufbau-Verlages, Genossen Dr. ⟨Voigt⟩ ablösen zu wollen und ihn evtl. durch den jetzigen Verlagsleiter und früheren Minister für Kultur, Genossen ⟨Hans Bentzien⟩ [4], zu ersetzen.

Diesbezüglich würde Genosse ⟨Haid⟩ auf den Rat des Ministeriums für Staatssicherheit Wert legen.

Brosche
Major

Anlage:
– Interview Hermann KANT
in der westdeutschen Zeitung
«Vorwärts» vom 6. 11. 1969 –

---

1 Joachim Herrmann, *29. 10. 1928, †30. 7. 1992, Journalist und Politiker, hatte eine ähnliche Entwicklung wie der Held von Kants «Impressum», David Groth, der es vom Laufjungen zum Minister bringt. Hermann war 1945–49 Botenjunge, Redaktionsvolontär, Hilfsredakteur und Redakteur der «Berliner Zeitung», 1949–52 stellvertretender Chefredakteur und 1954–60 Chefredakteur der «Jungen Welt», 1960–62 Mitarbeiter des ZK der SED, 1962–65 Chefredakteur seines alten Blattes, der «Berliner Zeitung», 1965–71 im Staatssekretariat für Gesamtdeutsche bzw. Westdeutsche Fragen, 1967 Kandidat, 1971 Mitglied des ZK der SED, 1971–78 Chefredakteur des «Neuen Deutschland», 1973–78 Kandidat, dann Mitglied des Politbüros der SED, seit 1978 verantwortlich für Agitation und Propaganda.
2 Fritz-Georg Voigt, *21. 11. 1925 in Magdeburg. Seit 1963 Cheflektor

des Aufbau-Verlags und seit 1966, als Nachfolger Klaus Gysis, Leiter des Aufbau-Verlags und des Verlags Rütten & Loening. Vom MfS pikanterweise als «IM Kant» geführt.

3 Es handelt sich um das Interview mit dem Bonner «Vorwärts» vom 6. 11. 1959. Darin heißt es u. a.:

«FRAGE: Wie schätzen Sie die neue Regierungskonstellation in Bonn ein?

ANTWORT: Ich halte den Regierungswechsel für einen Fortschritt. Ich hoffe, daß die Politik der Regierung Brandt sich zugunsten des Friedens, der Entspannung und zugunsten der Arbeiter auswirkt. Bonn hat jetzt die Chance, sich von einer reaktionären Vergangenheit zu lösen, unhaltbare Verhärtungen abzubauen und aus einer festgefahrenen Situation herauszukommen.

FRAGE: Halten Sie die völkerrechtliche Anerkennung der DDR für eine unabdingbare Voraussetzung der Verhandlungen zwischen den beiden deutschen Regierungen?

ANTWORT: Ich halte die völkerrechtliche Anerkennung für eine verständliche Zielsetzung seitens der DDR-Regierung, aber ich glaube, man wird auch vorher miteinander reden können und müssen. Diskriminierung jedenfalls tötet das Gespräch.

FRAGE: Halten Sie es für möglich, daß seitens der SED-Führung und der DDR-Regierung ähnliche Auffassungen vertreten werden?

ANTWORT: Ich empfehle der neuen Regierung dringend, das selbst herauszufinden.

FRAGE: Halten Sie die SPD insgesamt für eine progressive Kraft?

ANTWORT: Fraglos sind in der SPD Potenzen einer fortschrittlichen Entwicklung vorhanden. Allerdings hat mir die bisherige Praxis der SPD keinen Beifall abgerungen. Ich bin Kommunist, und als solcher setze ich natürlich nicht auf die Politik der SPD. (...)»

Bei seiner Rückkehr in die DDR sah sich Kant harscher Kritik des Parteiapparates ausgesetzt. Für die SED war das Interview ein «so dikker Hund, daß sich das Politbüro mit ihm befaßte und beschloß, die zeitweilige Unterbrechung eines Romanabdrucks [nämlich des «Impressums»] zum Dauerzustand zu erheben und nun auch der Buchfassung desselben Werkes ein Ende zu setzen. (...) Denn der Interviewte war – hier kommt der Hund – auf die Brandt-Linie übergelaufen.» («Abspann», S. 300).

Um das Schlimmste abzuwenden, veröffentlichte Kant am 30. 11. 1969 im «Neuen Deutschland» eine Art Widerruf unter dem Titel «Auskunft an Bedürftige».

4 Hans Bentzien, *4.1.1927, war von 1961 bis 1966 Minister für Kultur, 1966–75 war er Direktor des Verlags «Neues Leben». Er löst Voigt also nicht als Leiter des Aufbau-Verlages ab, wohl aber als Lektor des «Impressums». Kant berichtet darüber im «Abspann» (S. 330): «Hans Bentzien, Ex-Kulturminister, nach einer Honecker-Rede auf dem 11. Plenum abgesetzt, inzwischen Verlagsleiter von Neues Leben, brachte als mein Berater neues Leben in ein schon alterndes Buch – Philosemitismus, Antisemitismus und Pornografie entgingen ihm gänzlich, aber er wußte, welche Stellen den Jugendverband und dessen Patrone unnötig reizen mußten (...)».

5 Karl Bosche, *21.10.1926, seit 15.8.1969 stellvertretender Abteilungsleiter der HA XX/7.

Immer Ärger mit Wolf Biermann ...

65. Treffbericht:
Generalversammlung des PEN der DDR
und Konflikt mit Wolf Biermann
(3. 4. 70)

Hauptabteilung XX/7   Berlin, den 3.4.1970
                                                Pö/Ta

                            Treffbericht

Quelle: IMS «Martin»
Zeit: 3.4.1970 – 14.00 – 16.00 Uhr
Ort: Wohnung des IMV
MA: Hptm. Reinhardt[1], Oltn. Pönig

Treffverlauf:
«Martin» war zum vereinbarten Treff pünktlich anwesend. Beim
Treff berichtete er ohne zu zögern und machte einen aufgeschlosse-
nen Eindruck.

Berichterstattung:
«Martin» berichtete mündlich über die am 2.4.1970 stattgefundene
Generalversammlung des PEN-Zentrums DDR.

So erklärte «Martin», daß für die technische Vorbereitung der Generalversammlung des PEN-Zentrums DDR der amtierende Generalsekretär, Genosse Ihlberg[2] verantwortlich war.

In der am 2.4.1970, 9.00 Uhr, stattgefundenen Parteigruppenversammlung wurde durch Ihlberg bekannt gegeben, daß er auch die ausländischen und westdeutschen Mitglieder des PEN-Zentrums DDR
eingeladen hat u. a. Ernst Fischer[3]. Soweit der IM informiert war, soll
Ihlberg am 1.4.1970 also einen Tag vor Beginn der Generalversammlung, Gen. Kammnitzer[4] informiert haben, daß er Ernst Fischer u. a.

eingeladen hat. Am gleichen Tag soll auch erst der Gen. Dr. Hochmuth[5], Dr. Kahle[6] und Gen. Röder[7], Kulturabteilung des ZK von der Einladung Ernst Fischers Kenntnis erhalten haben.

«Martin» ist der Ansicht, daß dies durch Ihlbergs völlige Schußligkeit passierte und Ihlbergs politisches Denken völlig abgehe. So hat es Ihlberg fertig gebracht, die parteilosen Schriftsteller Dr. Hacks und Heiner Müller als Genossen anzuschreiben und zur Parteigruppenversammlung, zu welcher auch die Genossen des ZK eingeladen waren, einzuladen. Hacks, der entsprechend der Einladung von Ihlberg, 9.00 Uhr erschienen war, äußerte, daß er an so einer Verschwörung nicht teilnehme.

10.00 Uhr zum Beginn der Generalversammlung erschien auch Wolf Biermann, welcher Mitglied des PEN-Zentrums DDR ist. Zum Verlauf der Generalversammlung des PEN-Zentrum DDR: Gen. Kammnitzer hielt das Referat in dem besonders auf die außenpolitische Wirksamkeit des PEN eingegangen wurde. Hierbei spielte die Frage der Beteiligung an nationalen und internationalen Tagungen eine wesentliche Rolle.

So nahm das DDR PEN-Zentrum DDR nicht an der Exekutivtagung des PEN 1969 in Menton/Frankreich teil, da dort trotz des Protestes des PEN-Zentrum DDR beschlossen werden sollte, die nächste Tagung des Internationalen PEN in Söul/Südkorea[8] durchzuführen, wo der Präsident Südkoreas die Tagung eröffnen soll.

Zu diesem Problem sprach in der Diskussion Wiens und Ahrendt[9]. Beide vertraten die Meinung, man solle sich gründlich überlegen, ob es richtig sei, Söul als Tagungsort abzulehnen, oder ob es nicht besser sei, an dieser Tagung in Söul teilzunehmen, um die progressiven Kräfte im Internationalen PEN zu stärken.

Zur Frage der Teilnahme an der Internationalen PEN-Tagung in Südkorea war festgelegt, daß durch die Generalversammlung eine Protestnote verabschiedet wird, in welcher erklärt wird, daß das DDR PEN-Zentrum den Tagungsort Söul/Südkorea und die dabei beabsichtigte Besichtigung des 38. Breitengrades unter dem Schutz von US-Truppen als Provokation ansieht und nicht daran teilnimmt.

Vor der Mittagspause sprach noch Gen. Gottsche[10] zu Wolf Biermann, wobei er besonders Biermanns Auftreten im Westfernsehen verurteilte.[11]

In der Mittagspause fand eine Beratung mit dem Genossen des

ZK[12] statt. Hierbei wurde erörtert, ob im weiteren Verlauf der Tagung der Ausschluß von Biermann erreicht werden kann.

«Martin» erklärte, daß er in dieser Beratung die Meinung vertreten habe, daß es nicht möglich ist, auf Grund der Zusammensetzung der Teilnehmer, die nach dem Statut erforderliche 2/3-Mehrheit an Stimmen für einen Ausschluß von Biermann aus dem PEN-Zentrum DDR zu erreichen. Seiner Meinung nach werden von den anwesenden 24 Teilnehmern

Dr. Hacks	Rolf Schneider
Dr. Bunge	Franz Fühmann
Heiner Müller	Kurt Stern
Kahlow[13]	Jeanne Stern
Ahrendt[14]	Stefan Hermlin
Gloger[15]	Dinka Nelken[16]
Biermann	Huppert[17]

nicht für einen Ausschluß Biermanns aus dem PEN-Zentrum DDR zustimmen.

Deshalb solle der Generalversammlung der Vorschlag unterbreitet werden, daß sich das Präsidium mit Biermann befaßt und vom Präsidium die Frage des weiteren Verbleibs Biermann im PEN-Zentrum DDR geklärt wird.

Dieser Vorschlag wurde akzeptiert.

Nach der Pause sprach Wolf Biermann und erklärte dabei u. a. folgendes:

Was soll das PEN-Zentrum DDR, es sei ein aufgeblasenes Ding, eine leere Hülse.

Er sehe nicht ein Wofür er 50,– Mark Beitrag bezahlen soll. Im übrigen möchte Biermann wissen, was es soll, da reisen immer welche im Namen des PEN in der Welt herum und würden angeblich die PEN-Mitglieder der DDR vertreten, so auch ihn, er wüßte jedoch nichts davon.

Desweiteren erklärte Biermann, daß ja die PEN-Arbeit inden letzten Jahren sehr inaktiv gewesen sei, ihm aber die PEN-Arbeit wichtig sei. Weiterhin erklärte Biermann, daß er die Sendung des Westfernsehens in der seine Lieder gebracht worden seien nicht kenne und deshalb keine Stellung dazu nehmen kann.

Auf Grund dieser Erklärung wurde Biermann aufgefordert, eine offizielle Erklärung abzugeben, daß er sich von der Sendung des

Westfernsehens, welche ohne sein Wissen gestaltet wurde, distanziert und verurteilt. Zu dieser Frage nahm Biermann keine Stellung.

Da Biermann keine Stellung nahm wurde den Teilnehmern der Tagung vorgeschlagen, daß sich das neue Präsidium mit Biermann befassen werde und mit Biermann dann die weitere Auseinandersetzung führen werde. Darauf erklärte Biermann provokatorisch, daß er nicht daran denke, diesem Antrag zuzustimmen und sich mit dem Präsidium auseinanderzusetzen.

Zu dem Antrag, daß sich das neue Präsidium mit Biermann auseinandersetze nahmen die Schriftsteller Wiens, Gloger und Ahrendt [14] Stellung. Sie vertraten die Meinung in der Diskussion, daß Biermann nicht Sache des Präsidiums sei, sondern der gesamten Generalversammlung.

Die Abstimmung über den Antrag, daß sich das neue Präsidium mit Biermann auseinandersetze, ergab, daß von den 24 Teilnehmern 16 für den Antrag stimmten, 5 Gegenstimmen und 3 Stimmenthaltungen.

«Martin» vertrat zum Statut des PEN-Zentrum DDR die Ansicht, daß dies in einer Teestunde zusammengebastelt sei. Dies sei aus den unmöglichen Punkten ersichtlich wie Fragen der Beschlußfähigkeit der Generalversammlung u. a. [18]

Auf Antrag von Dr. Hacks wurde in das neue Statut zum Punkt Wahlen aufgenommen, daß Wahlen geheim erfolgen.

Als Präsident wurde Gen. Prof. Kammnitzer vorgeschlagen. Welskopf-Henrich [19] schlug als Präsident Dr. Hacks vor. Hacks lehnte ab. Durch Wolf Biermann wurde Stephan Hermlin als Präsident vorgeschlagen, welcher ebenfalls ablehnte.

Gen. Prof. Kammnitzer wurde mit einer Gegenstimme als neuer Präsident des PEN-Zentrum DDR gewählt.

Ihlberg wurde als neuer Generalsekretär von der Generalversammlung nicht bestätigt. Da somit kein Generalsekretär vorhanden war, beschloß das neue Präsidium Ihlberg bis zur Klärung – Neubesetzung – dieser Funktion als kommissarischen Generalsekretär zu bestätigen.

Es war wie «Martin» berichtete zu dieser Generalversammlung vorgesehen, 10 neue Mitglieder aufzunehmen. Diese Vorschläge waren vorher mit dem ZK der SED abgestimmt und in der Parteigruppe beraten.

Nach dem diese Vorschläge der Generalversammlung unterbreitet worden waren, machte Biermann den Vorschlag Fritz Rudolf Frieß[20] aufzunehmen. Daraufhin schlug Bruno Apitz Gerhard Bengsch vor, wonach 8 weitere Vorschläge folgten.

Folgende Vorschläge waren «Martin» noch erinnerlich:

Mickel[21]   Sahra Kirsch[23]

Jentsch, Bernd   Welm[24]

Batt[22]

Die Wahlhandlung ergab, daß von den vorgesehenen 10 Neuaufnahmen nur 7 Mitglieder aufgenommen wurden.[25]

Gestrichen wurden

Achim Roscher[26] NDL

Wogatzki[27]

Helmut Hauptmann[28] NDL

Das Protokoll der Generalversammlung fertigte eine gewisse Frau ⟨...⟩, welche «Martin» nicht näher bekannt war. Soweit «Martin» feststellen konnte, besaß die ⟨...⟩ keine sonderlichen Fähigkeiten, um ein solches Protokoll ordentlich zu fertigen. «Martin» befürchtet, daß im Protokoll wesentliche Fragen fehlen werden.

«Martin» erklärte weiter, daß in der Beratung mit den Genossen des ZK festgelegt wurde, die politische Einflußnahme der Genossen PEN-Mitglieder auf die Arbeit des PEN-Zentrum DDR zu verstärken.

«Martin» vertrat die Meinung, daß Biermann die Generalversammlung mit der Absicht zu stören bzw. zu provozieren besuchte. Er werde jedoch seinen Einfluß bei der geplanten Auseinandersetzung des Präsidiums mit Biermann geltend machen, um den Ausschluß Biermanns aus dem PEN-Zentrum DDR zu erwirken.

Zur Internationalen Organisation des PEN teilte «Martin» folgende Probleme mit.

Das internationale PEN-Zentrum entwickelt eine besondere Aktivität in Aktionen gegen die sozialistischen Staaten. So sei das Internationale PEN-Zentrum 1956 zu den Ungarnereignissen provokatorisch in Erscheinung getreten und habe die konterrevolutionären Kräfte unterstützt. Auch 1968 während der CSSR-Ereignisse wurden gleiche Aktionen organisiert, die darin gipfelten, daß ein illegaler Sender in der CSSR durch das internationale PEN-Zentrum unterstützt wurde.[29]

«Martin» berichtete, daß das Internationale PEN-Zentrum durch den CIA stark unterwandert sei, was schon darin seinen Ausdruck finde, daß der Präsident des Internationalen PEN-Zentrum Pirre Emamel[30], welcher Direktor des «Europäischen Kongreß für Freiheit», einer Organisation des CIA ist. Bei der Wahl des Pirre Emamel zum Präsidenten des internationalen PEN lehnte das PEN-Zentrum DDR Pirre Emanuel aus vorgenannten Gründen ab. In einem offiziellen Brief, welchen Prof. Dr. Kammnitzer an Pirre Emanuel richtete, wurde diesem mitgeteilt, daß die DDR ihm wegen seiner Zugehörigkeit zum CIA als Präsidenten ablehne. Darauf hat Pirre Emanuel Kammnitzer geantwortet, daß er doch nicht vom CIA bezahlt werde, sondern sein Geld von der Ford- und Thyssenstiftung bekäme.

«Martin» berichtete, daß für die Provokation die Tagung des internationalen PEN in Söul durchzuführen, ebenfalls Pirre Emanuel verantwortlich sei.

Zu seiner Frankreichreise berichtete der IM:

Bereits vor Antritt seiner Reise erhielt «Martin» einen Brief von einem ⟨Dr. H. Mohr⟩[31], wo dieser ihm mitteilte, daß er ein Freund von ⟨Tilmann⟩ – Westfalen[32], Vorsitzender des Hochschulassistentenbundes in WD sei, erhalten hat. «Martin» lernte Tillmann bei einer Buchlesung in Bochum kennen.

⟨Mohr⟩ wollte «Martin» bei seinem Aufenthalt in Frankreich unbedingt persönlich sprechen.

Bei Martins Lesung in Besanson Frankreich versuchte ⟨Mohr⟩, welcher an der dortigen Universität als deutscher Gastlektor tätig ist mit «Martin» ins Gespräch zu kommen.

Er lud «Martin» zu sich in die Wohnung ein. Durch «Martin» werden nach seinen Angaben alle Einladunge ausgeschlagen. Ein weiterer deutscher Gastlektor, welchen «Martin» in Straßburg kennenlernte mit namens ⟨...⟩ erklärte ihm, daß er von WD aus mit der Parole «Rathenau ist wichtiger als Goethe» auf die Reise geschickt wurde.

«Martin» erklärte noch, daß er einen ausführlichen Bericht über seine Frankreichreise für den Gen. Axen anfertigte. Auf diesen Bericht wurde durch unterzeichneten Mitarbeiter nicht eingegangen, sondern «Martin» erklärt, daß uns als MfS nur Fragen interessieren, welche im Zusammenhang mit den Aufgaben des MfS stehen.

«Martin» berichtete, daß der Schriftsteller Peter Weiß einen Brief an die Deutsche Akademie der Künste zu Berlin geschrieben hat, wo er sein Programm dargelegt habe.[33]

Diesen Hinweis hat «Martin» von 〈Wiens〉.

In der Zeit vom 5.–19.5. 1970 wird «Martin» im Auftrag des Verlages «Volk und Welt» eine Reise nach Stockholm durchführen, um die Texte für einen Bildband zu schreiben.[34] «Martin» erklärte noch zum Schluß des Treffs, daß er uns das Protokoll der PEN-Tagung zur Einsichtnahme zur Verfügung stellen will, sobald er es erhalten hat.

Nächster Treff: wird telefonisch vereinbart.
gefertigt: 2 Exemplare

Pönig
Oltn.

---

1 Peter Reinhardt, *8.1.1932, seit 1.9.1969 Hauptsachbearbeiter der HA XX/7.

2 Gemeint ist Werner Ilberg. Er fungierte seit 1.10.1968, seit dem Ausscheiden Ingeburg Kretzschmars, als Generalsekretär des DDR-PEN. Das Deutsche PEN-Zentrum (Ost) teilte mit: «Nach dem in unserer Ablage befindlichen 15seitigen Ormig-Protokoll (...) erhielt Werner Ilberg 20 von möglichen 23 Stimmen für seine Zuwahl in das nunmehr 11köpfige Präsidium, kommisarisch hatte er das Amt schon vorher geführt. Gewählt worden war er ursprünglich (wahrscheinlich in der vorangegangenen Generalversammlung) zum Vorsitzenden der Revisionskommission, aus dieser Funktion scheidet er mit seiner Kandidatur als Präsidiumsmitglied aus. Vielleicht bringt da der vorliegende Bericht etwas durcheinander. Ab Mai 1974 unterzeichnet Henryk Keisch Einladungen u. ä., er wird in der GV vom Oktober 1975 zum Generalsekretär gewählt, Ilberg bleibt aber Präsidiumsmitglied bis zu seinem Tode im Dezember 1978».

3 Ernst Fischer, *3.7.1899, †11.8.1972, Journalist, Dramatiker, Essayist, «Das Schwert des Attila» (1924), «Erinnerungen und Reflexionen» (1969). Fischer war wegen seines Protestes gegen den Einmarsch des Warschauer Pakts in die Tschechoslowakei 1969 aus der KPÖ ausgeschlossen worden. Deswegen galt seine Einladung zu einer Generalversammlung des DDR-PEN als Fauxpas.

4 Kamnitzer war seit 1967 Vizepräsident des DDR-PEN.

5 Arno Hochmuth war Leiter der Abteilung Kultur des ZK der SED.

6 Werner Kahle, *1935, Diplomphilosoph, Hochschullehrer.

7 Gen. Röder von der Kulturabteilung des ZK – Näheres nicht ermittelt.

8 Die Generalversammlung des DDR-PEN vom 2.4.1970 verabschiedete eine knapp zwei Seiten lange Entschließung, in der sie gegen die Wahl von Seoul als Tagungsort des nächsten Internationalen PEN-Kongresses protestierte.

Sie nannte die Entscheidung, in Seoul zu tagen, «eine eklatante Abkehr von den humanistischen Aufgaben des PEN»: «Seoul ist Basis des terroristischen südkoreanischen Geheimdienstes, der jeden dem Regime verdächtigen Schriftsteller, Arbeiter, Journalisten, Wissenschaftler, Studenten oder anderen Bürger mit den verwerflichsten Mitteln ins Zuchthaus oder Gefängnis schleppt. Erschreckende Beispiele aus jüngster Zeit sind international unbestritten.»

9 Gemeint ist Erich Arendt.

10 Gemeint ist Otto Gotsche, *3.7.1904, †17.12.1985, Funktionär und Schriftsteller, «Tiefe Furchen» (1949), «Zwischen Nacht und Morgen», «Auf den Straßen die wir selber bauten», «Die Fahne von Kriwoj Rog», «Unser kleiner Trompeter» (1961). Als persönlicher Sekretär Walter Ulbrichts und Sekretär des Staatsrats (1960–71) galt Gotsche als Scharfmacher.

11 Bei dem Auftritt Biermanns im Westfernsehen vor 3.4.1970 handelt es sich möglicherweise um eine Gedenksendung zum 100. Geburtstag Lenins, der sich am 22.4. jährte. Es ist sehr wohl denkbar, daß ein Zusammenhang besteht zu der «Abschrift vom Tonband» vom 21.7.1970, in der die Rede ist von Biermanns «Mitwirkung an einer WD Fernsehsendung die antileninistischen Charakter hatte».

12 Gotsche war seit 1966 Mitglied des ZK der SED. Auf der Anwesenheitsliste vom 2.4.70, die 29 Namen umfaßt, ist er das einzige ZK-Mitglied.

13 Gemeint ist Heinz Kahlau, nicht Heinz Kahlow! Letzterer war nicht Mitglied des PEN.

14 Gemeint ist wieder Erich Arendt!

15 Gotthold Gloger, Erzähler und Fernsehautor, *17.6.1924, «Philomela Kleespieß trug die Fahne» (1953), «Der Soldat und sein Lieutenant» (1955), «Das Aschaffenburger Kartenspiel» (1969).

16 Dinah Nelken, *16.5.1900, †14.1.1989, Erzählerin, Funk- und Filmautorin, «ich an dich» (1939), «ich an mich» (1952), «addio amore» (1957), «Spring über deinen Schatten, spring!» (1954), «Von ganzem Herzen» (1964).

17 Hugo Huppert, *5.6.1902, †25.3.1982, Lyriker, Novellist, Essayist, Übersetzer, «Sibirische Mannschaft» (1934), «Flaggen und Flügel»

(1938), «Der Heiland von Dachau» (1945), «Georgischer Wander-
stab» (1954), «Kerngesundes Land» (1961), «Münzen im Brunnen»
(1965), «Wladimir Majakowski» (1965), «Erinnerungen an Majakowski» (1966).

18 Das Statut des DDR-PEN besagt hinsichtlich der Beschlußfähigkeit der Generalversammlung: «Die Generalversammlung ist bei Anwesenheit von mindestens 15 Mitgliedern beschlußfähig. Sie faßt
ihre Beschlüsse mit einfacher Mehrheit, ausgenommen bei Aufnahme neuer Mitglieder, für die eine Zweidrittelmehrheit notwendig
ist.

Bei Beschlußunfähigkeit muß eine neue Generalversammlung ein-
berufen werden, die dann unabhängig von der Zahl der Anwesenden
beschlußfähig ist.»

19 Liselotte Welskopf-Henrich, *15.9.1901, †16.6.1979, Historikerin
und Kinderbuchautorin.

20 Gemeint ist Fritz Rudolf Fries, *19.5.1935, Erzähler und Übersetzer,
«Der Weg nach Oobliadooh» (1966), «Der Fernsehkrieg» (1969). –
Fries wurde erst 1972 Mitglied des DDR-PEN.

21 Karl Mickel, *12.8.1935, Lyriker, Dramatiker, Erzähler, Essayist,
«Lobverse und Beschimpfungen» (1963), «Vita nova mea» (1966),
«Nausikaa» (1968).

22 Kurt Batt, Lektor und Essayist, *11.7.1931, †20.2.1975, «Untersu-
chungen zur Auseinandersetzung zwischen Klaus Groth und Fritz
Reuter» (1958), «Fritz Reuter. Leben und Werk» (1967), «Unmittel-
barkeit und Praxis. Zur ästhetischen Position von Anna Seghers»
(1970).

23 Gemeint ist Sarah Kirsch, *16.4.1935, Lyrikerin, Prosaistin, «Land-
aufenthalt» (1967).

24 Gemeint ist Alfred Wellm, *22.8.1927, Erzähler, Film- und Jugendbuchautor, «Pause für Wanzka oder Die Reise nach Descansar»
(1968).

25 Aufgenommen wurden Volker Braun (21 Stimmen), Günter de
Bruyn (20), Wolfgang Kohlhaase (20), Irmtraud Morgner (19),
Benno Pludra (17), Günther Rücker (16) und Alfred Wellm (18). Abgelehnt wurden Sarah Kirsch (15), Kurt Batt (12), Bernd Jentzsch
(14), Fritz Rudolf Fries (10), Peter Edel (13), Jens Gerlach (10), Helmut Hauptmann (12), Rainer Kerndl (12), Heinz Knobloch (12),
Achim Roscher (8), Benito Wogatzki (7), Karl Mickel (14) und Gerhard Bengsch (5).

26 Achim Roscher, *23.9.1932, Kritiker, seit 1954 Redakteur der NDL.

27 Benito Wogatzki, *31.8.1932, Erzähler, Funk- und Fernsehautor,

«Meine besten Freunde» (1965/68), «Die Geduld der Kühnen» (1967), «Zeit ist Glück» (1968), «Die Zeichen der Ersten» (1969), «Klassenauftrag» (1970).

28 Helmut Hauptmann, *12. 3. 1928, Erzähler, Essayist, Fernsehautor, Lektor der NDL, «Das Geheimnis von Sosa» (1950), «Der Unsichtbare mit dem roten Hut» (1958), «Das komplexe Abenteuer Schwedt» (1964), «Blauer Himmel, blaue Helme» (1965), «Ivi» (1969).

29 Auf dem internationalen PEN-Kongreß Anfang September 1957 in Tokio griff der ungarische Exil-Autor Paul Tabori das ungarische PEN-Zentrum an, weil seit 1949 weder Zusammenkünfte noch Wahlen abgehalten worden seien. Außerdem habe das ungarische Zentrum gegen die internationale PEN-Charta verstoßen, die alle Mitglieder verpflichte, für Gedankenfreiheit und gegen jede Form der Zensur zu kämpfen. Ein Antrag, das ungarische PEN-Zentrum während der Untersuchung dieser Vorwürfe zu suspendieren, wurde allerdings abgelehnt. Nach dem Einmarsch des Warschauer Pakts in der CSSR im August 1968 zogen Arthur Miller als Präsident des internationalen PEN und David Carver, der Generalsekretär, die Einladung an den sowjetischen Schriftstellerverband zur beobachtenden Teilnahme an der PEN-Tagung in Genf Anfang September zurück. Außerdem forderten Miller und Carver in einem Telegramm an den sowjetischen Staatspräsidenten Podgorny die Freilassung verhafteter tschechoslowakischer Schriftsteller. Gleichzeitig wurden alle 79 PEN-Clubs in der Welt aufgefordert, ähnliche Telegramme nach Moskau zu schicken. Als verhaftet wurden gemeldet Eduard Goldstücker, Jan Procházka, Milan Kundera, Bohumil Hrabal, Karel Kosík, Alexander Kliment, Ludvik Vaculik, Vaclav Havel, Milan Uhde, Jiri Kolar, Ladislav Mnačko und andere. Im Oktober 1968 verabschiedete das Exekutivkomitee des internationalen PEN in Genf eine Resolution, in der es verlangte, eine baldige Wiederherstellung der normalen Lage in der Tschechoslowakei solle es den Schriftstellern ermöglichen, ohne fremde Einmischung ihre Arbeit fortzusetzen. Ebenso solle das tschechoslowakische PEN-Zentrum seine normale Tätigkeit wiederaufnehmen können. Westliche PEN-Mitglieder hatten ursprünglich eine Resolution entworfen, in der die Invasion der CSSR verurteilt wurde. Kommunistische Mitglieder des PEN hatten dies jedoch verhindert.

30 Gemeint ist Pierre Emmanuel, *3. 5. 1916, †22. 9. 1984, Lyriker und Kritiker. Emmanuel war Mitglied der Résistance und gab mit Aragon zusammen «Les Etoiles» heraus. Im Oktober 1949 sagte er sich anläß-

lich des Schauprozesses gegen László Rajk in Ungarn von der kommunistischen Partei los und galt seither für orthodoxe Kommunisten als Renegat und wurde während seiner Zeit als Präsident von PEN-International (1969–1971) entsprechend angegriffen.

Er war Direktor der «Association Internationale Pour La Liberté De La Culture». Präsident war der Amerikaner M. Shepard Stone. Mitglieder des Leitungskomitees waren u. a. Marion Gräfin Dönhoff, Waldemar Besson, John Kenneth Galbraith, Manès Sperber und Ignazio Silone. Finanziers waren die Ford Foundation, Agnelli, die Thyssen- und die Volkswagen-Stiftung.

31 Dr. Heinrich Mohr äußert sich zu den fraglichen Sachverhalten folgendermaßen: «An die Lesung, an die anschließende Diskussion und an ein Gespräch beim Wein erinnere ich mich durchaus und meine Frau hat meinem Gedächtnis zusätzlich aufgeholfen:
Kant las aus dem Manuskript seines erst viel später publizierten Romans ‹Der Aufenthalt›. In der Diskussion, die anschloß, habe ich nach Christa Wolfs ‹Nachdenken über Christa T.› gefragt, genauer, nach dem Verschwinden des Buches nach seiner Veröffentlichung. (…) Kant antwortete beschwichtigend, bestritt das faktische Verbot des Romans.

Nach der Lesung gab es ein Abendessen des Lehrkörpers mit Kant. Ich saß aber nicht in seiner Nähe. Nach dem Essen bin ich und der zweite deutsche Lektor – mit Kant zu einem Wein in ein anderes Lokal gegangen. Wir waren also zu dritt.

Kant erzählte aus seiner Vita – Gefangenschaft in Polen – Verwechslung mit einem SS-Mann – und ich frug nach Biermann und dessen Auftritts- und Publikationsverbot. Kant bekundete seine Schätzung des Talentes Biermanns; menschlich sei er aber schwierig. Ihm – Kant – verübele er, daß er ihm einmal gesagt habe, in einem (welchem?) Text könne doch das Wort ‹Arsch› zweimal wegfallen. Er hoffe, daß Biermann bald wieder veröffentlichen und auftreten könne. –

Ich habe Kant zu einem Besuch bei uns – wir wohnten auf dem Land in einem kleinen Dorf – eingeladen, was er mit Bedauern ablehnte, weil er schon am nächsten Tag abreisen mußte. –

So weit meine Erinnerungen.

Zum Bericht des IM Martin: die Tendenz (er hat sich den Mohr tunlich vom Hals gehalten) stimmt nicht. Was allenfalls von Interesse hätte sein können, die Fragen nach Wolf und Biermann bleiben unerwähnt.»

32 Gemeint ist Tilmann Westphalen.

33 Der Brief von Peter Weiss aus dem Frühjahr 1970 an die Akademie
   der Künste mit seinem «Programm» konnte im Archiv der Akademie
   bislang nicht gefunden werden – weder im Nachlaß von Paul Wiens
   noch dem des Akademiepräsidenten Konrad Wolf. Evtl. könnte ein
   Brief von P. Weiss an Wilhelm Girnus vom 4.6.1969 gemeint sein, der
   Aussagen über sein Verhältnis zur DDR und seinen politischen Standpunkt enthält.
34 Gemeint ist der Band «In Stockholm» (1971) mit Bildern von L. Re-
   her.

66. Einschätzung von IMS «Martin»
(14. 4. 70)

Hauptabteilung XX/7/II   Berlin, den 14.4.1970

                              Einschätzung

über IMS «Martin» Reg. Nr. 5909/60

Der IMS wurde 1960 durch den Gen. Paroch zur Zusammenarbeit mit
dem MfS geworben.

Die Werbung erfolgte auf der Basis der Überzeugung.

Bis 1965 war eine kontinuierliche Zusammenarbeit mit dem IMS zu
verzeichnen. Ab 1965 wurde der IM bis Oktober 1969 aus unbekannten Gründen nicht mehr getroffen.[1]

Unterzeichnenter Mitarbeiter nahm auf Grund eines Anrufes des
IM die Verbindung mit diesem auf.

Bei den durchgeführten Treffs machte der IMS einen aufgeschlossenen und offenen Eindruck. Er berichtete mündlich. Bei den durchgeführten Treffs konnte festgestellt werden, daß der IMS Interesse an
einer engen Verbindung mit dem MfS zeigt. Wichtig ist die Zusammenarbeit mit dem IMS besonders zur Sicherung der Auslandsarbeit
des PEN Zentrum DDR dessen Präsidiumsmitglied der IMS ist.

Hinweise, welche auf eine Dekonspiration des IM hindeuten wurden nicht bekannt. Der IM ist auf die Einhaltung der Konspiration
bedacht.

Entsprechend seiner politisch ideologischen Entwicklung ist der IM in der Lage feindliche Tentenzen zu erkennen.

Am 14. 4. 1970 wurde durch den Genossen Major Brosche angewiesen den IM ab sofort nicht mehr zu treffen.[2]

Pönig
Oberleutnant

---

1 Der letzte Treffbericht vor der längeren Pause stammte vom 7. Februar 1966. Wie aus dem Bericht vom 31. 10. 1969 hervorgeht, gab es zwischen Februar 1966 und Oktober 1969 «Schwierigkeiten bei der Treffdurchführung». Worin diese wiederum begründet waren, darüber läßt sich nur spekulieren: vielleicht in Kants Beziehung zu Vera Oelschlegel, die ca. 1966 begann und vom MfS am 16. 1. 1967 zu Protokoll genommen wurde, sowie in der intensiven Arbeit am «Impressum».

Sinnigerweise intensivierte sich Kants Zusammenarbeit mit dem MfS in dem Augenblick wieder, in dem auch Vera Oelschlegel indirekt zum Wohl des MfS zu wirken begann: durch die Mitwirkung an der Fernsehfilm-Serie «Rendezvous mit Unbekannt» anläßlich des 20. Jahrestags der Gründung des MfS. Das MfS bedankte sich bei ihr brieflich im Februar 1970:

«Ihre persönliche Leistung hat wesentlich dazu beigetragen, dem Filmwerk eine hohe Wirksamkeit zu verleihen und der Öffentlichkeit ein Bild zu vermitteln vom kompromißlosen Kampf der Staatssicherheit gegen die Feinde des Friedens und des Sozialismus» (s. Vera Oelschlegel, «Wenn das meine Mutter wüsst ... ». Selbstportrait. Frankfurt am Main, Berlin 1991, S. 81).

2 Die Gründe für das Treff-Verbot durch Major Brosche sind unbekannt. Es hatte auch nur knapp 14 Tage Gültigkeit.

67. Bericht:
Gerüchte über eine Frankreich-Reise
(27. 4. 70)

Hauptabteilung XX/7   Berlin, den 27. 4. 1970
                                                       Pö/Ta
                          Bericht

Aussprache mit IMS «Martin» am 27. 4. 1970 von
12.15–12.45 Uhr

Die Aussprache fand auf eigenen Wunsch von «Martin» statt, indem
er Unterzeichner auf der Friedrichstraße ansprach und um eine kurze
Unterredung bat.

«Martin» entschuldigte sich als erstes beim Unterzeichner, daß er
noch nicht in der Lage war, uns das versprochene Protokoll der Generalversammlung des PEN-Zentrums DDR zur Verfügung zu stellen.
Als Grund teilte er mit, daß das Protokoll, welches von der Frau ⟨...⟩
gefertigt wurde, kein Protokoll sei, aus diesem Schriftstück könne man
überhaupt nichts entnehmen, es sei ein einziges zusammenhangloses
Gestammle und diese Frau sei völlig unfähig ein Protokoll zu fertigen.[1]
Eine diesbezügliche Aussprache welche «Martin» mit dem kommissarischen Generalsekretär[2] Ihlberg hatte ergab, daß Ihlberg, da er nur
kommissarisch Generalsekretär ist, wenig Interesse an der Fertigung
eines ordnungsgemäßen Protokolls über die Generalversammlung des
PEN-Zentrums DDR zeigt. Somit sei es sehr fragwürdig, ob überhaupt
noch ein Protokoll gefertigt wird.[3] «Martin» teilte weiter mit, daß er
auf Grund der unverschämten Verleumdungen des Nord-Westdeut-
schen Rundfunks in der Sendung vom 31. 3. 1970, 0.05 Uhr gegen ihn
und seinen Roman «Impressum»[4] sich an den Rechtsanwalt Gen.
Prof. Dr. Kaul gewendet hat, der sich dieser Angelegenheit annahm.
«Martin» erklärte, daß der Leiter der Abteilung Kultur beim Nord-
Westdeutschen Rundfunk, in dessen Verantwortlichkeit diese Sendung erfolgte, ein gewisser Heinz Zöger[5] sei.

Dieser Zöger gehörte der Harich-Gruppe an und wurde zusammen
mit Harich von den Sicherheitsorganen der DDR inhaftiert und später
verurteilt.

271

Nach Rückkehr «Martins» von seiner Frankreichreise im März 1970 stellte er fest, daß in der DDR das Gerücht verbreitet worden war, er habe seinen Aufenthalt in Frankreich genutzt, um die DDR illegal zu verlassen.[6] Zuerst erhielt er von diesem Gerücht durch den Chefdramaturgen der Komischen Oper Kenntnis.

«Martin» hat daraufhin versucht zu ermitteln, wer dieses Gerücht im Umlauf gesetzt hat. Er stellte dabei fest, daß es von einer gewissen Frau 〈...〉 des Bezirksvorstandes Cottbus der Gewerkschaft Kunst ist, in Umlauf gesetzt wurde. In einer Aussprache, welche «Martin» zu dieser Frage mit dem Vizepräsidenten des DSV Genossen 〈Erwin Strittmatter〉 hatte, teilte ihm dieser mit, daß 〈...〉 diese Frau schon vor 15 Jahren ähnliche Sachen erfunden habe.

Weiterhin teilte «Martin» mit, daß er eine Aussprache mit dem Genossen Hermann Axen in Auswertung seiner Frankreich-Reise hatte und ihm Genosse Hermann Axen folgendes mitteilte. Er, Genosse Axen, habe eine Aussprache über «Martin» mit Genossen Honnecker und Genossen Hager gehabt und Genosse Honnecker lasse «Martin» ausrichten, daß «Martin» das volle Vertrauen der Parteiführung besitze. Die Partei betreibe keine Nachtragepolitik, sondern es sei unter Genossen üblich, daß man sich über Fehler konsequent parteilich auseinandersetzt und wenn ein Genosse seinen Fehler eingesehen, daraus richtige Schlußfolgerungen gezogen hat, sei die Angelegenheit erledigt.[7]

«Martin» informierte Unterzeichner, daß er ihm bei der nächsten Zusammenkunft einen Durchschlag eines Berichtes übergeben will, welchen er über seine Frankreichreise an den Genossen Hermann Axen gegeben hat.

«Martin» erklärte dazu, daß er dies auf Grund seiner direkten Verbindung zum MfS für richtig halte, daß wir diese Information nicht erst auf Umwegen über das ZK erhalten und er auf Grund dessen, da er die im Bericht genannten Peronen persönlich kennenlernte, uns evtl. noch Ergänzungen geben kann, die für die Arbeit des MfS von Bedeutung sind.

«Martin» unterrichtete Unterzeichner noch darüber, daß er am 4.5.1970 für 3 Wochen nach Schweden fahre, um Texte für einen Bildband, der im Verlag Volk und Welt über Schweden erscheinen soll, zu erarbeiten. Da «Martin» damit rechnet, daß er in Schweden mit 〈Peter Weiss〉 zusammentrifft, bzw. evtl. von diesem eingeladen wird, will er versuchen, etwas über die Hintergründe zu erfahren, die ⟨Peter Weiss⟩ zu seinem «Trotzki im Exil»[8] veranlaßt haben. «Martin» will uns auch über alle anderen interessanten Begegnungen ausführlich berichten.

Er erklärte, daß er sich nach seiner Rückkehr aus Schweden beim Mitarbeiter melden wird, um die Reise auszuwerten.

Maßnahmen:
– Es wird vorgeschlagen, mit «Martin» zu sprechen, daß er selbst dem DSV über die Verleumdungen der Frau ⟨...⟩ berichtet, damit der DSV darüber die Partei bzw. den Bundesvorstand des FDGB informiert.

Einschätzung der Aussprache
«Martin» machte einen sehr aufgeschlossenen Eindruck und zeigte sich an einer ernsthaften und guten Verbindung zum MfS interessiert. Er stellte besonders seine Bereitwilligkeit, daß MfS besser als in der Vergangenheit zu unterstützen heraus, als Schlußfolgerung, der Erfahrungen aus seinen persönlichen Fehlern.

Pönig
Oltn.

---

1 Das Protokoll wurde von einer Angestellten gefertigt, die nur vom 1. 2. bis 31. 10. 1970 als Referentin im Sekretariat des PEN tätig war.
2 Werner Ilberg amtierte noch bis Mai 1974.
3 Es gab ein 15seitiges Protokoll der Generalversammlung vom 2. 4. 1970, aus dem ein zweiseitiges Kurzprotokoll ohne Zahlenangaben exzerpiert und an die Mitglieder verschickt wurde.
4 Der «Spiegel» Nr. 16/1970 berichtete über den Fall: ein Rezensent namens Baukloh hatte im WDR Kants «Impressum» besprochen, bevor es erschienen war – offenbar anhand des abgebrochenen Vorabdrucks im «Forum» oder der Leseprobe von 4 Kapiteln, die Kants westdeutscher Verlag Luchterhand verschickt hatte.
5 Heinz Zöger, * 1915, Publizist, als Chefredakteur des «Sonntag» 1957 zusammen mit Walter Janka, Gustav Just u. a. verhaftet und zu zweieinhalb Jahren Zuchthaus verurteilt. Nach der Haftentlassung Übersiedlung in den Westen, von Anfang der sechziger Jahre an Redakteur der Hauptabteilung Politik beim WDR.

6 Solche Gerüchte tauchten gelegentlich auf. So auch, als sich Kant im April 1988 in Buxtehude aufhielt.

7 Siehe ähnliche Verlautbarungen in der «Information» vom 4. 5. 1970.

8 Peter Weiss' Stück «Trotzki im Exil» erschien 1970 (Uraufführung am 21. 1. 1970 in Düsseldorf). Allein schon die Beschäftigung mit diesem Stoff stellte für SED und MfS eine Provokation dar. «Die völlige Ablehnung des Stückes durch die SED-Führung führte u. a. auch im Februar 1970 zum Widerruf seiner Einladung zur Teilnahme an den Feierlichkeiten anläßlich des 20. Jahrestages der Akademie-Gründung im März 1970» (Mitteilung der Stiftung Archiv der Akademie der Künste, Berlin, vom 30. 5. 94).
Weiss antwortete am 10. März 1970 aus Stockholm auf die Ausladung mit einem acht Druckseiten umfassenden Brief an die «Deutsche Akademie der Künste zu Berlin» (abgedruckt in «Sinn und Form», Jg. 1992, H. 4, S. 596–603), in dem er seine Motive für das Stück ausführlich erklärte.

68. Treffbericht:
Über den Konflikt des PEN-Präsidiums mit Wolf Biermann
(21. 7. 70)

Hauptabteilung XX/7   Berlin, den 21. 7. 1970

Abschrift vom Tonband

Treff mit IMS «MARTIN»
am 14. 7. 1970
entgegengenommen: Oltn. Pönig

Was das Verhältnis zwischen ⟨Heym⟩ und ⟨Hermlin⟩ angeht so habe ich aus all meinen Eindrücken die Ansicht gewonnen, daß eine ursprüngliche und sehr sehr lange zurückliegende nähere Bekanntschaft zwischen den beiden[1] einfach daran gestorben ist, daß sie beide zu sehr von sich eingenommen sind und sich dementsprechend nicht wohlfühlen miteinander. Von irgendwelchen engeren Kontakten oder persönlichen Beziehungen in Form von Partys und dergleichen ist mir nichts bekannt. Ich halte es für weitgehend unwarscheinlich daß so etwas in den letzten 2 bis 3 Jahren stattgefunden haben könnte. Ich nehme an, ich wüßte dann davon.

Bei der letzten PEN-Generalversammlung hatten wir eine Auseinandersetzung, d. h. die Mehrheit des PEN mit ⟨Biermann⟩ und es wurde damals bekanntlich der Beschluß gefasst, daß Präsidium habe sich mit ⟨Biermanns⟩ Verhalten,

a) hinsichtlich seines Verhaltens an der Mitwirkung einer WD Fernsehsendung[2] die antileninistischen Charakter hatte und
b) wegen seines Auftretens während der Generalversammlung zu befassen.

Es sollte mit ihm eine Aussprache stattfinden.

Das Präsidium hat danach drei Kollegen benannt, die mit ⟨Biermann⟩ sprechen sollten soweit mir erinnerlich, ⟨Hermlin⟩, ⟨Keisch⟩[3], und noch ein dritter der mir nicht mehr genau erinnerlich. Das ist jedoch im weiteren Verlauf unwichtig geworden, denn von diesen dreien die offiziell vom Präsidium beauftragt waren, dieses Gespräch zu führen, wurde wiederum ⟨Hermlin⟩ beauftragt, dieses Gespräch zustande zu bringen.

⟨Hermlin⟩ hat angerufen bei ⟨Biermann⟩ und ihm die Mitteilung gemacht daß dieser Beschluß des Präsidium vorläge und hat ihn aufgefordert einen Zeitpunkt zu benennen wann dieses Gespräch stattfinden könnte. ⟨Biermann⟩ muß diesen Vorschlag in Brüskester Form abgelehnt haben. Er gebrauchte, wie ⟨Hermlin⟩ mir sagte solche Worte, er gedächte garnicht sich mit der Inquisition zu treffen und es käme überhaupt nicht infrage, er unterhielte sich einfach nicht mit solchen Leuten und er dächte nicht daran sich diesen Beschluß zu fügen. Er bot an sich mit ⟨Hermlin⟩ allein darüber zu unterhalten und das hat ⟨Hermlin⟩ seinerseits wieder abgelehnt, weil, wie er mir sagte, was er auch ⟨Biermann⟩ an Telefon gesagt haben will er dies nicht als eine Privatangelegenheit auffasse sondern als einen Auftrag des PEN-Präsidiums, den er nicht nur als Auftrag durchführen möchte sondern es auch sein Wunsch sei habe er ⟨Biermanns⟩ Haltung scharf gerügt und eine entsprechende Information dann auch an das Präsidium gegeben.

Das Präsidium hat in seiner letzten Sitzung von diesem Vorgang Kenntnis genommen.

Wir haben folgendes gemacht. Da es einerseits darauf ankommt

nicht das zu tun, was ⟨Biermann⟩ warscheinlich sehr gerne möchte
ihn mit einem großen öffentlichen Knall hinauszufeuern, so daß wie-
dereinmal überall herumgeschrien werden kann – Weiterhin ⟨Bier-
mann⟩ untertrückt – nun auch durch PEN usw. –, was evtl. die
internationale Arbeit des PEN ennorm erschweren könnte wir uns
andererseits aber die Sache auch nicht gefallen lassen können, da
dies ein Beschluß des Präsidiums und der Generalversammlung war,
haben wir das Sekretariat beauftragt einen ganz kurzen Brief an
⟨Biermann⟩ zu schreiben, des Inhalts: Sie haben den Beschluß der
Generalversammlung verschlossen[4], sie haben sich geweigert, das
Gespräch, daß dort festgelegt worden war zu führen, dieses ihr Verhalten wird unser künftiges bestimmen.

Was für uns praktisch daraufhin ausläuft, daß er kein Schriftstück
in der Hand hat, mit dem er irgendjemanden kommen kann und sagen kann, die haben mich ausgeschlossen, uns aber auch die Möglichkeit wiederum gibt ihn weder zu benachrichtigen oder irgendwo
einzulassen, weil wir jetzt auch vor der Generalversammlung die absolut demokratische Handhabe haben, daß ein Mann, der sich weigert mit dem gewählten Organ der Organisation, der er angehört zu
reden, von dieser Organisation entsprechend behandelt werden
muß.[5]

---

1 Heym und Hermlin stammen beide aus dem Chemnitzer Großbürger-
  tum und sind nur zwei Jahre auseinander.
2 Vermutlich eine Sendung zum 100. Geburtstag Lenins um den
  22.4.1970.
3 Henryk Keisch, *24.2.1913, Lyriker, Erzähler, Publizist, Übersetzer, 1946–50 Deutschland-Korrespondent von «Liberation» und
  «Ce Soir», dann zeitweilig Redakteur und Chefredakteur von NDL
  und Theaterkritiker beim ND. Seit 1959 freier Schriftsteller, «Meinungen, Verneinungen» (1967), «In die Freiheit mußt du springen»
  (1970).
4 Gemeint ist: «Sie haben sich dem Beschluß der Generalversammlung
  verschlossen.»
5 In einer Stellungnahme vom 20.10.1992 gegenüber dpa behauptete
  Kant: «Wie ich Biermann hier und da und einmal auch gegen das ND in
  Schutz nahm, suchte ich ein andres Mal unser PEN-Zentrum gegen
  seine Ausfälle zu schützen. Wie ich einer von denen war, die Biermann

in den PEN wählten, war ich ebenso einer, der ihn im PEN nicht lassen wollte, und es ist Stephan Hermlin gewesen, der mir die Leviten und PEN-Statuten las.»

69. Treffbericht:
Absetzung einer Lesung von Erwin Strittmatter (13. 8. 70)

Hauptabteilung XX/7   Berlin, den 13. 8. 1970

Treffbericht

Treff mit IMS «MARTIN»
am 13. 8. 1970 von 10/00 Uhr bis 11/15 Uhr
Arbeitszimmer des IMS

Verlauf des Treffs:
Der IMS war zum vereinbartem Treff pünktlich anwesend. Der Treff verlief ohne Störungen. Der IMS war aufgeschlossen und berichtete offen und frei ohne Hemmungen oder Zurückhaltung.

Zu Beginn des Treffs wurde dem IMS erklärt, daß seine Lebenskameradin[1] um eine Aussprache mit dem MfS gebeten hat und sich demzufolge der Gen. 〈Reinhardt〉[2], welcher dem IM bekannt ist mit dieser in Verbindung gesetzt hat. Der IM erklärte, daß er davon Kenntnis hat, daß seine Lebenskameradin den Wunsch zu einer Aussprache mit dem MfS hat auf Grund verschiedener Dinge in Ihrem Wirkungsbereich. Dem IM wurde noch erklärt, daß diese Aussprache kein Grund für eine Dekonspiration der Zusammenarbeit des IM mit dem MfS gegenüber seiner Lebenskameradin darstellt. Das durch den Mitarbeiter diese Frage angeschnitten wurde war, dem IM, wie er zum Ausdruck brachte angenehm, da er es auch aus seinen eigenen Erwägungen nicht für richtig gehalten hätte sich zu dekonspirieren und er durch den Hinweis des Mitarbeiters Gewißheit hat, daß seine Haltung richtig ist.

Im Ergebnis des politischen Gespräches zu dem Vertrag UdSSR-

BRD[3] äußerte der IM den Gedanken, daß er versuchen will entsprechende Anregung dazu zu geben, daß von Seiten prominenter Schriftsteller konkrete Stellungnahmen zur Initiative der SU sowie der Botschaft des Gen. Walter Ulbricht[4] abgegeben werden. Der IM selbst ist der Ansicht, daß diese Situation günstig dafür ist auch Schriftsteller in dieser Frage anzusprechen, welche bisher [gegenüber] der Kulturpolitik von Partei und Regierung große Vorbehalte hatten. Der IM dachte dabei an solche Schriftsteller wie ⟨Paul Wiens⟩, ⟨Günter Kunert⟩, ⟨Stefan Heym⟩, Dr. ⟨Peter Hacks⟩ ua. Damit der IM jedoch diese Angelegenheit nicht losgelöst von anderen, bereits durch die Partei eingeleiteten Maßnahmen in dieser Richtung in die Wege leitet, will er sich vorher mit dem Gen. Dr. ⟨Kahle⟩[5], Mitarbeiter der Kulturabteilung des ZK der SED abstimmen.

Sollte von dieser Seite Einverständnis vorhanden sein, so setzt sich der IM mit dem Präsidenten des PEN Zentrum der DDR Gen. Prof. ⟨Kamnitzer⟩[6] in Verbindung um entsprechende Maßnahmen in die Wege zu leiten.

Der IM berichtete weiter.

Er war auf Grund einer Einladung der Universität Jena am 31. 7. 70 in Weimar um zu den jährlichen internationalen Hochschulkursus für Germanisten eine Lesung zu halten.

Für diesen Kursus wurden von der Universität Jena noch die Schriftsteller ⟨Erwin Strittmatter⟩, ⟨Helmut Sakowski⟩[7], Hermann KANT und ⟨Christa Wolf⟩ gewonnen.

Die Termine für die Lesungen der angeführten Schriftsteller waren an verschiedenen Tagen festgelegt. Von den Schriftstellern führten die Lesung ⟨Sakowski⟩, ⟨Kant⟩ und ⟨Christa Wolf⟩ durch.

Kurz vor der geplanten Lesung des Schriftstellers ⟨Erwin Strittmatter⟩ – Vizepräsident des Deutschen Schriftstellerverbandes – rief die Leiterin der Abteilung Ausländische Studenten im Ministerium für Hoch und Fachschulwesen Genn. ⟨...⟩ an der UNIVERSITÄT Jena an, den Leiter des Lehrganges und teilte folgendes mit.

Die angesetzte Lesung des Schriftsteller ⟨Strittmatter⟩ sei sofort abzusagen. Gründe dafür könne sie nicht nennen. Man solle sich von Seiten der Lehrgangsleitung einen entsprechenden Grund einfallen lassen. ⟨Strittmatter⟩ dürfe auf keinen Fall die vorgesehene Lesung durchführen.

Durch den Vizepräsidenten des DSV Gen. Hermann KANT

wurde dieser Hinweis dem Sekretär des DSV Gen. ⟨Henniger⟩ mitgeteilt um zu klären, welche Gründe für eine derartige Handlungsweise beim Ministerium für Hoch und Fachschulwesen gegen den Gen. Erwin ⟨Strittmatter⟩ vorliegen.

Die Überprüfung der Angelegenheit ergab, daß tatsächlich die vorgesehene Lesung des Gen. ⟨Strittmatter⟩ brieflich abgesagt wurde, mit der Begründung, daß eine Umstellung des Lehrgangsprogramm stattgefunden habe und in das neue Programm die Lesung von ⟨Strittmatter⟩ nicht mehr passe.

Diesen Brief erhielt Gen. ⟨Strittmatter⟩ eine halbe Stunde vor Abfahrt zu der vorgesehenen Lesung.

Eine Rücksprache, welche Gen. ⟨Henniger⟩ mit der Gen. ⟨...⟩ führte hatte das Ergebnis, daß die Genn. ⟨...⟩ Gen. ⟨Henniger⟩ keinen konkreten Grund für ihre Handlungsweise nennen konnte. Sie führte als einzigstes Argument an, daß es im Lehrgang eine komplizierte Situation gegeben habe und daß dadurch der Vortrag des Gen. ⟨Strittmatter⟩ unpassend erschien.

Entsprechend der Einschätzung des IM, welcher sich persönlich mit dem Lehrgang vertraut gemacht hat und auch mit dem Lehrgangsleiter gesprochen hat ist bisher noch kein Lehrgang so konfliktarm gewesen wie dieser. Es gab keinerlei Vorkommnisse.

Der IM ist der Ansicht, wenn ⟨Strittmatter⟩ die Hintergründe des Absagens seiner Lesung bekannt werden, dies bei ihm zu ungünstigen Reaktionen führen kann.

Zur bevorstehenden Auseinandersetzung mit dem Schriftsteller ⟨...⟩ vertritt der IM die Meinung, daß es richtig ist, da mit ⟨...⟩ eine prinzipielle Auseinandersetzung geführt wird. Er ist der Ansicht, daß hierbei unbedingt erreicht werden muß ⟨...⟩ klar zu machen, wenn er Mitglied einer Partei ist, sich auch entsprechend dem Statut der Partei als Genosse zu verhalten. Es gebe für ⟨...⟩ nur eine Möglichkeit zu beweisen, wie er die Kritik ernst nimmt indem er eindeutige literarische Arbeiten herausbringt und ein klares Bekenntnis zur Partei und der DDR ablegt. Darüberhinaus sei ⟨...⟩ ja nicht ein so bedeutender Schriftsteller, daß es sich lohne besondere Kraft zu infestieren.

Zu der vorgesehenen Besprechung des Buches «TINTEN-FISCH»[8] in der Zeitung «Der Spiegel» erklärte der IM, daß er sich dieses Buch durchgelesen habe und selbst es nicht für politisch richtig erachtet, wenn er dazu eine Rezension für den Spiegel schreibt. Diese

Meinung wurde von der Kulturabteilung des ZK geteilt, so daß der IMS dem Spiegel eine Absage gab.

Nächster Treff: nach telef. Vereinbarung.

Maßnahmen: – Informatorische Auswertung der Hinweise zu ⟨ ... ⟩

Pönig
Oberleutnant

---

1 Gemeint ist die Schauspielerin und Diseuse Vera Oelschlegel. Sie hatte 1966 das «Ensemble 66» gegründet und gastierte mit ihm in mehr als 20 Ländern. In ihrem «Selbstportrait» schreibt sie: «Natürlich, ‹die Genossen› waren überall und natürlich auch in meinen Konzerten (...) Aber ich konnte mich nicht daran gewöhnen, daß sie ein Staat im Staate waren und Rechte aus ihrer ‹illegalen› Arbeit ableiteten, die ich gut finden sollte.» (Vera Oelschlegel, «Wenn das meine Mutter wüsst ...», S. 100)

2 Peter Reinhardt, *8. 1. 1932, seit 1969 Hauptsachbearbeiter in der HA XX/7.

3 Die deutsche Bundesregierung schloß am 12. 8. 1970 mit der UdSSR den Moskauer Vertrag. Er enthielt einen gegenseitigen Gewaltverzicht. Beide Seiten erklärten, daß sie keine Gebietsansprüche gegen irgend jemand hätten und solche in Zukunft auch nicht erheben würden. Sie betrachteten die Grenzen aller Staaten in Europa als unverletzlich, einschließlich der Oder-Neiße-Grenze und der Grenze zwischen der Bundesrepublik Deutschland und der DDR.

In einem «Brief zur deutschen Einheit» stellte die Bundesrepublik Deutschland fest, daß der Moskauer Vertrag nicht im Widerspruch zu ihrem Ziele stehe, auf einen Friedenszustand in Europa hinzuwirken, in dem das deutsche Volk in freier Selbstbestimmung seine Einheit wiedererlange.

4 Die «Botschaft Walter Ulbrichts an die Staatsoberhäupter anderer Staaten» wurde am 10. 8. 1970 im ND gemeldet. Angesichts der «in der letzten Zeit entstandenen prinzipiell neuen Situation» legte Ulbricht es den Staaten, «die bisher noch keine normalen diplomatischen Beziehungen zur DDR unterhalten, nahe, ihre Politik gegenüber der DDR einer Überprüfung zu unterziehen und normale diplomatische Beziehungen zur DDR aufzunehmen.» Außerdem wies Ulbricht darauf hin, «daß die DDR auf Grund ihrer konsequenten Politik des Friedens und der Völ-

kerverständigung, angesichts der Tatsache, daß sie zu den zehn leistungsfähigsten Industriestaaten der Welt zählt und umfangreiche internationale Beziehungen unterhält, einen legitimen Anspruch auf gleichberechtigte Teilnahme an der Arbeit der Vereinten Nationen hat.»

5 Werner Kahle, *1935, Diplomphilosoph, Mitarbeiter der Kulturabteilung des ZK der SED.

6 Heinz Kamnitzer, *10.5.1917, war seit 1967 Vizepräsident des DDR-PEN, seit 1970, als Nachfolger Arnold Zweigs, sein Präsident.

7 Helmut Sakowski, *1.6.1924, Erzähler und Drehbuchautor.
   Ende der 60er Jahre in der DDR bekannt geworden durch seinen fünfteiligen Fernsehfilm «Wege übers Land» (1968).

8 Tintenfisch – im *Spiegel*-Verlagsarchiv ist der Vorgang nicht mehr zu ermitteln. Gemeint ist wahrscheinlich der Verlagsalmanach des Wagenbach-Verlags, der Ende der 60er Jahre als «Kommunistenverlag» verschrien war und dessen «Tintenfisch» z. T. sogar von der Bundespost boykottiert wurde. Heinrich Maria Ledig-Rowohlt war damals bereit, diesen Almanach in Umschlägen seines Verlages zu verschicken, um den Boykott außer Kraft zu setzen (s. Munzinger-Archiv/Internat. Biograph. Archiv 21/92, S. 3).

70. Treffbericht:
Über Erwin Strittmatter
(1.10.70)

Hauptabteilung XX/7/II   Berlin, den 1.10.1970

Abschrift vom Tonband

Treff mit IMS «MARTIN»
am: 29.9.1970
entgegengenommen: Oltn. Pönig

Mit dem Schriftsteller ⟨Erwin Strittmatter⟩ ist es ein schwieriges Problem.[1] Er ist zweifelos, daß ist meine Meinung, von der ich keinerlei Abstriche mache, die größte Potenz im gesamten Schriftstellerverband zur Zeit. Er ist der Mann, der wirklich die kräftigste und orginellsten Beiträge zur Literatur hat. Er ist ein überaus fleißiger

Mensch, der sich nach fünf Tagen in denen er gezwungen war mehr als bis dahin auf seine Familie aufzupassen, weil die Frau[2] krank war, völlig unglücklich fühlte weil er in dieser Zeit nicht zum Schreiben gekommen war.

Er ist ein Mann, der für seine Arbeit lebt und sehr eigenwillig darin ist. Die Eigenwilligkeit ⟨Erwin Strittmatters⟩ ist bekannt. Das hängt mit vielen Dingen zusammen u. a. auch mit der Tatsache, daß er glaubt nicht mehr allzuviel Zeit zu haben und daß er meint ein beinah schon alter Mann zu sein,[3] der wühlen muß, damit wenigstens etwas von ihm in der Literaturgeschichte bleibt.

Das ist insofern etwas unnsinnig, da er schon einen wesentlichen Beitrag geliefert hat. Das ist aber seine Meinung. Hinzu kommt daß er von seiner ganzen Herkunft her und seinem jetzigen Aufenthalt, dort draußen, sagen wir ruhig im Wald, sagen wir bestimmte Elemente der Kautzigkeit in sich wachsen lässt, was dazu führt, manche Dinge nicht zu sehen oder einfach, schlicht abzulehnen.

Er ist zum Beispiel nicht bereit über taktische Fragen des Umgangs mit westdeutschen oder anderen Schriftstellern nachzudenken. Für ihn genügt es, daß man sich in bestimmten Fragen uns gegenüber feindselig verhalten hat, um sich zu fragen, was man mit diesen Leuten eigentlich soll.

Was ihm am Meisten aufregt, daß wir gezwungen sind, daß sage ich, er sagt: daß wir bestimmte Leute mehr Loben, als sie es verdienen. Er sieht darin einen Widerspruch, daß Leute wie ⟨Heinrich Böll⟩ und ⟨Weiss⟩ von uns hoch geredet werden, weit über das Maaß wie er meint, als sie es verdienen.

Das erregt seinen Zorn. Ansonsten ist ja bekannt, daß er ein sehr kritisch gestimmter Mann ist. Auch aus der Tatsache, daß man in manchen Geschichten, die mit ihm waren, nicht sehr glücklich verfahren ist,[4] Schlüsse gezogen hat, die etwa lauten: Ich mache meine Arbeit und das Übrige, will ich nicht sehen, was dazu geführt hat, daß er schon seit längerer Zeit kaum noch an den Aktivitäten des Präsidiums des Deutschen Schriftstellerverbandes teilnimmt. Er meint, es würde ja sowieso alles über seinen Kopf hinweg entschieden und was soll er sich da noch groß angaschieren.

Das halte ich für einen echten Jammer, weil nehmlich in der Tat an ernsthaften Problemen, wo er sich daran beteiligt von ⟨Erwin Strittmatter⟩ immer ein Gewinn zu erwarten ist. Wie gesagt, lässt sich auf solche Sachen nicht mehr ein, weil er meint, man traue ihm nicht genügend Eigenurteil zu.

Er vertritt die Meinung z. Bsp., daß er nach Westdeutschland u. a. Gegenden nicht mehr reisen will, weil er dort sowieso nichts [unleserlich] und weil er nicht das Gefühl hat, daß man ihm nicht genügend vertraut [sic]. Das ist seine Haltung. Was seinen Einsatz nach Westdeutschland und dem kap. Ausland angeht,[5] sollte man nicht groß auf ihn rechnen.

Er wird versuchen seine literarische Arbeit zu machen und manchmal einen übertriebenen Kampf gegen kleinliche Haltungen, Stellungen führen. Er wird nichts tuen, was uns schaden könnte. Er wird sich weiter an seine Freunde in der Sowjetunion sehr eng halten und ein wichtiger Bestandteil, wie ich finde, unserer Literatur sein. Was die aktive Verbandsarbeit,[6] die operative Arbeit angeht, sollte man nicht allzuviel auf ihn setzen.

F. d. R. d. A. *Pönig*
Oberleutnant

---

1 Kant war mit Strittmatter lange Jahre befreundet und besuchte ihn auch öfters auf dem Schulzenhof in Dollgow, Kreis Gransee. Er urteilte also aus intimer Kenntnis. Siehe auch seine Gratulation zum 60. Geburtstag Strittmatters «K(l)eine Lobeshymne auf ‹Tinkos› Vater» in: Frösi 8/1972 (wiederabgedruckt in: «Zu den Unterlagen. Publizistik 1957 – 1980», Auswahl: Leonore Krenzlin. Berlin und Weimar 1981, S. 157).
2 Gemeint ist die Schriftstellerin Eva Strittmatter, *8. 2. 1930.
3 Strittmatter, *14. 8. 1912, war damals 58 Jahre alt. Von Strittmatter lagen damals u. a. vor: «Ochsenkutscher» (1950), «Katzgraben. Szenen aus dem Bauernleben» (1953), «Tinko» (1954), «Ole Bienkopp» (1963), «Schulzenhofer Kramkalender» (1957), «Ein Dienstag im September – 16 Romane im Stenogramm» (1970).
4 Strittmatter war z. B. im Zusammenhang mit seinem Roman «Ole Bienkopp» (1963) von einigen Funktionären heftig getadelt worden, weil er angeblich die Führungsrolle der Partei in Frage gestellt habe, besonders nach der 2. Bitterfelder Konferenz, auf der repräsentative sozialistisch-realistische Darstellungen gefordert worden waren.
5 In den sechziger Jahren hatte sich Strittmatter gelegentlich an Diskussionen in Westdeutschland beteiligt, z. B. diskutierte er 1964 in Düssel-

dorf mit Max von der Grün über Möglichkeiten einer Vertiefung der kulturellen Beziehungen zwischen beiden deutschen Staaten.

6 Strittmatter war von 1969 bis 1983 Vizepräsident des Schriftstellerverbands der DDR.

71. Information:
Hermann Kant über Wolf Biermann (22.4.71)

Hauptabteilung XX/7   Berlin, den 22.4.1971
                                             Pö/Ta

Information

Durch eine zuverlässige inoffizielle Quelle wurde bekannt, daß der Vizepräsident des Deutschen Schriftstellerverbandes, Genosse Hermann Kant, zu dem Diskussionsbeitrag des Genossen ⟨Scholochow⟩ auf dem XXIV. Parteitag der KPdSU[1] die Meinung vertrat: «Der Diskussionsbeitrag von ⟨Scholochow⟩ sei äußerst schwach gewesen, da er in seinen Ausführungen keine Namen nannte.» Genosse Kant ist der Meinung, daß die Partei im Interesse des Führungsanspruches auf allen gesellschaftlichen Gebieten in Auseinandersetzungen mit ideologisch feindlichen Kräften immer offensiv und konkret sein muß. Die Geschichte habe doch bewiesen, daß die Partei dort die größten Erfolge hat, wo sie kompromißlos, klar und eindeutig gegen feindliche Auffassungen und Personen vorgeht.

Er hätte erwartet, daß ⟨Scholochow⟩ konkret sagt, daß er ⟨Solschenizyn⟩ u. a. meint und was die Partei an deren Werken und ideologischen Haltung verurteilt. Die Sowjetunion würde die Probleme im sowjetischen Schriftstellerverband nicht eher in die Hand bekommen, als eine klare Front gegen solche feindlichen Kräfte wie ⟨Solschenizyn⟩ geschaffen wird. Durch die Anonymität des Diskussionsbeitrages des Genossen ⟨Scholochow⟩ sind die negativen und feindlichen Elemente nur gestärkt worden, indem sie die Schlußfolgerung ziehen, daß sich die Partei ja gar nicht erlauben könne, konkret etwas gegen ⟨Solschenizyn⟩ u. a. Schriftstellern zu sagen.

Die Auswirkungen dieser Anonymität werden aber nicht nur in der SU ihre Folgen haben, sondern sie haben auch die feindlichen Kräfte in der DDR bestärkt, dies habe sich auf der Veranstaltung mit dem sowjetischen Schriftsteller ⟨Simonow⟩[2] gezeigt, wo dieser in einer äußerst negativen bis feindlichen Form provoziert wurde.

Genosse Kant äußerte als Schlußfolgerung, daß wir als DDR konsequenter gegen solche feindlichen Elemente wie ⟨Biermann⟩ vorgehen müssen. Er könne nicht verstehen, wieso ⟨Biermann⟩ in der DDR noch Sonderrechte genießt und sich grobe Ordnungswidrigkeiten ohne Strafe erlauben kann.

So hat er selbst und sein Sohn vor kurzem wiederholt gesehen, wie ⟨Biermann⟩ bei Gelb über eine Kreuzung fuhr, den Fußgängerschutzweg mit hoher Geschwindigkeit befuhr, daß die Passanten auseinanderspringen mußten, um nicht unter das Fahrzeug zu geraten. Durch die Quelle wurde desweiteren bekannt, daß der Schriftsteller Kant gegenwärtig intensiv an der Überarbeitung seines Romans «Impressum» arbeitet und sich der Zusammenarbeit mit Gen. ⟨Bentzien⟩ – Verlag «Neues Leben» versicherte, da er keinen echten Partner für diese Arbeit im Aufbau-Verlag fand.[3]

Pönig
Oberleutnant

---

1 Der 24. Parteitag der KPdSU fand vom 30.3.–9.4.1971 statt. Michail Scholochow, 1965 für den «Stillen Don» mit dem Nobelpreis ausgezeichnet, hatte auf diesem Parteitag offenbar anonym gegen Solschenizyn polemisiert. Solschenizyn war am 8. Oktober 1970 der Nobelpreis zuerkannt worden, zur Preisverleihung am 10. Dezember konnte er jedoch nicht nach Schweden reisen, weil er fürchtete, man werde ihm die Rückkehr in die Sowjetunion verwehren.

Der Schriftstellerverband der DDR hatte am 8.11.1970 in einer vom «Sonntag» veröffentlichten Erklärung gegen die Verleihung des Nobelpreises an Solschenizyn protestiert. Darin heißt es zum Schluß:

«Wenn wir unseren guten Willen sehr bemühen, können wir die diesjährige Entscheidung der Schwedischen Akademie einen groben Irrtum nennen; was dann immer noch bleibt, ist die Wirkung ihres Schrittes: Er hat einer weitgespannten antisowjetischen und antisozialistischen Kampagne Anschub gegeben; der Entspannung – und damit auch der Literatur, denn die eine gedeiht durch die andere – wurde ein übler Dienst erwiesen. Wir möchten alle, die es angeht, wissen lassen: Die Mitglieder des Deutschen Schriftstellerverbandes wissen sich in uneingeschränkter Solidarität und Freundschaft mit ihren Kollegen und Genossen des sowjetischen Verbandes. Sie werden gemeinsam mit ihnen alle Angriffe auf den Sozialismus und seine Literatur zurückweisen: sie werden immer gemeinsam mit ihnen kämpfen, für den Sozialismus, für den Frieden, für die Literatur.»

Unterschrieben war diese Erklärung von der Präsidentin Anna Seghers, den Vizepräsidenten Jurij Brezan, Hermann Kant, Fritz Selbmann, Max Walter Schulz und Erwin Strittmatter sowie vom 1. Sekretär Gerhard Henniger.

2 Konstantin Simonow, *28. 11. 1915, †28. 8. 1979, Romancier, «Tage und Nächte» (1944), «Die Lebenden und die Toten» (1959), «Als Soldat wird man nicht geboren» (1965), «Der letzte Sommer» (1972). Simonow war im April 1971 in der DDR und trat in Ost-Berlin im «Club der Kulturschaffenden» auf. Das ND vom 17. 4. 1971 meldete diesen Auftritt, unterdrückte aber alle Nachrichten über angebliche Provokationen u. dgl. Im Unterschied zu Kant legte Simonow zu Solschenizyn eine differenzierte Haltung an den Tag. Zu dem Manuskript des Romans «August 1914» äußerte er wenige Tage nach dem Ost-Berliner Auftritt in der West-Berliner Majakowskij-Galerie: «Ich wünschte sehr, daß der erwartete Roman in der Sowjetunion veröffentlicht werden kann.» Zu Solschenizyn allgemein sagte er: «Ich bin nicht der Ansicht, daß der Ausschluß Solschenizyns aus dem Schriftstellerverband die beste erzieherische Maßnahme war. Aber ich muß sagen, daß Solschenizyn sich selber durch eine ganze Reihe von Handlungen aus dem Kollektiv ausgeschlossen hat. Auch das Kollektiv ist von ihm in eine komplizierte Lage gebracht worden» («Die Welt», 24. 4. 1971).

3 Kant berichtet darüber kongruent in «Abspann» (S. 330).

Probleme mit Tabus –
Nach dem VIII. Parteitag

72. Einschätzung des IMS «Martin»
(20. 7. 71)

Oltn. Pönig   20. 7. 1971

IMS «Martin» 5909/60
1. 2. 1963
KANT, Hermann
14. 6. 1926, Hamburg-Altona
(...)

Der IM ist einsatzbereit und stets bemüht die Aufgaben des MfS ge-
wissenhaft durchzuführen. 1965 gab es Anzeichen einer Dekonspiration, indem unter Kreisen der Schriftsteller das Gerücht Verbreitet
wurde, daß der Schriftsteller KANT für das MfS arbeitet. Die Quelle
dieser Gerüchte konnte nicht ermittelt werden.
Der IM wird als reisekader opr. genutzt. Desweiteren wird er zur Aufklärung von opr. interessanten Schriftstellern eingesetzt.

73. Brief von Konrad Franke an Hermann Kant (4.11.71)

Berlin,
4.11.71

Sehr geehrter Herr Kant,
so wie die Dinge liegen muß ich, im Büro des Schriftstellerverbands sitzend Ihnen schriftlich vortragen, was ich lieber mündlich getan hätte (man will mir Ihre Adresse nicht sagen).

Also: ich würde Sie gern mal sehen und sprechen. Keine große Geschichte, nur so, Pläne, Arbeiten etc.

Zu mir; ich bin Redakteur beim Bayerischen Rundfunk. Mein «Hobby» dort und überhaupt ist die DDR-Literatur. Ich habe eine Einführung in die DDR-Literatur geschrieben (Kindler Verlag 600 S., 120 DM)[1], die in einer Probeauflage in Frankfurt zu sehen war, die richtige 1. Auflage kommt am 15. November raus. Ich habe den Band nicht bei mir, aber Sie können gern bei Paul Wiens oder Franz Fühmann oder Volker Braun über mich Erkundigungen einziehen.

Darf ich, da meine Zeit begrenzt ist, Ihnen einen Termin vorschlagen? Wie wäre es mit Freitag, dem 12.11.71 10.00 h im Restaurant vom «Haus des Lehrers» am Alexanderplatz?

Ich frage Dienstag (9.11.) noch einmal im Schriftstellerverbandsbüro nach, mögliche Termine wären auch Dienstag (9.11.), 14 Uhr oder Mittwoch (10.11.) 14 Uhr. Bitte hinterlassen Sie doch beim Sekretariat des DSV eine Nachricht. Ich wäre Ihnen für Gespräch sehr dankbar.

Mit einem freundlichen Gruß
Ihr Konrad Franke[2]

---

1 Konrad Franke, Die Literatur der Deutschen Demokratischen Republik. München/Zürich 1971.
2 Darunter in der Schrift Hermann Kants einige (nicht vollständig leserliche) Notizen über Frankes Tätigkeit: «Sendung f. Biblioth. (München + Bayern) (...)»

74. Treffbericht:
Information über den Brief von Konrad Franke und über Stephan Hermlin
(10.11.71)

Hauptabteilung XX/7   Berlin, den 10.11.1971
                                                        Ko
                        Treffbericht

Treff mit IMS «Martin»
am: 5.11.71, 17.00 – 18.00 Uhr
IMK «Serenade»

Verlauf des Treffs:
Der Treff wurde auf ausdrücklichen Wunsch des IM durchgeführt. Er bat Unterzeichneten um eine dringende Aussprache. Während des Treffs gab es keine besonderen Vorkommnisse. Der IM war aufgeschlossen und berichtete offen über nachfolgendes Problem.

«Martin» hat von dem Mitarbeiter des Bayrischen Rundfunks Dr. ⟨Konrad Franke⟩ einen Brief erhalten, in dem ⟨Franke⟩ «Martin» um eine Aussprache bittet. Der Brief wurde von ⟨Franke⟩ im Sekretariat des DSV hinterlegt.

⟨Franke⟩ teilt in diesem Brief «Martin» mit, daß er ein wissenschaftliches Buch über die DDR Literatur geschrieben hat, welches jetzt im Kindler-Verlag für einen Preis von 120.-- DM erschienen sei. Dr. ⟨Franke⟩ will «Martin» über seine weiteren Pläne und Absichten sprechen.

Da ⟨Franke⟩ annimmt, daß «Martin» ihn noch nicht kennt, empfiehlt er, Martin in seinem Brief sich über ⟨Franke⟩ bei dem Schriftsteller ⟨Franz Fühmann⟩ und ⟨Paul Wiens⟩ über ihn zu erkundigen.

Zu den gewünschten Gesprächen lädt ⟨Franke⟩ «Martin» im Haus des Lehrers ein.

Martin erklärte Unterzeichneten, daß er der Meinung ist, daß ⟨Franke⟩ sicherlich nicht ohne Hintergrund um dieses Gespräch ersucht. Da ⟨Franke⟩ sich auf die Schriftsteller ⟨Paul Wiens⟩ und ⟨Franz Fühmann⟩ beruft, nimmt Martin an, daß er schon mit mehreren Schriftstellern der DDR gesprochen hat.

Da der DSV noch keine offizielle Meinung zu den Versuchen der Kontaktaufnahmen des Sekretärs des westdeutschen Schriftstellerverbandes ⟨Lattmann⟩[1] geäussert hat, hält es «Martin» für möglich, daß Dr. ⟨Franke⟩ das Terrain sondiert.

Martin erklärte, daß er das Gespräch mit ⟨Franke⟩ nicht in seiner Wohnung führen wird, sondern im Appartment 310 des DSV Unter den Linden.

In diesem Gespräch wird Martin versuchen möglichst viel aus ⟨Franke⟩ herauszubekommen, um dessen Pläne und Absichten konkreter einschätzen zu können.

Martin will versuchen, das Gespräch mit ⟨Franke⟩ auf Tonband aufzunehmen.

Martin wird mit dem Sekretär des DSV Gen. Dr. Neubert[2] sprechen, das er bei dem Gespräch mit anwesend ist, um zusätzlich noch einen Zeugen zu haben.

Für den Fall, daß sich herausstellen sollte, daß ⟨Franke⟩ ein unerwünschter Besucher ist, über dessen Absichten das MfK informiert werden muß, um ⟨Franke⟩ durch staatliche Maßnahmen an weiteren Aufenthalten in der DDR zu hindern.

Martin wird mit ⟨...⟩ sowie dem Stellv. des Ministers für Kultur, Gen. ⟨Bruno Haid⟩[3] sprechen, um evtl. Hinweise zu dessen Person zu erhalten.

Als Gesprächstermin hinterläßt «Martin» beim DSV im Sekretariat für ⟨Franke⟩ die Nachricht, Dienstag, den 9. 11. 1971, 14.00 Uhr.

Martin erklärte, daß er selbstverständlich das MfS ausführlich über das Gespräch mit ⟨Franke⟩ informieren wird.

Martin berichtete weiter, daß er ein Gespräch mit dem Schriftsteller ⟨Stephan Hermlin⟩ hatte. In diesem Gespräch brachte ⟨Hermlin⟩ gegenüber Martin zum Ausdruck, daß es ihn, ⟨Hermlin⟩ stark berührt habe, daß Genosse Honecker Zeit fand, mit ihm persönlich zu sprechen. ⟨Hermlin⟩ spüre jetzt, daß er als dazugehörig betrachtet werde und kein Außenseiter mehr ist.

Die Politik, insbesondere die Kulturpolitik sei volksverbundener, volkstümlicher, verständlicher und parteilicher im Klassenkampf. Es sei ihm, ⟨Hermlin⟩, peinlich, daß sich so viele Schriftsteller und andere Kulturschaffende, die noch mit starken Vorbehalten gegenüber der Politik von Partei und Regierung behaftet und immer noch zu ihm hingezogen fühlen.

Auf der anderen Seite brächte er es aber auch nicht fertig, sich von diesen Kräften zu lösen. Er fühle sich in einer regelrechten Zwickmühle. Es ziehe ihn jetzt wieder zur Partei hin und er habe Vertrauen in die Politik seit dem VIII. Parteitag. «Martin» selbst erklärte, daß er ebenfalls empfinde, daß sich das Verhältnis Künstler zur Partei festige und die Politik der Partei seit dem VIII. Parteitag besonders bei abseits stehenden Personen mit Vorbehalten behafteten Künstlern, Anklang finde.

«Martin» ist persönlich stark berührt, daß z. B. Genosse Honecker Wert darauf legt, daß er einen Artikel für das ND schreibt.[4] «Martin» brachte zum Ausdruck, daß es für ihn immer eine Ehre war für das Zentralorgan des ZK der SED zu schreiben, daß es aber besonders Ansporn sei, wenn man weiß, der 1. Sekretär des ZK legt Wert auf einen Artikel zu einem bestimmten Problem.

Gerade in solchen Fragen des Wissens, und der Wertschätzung, der gegenseitigen offenen Aussprache zeige sich u. a. die Durchsetzung der Beschlüsse des VIII. Parteitages. «Martin» ist gewiß, daß ihn der Genosse Honecker wissen läßt, ob Martins Artikel den Vorstellungen des Gen. Honecker und somit der Parteiführung entsprach oder nicht. Solche Hinweise seien für ihn ein Gradmesser, wo er weiter an sich arbeiten muß, um seine Arbeit zu verbessern.

Maßnahmen:
– Bericht zu ⟨Franke⟩ zur OPK[5]
– Bericht über ⟨Hermlin⟩ zur Akte und informatorischen Auswertung

Nächster Treff:
Nach Durchführung des Gespräches mit Dr. ⟨Franke⟩.

Pönig
Oberleutnant

---

1 Dieter Lattmann, *15.2.1926, Erzähler und Essayist, «Die gelenkige Generation» (1957), «Ein Mann mit Familie» (1962), «Mit einem deutschen Paß» (1964), «Zwischenrufe» (1967), «Schachpartie» (1968). Lattmann war im Juni 1968 zum ersten Vorsitzenden (nicht: Sekretär) des «Verbands Deutscher Schriftsteller» (VS) gewählt worden.

2 Werner Neubert war bezeichnenderweise auch inoffizieller Mitarbeiter des MfS (Deckname «Wolfgang Köhler»).

3 Bruno Haid, *2.2.1912, war von 1965–1973 Stellvertreter des Ministers für Kultur.

4 Die Bibliographie von Leonore Krenzlin («Hermann Kant. Leben und Werk», Berlin 1988) weist für die fragliche Zeit keinen Artikel Kants im ND nach.

5 OPK = Operative Personenkontrolle

75. Treffbericht:
Über das Gespräch mit Konrad Franke
(10.11.71)

Hauptabteilung XX/7   Berlin, den 10.11.1971
                                       Ko

Treffbericht

Treff mit: IMS «Martin»
am: 9.11.1971 von 17.45 bis 19.30 Uhr
Wohnung des IM
durchgeführt: Oltn. Pönig

«Martin» berichtete, daß die gründliche Vorbereitung des Gespräches von seiner Seite mit Dr. ⟨Franke⟩ vom Bayrischen Rundfunk sich für den gesamten Verlauf des Gespräches positiv auswirkte. «Martin» hatte dadurch die Gesprächsführung in der Hand und konnte immer offensiv sein. Im Einzelnen hatte er folgendes vorbereitet:

1. Das Gespräch fand nicht wie von ⟨Franke⟩ vorgeschlagen im Haus des Lehrers am 9.11.1971 statt, sondern in einem Appartement Unter den Linden.

2. Unter einer Legende hatte «Martin» den Sekretär des DSV und Chefredakteur der NDL Genossen Dr. ⟨Neubert⟩ ¼ Stunde nach der Zusammenkunft mit ⟨F.⟩ bestellt und ließ diesen am Gespräch mit Dr. ⟨F.⟩ teilnehmen.

«Martin» erklärte, daß er sich in diesem Gespräch mit Dr. ⟨Neubert⟩ ausgezeichnet verstanden habe und sie beide «Martin» und Dr. ⟨Neubert⟩ sich die Bälle zuwarfen.

Nach etwa 2 Stunden sei ⟨Franke⟩, den beide sehr höflich und zuvorkommend behandelt hatten, restlos sauer gewesen. «Martin» sagte wir haben uns dann noch sehr freundlich mit ⟨F.⟩ verabschiedet.

Zum Inhalt des Gespräches: Um sofort eine vertraute Sphäre im Gespräch zu schaffen, begann ⟨Franke⟩ mit einer Provokation. Er zog aus seiner Tasche ein Buch des DDR-Schriftstellers ⟨Karl Mundstock⟩[1] «Unterm Regenbogen» und erklärte, na das Buch ist ja bei Ihnen eine Raität. Zum Glück konnte ich noch eines erwischen.

Ich kann Ihnen verständlicherweise natürlich nicht sagen, von wem ich es habe. Sehen Sie, die DDR-Literatur ist mein Hobby und deshalb wollte ich auch ein Gespräch mit Ihnen führen.

Zu seiner Person gab er noch folgende Auskunft:

Er sei in Bad Schandau geboren und in Sebnitz zur Schule gegangen. Sein Vater war Lehrer und Nazi, deshalb nach 1945 als Waldarbeiter tätig. Mit 17 Jahren verließ ⟨Franke⟩ die DDR, da er nicht zum Studium zugelassen wurde, sondern zur KPV sollte. In Westdeutschland hat er das Abitur nachgeholt und studiert. Seit Jahren sei die DDR Literatur sein Hobby. Aus diesem Grunde habe er auch ein wissenschaftliches Werk über die DDR-Literatur geschrieben. An diesem Buch, welches in Westdeutschland im Kindler-Verlag erschienen ist, («Martin» bemerkte, daß es sich bei Kindler um den Verlag handelt, der die Memoarien des Prof. ⟨Manfred von Ardenne⟩[2] herausgibt) verdiene er 30000.– Mark. Bei dem erschienenen Band handle es sich um den 1. Bd. von noch 3 weiteren, 1 Bd. über österreichische Literatur, 1 Bd. westdeutsche Literatur und 1 Bd. Schweizer Literatur.

Er, ⟨Franke⟩ komme regelmässig für 14 Tage in die DDR, um mit DDR-Autoren zu sprechen. Jeden Tag würde er mit 2 Autoren sprechen. Er habe einen straff organisierten Ablauf, da er sonst seine Arbeit, die zwar sein Hobby sei, nicht bewältigen können.

Er besuche dabei alte Bekannte, frische Bekanntschaften wieder auf und sei bemüht, neue Bekanntschaften zu schaffen. Um das Gespräch aufzulockern, versuchte er plumpe Vertraulichkeiten ins Gespräch einzuwerfen. Dabei zeigte sich, daß er [über] sämtlichen Klatsch und Tratsch informiert war.

So machte er u. a. die Anspielung, daß doch «Martin»s Auto schon ziemlich alt sei und er habe es ja von ⟨Hermlin⟩ nicht neu übernommen.

Im Gespräch mit «Martin» brachte er zum Ausdruck, daß er auch schon Gespräche mit dem stellv. Minister für Kultur, Gen. ⟨Haid⟩ und dem Gen. ⟨Selle⟩ [3] geführt hat. Beide seien ihm gegenüber sehr offen und aufgeschlossen gewesen. Sie hatten ein offenes Ohr für seine Angebote, die er der DDR zu bieten habe.

Sein Angebot:

Er müsse die DDR-Literatur ohne Ausnahme in breiter Front in Westdeutschland propagieren und vertreiben, wofür er sich einsetzen will.

Unter anderem flocht er hier die Bemerkung ein, daß dies ja auch nicht für einen so profilierten und am meisten gedruckten Autor wie «Martin» von Nachteil sei.

Das beste Beispiel dafür sei ⟨Jurek Becker⟩ [4], der mit seinem letzten Buch «Jacob der Lügner» in der DDR nur eine Auflage von 10 000 Stück habe. Die Auflage von ⟨Becker⟩ in Westdeutschland sei aber jetzt schon höher als in der DDR und betrage 15 000 Stück.

Da der Buchpreis in Westdeutschland höher ist als in der DDR, die Auflage größer sei, ist auch der Verdienst des Autors größer. Und mit Devisen bzw. ausländischer Währung könne man ja in der DDR sich mehr leisten.

Auf seine konkrete Tätigkeit beim Bayrischen Rundfunk befragt, gebrauchte er mehrere Ausflüchte indem er einmal erklärte, er sei Redakteur. Nach seinem Arbeitsgebiet bzw. Spezialgebiet befragt konnte er keine Auskunft geben bzw. antwortete, daß er verschiedene Tätigkeit ausführe, die bis zur Programmgestaltung reichen bzw. Koordinator usw.

Schließlich sagte er, er habe ja 4 Millionen an Honoraren für die DDR Autoren zu verteilen. Nach dieser Äusserung brachte er wie beiläufig das Gespräch auf «Martins» altes Auto, ob dies denn immer noch fahrtüchtig sei.

Dr. ⟨Franke⟩ erzählte Martin, daß er mit nachfolgenden DDR Autoren gesprochen hat

⟨Franz Fühmann⟩

⟨Paul Wiens⟩

⟨Reiner Kunze⟩

⟨Wolf Biermann⟩
⟨Stephan Hermlin⟩
Er hat noch am 11.11. ein Gespräch mit ⟨Tragelehn⟩[5] geplant. Auf das Gespräch mit «Martin» hat sich Dr. ⟨F.⟩ seit 5 Jahren vorbereitet. So hat Dr. ⟨F.⟩ bereits 1966 die erste Buchlesung von Martin in Hamburg im Christlichen Verein Junger Männer besucht. ⟨Franke⟩ ist wegen dieser Lesung extra von München nach Hamburg gekommen. In Hamburg hat er dann Martin ganz nebenbei den Durchschlag eines Artikels zugesteckt, den Dr. ⟨F.⟩ in den Frankfurter Heften über Martin veröffentlicht hat.[6]

Danach hat ⟨Franke⟩ weitere Lesungen von «Martin» in Westdeutschland besucht, ohne dabei in «Martins» Blickpunkt zu rücken.

Im Gespräch konnte «Martin» feststellen, daß ⟨Franke⟩ ziemlich offen zur Fragestellung überging, wie denn die Lage unter den Schriftstellern nach dem VIII. Parteitag[7] sei? Jetzt ist es doch sicherlich wieder erlaubt, alles zu schreiben. «Martin» erklärte, daß Dr. ⟨F.⟩ gezwungen war solche Fragen zu stellen, da «Martin» nicht, wie ⟨Franke⟩ erwartet hatte, von sich aus offenherzig erzählte und auf diese Weise das Informationsbedürfnis des Dr. ⟨F.⟩ stillte.

Zu seinem Gespräch mit ⟨Biermann⟩ erklärte ⟨Franke⟩ «Martin»: Er, ⟨Franke⟩, habe ⟨Biermann⟩ vor zwei Jahren Fragen gestellt und sich die Antworten genau notiert. Jetzt habe er ⟨Biermann⟩ die gleichen Fragen vorgelegt und ⟨Biermann⟩ habe noch die gleiche Meinung. ⟨Franke⟩ erklärte «Martin» daß es doch an der Zeit sei, sich um ⟨Reiner Kunze⟩[8] und ⟨Wolf Biermann⟩ zu kümmern.

Es werde verständlicher Weise zwar nicht leicht sein beiden zu helfen. Aber er ⟨Franke⟩ sei der Ansicht, daß ⟨Biermann⟩ auf ein Gespräch warte. ⟨Kunze⟩ und ⟨Biermann⟩ seien doch äußerst talentierte Lyriker.

Dr. ⟨F.⟩ versuchte als Vermittler aufzutreten.

Zu ⟨Kunze⟩ berichtete Dr. ⟨F.⟩, daß er einen neuen Band Manuskripte von diesen gelesen habe, diese bewegen sich auf der Linie der «sensiblen Wege». ⟨Kunze⟩ sagte ⟨Franke⟩ nochmals, wäre unglücklich, er warte darauf, daß man mit ihm spricht. Auch ⟨Biermann⟩ warte auf ein Gespräch.

⟨Franke⟩ fügte bei solchen Gelegenheiten immer wieder ein, daß dies doch auch im Sinne des VIII. Parteitages sei, es sei doch jetzt ein anderes Klima zu verspüren, es solle doch keiner abseits stehen.

Im Gespräch wurde festgestellt, daß ⟨Franke⟩ Kenntnis über folgende Manuskripte von DDR-Autoren hatte, die nicht veröffentlicht wurden:

1. Manuskript von ⟨Friedemann Berger⟩ [9] – Union Verlag
2. ⟨Neutsch⟩ «Gatt» Mitteldeutscher Verlag [10]
   ⟨Mundstock⟩ «Unterm Regenbogen» – Mitteld. Verlag
   Gedichte von ⟨Inge Müller⟩ [11] – Aufbau Verlag

Dr. ⟨Franke⟩ versuchte im Gespräch klarzumachen, daß doch auch die DDR von der BRD lernen könne, z. B. die Situation im Straßenverkehr. Der Verkehr in der DDR würde immer stärker, aber die BRD stand schon vor Jahren vor diesem Problem.

«Martin» hatte bei diesem Gesprächsthema den Eindruck, daß Dr. ⟨Franke⟩ nicht an der Diskussion über Verkehrsprobleme interessiert war, sondern an Hinweisen über Straßenbau und Straßenneubau.

⟨Franke⟩ versuchte ferner mit solchen Fragen zu provozieren wie: «Ist Christa T. [12] eine Gegenkonzeption zu Robert Iswall [13]? ⟨Franke⟩ gab sich den Anschein, sich die Probleme des Dichters zu eigen zu machen, um auf diese Weise einen besseren Kontakt zu finden.

⟨Franke⟩ betonte, daß er auch Sendungen im Rundfunk mache über Moden in der DDR, die Frau in der DDR.

Er halte auch jedes Jahr vor Münchener Bibliothekaren einen Vortrag über das Neueste in der DDR Literatur. Im Gespräch versuchte ⟨Franke⟩ sich auf den Standpunkt zu stellen, daß auch er für den Kommunismus sei und ganz besonders sich gegen den Antikommunismus in der BRD wende.

Zur Literaturkritik in der DDR meinte er, daß bei uns niemand den Mut hätte zu sagen, daß das ein schlechtes Stück oder ein schlechtes Buch sei, dies werde aus den Kommentaren von ⟨Rainer Kerndl⟩ deutlich. [14]

⟨Franke⟩ verfolgte genau alle Veröffentlichungen in allen DDR-Zeitungen über Schriftsteller, ihre Werke sowie Artikel von Schriftstellern. Er habe ein persönliches Ausschnittarchiv von ca. 20000 Zeitungsausschnitten über DDR Literatur aus DDR Zeitungen.

Nächstes Jahr plane ⟨Franke⟩ eine Theaterrundreise durch die DDR. Mit Theaterleute sei es ja auch wesentlich leichter zu arbeiten als mit Schriftsteller.

«Martin» ist nach Abschluß des Gespräches zu der Überzeugung gekommen, daß ⟨Franke⟩ einen ganz konkreten Auftrag in der Hauptstadt der DDR und in den Gesprächen mit Schriftstellern hat. Aus dem dargelegten sieht «Martin» die Schlußfolgerung, daß ⟨Franke⟩

1. Die Lage unter den Schriftstellern nach dem VIII. Parteitag sondiert
2. Versucht Ansatzpunkte für eine aktive zielstrebige Einflußnahme auf die Arbeit unserer Schriftsteller herauszuarbeiten
3. Interessieren von Schriftstellern an Arbeiten für den Rundfunk oder Vermittlung mit Verlagen aus Westdeutschland, um sie finanziell politisch abhängig zu machen. Dies wurde «Martin» insbesondere deutlich, durch die Anspielung von ⟨Franke⟩ auf sein Auto und die 4 Millionen die ⟨Franke⟩ unter die DDR Autoren zu verteilen hat
4. ⟨Franke⟩ versucht taktische Hinweise zur Politik von Partei und Staatsführung gegenüber Schriftstellern in der DDR zu erhalten, deshalb Gespräche mit Gen. ⟨Haid⟩ sowie mit «Martin».

«Martin» hält ⟨Franke⟩ für einen ausgebildeten und äußerst gefährlichen Feind.

«Martin» schätzt ein, daß ⟨Franke⟩ den er zwar sehr höflich und zuvorkommend behandelt hat, äußerst sauer war nach dem Gespräch, da er auf seine Frage keine Antwort erhielt und somit seinen Auftrag nicht realisierte.

Auch durch Dr. ⟨Neubert⟩ wurde er ⟨in⟩ für ihn uninteressante theoretische Diskussionen über Begriffe der Literatur verwickelt und war immer wieder gezwungen, die Fragen von Dr. ⟨Neubert⟩ und «Martin» zu beantworten.

«Martin» beabsichtigt noch mit ⟨Paul Wiens⟩, den er bisher nicht erreicht hat und ⟨Stephan Hermlin⟩ über ⟨Franke⟩ zu sprechen, um Einzelheiten über dessen dortiges Verhalten und dessen Fragen zu erfahren.

Auch will er noch mit Genossen ⟨Haid⟩ über ⟨Franke⟩ sprechen.

Pönig
Oberleutnant

---

1 Karl Mundstock, *26.3.1915, Erzähler, Drehbuchautor, Lyriker. Gemeint ist hier seine Reportage über das Eisenhüttenkombinat Ost «Wo der Regenbogen steigt» (1970).

2 Manfred von Ardenne, *20.1.1907, Physiker. Seine Memoiren «Ein

glückliches Leben für Technik und Forschung» erschienen in der DDR im Verlag der Nation (1912) und bei Kindler in Lizenz (1973?).

3 Karl-Heinz Selle, lange Zeit stellvertretender Leiter der Hauptabteilung Verlage und Buchhandel.

4 Jurek Becker, *30.9.1937, Romancier und Drehbuchautor. Sein erster Roman «Jakob der Lügner» erschien 1969 in der DDR bei Aufbau und 1970 bei Luchterhand in Lizenz.

5 B. K. Tragelehn, *12.4.1936, Lyriker, Übersetzer, Hörspiel- und Film-Autor, Regisseur.

6 Gemeint ist der Artikel «Berichte über die DDR – nachgelesen. Beiträge zum Deutschland-Bild» in den «Frankfurter Heften» 6/1966, S. 383–389. Dort heißt es auf S. 385: «Es empfiehlt sich, (...) eher Schriftstellern zu vertrauen und beispielsweise die Bücher von Uwe Johnson, Cathrin Sonntag, Martin Gregor-Dellin, Hermann Kant, Ute Erb oder Christa Wolf zu lesen. Ihnen fällt es offenbar leichter, ihre Beobachtungen im subjektiven Rahmen zu belassen und doch zugleich auf einen objektiven Tatbestand aufmerksam zu machen. (...) Ihre Kenntnis von den Verhältnissen in der DDR ist umfassend, weil sie selbst irgendwann einmal ‹umziehen› mußten oder weil sie, wie Christa Wolf oder Hermann Kant, dort leben.»

7 Der VIII. Parteitag der SED vom 15.–19.6.1971 war der erste in der Ära Honeckers. Honecker erklärte damals bekanntlich, für Künstler, die auf sozialistischen Positionen stünden, dürfe es keine Tabus geben.

8 Reiner Kunze war nach dem Einmarsch des Warschauer Pakts in die CSSR vom August 1968 aus der SED ausgetreten und hatte seinen Lyrikband «Sensible Wege» (nur im Westen, bei Rowohlt erschienen, 1968) dem tschechischen und dem slowakischen Volk gewidmet. 1971 bereitete er den Band «Zimmerlautstärke» vor, der 1972 bei S. Fischer erschien.

9 Friedemann Bergers Lyrikband «Orts-Zeichen» erschien erst 1973.

10 Erik Neutsch, *21.6.1931, Romancier. Bekannt geworden durch seinen Roman «Spur der Steine» (1964). Sein Roman «Auf der Suche nach Gatt» – laut Meyers Taschenlexikon «Schriftsteller der DDR» (S. 403) «das Leben eines klassenbewußten Bergarbeiters, der, herausgefordert von der revolutionären sozialistischen Umgestaltung und auf der Suche zu sich selbst in schwere Konflikte und Irrtümer verfällt, jedoch in hartnäckiger, kritischer und selbstkritischer Auseinandersetzung seine Persönlichkeit neu entdeckt und erneut seinen Platz in der Gesellschaft findet» – konnte erst 1973 erscheinen.

11 Inge Müller, *13.3.1925, †1.6.1966, Lyrikerin, Dramatikerin. Von

ihr erschienen erst 1976 Gedichte in dem von Bernd Jentzsch herausgegebenen «Poesiealbum» (Nr. 106). Aufbau brachte seine Ausgabe unter dem Titel «Wenn ich schon sterben muß» gar erst vierzehn Jahre später, 1985, heraus!
12 Christa T. – Hauptfigur aus Christa Wolfs «Nachdenken über Christa T.»
13 Robert Iswall – Hauptfigur aus Kants «Aula».
14 Rainer Kerndl, *27.11.1928, Dramatiker, Hör- und Fernsehspielautor, Theaterkritiker des «Neuen Deutschland».

76. Treffbericht: IMS «Hermann» über eine Versammlung des DSV (31.3.72)

Hauptabteilung XX/7   Berlin, den 31.3.1972

Treffbericht[1]

Treff mit IMS «Hermann»
am 28.3.1972 von 17/00 bis 19/30 Uhr
IMK Casino

Verlauf des Treffs:
   Während des Treffs gab es keine besonderen Vorkommnisse. Der IM machte einen aufgeschlossenen und einsatzbereiten Eindruck.

Berichterstattung:
Der IM berichtete über die Versammlung des DSV der Berliner Bezirksorganisation am 27.3.1972.
   Der IM berichtete, daß diese Versammlung seit langen eine der best besuchtesten des DSV gewesen sei. Es waren etwa 130 Teilnehmer von Schriftstellern erschienen. In seiner Vorbereitung habe er persönlich wesentlichen Einfluß auf die Vorträge der Schriftsteller Eberhard PANITZ[2], Günter de BRUYN, Volker BRAUN und Gisela STEINECKERT[3] genommen.

Der IM erklärte, daß der Beitrag des Schriftstellers Eberhard PA-NITZ durch eine klare eindeutige politische künstlerische Darlegung sehr gut angekomen sei. Auch sei der Beitrag des Schriftstellers Günter de BRUYN hoch zu bewerten, da es nach dem letzten Diskussionsbeitrag von de BRUYN in Vorstand des DSV eine weitere positive Vorwärtsentwicklung von de BRUYN sichtbar werden lässt. de BRUYN hat einen eindeutigen Betrag zur Polemik über die Frage der Tabus gegeben. Wobei er nochmals die Ausführungen des Gen. Honecker unterstrichen hat, daß es keine Tabus gibt, wenn man vom richtigen sozialistischen Standpunkt an die Probleme herangeht. Auch der Schriftsteller Volker BRAUN hat zu dieser Frage gesprochen und ebenfalls Wert auf einen parteilichen Standpunkt gelegt.

Die Schriftstellerin Gisela STEINECKERT habe sich mit Problemen der Unterhaltungskunst auseinandergesetzt. Seiner Meinung nach habe sie in einigen Fragen etwas zu weit nach links ausgeschlagen, daß sei aber seiner Meinung nach nicht soweit gegangen, daß sie sich wieder mit rechten Kräften trifft. Das von ihr etwas zu weit nach links ausschlagen, schätzte der IM als gut ein, da dies bei Diskusionen mit Schriftstellern provozierend wirkt und somit zu einer offenen Aussprache beträgt.

Gisela STEINECKERT hat sich in ihren Diskusionsbeitrag vor allem mit Schlagertexten die ihrer Meinung nach nicht unserer ideologischen Auffassung und dem Stand der Entwicklung unserer Gesellschaft entsprechen, aber immer noch produziert werden und Preise bekommen, ideologisch auseinandergesetzt.

Weiterhin hat sie die Unterhaltungssendung des DFF 1. Kessel Buntes [4] stark kritisiert, wo ihrer Meinung nach keine Relationen vom Verhältnis westlicher Künstler zu den Künstlern der DDR gewahrt wurden und wo auch von seiten der Programmgestaltung die Künstler und Interpreten der DDR benachteiligt worden. Das sei ihrer Meinung nach ideologisch falsch und dagegen müsse man kämpfen.

Sie schlug als Schlußfolgerung vor bei DSV eine Arbeitsgruppe zu bilden in der Schriftsteller/Schlagertexter zusammengefasst werden und in diesem Kreis die ideologische Auseinandersetzung zu angeschnittenen Fragen zu führen.

Der IM berichtete weiter, daß von einer Übersetzerin in der Diskusion folgendes gesagt wurde:

Der DSV müsse mehr Macht bekommen. Die Macht müsse man

herstellen, indem man einen Gesetzesvorschlag einbringt, die Steuern der Schriftsteller von 20% auf 10% zu senken und die verbleibenden 10% dem DSV zur Verfügung zu stellen. Mit diesen Geldern sollten die Schriftsteller finanziert werden, die durch die Verlage oder Fernsehn oder DEFA in Schwierigkeiten gebracht werden. Der IM erklärte, daß diese Übersetzerin, die ihm Namentlich nicht bekannt war auf diesen Beitrag von einigen Mitgliedern Beifall erhielt.

Widerlegt wurde dieser Beitrag durch die Schriftsteller Hermann KANT und Fritz Selbmann[5], sowie den Sekretär des DSV Dr. Renate DRENKOW[6].

Der IM berichtete weiter, daß der Schriftsteller Paul Wiens auch zu dieser Frage gesprochen habe, er habe erklärt, daß die Frage der Macht, wie sie die Übersetzerin gestellt habe so nicht gestellt werden könne, da sich der DSV nicht im Widerspruch zur Gesellschaft befindet. Allerdings solle man sich überlegen ob es angebracht sei, daß der DSV auf irgend eine Art mehr Mittel erhält. Zum Beispiel gäbe auch auch noch andere sozialistische Länder, wie unter anderem die Sowjetunion, wo der sowjetische Schriftstellerverband aus einem Kulturfond Mittel zur Unterstützung von Schriftstellern erhalte.

Der IM, der den Schriftsteller Paul WIENS seit vielen Jahren kennt schätze den Diskusionsbeitrag von Wiens als belanglos ein, da es seiner Meinung nach auf dieser Versammlung zum Aussprechen einer Reihe von Gedanken kam, die natürlich nicht alle umsetzbar sind und die man auch nur als Gedanken auffassen kann. Viele der Diskusionsredner haben seiner Meinung nach einfach das Bedürfnis zu sprechen um etwas gesagt zu haben.

Ander müsse man allerdings den Diskusionsbeitrag des Schriftsteller und Präsidiumsmitglied des DSV Kurt STERN betrachten. Der IM bezeichnete diesen Beitrag als hinterhältig und feindlich.

Stern brachte sinngemäß zum Ausdruck:

Jetzt nach dem VIII. Parteitag sei eine neue Atmosphäre angebrochen. Jetzt sei der Zeitpunkt gekommen, wo jeder Schriftsteller die reine Wahrheit und nichts als die «reine Wahrheit» schreiben müsse, er sei nur seinem Gewissen verantwortlich.

STERN unterstellte mit seinem Diskusionsbeitrag, daß alle Literatur, die bis zum VIII. Parteitag der SED geschrieben wurde nicht wahr sei. Der IM erklärte daß STERN mit dieser Frage provozieren wollte eine Fehlerdiskusion zu erreichen die letztlich darauf hinausläuft, wer sind die Schuldigen für diese Fehler, warum werden sie nicht zur Verantwortung gezogen.

Auf diesen Diskusionsbeitrag erhielt STERN ebenfalls von einer Reihe von Schriftstellern BEIFALL.

Danach sprach der Vietzepräsident des DSV Genosse Hermann KANT. Der IM berichtete, daß er KANT noch nie habe in einer solchen scharfen Form in den letzten Jahren sprechen hören.

Kant habe erklärt, daß er auf Grund der durch die Diskusion in den Raum gestellten Fragen etwas sagen möchte um keine Unklarheiten über Fragen offen zu lassen.

Nach dem VIII. Parteitag könne man von keiner neuen Linie in der Politik unserer Partei sprechen sondern der VIII. Parteitag sei eine logische Fortführung unserer allgemeinen Entwicklung, wobei neue Erkenntnisse eingeflossen sind, die uns weiter Vorwärts bringen werden.

Man könne in keinen Fall davon sprechen, daß das, was unsere Schriftsteller vor dem VIII. Parteitag geschrieben haben unwahr gewesen sei.

Wir diskutieren hier über Tabus und machen aus der Tabu Frage schon wieder ein Fetisch. Wem Gen. Honecker in den Kram passt der versucht ihn jetzt auf die verschiedensten Art und Weisen zu interpretieren um zu beweisen, daß er recht hat. Die Ausführungen des Gen. Honecker seien eindeutig und man könne sie nicht, wie er den Eindruck habe, verschieden, d. h. jeder auf seien ihm genehme Art auslegen.

Es gibt immer «Fälle» wo Schriftsteller glauben daß es «Fälle» sind. Jeder der einmal mit einem Buch Schwierigkeiten hatte glaubt jetzt, er hatte Schwierigkeiten weil er ein Tabu angegriffen hat. Man solle aber ja nicht so überheblich sein und immer denken nur der Autor hat recht und das Buch an dem er arbeitet ist gut. Auch die Lektoren in den Verlagen seien nicht alle blöd und haben in vielen Fragen berechtigte Einwände. Er müsse feststellen, daß es auch eine ganze Reihe schlechter Manuskripte gibt, daß muß ein jeder erkennen, wenn sein Manuskript schlecht ist.

Über solche konkreten Fälle muß man sprechen, konkrete «Fälle» müssen konkret geklärt werden.

Auf diesen Diskusionsbeitrag erhielt wie die Quelle berichtete KANT keinen Beifall. Nach Einschätzung der Quelle war es richtig daß KANT die Autoren auf ihre eigenen Schwächen hingewiesen hat und somit einige Proportionen, die in der Diskusion nicht immer gewahrt waren wieder herstellte.

Auf die Frage, was der IM eigentlich unter einem Tabu, über welches gegenwärtig die Schriftsteller diskutieren versteht gab er folgendes Beispiel:

Der Schriftsteller Hermann KANT habe zum Beispiel mit seinem Buch das IMPRESSUM vor zwei Jahren, als er daran arbeitete ein ideologisches Tabu aufgegriffen.

Er habe ein Buch begonnen mit der Frage, daß eine Person Minister werden soll, die nicht Minister werden will. Diese Problemstellung sei vor zwei Jahren noch falsch gewesen. Es sei damals so gewesen, daß ein jeder zum Beispiel studieren musste wenn es nur irgend wie ging, daß ein jeder höchste Funktionen einnehmen konnte und mußte, wenn er für solche für würdig befunden wurde durch die Partei oder andere gesellschaftliche Organe.

Nach dem VIII. Parteitag, sei in dieser Frage jedoch einiges anders. Es werden zum Studium nur noch soviel zugelassen, wie wir als Fachkräfte auch benötigen. Es wird jetzt anerkannt, wenn einer z. Bsp. ein guter Werkzeugmacher, ein Spezialist auf seinem Gebiet ist (und deshalb zu Studium sollte, obwohl er nicht will und als Studierter nur ein schlechter Ingeneur wäre), daß er keine Lust zu Studium hat, ja das dieser Mensch als hochqualifizierter Facharbeiter unserer Gesellschaft mehr nutzt, da er diese Tätigkeit dann auch mit Lust und Liebe zum Beruf ausführt. Das seien neue Erkenntnisse in der Arbeit mit den Menschen denen der VIII. Parteitag große Bedeutung begemessen hat.

Maßnahmen:
– Informatorische Auswertung des Berichtes

Auftragserteilung:
– Der IM wurde entsprechend des Auftrages zur Aktion AKZENTE instruiert. Er erklärte dazu, daß er sich bemühen wird nach Ostern[7] in seinem Wirkungskreis entsprechende Informationen zu erarbeiten. Über Ostern jedoch ist er selbst nicht in Berlin und hat daher keine Möglichkeiten eigene Feststellungen zu treffen.

– Feststellen des Namens der Übersetzerin

Nächster Treff: nach telef. Vereinbarung

Pönig
Oberleutnant

---

1 Das Dokument stammt aus der Akte Günter Görlich.
2 Eberhard Panitz, *16.4.1932, Erzähler, Hörspiel- und Drehbuchautor, «Käte» (1955), «Die Feuer sinken» (1960), «Cristobal und die
Insel» (1963), «Der siebente Sommer» (1966), «Unter den Bäumen
regnet es zweimal» (1969), «Die sieben Affären der Dona Juanita»
(1972).
3 Gisela Steineckert, *13.5.1931, Verfasserin von Kurzgeschichten,
Hörspielen, Drehbüchern, Feuilletons, Lyrik und Chansons, Mitwirkung in der Singebewegung als Beraterin des Oktoberklubs Berlin.
4 Der korrekte Titel lautete «Ein Kessel Buntes». In dieser Sendung des
DDR-Fernsehens traten auch immer wieder bundesdeutsche Schlager-
sänger auf.
5 Fritz Selbmann, *29.9.1899, †26.1.1975, Politiker und seit 1964
Schriftsteller, 1969–1975 Vizepräsident des Schriftstellerverbands,
«Die lange Nacht» (1961), «Die Heimkehr des Joachim Ott» (1962),
«Die Söhne der Wölfe» (1965), «Der Mitläufer» (1972).
6 Renate Drenkow, *23.1.1930, Literaturwissenschaftlerin.
7 Ostern fiel auf den 2. April.

77. Auszug aus dem Protokoll der DSV-Versammlung (31.3.72)

Hermann Kant:[1]
Jetzt möchte ich doch von meiner Anwesenheit Gebrauch machen.
Und zwar, weil ich mit dieser Art   ?   nicht so recht einverstanden
bin, auch wenn es Beifall gab. Ich mag, da hat jeder seine Meinung,
also Formulierungen wie: Jetzt ist die Stunde da und nun wird die
Wahrheit geschrieben. Solche Dinge mag ich nicht.[2] Schon aus dem
schlichten Grunde, weil das die Geschichte unserer Literatur eigent-

lich ein bischen diffamiert. Also, solch eine Einteilung habe ich nicht gern. Ich glaube, daß wir erst vorwärts gekommen sind und daß das immer wieder angezeigt wird durch einen anderen Ton und durch andere Inhalte unserer Reden und Beschlüsse, daß wir vorwärtsgekommen sind ...

Manche Dinge, die wir heute begrüßen und zu denen wir endlich sagen, sind eben nicht ohne weiteres erreichbar gewesen, weil die Dinge und Bedingungen einmal anders waren. Sollte jemand, der ein bischen vom sozialistischen und dialektischen Gedanken weiß, doch nicht übersehen. Manche Sachen können wir heute erst und sollen wir doch froh sein, daß wir sie können, das scheint mir erst einmal das Wichtigste zu sein.

Dann gleich weiter:

Wenn ich richtig unterrichtet bin, ist das Gegenteil von «Tabu» ein Fetisch. Ich empfehle uns allen dringend, aus dem Tabu kein Fetisch zu machen bzw. jetzt diesen Begriff so zu behandeln, ...

Das ist ja sehr lustig, daß manche Freunde und Kollegen, die sich gegen allzu starke Autorität immerfort verwahren, im Umgang mit ihrer Diskussion plötzlich sozusagen genau das tun, sich dieser Autorität, die sie im allgemeinen zu gern haben, bedienen und jetzt ...

Und damit komme ich zum dritten Stichpunkt:

Ich glaube auch nicht, daß Macht in der sozialistischen Demokratie von irgendwelchen anderen Quellen gespeist wird als durch zähe Arbeit, als durch hartnäckige Diskussion als durchdachte ..., also vor allem durch eigenes Bemühen. Der Gedanke ist ja ganz lustig, aber das geht überhaupt nicht.[3] Ich finde es ein bischen eigenartig, wenn man das Ding durchdenkt. Durchdenkt euch das mal. Also, der Verband läßt sich ausstatten mit einem Säckel Geld und jetzt können die Kollegen, aufgrund der Tatsache, daß sie Kollektivmillionäre sind, können sie jetzt frei, offen und puppenlustig mit ihren gesellschaftlichen Partnern diskutieren oder auch rumspringen. Das finde ich als einen höchst seltsamen Gedanken, der offen gesagt mir sehr fremd ist. Ich glaube, die andere Methode ist wirklich die beste. Davon hat Renate Drenkow gesprochen und wirklich, schiebt das nicht beiseite, denn diesen Einwurf, den sie gemacht hat, daß zu wenige von den tatsächlichen vorhandenen Möglichkeiten, Macht auszuüben, Gebrauch machen. Schiebt das nicht beiseite. Wir sollten vielleicht darüber mal eine kleine Information abliefern, wie so etwas in der Praxis aussieht. Macht in diesem Sinne, Macht als Teilmacht der sozialistischen Macht, wächst nur aus eigener Anstrengung und nicht aus blankem Gerede. Das möchte ich ausdrücklich nochmals sagen.

Und ein letztes. Es ist ja auch sehr possierlich zu sehen, wie wir uns die Dinge manchmal malen. Ich höre zu meinem großen Erstaunen, daß früher mal goldene Zeiten der Literaturkritik gewesen sein sollen, daß z. B. die «Tägliche Rundschau»[4] als das Vorbild aller freien Disputationen dargestellt wurde. Nun also, ich kann empfehlen, in den Jahrgängen, die noch zu haben sind, nachzublättern. Was da an starken Toback und an Keulenschlägen in diesem Blatte zum Teil gestanden hat, möchtet Ihr aber alle heute nicht mehr hören, und zu recht nicht. Wir sind auch darüber weg, wir haben das gelernt zu diskutieren und wenn manchmal in unseren Literaturspalten ein wenig zimperlich und albern ein wenig argumentiert wird, so komme ich auf einen alten Gedanken zurück, so ist die einzige Antwort, daß wir versuchen, unseren Teil auch in die kritischen Spalten hineinzutragen und schließlich, ich will noch einmal einen Satz benutzen, der von einem mir angekreidet wurde damals, ich sag ihn noch einmal: Tun wir bitte nicht so als ob jede Ablehnung eines Manuskripts darauf zurückzuführen ist, daß der Lektor ein Blödian und das Manuskript Gold aber leider zu schade war. Tun wir doch nicht so. Wir können davon ausgehen, und an den Gedanken müssen wir uns gewöhnen, wir müssen mit ihm leben in Abwandlung von Lichtenberg[5]: Wenn ein Manuskript und ein Amt zusammenstoßen, dann ist es nicht immer das Amt, das dumpfen Ton gibt. ????

---

1 Auszug aus dem Protokoll der Sitzung, das dem Treffbericht aus der Akte Görlich beigeheftet war.
2 Dieser Passus richtete sich ausdrücklich gegen Kurt Stern, der im VIII. Parteitag einen Neuanfang sah.
3 Gemeint ist der Vorschlag der ungenannten Übersetzerin, seitens des DSV einen Fonds einzurichten, der in Schwierigkeiten geratene Autoren unterstützen sollte.
4 Zeitung der sowjetischen Militärverwaltung für die deutsche Bevölkerung, erschienen von 1945–1955.
5 Das wörtliche Zitat aus Lichtenbergs «Sudelbüchern» lautet: «Wenn ein Buch und ein Kopf zusammenstoßen und es klingt hohl, ist das allemal im Buch?»

78. Information über die Haltung Kants zum Prozeß gegen Jakir und Krasin (4.9.73)

Hauptabteilung XX/7   Berlin, den 4.9.1973

Information

Durch eine zuverlässige inoffizielle Quelle wurde bekannt, daß der Viezepräsident des DSV Hermann Kant im Zusammenhang mit dem Prozeß gegen die NTS Agenten ⟨Jakir⟩ und ⟨Krasin⟩[1] in Moskau folgende Meinung vertrat.

Offensichtlich soll dieser Prozeß ein Warnschuß an die Adresse anderer Idioten sein, die glauben, durch die Organisierung von Widerstandsgruppen, die Verbreitung von Untergrundliteratur und Flugblättern gegen die Sowjetmacht und die KPdSU, könne man die Sowjetmacht stürzen.

Ein Problem bei diesem Prozeß sei ihm jedoch nicht richtig klar geworden. Es handle sich darum, daß für ihn kein Zusammenhang sichtbar wird zwischen der massiven Anklage, der umfangreichen feindlichen Tätigkeit der Angeklagten gegen die SU und dem relativ milden Urteil von 3 Jahren Freiheitsentzug. Seiner Meinung nach hätten die Angeklagten mindestens zu 10 Jahren Freiheitsentzug verurteilt werden müssen.

Eindeutiger sei für ihn die ideologische Auseinandersetzung mit den feindlichen Handlungsweisen und der Verurteilung der Ansichten ⟨...⟩ sei ein Fall, den man analog unseres Falles ⟨...⟩ sehen müsse.

Von ⟨...⟩ politischen Größenwahn bis zum Verrat und Verbrechen gegen den Sowjetstaat sei es nicht weit.

Deshalb könne man nicht entschieden genug gegen solche Elemente auftreten.

Es zeige sich jedoch hierbei, daß die gegnerische Seite in der gegenwärtigen Phase der weltweiten Entspannungs und Friedenspolitik der SU, die erfolgreich voranschreitet, was in der bevorstehenden Europäischen Sicherheitskonferenz[2] seinen Ausdruck findet u. a., kein Mittel scheut, um diese Atmosphäre zu vergiften.

Ein neues Mittel ist, da außenpolitisch von Seiten des Gegners keine Erfolge erziehlt werden, sich aktiver in die inneren Angelegenheiten der soz. Staaten einzumischen um von innen her Störfaktoren zu schaffen. Dies beweist die Richtigkeit unserer Einschätzung der Verschärfung des ideologischen Klassenkampfes.

Pönig
Oltn.

---

1 Pjotr Jakir und Viktor Krasin standen Ende August/Anfang September 1973 in Moskau vor Gericht. Ihnen wurden Beziehungen zu der in Frankfurt/M. ansässigen Emigranten-Organisation NTS vorgeworfen. Außerdem wurden sie für schuldig befunden, «Agitation und Propaganda zum Schaden der Sowjetunion betrieben, den Sowjetstaat und das gesellschaftliche System ‹beschmutzt› und antisowjetische Schriften gedruckt, verbreitet und aufbewahrt zu haben».

Sie wurden jeweils zu drei Jahren Gefängnis und drei Jahren Verbannung verurteilt.

2 Die Europäische Sicherheitskonferenz wurde am 3.7.1973 in Helsinki eröffnet und am 1.8.1975 mit der Unterzeichnung der Schlußakte in Helsinki beendet. An ihr nahmen alle 33 europäischen Staaten bis auf Albanien teil, dazu Kanada und die USA. Die Schlußakte enthielt Regelungen und Absichtserklärungen über vertrauenbildende Maßnahmen, über Zusammenarbeit in den Bereichen der Wirtschaft, der Wissenschaft und der Technik sowie der Umwelt, über Zusammenarbeit in humanitären und anderen Bereichen (menschliche Kontakte, freier Informationsaustausch) etc.

79. Treffbericht:
Über eine geplante Anthologie
von Stefan Heym
(4.9.73)

Hauptabteilung XX/7 Berlin, den 4.9.1973

Bericht

Beim Treff am 3.9.1973 teilte der IM «Martin» Unterzeichner mit, daß er einen Brief von dem Schriftsteller ⟨Stefan Heym⟩ erhalten hat.

⟨Stefan Heym⟩ fordert in diesem Brief den IM auf, ihm, ⟨Heym⟩ eine abgeschlossene Erzählung von etwa 15 bis 20 Schreibmaschinenseiten für eine Anthologie zu übersenden. ⟨Heym⟩ teilt in dem Brief weiter mit, daß er diese Anthologie zusammen mit ⟨...⟩ (Cheflektor im Verlag Der Morgen) im Westdeutschen Kindler Verlag herausgeben will.[1]

Der IM übergab den Brief von ⟨Heym⟩ zur Kenntnisnahme (Kopie im Anhang) und bat darum ihm den Brief wieder zurückzugeben. Der IM äußerte weiter, daß er auf Grund des Briefes beabsichtige mit ⟨Heym⟩ ein Telefongespräch zu führen um näheres über ⟨Heyms⟩ Absichten in Bezug auf diese Anthologie zu erfahren.

Bezüglich einer Beteiligung an dieser Anthologie äußerte der IM, daß er vorerst sich abwartend verhalten werde um gegebenenfalls sich noch daran beteiligen zu können.

Pönig
Oltn.

---

1 Stefan Heym berichtet über diese Anthologie in seiner Autobiographie «Nachruf», München 1988 (S. 789 f.):
«(...) S. H. hatte, parallel zu der Arbeit an der zweiten Fassung des Tages X und gleichfalls für Kindler, eine Anthologie von Erzählungen zeitgenössischer DDR-Autoren zusammengestellt, Auskunft betitelt und versehen mit einem Vorwort aus seiner Feder, worin einiges über die Eigenart dieser Literatur und ihre Probleme gesagt war; er dachte, mit der Herausgabe der Sammlung im Westen ein paar jüngeren Leu-

ten Bahn zu brechen und ein paar älteren den Rücken zu stärken; alles in allem ein verdienstliches Tun, das von den Offiziellen allerdings mit Mißtrauen betrachtet wurde: man vermutete, er wolle auf diesem Weg daheim Verbotenes nach draußen schmuggeln, wagte aber wiederum nicht, zu fordern, daß er das Manuskript der Behörde vorlege, bevor er's nach München expedierte; endlich fürchtete man, ein alter politischer Hase wie S. H. möchte durch ein Prestige-Unternehmen der Art sich eine Gruppe dankbarer Gefolgsleute zu schaffen suchen, Keimzelle einer geheimen literarischen Opposition.»

Die Anthologie wurde vom Kindler-Verlag nicht angenommen, weil Heym auf dem Abdruck von Hermlins höchst fragwürdiger Erzählung über den 17. Juni «Die Kommandeuse» bestand. Statt dessen wurde sie von Bertelsmann im Rahmen der Autoren Edition veröffentlicht – Heym war alleiniger Herausgeber. Hermann Kant war darin mit seiner Erzählung «Eine Übertretung» vertreten, der Titel-Erzählung des Bandes, den er 1975 bei Rütten & Loening erscheinen ließ.

Ein Unfall und die Folgen

80. Information über den Verkehrsunfall von Hermann Kant (15. 12. 73)

Hauptabteilung XX

Berlin, den 15. 12. 1973
Bro/Ko

Information

Verkehrsunfall des Vizepräsidenten des Schriftstellerverbandes der DDR, Genossen Hermann Kant[1]

Durch einen Hinweis der Ehefrau des Genannten wurde bekannt,
daß sich Hermann Kant am Unfalltag auf der Rückfahrt aus der BRD
befand und seinen PkW kurz vor Antritt der Rückfahrt in einer Hamburger Reparaturwerkstatt instand setzen ließ. Danach ereignete sich
der Verkehrsunfall bei Kyritz auf der Fernverkehrsstraße 5, bei dem
der PkW des Genannten nach einem Überholvorgang von der Fahr-
bahn abkam und sich überschlug.

Durch den Genossen Major Müller, Leiter der Hauptabteilung
XX/7, wurde dieser Hinweis dem stellv. Leiter der HA IX/7, Genossen Eismann, mitgeteilt, der diesen Hinweis dem Leiter der Spezial-
kommission (SK) der Abteilung IX[2] der BV Potsdam, Genossen
Groschinski, übermittelte, um die Unfallaufnahme und den Unfall-
hergang unter diesen Umständen gemeinsam mit der VK der BdVP[3]
Potsdam zu überprüfen.

Weiter wurde vorgeschlagen, durch die Abteilung IX der BV Potsdam zu überprüfen, ob sich in den von Kant mitgeführten Unterlagen
Rechnungen befanden, aus denen die Hamburger Werkstatt ersichtlich ist in welcher der PkW repariert und welche Arbeiten am PkW
durchgeführt wurden.

Die Abteilung IX der BV Potsdam wurde informiert, daß zur Klärung eventueller Fragen im Zusammenhang mit dem Unfall die Ehefrau des Genossen Kant durch uns gehört werden kann.

Paroch
Ltn.

---

1 Kant verunglückte am 6.12.1973. Der Unfall hatte schmerzhafte Dauerfolgen: «Eine Nervquetschung an der Halswirbelsäule führte zu Empfindungen, als seien frisch verbrühte Finger fest mit Blumendraht umwickelt worden» («Abspann», S. 353).
2 Die HA IX war das sog. «Untersuchungsorgan» des MfS.
3 BdVP = Bezirksbehörde der Volkspolizei.

81. Treffbericht:
Über Jurek Becker und Wolf Biermann
(12.6.74)

Hauptabteilung XX/7   Berlin, den 12.6.1974
                                             Pö/Ko

Treffbericht

Treff mit: IMS «Martin»
am: 11.6.1974, 17.00 – 18.00 Uhr
Mitarb.: Oltn. Pönig

Verlauf des Treffs
Der IM machte einen aufgeschlossenen Eindruck. Sein Gesundheitszustand bereitet ihm noch Schwierigkeiten. Es sind noch nicht alle körperlichen Schäden, die er bei seinem Verkehrsunfall im Dezember 1973 erlitten hat, behoben.

Berichterstattung
Wegen seines schlechten Gesundheitszustandes nahm der IM bisher noch nicht an Leitungssitzungen teil. Er wurde aber auf Grund der

Klärung von Problemen zu ⟨Biermann⟩ zu dieser Leitungssitzung eingeladen.

Zum Sachverhalt erklärte «Martin», daß sich der Schriftsteller ⟨Jurek Becker⟩ an das Mitglied des Präsidiums des Schriftstellerverbandes Günter Görlich wegen Problemen der Entgegennahme des «Offenbach-Preises» der Stadt Köln durch ⟨Wolf Biermann⟩[1] gewandt hatte.

⟨Becker⟩ habe Görlich erklärt, daß er in dieser Angelegenheit der Parteileitung jederzeit zur Verfügung stehe. Über das Gespräch ⟨Beckers⟩ mit Görlich sei das Mitglied des ZK der SED und Sekretär der Bezirksleitung Genosse ⟨Bauer⟩[2] informiert worden.

Es wurde festgelegt, daß ⟨Becker⟩ sein Anliegen in der Parteileitungssitzung am 10.6.1975 des Schriftstellerverbandes vorträgt.

In der Parteileitungssitzung am 10.6.1974 erklärte ⟨Becker⟩:
Da er seit Jahren mit ⟨Biermann⟩ bekannt ist, sei ⟨Biermann⟩ an ⟨Becker⟩ herangetreten und habe ihn gefragt, sag mal ⟨Jurek⟩, du hast doch vor kurzem den Bremer Literaturpreis erhalten und entgegennehmen dürfen.[3] Wie macht man denn das.

Ich soll den Offenbach Preis der Stadt Köln erhalten. Um den Preis entgegennehmen zu können, habe ich mich an die VP gewandt, von der ich einen abschlägigen Bescheid erhielt.

⟨Becker⟩ habe daraufhin ⟨Biermann⟩ gesagt, daß die Entgegennahme des Preises für ⟨Biermann⟩ schwierig sei, da er nicht Mitglied des Schriftstellerverbandes der DDR ist. Er könne ⟨Biermann⟩ nur raten, sich an das Ministerium für Kultur zu wenden. Das habe ⟨Biermann⟩ getan, berichtete ⟨Becker⟩, worauf er zum Staatssekretär Gen. ⟨Löffler⟩[4] bestellt wurde.

Gen. ⟨Löffler⟩ habe ⟨Biermann⟩ erklärt, daß der Ausreise des ⟨Biermann⟩ zur Entgegennahme des Preises in der BRD nicht zugestimmt werden könne, da er als Honorar für ⟨Biermanns⟩ feindliche Aktivitäten gegenüber der DDR betrachtet werden muß. Genosse ⟨Löffler⟩ habe ⟨Biermann⟩ weiter erklärt, wenn ⟨Biermann⟩ den Wunsch habe in die BRD überzusiedeln, daß er ihm in diesem Falle seine Unterstützen geben werde.

⟨Biermann⟩ bezeichnet die Antwort des Genossen ⟨Löffler⟩ als Erpressung und reagierte in der Form, daß er über das Gespräch mit Gen. ⟨Löffler⟩ ein «Gedächtnisprotokoll» fertigte, welches er wie er

⟨Becker⟩ sagte, in der BRD veröffentlichen läßt, falls er seinen Preis nicht entgegennehmen darf.[5]

⟨Becker⟩ erklärte vor den Genossen der Parteileitung, daß er in der von ⟨Biermann⟩ bekundeten Absicht einen Erpressungsversuch ⟨Biermanns⟩ gegenüber der DDR sieht.

⟨Beckers⟩ Absicht sei gewesen zu verhindern, daß von ⟨Biermann⟩ eine weitere Veröffentlichung gegen die DDR in der BRD erscheint.

Die Mitglieder der Parteileitung, Hermann Kant, ⟨Paul Hermann Freyer⟩[6], ⟨Wolfgang Kohlhaase⟩ erklärten in der Diskussion, daß ein Gespräch mit ⟨Biermann⟩ von seiten der Schriftsteller unter dem erpresserischen Zeichen von ⟨Biermann⟩ nicht in Frage kommt. Der Schriftsteller ⟨Rudi Strahl⟩ erklärte, daß er immer noch gehofft habe, dann und wann evtl. mit ⟨Biermann⟩ ins Gespräch zu kommen. Jetzt sei er aber davon überzeugt, daß ⟨Biermann⟩ ein Feind der DDR ist, mit dem man unter keinen Umständen verhandeln könne.

⟨Jurek Becker⟩ erklärte, daß er ⟨Biermann⟩ für einen guten Dichter halte und ihm deshalb immer daran gelegen war, ⟨Biermann⟩ evtl. doch noch auf unsere Seite ziehen zu können.

Wenn es noch ein paar Jahre mit ⟨Biermann⟩ so weiter geht, wird er eines Tages tollwütig werden, doch das sei dann seine eigene Schuld.

⟨Becker⟩ stimme der Einschätzung zu ⟨Biermann⟩ zu, möchte aber nochmals mit ⟨Biermann⟩ sprechen. In dem Gespräch werde er ⟨Biermann⟩ seine ganz persönliche Meinung zu seinem Verhalten sagen, daß er ⟨Biermanns⟩ Vorhaben mißbilige. Vielleicht bedenkt dann ⟨Biermann⟩ seine Absicht nochmals und nimmt Abstand.

Durch die Parteileitung wurde dem Gespräch ⟨Beckers⟩ mit ⟨Biermann⟩ zugestimmt.

Über das Ergebnis des Gespräches will ⟨Becker⟩ die Parteileitung informieren.

Der IM berichtete noch, daß sich der Genosse ⟨Konrad Naumann⟩ und Dr. ⟨Roland Bauer⟩ am 10.6.1974 bei ihm über den Verlauf der Leitungssitzung informiert haben.

Der IM berichtete, daß die Zeitschrift des Schriftstellerverbandes[7] sich mit jeder weiteren Nummer die erscheint, verschlechtert.

Die Ursache sieht der IM darin, daß der Chefredakteur Genosse

⟨Werner Neubert⟩ zur Zeit durchgedreht habe, da er alleine seine Arbeit nicht schafft.

Der stellv. Chefredakteur[8] der NDL ist keine Unterstützung des Chefredakteurs. Er hat keine Ahnung vom Umbruch einer Zeitschrift, geschweige vom Druckverfahren.

Auch sei er eigentlich gar nicht berechtigt, die Bezeichnung stellv. Chefredakteur zu tragen, da laut Statut des Journalistenverbandes die Ablegung einer Redakteurprüfung notwendig ist, die ⟨Scherner⟩ nicht besteht. ⟨Scherner⟩ bezeichnet der IM als völlig unfähig. Auf Grund der Kenntnis der Person des Gen. ⟨Erhard Scherner⟩, dessen Fähigkeiten und Leistungsvermögen, berichtete der IM haben die Schriftsteller ⟨Juri Brezan⟩, ⟨Erwin Strittmatter⟩ und Hermann Kant vor einer Einstellung des Gen. ⟨Scherner⟩ in den Apparat des Schriftstellerverbandes gewarnt, aber Genosse ⟨Henniger⟩ habe es ja besser gewußt und alle Warnungen in den Wind geschlagen. Auch sind Genossen ⟨Henniger⟩ die Schwierigkeiten unter denen Gen. Dr. ⟨Werner Neubert⟩ arbeitete bekannt gewesen, aber Gen. ⟨Henniger⟩ sei um die Lösung dieser Probleme immer wie um ein heißes Eisen herumgegangen. Auch jetzt, wo deutlich erkennbar ist, daß die NDL in keiner Weise mehr ihren Aufgaben auf der Höhe ihrer kulturpolitischen Verantwortung steht, werden seitens des Sekretariats des Schriftstellerverbandes keine Maßnahmen getroffen.

Um die NDL auf die Höhe ihrer Aufgaben zu bringen, ist es nach Ansicht der inoffiziellen Quelle nötig, nicht nur die Funktion des Chefredakteurs zu verändern, der gesundheitlich nicht mehr in der Lage ist diese Funktion weiter auszuüben, sondern gleichzeitig einen neuen leistungsfähigen stellv. Chefredakteur einzusetzen. Des weiteren müsse man davon abkommen, daß die Redakteure ⟨Preißler⟩[9], ⟨Hauptmann⟩[10], ⟨Keisch⟩[11], ⟨Klein⟩[12] zu Hause arbeiten, sondern ihren festen Arbeitsplatz in den Diensträumen der NDL einnehmen, um eine straffe Arbeitsorganisation zu gewährleisten.

Maßnahmen:
Bericht zu ⟨Becker⟩ und ⟨Biermann⟩ an Referat IV zur Auswertung, Vorgang Lyriker.
Vermerk zur Akte ⟨...⟩
Bericht durch IMS ⟨Hermann⟩[13] zu ⟨Becker⟩ und ⟨Biermann⟩ überprüfen.

Der Sachverhalt über die Situation in der NDL ist eine Bestätigung bereits vorliegender operativer Hinweise, die als Information verarbeitet wurden.

Zur Auftragerteilung
– Auf Grund des gegenwärtig schlechten Gesundheitszustandes wurde dem IM kein Auftrag erteilt.
– Bei politisch operativ bedeutsamen Hinweisen wird der IM von sich aus die Verbindung zum Mitarbeiter aufnehmen.

Pönig
Oberleutnant

---

1 Der Jacques-Offenbach-Preis der Stadt Köln wurde Wolf Biermann Anfang April 1974 zuerkannt. Die Preisverleihung in absentia des Preisträgers meldete die «Frankfurter Rundschau» am 24. 6. 1974.
2 Dr. Roland Bauer, * 19. 3. 1928, Funktionär, 1962–1964 Direktor des Instituts für Marxismus-Leninismus beim ZK, dann Sekretär für Volksbildung, Wissenschaft und Kultur beim SED-Parteibezirk Ost-Berlin, seit 1971 auch Mitglied des ZK.
3 Jurek Becker wurde für seinen 1973 erschienenen Roman «Irreführung der Behörden» mit dem Bremer Literaturpreis ausgezeichnet und nahm ihn am 26. 1. 1974 in Bremen entgegen.
4 Kurt Löffler, * 1932, 1973–1988 Staatssekretär im Ministerium für Kultur.
5 Das hat Biermann nicht getan, allerdings äußerte Heinrich Böll, der durch eine Krankheit gehindert wurde, den Offenbach-Preis stellvertretend für Biermann entgegenzunehmen, in einem Interview, «daß man Biermann hätte gehen lassen, wenn er nicht wiedergekommen wäre (...) aber er betrachtet sich als Bürger der DDR, er will dort leben, schreiben, singen» (Frankfurter Rundschau, 24. 6. 1974).
6 Paul Herbert Freyer, * 4. 11. 1920, Erzähler, Fernsehspiel-Autor.
7 Neue Deutsche Literatur.
8 Erhard Scherner, * 12. 1. 1929, Literaturkritiker, Publizist, Nachdichter. 1956–1958 Redakteur in Peking, 1968–1972 Aspirantur beim Institut für Gesellschaftswissenschaften beim ZK der SED, seit 1972 stellvertretender Chefredakteur bei NDL.
9 Helmut Preißler, * 16. 12. 1925, Lyriker, Funk- und Bühnenautor, Nachdichter, seit 1967 Redakteur der NDL. Preißler lebte in Frankfurt / Oder – deshalb arbeitete er zu Hause und nicht in der Redaktion.

10 Helmut Hauptmann, *12.3.1928, Erzähler, Fernsehautor, Prosa-Redakteur bei NDL.

11 Henryk Keisch, *24.2.1913, Lyriker, Erzähler, Kritiker, Redakteur und zeitweilig sogar Chefredakteur von NDL.

12 Eduard Klein, *25.7.1923, Erzähler und Übersetzer.

13 IMS Hermann = Günter Görlich.

82. Information:
Reaktion auf Parodien zur DDR-Literatur (1.10.74)

Hauptabteilung XX/7   Berlin, den 01.10.1974
                                       Kl

Information

Die Schriftsteller ⟨Erwin Strittmatter⟩ und Hermann KANT sind empört über die Veröffentlichung des Buches «Kalte Küche» von ⟨Kurt Bartsch⟩[1] im Aufbau-Verlag, in der Reihe-Edition Neue Texte, Aufbau-Verlag. In diesem Buch werden Schriftsteller der DDR in Form der Parodie vorgestellt.

Nach Ansicht der Genannten hat ⟨Bartsch⟩ in diesem Buch das Maß der Parodie überschritten und greift in diskriminierender Weise prominente und zur Politik der Partei stehende Schriftsteller an.

Eine weitere zuverlässige inoffizielle Quelle, die für das ND eine Rezension zu diesem Buch von ⟨Kurt Bartsch⟩ schrieb[2] und die Mängel und Schwächen des Buches darlegt schätzt ein, daß dieses Buch in der vorliegenden Form hätte nicht veröffentlicht werden sollen.[3]

Die Beiträge zu Schriftstellern wie ⟨Thomas Mann⟩, ⟨Anna Seghers⟩, ⟨Bertolt Brecht⟩, Hermann KANT, ⟨Benito Wogatzki⟩[4], ⟨Erwin Strittmatter⟩ u. a. sind in einer hämischen, unterschwelligen und negierenden Form abgefaßt, die zu Mißstimmungen und Komplikationen Anlaß geben.

Im Gegenteil dazu schrieb ⟨Bartsch⟩ gute und treffende Beiträge zu solchen Schriftstellern wie ⟨Peter Hacks⟩, ⟨Volker Braun⟩,

⟨Günter Kunert⟩ und ⟨Karl Mickel⟩[5] von denen bekannt ist, daß sie Vorbehalte zur Politik der Partei und Regierung haben.

Quellen:
IMS «Martin»
IME[6] «Wolfgang Köhler»

---

1 Das Buch erschien 1974 unter dem Titel «Kalte Küche. Parodien». Mit zwölf Karikaturen von Kurt Bartsch. Mit einer Nachbemerkung von Lothar Kusche.

  Die Parodie auf Erwin Strittmatter findet sich auf den Seiten 78–80 unter dem Titel «Piep», die auf Hermann Kant auf S. 31 f. unter dem Titel «Sülze».

2 Der Rezensent des Buchs im «Neuen Deutschland», Beilage für den 9.10.1974 («Parodien – doch nicht alle sind Paradestücke»), war Dr. Werner Neubert. Als IM trug er den Decknamen Wolfgang Köhler. Seine Urteile gegenüber dem MfS und in seiner Rezension für das ND sind weitgehend deckungsgleich. So heißt es im ND: «Kurt Bartschs Schlüsselbund zu den rund drei Dutzend Texten aus Prosa, Lyrik, Dramatik schließt hier ganz unterschiedlich. Mal erstaunlich treffend, wie zum Beispiel in den Parodien von Volker Braun, Irmtraud Morgner, Peter Hacks, Heiner Müller, Günter Kunert, Karl Mickel. Dann auch wieder mit ziemlichem Geächze, was beispielsweise die Parodien zu Thomas Mann, Bertolt Brecht, Anna Seghers, Hermann Kant, Erwin Strittmatter, Christa Wolf, Benito Wogatzki betrifft.»

3 Im ND ist Neuberts Urteil zahmer: «So bleibt der Eindruck ein gemischter, ja gemixter. Insgesamt schwankt das Bändchen auch mit den Karikaturen des Autors zwischen gelungen und nicht gelungen.»

4 Die Parodie auf Thomas Mann (S. 7 f.) trägt den Titel «Eine Vorbemerkung. Nach Thomas Mann», die auf Anna Seghers (S. 47 f.) «Herkules», die auf Bertolt Brecht (S. 64–67) «Der Daumenlutscher», die auf Benito Wogatzki (S. 15–17) «Stahlschmelze».

5 Die Parodie auf P. Hacks (S. 37–41) trägt den Titel «Der frisierte Herakles», die auf V. Braun (S. 70) «Provokation für einen Struwwelpeter», die auf G. Kunert (S. 68) «Warnung vor Spiegeln», die auf K. Mickel (S. 76) «Ikterus».

6 IM, der zur Lösung spezieller politisch-operativer Aufgaben eingesetzt wird.

83. Auskunftsbericht: IMS «Martin» (25.11.74)

HA XX/7
Diensteinheit
Pö

25.11.74
Datum des Ausfüllens

Auskunftsbericht

(In Blockschrift oder mit Schreibmaschine ausfüllen –
keine Abkürzungen verwenden)

Aufnahmejahr
1974

MfS
Reg.-Nr. *5909/60*
IM-Art *IMS*
Deckname *Martin* Datum der Werbung *18.2.1963*
Pseudopersonalien
(auch ehemalige)
geworben durch DE/Mitarbeiter *HA XX Treike*

Personalien

Name*) Vornamen*) (Rufname unterstreichen)
Geburtsname weitere Namen
Geburtsdatum *14.6.26* Geburtsort/Kreis/Staat *Hamburg-Altona*
Künstlernamen, Spitznamen usw.

Geschlecht *männlich* religiöse Bindung *keine*
Personenkennzahl *140626* ⟨...⟩ Nr. des PA ⟨...⟩
weitere Angaben zur Person lt. Personalausweis

besondere
Größe ⟨*175*⟩ Augenfarbe ⟨*grau-blau*⟩ Kennzeichen ⟨*Brillenträger*⟩
Staatsangehörigkeit *DDR* Nationalität *deutsch*
Familienstand ⟨*verh.*⟩: ⟨...⟩
Geburtsjahre der Kinder ⟨*1955*⟩ u. ⟨*1961*⟩
soziale Herkunft/jetzige soziale Stellung

Arbeiter / Künstl. Inteligenz

319

Wohnanschriften[**]) (Ort, Straße, Haus-Nr., Zeitraum, auch bei
Nebenwohnung)
1968 – 1971 102 Berlin Bln, Unter den Linden 37/39
1971 – jetzt 102 Berlin, Alexanderstr. 12

---

 [*]) Der Klarname sowie die Vornamen sind nach erfolgter Auswertung durch das
SR XII einzutragen.
[**]) Die letzte Eintragung muß identisch sein mit der gegenwärtigen Wohnanschrift. Es sind höchstens die Wohnanschriften der letzten 10 Jahre zu er-
fassen.
(...)

Beurteilung

über   IMS   «*Martin*»
                                IM-Art   Deckname

Der IM arbeitet seit 1963 mit dem MfS auf der Basis der Überzeugung
zusammen. Der IM ist in seiner Berichterstattung parteilich. Er beweist
ständige Einsatzbereitschaft und exakte Durchführung seiner Aufga-
ben. Er entwickelt entsprechende Eigeninitiative. Die hohe Intelligenz,
die Anpassungsfähigkeit und Beweglichkeit ermöglichen es den IM in
operative Kombinationen zur Klärung von Sachverhalten einzubezie-
hen. Durch den Einsatz des IM konnten wertvolle operative Informa-
tionen erarbeitet werden. Auf Grund seiner Funktion und seines Ein-
flusses auf Schriftsteller ist er in der Lage bestimmte feindliche Kräfte in
ihren Aktivitäten zurückzudrängen.
(...)

Politische Einstellung

Der IM setzt sich als Mitglied der Bezirksleitung der SED und Vize-
präsident aktiv für die Durchsetzung der Kulturpolitik von Partei u.
Regierung im Schriftstellerverband und der Akademie der Künste
ein.
(...)

Möglichkeiten des Einsatzes des IM
territorial – DDR   innerhalb des
          Wohngebietes   Kreises   Bezirkes   überbezirklich
territorial – Operationsgebiet   Westdeutschland   Westberlin
kap. Ausland   Nationalstaaten
zeitliche Einsatzmöglichkeiten
zeitlich   zeitlich   während d.   während d.
unbegrenzt   begrenzt   Arbeitszeit   Freizeit   bei Tag   bei Nacht
Mögliche Einsatzrichtungen
des IM[**]   *Bearbeitung von Literaturschaffenden*
Einsatzmöglichkeiten
bei besonderen Situationen   *Isolierung feindlicher Kräfte*
Fähigkeiten in der operativen
Arbeit (welche)
Welche Familienangehörige haben
von der inoffiziellen Tätigkeit Kenntnis   ⟨*Ehefrau*⟩
sind Familienangehörige für   wer ⟨*Ehefrau*⟩
inoffizielle Tätigkeit nutzbar   in welcher Richtung
                          als Reisekader und Unterhaltungskunst.
wesentliche Umstände, welche   *Seine gesellschaftlichen*
die die Einsatzmöglichkeiten   *Funktionen*
des IM beeinflussen   *müssen berücksichtigt werden*
in Fahndung des Gegners erfaßt *nein*

Verhältnis MfS – IM
Gründe des IM für
Zusammenarbeit mit dem MfS *Überzeugung*
Zuverlässigkeit / Ehrlichkeit *mehrfach überprüft*   *zuverlässig*
Verletzung der Konspiration   wann
                                 wo
                                 wie *keine*

Aufrechterhaltung der Verbindung
Verbindung wird gewährleistet durch *persönliche Treffs*
Möglichkeiten der außerplan-   *aufsuchen des IM in der Wohnung*
mäßigen Verbindungsaufnahme   *oder telefonisch*
zum IM   *Tel. 2126282*
Losung/Erkennungszeichen   *Grüße von «Rolf» bestellen und*
                              anschließend
                              mit Dienstausweis ausweisen

Telefon-Nummern
zur Verbindung zum IM   *2126282 IM*   *opr. Mitarb. 592851*
bzw. zum op. Mitarbeiter   *271679*
Möglichkeiten der außerplan-   wo *telefonisch 592851*
mäßigen Verbindungsaufnahme   *271679*
zum op. Mitarbeiter   wie
Op.-techn. Mittel u. Dokumente *keine*
des MfS
Besitz
Kenntnis bzw. Ausbildung erhalten *keine*
des Gegners
Besitz
Kenntnis bzw. Ausbildung erhalten *keine*
(...)
Kenntnis genommen
Leiter der Diensteinheit   *Pönig*
                              Unterschrift des op. Mitarbeiters
                              der mit dem IM zusammenarbeitet

---

84. Treffbericht:
Über die Literaturveranstaltung
«Eintopp» und Volker Braun
(7. 5. 75)

Hauptabteilung XX/7 Berlin, den 7. 5. 1975

Treffbericht

Treff mit IMS «Martin»
am 5. 5. 1975 von 11/00 bis 12/30 Uhr
durchgeführt: Hptm. Pönig

Verlauf des Treffs:
Während des Treffs gab es keine besonderen Vorkommnisse. Der IM entschuldigte sich, daß er um mehrfache Verlegung des Treffs bitten mußte, Ursache dafür waren kurzfristige Termine beim Arzt im Zusammenhang mit Nachbehandlungen seines Verkehrsunfalles, sowie sein kurzfristiger Einsatz zur Betreuung ausländischer Gäste durch den Schriftstellerverband.
Er machte beim Treff einen offenen und aufgeschlossenen Eindruck. Voller Empörung berichtete er über nachfolgenden Sachverhalt.

Berichterstattung:
Der IM berichtete, daß er für den Monat März von der ⟨Bettina Wegner⟩[1] eine Einladung hatte für eine Lesung im Haus der Jungen Talente zur Veranstaltungsreihe «Eintopp»
Der IM berichtete, daß er vor der Veranstaltung zufällig die Redakteurin des «Stern» ⟨Eva Höpcker-Windmöller⟩[2] traf. Diese habe ihn angesprochen und erklärt, ich freue mich, daß wir uns dann sehen werden, sie lesen doch heute im «Eintopp».
Die ⟨Windmöller⟩ brachte noch zum Ausdruck, daß sie von ⟨Schlesinger⟩ sich die Telefon Nr. vom IM beschafft habe, da sie vorhat, sich demnächst einmal beim IM zu melden.
Der IM berichtete daß der Saal im Haus der Jungen Talente zur Veranstaltung ohne vorherige öffentliche Ankündigung bis auf den

letzten Platz voll war. Die Publikation für die Veranstaltung wird, wie der IM in Erfahrung bringen konnte in einer Art Mund zu Mund Propaganda betrieben.

Zur Frage der Kartenverteilung für die Veranstaltung Eintopp sprach gleich zu Beginn der Diskussion eine Person die sich als Mitglied des Publikumsbeirat ausgab und erklärte folgendes:

Der Publikumsbeirat habe beschlossen in Zukunft keine Karten mehr an Gruppen auszugeben sondern nur noch zwei Karten pro Person zu verkaufen. Die Kartenverteilung soll damit nur noch an eigene Leute erfolgen. Es soll damit etwas gegen «Eindringlinge» unternommen werden.

Eine weitere Person die sich als Arbeiter ausgab erklärte:

In einem Club in Prenzlauer Berg fand eine Veranstaltung unter dem Motto Waffenbrüderschaft statt. Es gebe Meinungen, daß so eine Veranstaltung und Thema nicht in einen Club hingehören. Da in diesem Club das Publikum Stimmrecht hat, fordere er das Publikum des Eintopp auf dort hinzugehen.

Der IM erklärte, daß es ihm nicht möglich war, alle Einzelheiten und Provokationen zu behalten und wiederzugeben, die Vorgenannten zwei Beispiele zeigen seiner Ansicht nach eindeutig den provokativen Charakter dieser Veranstaltungen.

Der IM äußerte weiter, daß er sich bis zu dieser Veranstaltung nicht vorstellen konnte, daß es bei uns einen solchen stinkenden kulturellen Untergrund gibt. Er sei sich vorgekommen, wie auf einer Plenartagung der Kulturopposition der DDR.

Der IM erklärte weiter, daß er sich überlegt habe, ob er auf die Provokationen politisch in der Argumentation offensiv einsteigt oder nichts dazu sagt.

Er hab es aber dann vorgezogen nichts zu sagen um den 4 anwesenden Westjournalisten (dem IM war persönlich nur die ⟨Windmöller⟩ bekannt) keine Story zu liefern.

Der IM berichtete weiter, daß er im Anschluß an diese Veranstaltung ein kurzes Gespräch mit dem ebenfalls anwesenden Schriftsteller ⟨Volker Braun⟩ hatte. ⟨Braun⟩ habe ihm gegenüber zum Ausdruck gebracht, das diese Veranstaltung eine ziemliche Provokation gewesen sei.

Der IM informierte noch, daß er den vorgenannten Sachverhalt bereits dem Gen. ⟨Konrad Naumann⟩[3] mitgeteilt hat.

Der IM informierte, daß er in Zukunft soweit es seine Zeit zulässt an diesen «Eintopp» Veranstaltungen als Zuschauer teilnehmen wird um dann auch in der Diskussion offensiver werden zu können und nicht den negativen Kräften das Feld zu überlassen. Zu diesem Zweck wird er noch einige progressive Schriftsteller, die auch durch die Westpresse schwer anzugreifen sind, da sie dort in der Vergangenheit hochgejubelt wurden mitnehmen. Er denkt dabei an die Schriftsteller ⟨Wolfgang Kohlhaase⟩ und ⟨Günter Cwojdrak⟩.

Zu ⟨Volker Braun⟩ berichtete Martin weiter:

Die Leitung des Schriftstellerverbandes hat sich mit dem Stück von ⟨Volker Braun⟩ «Tinka» [4] beschäftigt.

Es ist von allen Schriftstellern, die das Stück gelesen haben eindeutig festgestellt worden, daß das Stück fehlerhaft ist, indem ⟨Braun⟩ Dinge und Begebenheiten verabsolutiert und verallgemeinert, die einfach nicht stimmen.

Nicht einverstanden ist der Vorstand, daß erst die Druckgenehmigung erteilt wurde, die Lizenz in die BRD vergeben wurde und jetzt bei uns das Buch nicht erscheinen darf.

Dieses Problem wurde mit dem Gen. ⟨Roland Bauer⟩ erörtert in dessem Ergebnis der Viezepräsident Gen. ⟨Hermann Kant⟩ beauftragt wurde mit dem Stellvertreter des Minister für Kultur [5] zu sprechen und diesem zu bitten die Entscheidung des Ministeriums bezüglich der Nichtauslieferung des Buches nochmals zu prüfen, und geeignette Maßnahmen einzuleiten, die garantieren, daß vor der Erteilung der Druckgenehmigung und der Lizenzvergabe an BRD Verlage die Manuskripte gründlich geprüft werden.

«Martin» berichtete weiter, daß im Gespräch mit ⟨Volker Braun⟩ vor dem Vorstand deutlich wurde, daß ⟨Braun⟩ auch bei einer richtigen Argumentation zu dem vorliegenden Stück Einsicht zeigte und es durchaus möglich gewesen wäre bestimmte negative Aussagen des Stückes in der Arbeit mit ⟨Braun⟩ zu verändern.

Der IM wies noch darauf hin, daß sich diese Empfehlung des Schriftstellerverbandes nicht auf die Frage der Entscheidung des Theaters erstreckt sondern ausschließlich auf das Buch bezieht.

Maßnahmen:
– Auswertung des Berichtes zur Lageeinschätzung auf dem Gebiet der Kultur bis 25. 5. 75

- Information «Eintopp» an Verw. Gr. Bln. Abt. XX/7
- Information zu ⟨Volker Braun⟩ zur VAO «Erbe»[6]
  Verw. Gr. Bln. Abt. XX/7

Auftragserteilung:
- Auftrag zu ⟨Heym⟩, ⟨Braun⟩, ⟨Plenzdorf⟩ und ⟨Schlesinger⟩
  bleibt bestehen.

Nächster Treff:
nach telef. Vereinbarung

Pönig
Hauptmann

---

1 Bettina Wegner, *4. 11. 1947, Liedermacherin. 1964–66 Ausbildung zur Bibliotheksfacharbeiterin, dann Studium an der Schauspielschule, 1968 wegen einer Flugblattaktion gegen den Einmarsch des Warschauer Pakts in der CSSR Verurteilung zu 16 Monaten Haft auf Bewährung, Bewährung in der Produktion bis 1970 als Fabrikarbeiterin im Berliner Elektroapparatwerk, 1972–73 Ausbildung als Sängerin am Zentralen Studio für Unterhaltungskunst, seit 1973 freischaffende Liedermacherin, von 1973–75 Moderatorin der Veranstaltungsreihe «Eintopp» im Berliner Haus der jungen Talente und 1975–76 des «Kramladens» in Berlin-Weissensee, jeweils bis zum staatlichen Verbot.
2 Eva Höpcker-Windmöller, Journalistin, von 1974 bis 1976 Korrespondentin des *Stern* in der DDR.
3 Konrad Naumann war von 1971–1985 1. Sekretär der SED-Bezirksleitung Berlin und galt als kulturpolitischer Scharfmacher.
4 Das Stück «Tinka» von Volker Braun entstand 1972–73. Die Proben am Deutschen Theater in Ost-Berlin unter Erforth und Stillmark wurden im Februar 1975 verboten. Die Uraufführung erfolgte dann am 29. 5. 1976 in Karl-Marx-Stadt. Die westdeutsche Lizenzausgabe erschien 1975 mit dem Copyright-Vermerk «by Henschelverlag Kunst und Gesellschaft Berlin 1975» bei Suhrkamp in dem Band «Stücke 1» zusammen mit den «Kippern» und «Hinze und Kunze».
5 Stellvertretender Kulturminister, verantwortlich für Verlagswesen, Druckerlaubnis, Buchhandel und Bibliotheken, war von 1973–1989 Klaus Höpcke.
6 VAO «Erbe» – der operative Vorgang gegen V. Braun.

85. Treffbericht:
Über Veröffentlichungsprobleme
von Schriftstellern
(30. 5. 75)

Hauptabteilung XX/7   Berlin, den 30. 5. 1975
                                       Pö/Ko

Treffbericht

Treff mit IMS «Martin»
am: 30. 5. 1975 von 11.00 – 12.15 Uhr
durchgeführt: Hptm. Pönig

Verlauf des Treffs
Der IM wurde beim Treff als offen und aufgeschlossen eingeschätzt.
Der Treff verlief ohne besondere Vorkommnisse.

Entsprechend seines Auftrages berichtete der IM über Probleme
und Fragen im Zusammenhang mit Veröffentlichungen bzw. geplanten Veröffentlichungen der Schriftsteller ⟨Volker Braun⟩, ⟨Jurek
Becker⟩, ⟨Karl-Heinz Jakobs⟩.

Zu ⟨Volker Braun⟩ berichtete der IM:
Die Parteileitung des Schriftstellerverbandes regte ein Gespräch
mit dem Stellvertreter des Ministers für Kultur, Genossen ⟨Klaus
Höpcke⟩ an, um diesem zu empfehlen, seine Entscheidung bezüglich
der Nichtveröffentlichung des bereits ausgedruckten Buches von
⟨Braun⟩ zu überprüfen. Genosse ⟨Höpcke⟩ habe erklärt, daß er
sich bezüglich seiner Entscheidung mit der Partei konsultiert habe
und somit sich außerstande fühlt, der Empfehlung der Parteileitung
des Schriftstellerverbandes zu entsprechen.

Der IM erklärte beim Treff, daß er aus dem Sachverhalt entnehme,
daß hier doch offensichtlich keine Abstimmung auf der entsprechenden kompetenten Ebene vorliege. Wie anders wäre es sonst möglich
gewesen, daß der Sekretär der Bezirksleitung ⟨Roland Bauer⟩ den
Vorschlag der Parteileitung des Schriftstellerverbandes mit Gen.
⟨Höpcke⟩ zu sprechen anregte und unterstützte.

Der IM äusserte, daß durch diesen Umstand die Herbeiführung

von Entscheidungen verzögert wird, was sich dahingehend auswirkt, daß die Bemühungen der Parteileitung und des Verbandes des Berliner Schriftstellerverbandes um ⟨Volker Braun⟩ untergraben werden und es den Genossen des Vorstandes und der Parteileitung des Berliner Schriftstellerverbandes schwer wird, das Vertrauen ⟨Volker Brauns⟩ zu gewinnen.

«Martin» berichtete weiter, daß es seiner Ansicht nach ernste Anzeichen gibt, daß die vom VIII. Parteitag der SED geforderte Erhöhung der politisch ideologischen Arbeit der Künstlerverbände mit ihren Mitgliedern bewußt oder unbewußt untergraben wird. Um diese Feststellung zu belegen, schilderte «Martin» folgendes Beispiel:

Das Mitglied der Parteileitung des Berliner Schriftstellerverbandes, der Schriftsteller ⟨Karl-Heinz Jakobs⟩ wandte sich an seine Parteileitung mit der Bitte um Rat. ⟨Jakobs⟩ erklärte dazu vor den Genossen der Parteileitung: Er habe bei der DEFA einen Film gemacht mit dem Titel «Eine Pyramide für mich».[1] Nachdem der Film fertiggestellt ist, und ihn eine Reihe von Leuten gesehen haben, gebe es heftigen Streit. Er, ⟨Jakobs⟩, sei der Ansicht, daß sein Film gut sei, möchte nun aber doch die Meinung seiner Genossen hören, auch wenn diese zu der Ansicht kommen, daß er einen schlechten Film gedreht hat.

Durch die Genossen der Parteileitung wurde dem Gen. ⟨Jakobs⟩ versprochen, sich den Film anzuschauen und ihm danach ihre Meinung zu sagen. ⟨Jakobs⟩ wurde noch darauf hingewiesen, daß er aber nicht denken soll, daß die Genossen der Parteileitung sich davor scheuen werden, sich für ein Verbot der Aufführung des Films auszusprechen. ⟨Jakobs⟩ erklärte, daß er gerade aus diesem Grund die Genossen bitte ihm ihre Meinung zu sagen, die könne für ihn wichtig werden im Fall, daß er sich verrannt hat.

Auf Grund dieser Aussprache mit ⟨Jakobs⟩ setzte sich die Parteileitung des Berliner Schriftstellerverbandes mit dem Stellv. des Ministers für Kultur, Genossen ⟨Starke⟩[2], in Verbindung, um eine Vorauführung des Films von ⟨Jakobs⟩ vor der Parteileitung des Schriftstellerverbandes zu veranlassen.

Genosse ⟨Starke⟩ erklärte, daß er dem Wunsch der Parteileitung nicht entsprechen kann.

Die Ablehnung des Genossen ⟨Starke⟩ stößt bei den Mitgliedern der Parteileitung des Berliner Schriftstellerverbandes auf Unverständnis, da sie nun nicht wissen, wie sie mit ihrem eigenen Genossen ideologisch arbeiten sollen, wenn ihnen dessen Arbeiten vorenthalten werden.

Der IM berichtet, daß es mit dem Schriftsteller ⟨Jurek Becker⟩ bereits wieder ein ähnliches Problem gibt, das bei weiterer Verzögerung einer Entscheidungsfindung ⟨Becker⟩ wieder in die Lage bringt, ein Autor zu sein, der Schwierigkeiten bei der Veröffentlichung seiner Arbeiten in der DDR hat.

⟨Becker⟩ schrieb für einen Film bei der DEFA ein Szenarium nach dem gleichnamigen Roman von ⟨Wellm⟩ «Pause für Wanzhot».[3]

Auf Grund eines Protestes gegen die Verfilmung des Romans von ⟨Wellm⟩ durch das Ministerium für Volksbildung wurde die weitere Arbeit an dem Filmprojekt vorerst ohne eine Entscheidung eingestellt.

Der IM «Martin» erklärte beim Treff, daß die Parteileitung des Verbandes eine solche Entscheidung, vorausgesetzt ⟨Becker⟩ hat sich exakt an den Roman von ⟨Wellm⟩ gehalten, nicht billigen kann.

Eine Billigung des vorgenannten Sachverhaltes bedeutet nach Ansicht der Schriftsteller, daß jeder Autor, dessen Bücher in der DDR verlegt und für gut befunden wurden Schwierigkeiten hat, sobald es jemanden gibt, der gegen eine Verfilmung protestiert.

Der IM verwies darauf, daß das Problem ⟨Becker⟩ 2 Fragen beinhalte. Einerseits, daß es von ⟨Becker⟩ wieder einen Stoff gibt, wo er Schwierigkeiten mit der Veröffentlichung hat und andererseits die Verhaltensweisen der verantwortlichen Genossen der DEFA bei den Autoren kein Verständnis finden.

Maßnahmen:
– Zu ⟨Braun⟩[4] Information an XX/7 Verw. Groß-Berlin
– zu ⟨Jakobs⟩[5] Information an XX/7 Verw. Groß-Berlin
– zu ⟨Becker⟩ Information XX/7 Verw. Groß-Berlin
Überprüfung des Sachverhaltes durch IMS «Hermann».[6]

Nächster Treff:
nach telefonischer Vereinbarung.

Pönig
Hauptmann

1 Der Film «Eine Pyramide für mich» entstand nach dem Roman gleichen Titels von Jakobs aus dem Jahr 1971. Darin kehrt «ein Wissenschaftler an den Ort seiner früheren Arbeit zurück; die Erinnerung an
das Geschehen von einst und die Begegnungen von heute werden zum
Anlaß kritischer Selbstbesinnung, durch die der Autor menschliche
Entwicklungsprobleme in der sozialistischen Gesellschaft deutlich
macht» (Meyers Taschenlexikon «Schriftsteller der DDR», S. 240).
Der Film wurde von Ralf Kirsten nach «einem romannahen Szena-
rium» inszeniert, die Kameraführung lag bei Hans-Jürgen Kruse, die
Hauptrolle spielte Justus Fritzsche.
Der Film hatte im Dezember 1975 Premiere und wurde im «Neuen
Deutschland» vom 13. 12. 1975 von Horst Knietzsch rezensiert.

2 Hans Starke, Stellvertretender Minister für Kultur.

3 Gemeint ist «Pause für Wanzka» nach einem Roman von Alfred Wellm
aus dem Jahre 1968. Es ist laut Meyers Taschenlexikon «Schriftsteller
der DDR» (S. 599f.) «die Geschichte eines oft eigenwilligen Lehrers,
der nach jahrelangem Verwaltungsdienst wieder unterrichten möchte
und der in der Praxis Schwierigkeiten vorfindet, zu deren Verfestigung
er in seiner früheren Funktion selbst beigetragen hat.» Es geht «um die
vom Kollektiv geförderte volle Entfaltung der schöpferischen Fähigkeiten und des inneren Reichtums der Menschen im Sozialismus».

Jurek Becker erinnert sich an das Projekt so: «Irgendwann in den
frühen siebziger Jahren (...) wollte ich zusammen mit dem Regisseur
Frank Beyer den Roman ‹Pause für Wanzka› von Alfred Wellm verfilmen. Die Idee stammte, da bin ich sicher, von Beyer, aber es war nicht
schwer, mich zu überzeugen – mir gefiel das Buch sehr. Ein Drehbuch,
das ich dann geschrieben habe, wurde von der DEFA aber nicht akzeptiert. Ich kann mich nicht erinnern, woher der Widerstand kam, nur
noch an das Resultat kann ich mich erinnern. Auch weiß ich nicht
mehr, ob ich mich EXAKT an den Roman gehalten habe (was ist das
überhaupt für ein Wort in Zusammenhang mit einer Romanverfil-
mung!), wahrscheinlich nicht.»

Ergänzend teilt Alfred Wellm mit, es habe Anfang der 70er Jahre
einige Male den Versuch gegeben, «Pause für Wanzka» zu verfilmen.
«Ich selbst war an solchem Vorhaben nur einmal (beratend) mitbetei-
ligt, als Jurek Becker das Szenarium schrieb und Frank Beyer den Film
machen wollte. Wie sensibel Margot Honeckers Ministerium auf jede
Kritik an den Zuständen im Bereich Volksbildung reagierte, war uns
hinreichend bekannt. Darum saßen wir mehrmals zu dritt beisammen,
um bei dem geringen Spielraum, der uns gegeben war, den möglichst
größten Effekt zu erzielen. Ich muß gestehen, daß ich mir von diesem

Vorhaben wenig versprach, denn mit jeder Mäßigung, zu der wir uns gezwungen sahen, konnte die Verfilmung nur verlieren. Das Gespräch dann im Ministerium (ich weiß nicht mehr, ob mit Margot Honecker selbst) über das fertige Szenarium führten Frank Beyer und Jurek Bekker – meine Anwesenheit hierbei hätte nur von Nachteil sein können, da es unter der Regie von Frau Honecker in der LEHRERZEITUNG schon eine heftige Kampagne gegen den Roman gegeben hatte. Später erfuhr ich dann von Jurek Becker (ich glaube telefonisch) von der Ablehnung des Projekts. (...)

1988/89 erhielt die Regisseurin Vera Loebner eine Zustimmung unter Vorbehalt für eine Fernsehverfilmung. Kurt Böwe spielte den Wanzka, die Dreharbeiten zogen sich über den Zeitraum der Wende hin; 1990 wurde der Film erstmals ausgestrahlt.»

4 Volker Braun wurde dort als «OV Erbe» bearbeitet.

5 Karl-Heinz Jakobs wurde als «OV Besserwisser» bearbeitet.

6 IMS Hermann = Günter Görlich.

86. Treffbericht:
Über die Generalversammlung des PEN DDR (28.10.75)

Hauptabteilung XX/7   Berlin, den 28.10.1975
       Pö/Ko

Treffbericht

Treff mit: IMS «Martin»
am: 22.10.1975, 18.20–19.30 Uhr
durchgeführt: Hptm. Pönig

Verlauf des Treffs:
Der IM machte beim Treff einen offenen und aufgeschlossenen Eindruck. Während des Treffs gab es keine besonderen Vorkommnisse. Nachwievor leidet der IM noch an starken Schmerzen, die von seinem Verkehrsunfall vor 2 Jahren herrühren. Er ist noch in ständiger medizinischer Behandlung.

Berichterstattung

Entsprechend seinem Auftrag berichtete der IM über das Auftreten und die Verhaltensweisen des ⟨Wolf Biermann⟩ zur Generalversammlung des PEN Zentrum der DDR am 22.10.1975. (siehe dazu gesonderte Information).

Zum Verlauf der Generalversammlung des PEN Zentrum der DDR berichtete der IM folgendes:

Von den insgesamt 65 Mitgliedern des PEN waren 24 anwesend. Auf Grund des Statuts ist die Generalversammlung auch mit dieser geringen Beteiligung beschlußfähig.

Die Versammlung begann pünktlich um 10.00 Uhr und endete mit der Wahl gegen 16.30 Uhr.

(...)

Das Referat wurde von Prof. ⟨Kamnitzer⟩, dem Präsidenten des PEN Zentrum der DDR gehalten.

Der IM schätzte das Referat von seinem Inhalt her als gut ein, da Genosse ⟨Kamnitzer⟩ sehr eindeutig und ausführlich die Funktion und das Auftreten der PEN Mitglieder der DDR im Internationalen PEN herausarbeitete. In diesem Zusammenhang ging Prof. ⟨Kamnitzer⟩ auf die Besonderheiten der Arbeit des PEN der DDR im Rahmen des intern. PEN nach der Konferenz von Helsinki[1] ein. Hierbei sagte er deutlich auf die Punkte 3 des Abschlußdokuments von Helsinki hinweisend, daß die Probleme dieses Punktes «freier Austausch von Meinungen, Informationen, von Personen» für uns als DDR und den PEN Mitgliedern nicht so zu verstehen ist, daß wir jetzt der bürgerlichen Ideologie Tür und Tor zu öffnen bereit seien. In dieser Frage werden wir uns gegenüber den imp. Staaten nicht öffnen. Aber gerade hier einen Einbruch zu erzielen, – um die DDR und die anderen soz. Staaten politisch-ideologisch zu unterwandern – ist einer der Hauptangriffspunkte der imp. Staaten.

Gen. ⟨Kamnitzer⟩ wies weiter darauf hin, daß die Delegation des PEN der DDR zum Inter. PEN Kongreß in Wien gut auf diese Fragen vorbereitet und gerüstet sein muß.

In der anschliessenden Diskussion gab es von nochfolgenden Schriftstellern Beiträge, die dem IM bedeutsam erschienen.

Zuerst sprach ⟨Franz Fühmann⟩.

Er finde es für einen sozialistischen Staat unwürdig, daß dieser Staat seinen Bürgern Dinge, die sie lesen wollen vorenthält und nicht in die DDR hinein lässt. Er sei durch das Referat des Gen. ⟨Kamnitzer⟩ verschreckt und habe das Gefühl, daß mit dem Referat jemanden der Krieg angesagt worden soll [sei], er wisse nur noch nicht wem.

Im übrigen hätte er den Eindruck, daß das Referat belehrend wirken sollte, was doch in diesem Kreis nicht nötig wäre. Hier brauche man doch nicht darauf hinzuweisen, daß es im Westen noch Faschisten und Neofaschisten gibt, das weiß doch jeder.

⟨Günther Cwojdrak⟩ erwiderte dazu, daß er ⟨Fühmanns⟩ Ansicht nicht teile, sondern gerade nach Helsinki man sich darüber Klarheit verschaffen sollte, daß der Gegner mit allen Mitteln versucht seine feindliche Ideologie bei uns einzuschleusen. Es ist deshalb für uns in diesem Kreis wichtig, was jetzt zu tun ist.

⟨Jurek Becker⟩ erklärte, daß er mit dem Präsidium des PEN Zentrum der DDR unzufrieden sei. Das Präsidium würde die Mitglieder zu wenig darüber informieren, was es tut. Er hätte den Eindruck, daß das PEN der DDR nur aus dem Präsidium besteht und so könne es seiner Ansicht nicht weiter gehen.

Prof. ⟨Wieland Herzfelde⟩[2] unterstützte ⟨Becker⟩ und erklärte, daß nach Wien zum Internationalen PEN Kongreß wieder nur 3 Mann fahren, die BRD wird dabei zahlreich vertreten sein. Mit einer zahlenmässig so schwachen Delegation ist die DDR gar nicht in der Lage an allen Veranstaltungen teilzunehmen und es wird dann sicherlich überall nur die Stimme der BRD zu hören sein.

Er stellte aus diesem Grunde den Antrag mit zum Kongreß nach Wien zu fahren. Die DDR werde dadurch keinen Schaden erleiden, da er keine Valuta benötigt, sondern die Kosten selbst trage.

Danach sprach ⟨Stephan Hermlin⟩

⟨Hermlin⟩ erklärte, daß er zu Beginn seiner Ausführungen betonen möchte, daß er voll hinter dem Referat von Gen. Prof. ⟨Kamnitzer⟩ stehe und daß es davon keinerlei Abstriche zu machen gibt. Die Anwesenden müssen verstehen, daß sich unser DDR PEN-Zentrum und seine Strategie in die große Strategie der sozial. Gemeinschaft einzuordnen hat. Wie dies am besten und erfolgreichsten zu realisieren ist, das sei ein Thema über das es sich lohne zu sprechen.

Der IM berichtete, daß nach diesen Worten ⟨Hermlins⟩ absolutes Schweigen herrschte.

⟨Hermlin⟩ äusserte weiter, er käme aus dem Bürgertum zur Arbeiterklasse. In dieser Zeit habe er manche Konflikte durchgemacht.

Er habe sich oft gefragt, was er an bürgerlichen Überbleibseln noch abstreifen muß und welche bürgerlichen Tugenden für sein weiteres Leben erhalten bleiben sollten. Er sei zu dem Schluß gekommen, daß zu den Tugenden, die er erhalten möchte, die Toleranz gehört. Unter Toleranz verstehe er, daß er nie einen Menschen nur negativ beurteilen wird, sondern er wird sich immer bemühen, auch die positiven Seiten zu erkennen, um die gesamte Persönlichkeit zu sehen. ⟨Hermlin⟩ erklärte weiter, daß allen Anwesenden bekannt ist, daß er 1968 die Maßnahmen der sozialistischen Staaten in Bezug auf die CSSR nicht gebilligt habe. Mit aller Deutlichkeit will er, wenn er jetzt dieses erwähnt darauf verweisen, daß es nicht seine Absicht ist über die Richtigkeit dieser Maßnahmen wieder zu diskutieren. Das war 1968 und er erwähne dies aus einem anderen Grund. Heute 1975 kann man nicht damit einverstanden sein, wie die gegenwärtige Situation der Schriftsteller in der CSSR ist, bzw. wie einige behandelt werden.[3]

Der IM erklärte, daß danach keiner mehr gesprochen hat. Über den letzten Punkt der Ausführungen von ⟨Hermlin⟩ beabsichtigt der IM mit diesem einmal unter 4 Augen zu sprechen, um zu hören, was dieser konkret meinte.

Der IM berichtete, daß ⟨Hermlin⟩ nochmals vor der Wahlhandlung in Bezug auf die Neuaufnahmen sprach.

Hier erklärte ⟨Hermlin⟩, daß er nicht damit einverstanden sei, den ⟨Wolfgang Harich⟩ in das PEN aufzunehmen, da dieser eine Haltung an den Tag lege, die eines DDR Bürgers unwürdig sei. So habe es ⟨Harich⟩ abgelehnt dem Schriftsteller ⟨Günther de Bruyn⟩ als Experte seine Meinung zu dessen Romanmanuskript «Paul Jean» zu sagen. ⟨Harich⟩ habe es fertig gebracht, ⟨de Bruyn⟩ zu antworten, daß sein Buch entscheidende historische Fehler habe, er aber sich dazu erst äussern werde, wenn das Buch in der DDR gedruckt und im Handel ist.[4]

Mit einer solchen Haltung könne er sich nicht abfinden.

Zur Frage der Neuaufnahmen erklärte der IM, daß er nicht verstehe, wieso sich die Kulturabteilung des ZK dafür hergebe, vor die PEN-Mitglieder zu treten und diesen zu empfehlen, solche Schriftsteller wie ⟨Adolf Endler⟩[5], ⟨Rainer Kirsch⟩ und ⟨Wolfgang Harich⟩ in den PEN aufzunehmen. Er selbst habe zwar bei der Abstimmung mit vielen Bauchschmerzen ⟨Endler⟩ und ⟨Kirsch⟩

seine Stimme gegeben. Aber ⟨Harich⟩ sei ihm absolut zuviel gewesen und er habe gegen die Aufnahme des ⟨Harich⟩ gestimmt.

Zum Wahlergebnis berichtete der IM, daß das alte Präsidium ohne Veränderungen wieder gewählt wurde.

Neu aufgenommen wurden folgende Schriftsteller:

⟨Endler⟩, ⟨Kirsch⟩, Prof. ⟨H. Kaufmann⟩ [6], ⟨W. Kaufmann⟩ [7], Prof. ⟨Schober⟩ [8], ⟨Joachim Seyppel⟩ [9], ⟨Jean Villain⟩ [10], ⟨Winnington⟩ [11]. Nicht aufgenommen wurde ⟨Harich⟩.

Maßnahmen:
Inf. Auswertung für Lageeinschätzung Schriftsteller

Nächster Treff:
nach telef. Vereinbarung.

Pönig
Hauptmann

---

1 Die Schlußakte der Europäischen Sicherheitskonferenz wurde am 1. 8. 1975 in Helsinki unterzeichnet.

2 Wieland Herzfelde, *11. 4. 1896, †24. 11. 1988, Verleger, Schriftsteller, 1917–39 Leiter des Malik-Verlags, Exil in der Tschechoslowakei und in den USA, ab 1949 Professor für Soziologie der neueren Literatur in Leipzig, 1961 Mitglied der Akademie der Künste der DDR und des Präsidiums des PEN-Zentrums der DDR, seit 1972 dessen Ehrenpräsident. An der internationalen Tagung des PEN in Wien durfte Herzfelde nicht teilnehmen. Laut Auskunft des PEN-Zentrums Ost fuhren Kamnitzer, Keisch und Hermlin nach Wien.

3 Zur bedrückenden Situation der Schriftsteller in der CSSR nach 1968 siehe Reiner Kunzes Band «Die wunderbaren Jahre», Frankfurt am Main 1976, S. 85–119 («Café Slavia»).

4 Günter de Bruyns Biographie «Das Leben des Jean Paul Friedrich Richter» erschien 1975 beim Mitteldeutschen Verlag. Harich hatte 1968 eine Studie über «Jean Pauls Kritik des philosophischen Egoismus» und 1974 ein Buch über «Jean Pauls Revolutionsdichtung» veröffentlicht.

5 Adolf Endler, *10. 9. 1930, Lyriker, Erzähler, Essayist, 1955 in der Bundesrepublik wegen «Staatsgefährdung» angeklagt, Übersiedlung in die DDR, 1955–57 Studium am Literaturinstitut «Johannes R. Be-

cher» in Leipzig, debütierte 1960 mit dem Band «Weg in die Wische», gab zusammen mit Karl Mickel die Lyrik-Anthologie «In diesem besseren Land» heraus (1966); «Das Sandkorn» (1974).

S. zu dem Komplex PEN-Club auch die interessanten Notate von Endler in seinem «Tarzan am Prenzlauer Berg. Sudelblätter 1981–1983», Leipzig 1994, S. 160ff. Noch Jahre nach der Zuwahl kannten Endler und viele andere PEN-Mitglieder der DDR die PEN-Charta nicht, weil sie ihnen systematisch vorenthalten worden war: «Weder Rennert noch Rainer Kirsch, weder Mickel noch Kusche, von den anderen nicht zu reden, kennen das die internationale PEN-Club-Tätigkeit bestimmende Dokument, das mit der Floskel schließt: ‹Die Anerkennung dieser Charta ist eine notwendige Bedingung der Aufnahme und Zuwahl . . .›».

6 Hans Kaufmann, *31.3.1926, Literaturwissenschaftler. 1959–61 Professor an der Humboldt-Universität, 1962 Habilitation über «Bertolt Brecht. Geschichtsdrama und Parabelstück», 1962–68 Professor an der Universität Jena, seit 1968 an der Deutschen Akademie der Wissenschaften, 1973–76 stellvertretender Direktor des Zentralinstituts für Literaturgeschichte an der Akademie der Wissenschaften.

7 Walter Kaufmann, *19.1.1924, Romancier, Erzähler, Fernsehspiel-Autor. Während des III. Reichs Emigration nach Australien. In den fünfziger Jahren Übersiedlung nach Kleinmachnow bei Berlin. «Wohin der Mensch gehört» (1957), «Kreuzwege» (1961), «Hoffnung unter Glas» (1966), «Gerücht vom Ende der Welt» (1969), «Unterwegs zu Angela» (1973).

8 Rita Schober, *13.6.1918, Literaturwissenschaftlerin, Direktorin des Instituts für Romanische Philologie an der HU, Emile Zola, Werkausgabe (Hg.), «Von der wirklichen Welt der Dichtung» (1970).

9 Joachim Seyppel, *3.11.1919, Literaturwissenschaftler, Erzähler. 1949–1960 Lehrtätigkeit in den USA, 1961–73 in West-Berlin ansässig, 1973 Übersiedlung in die DDR.

«Flugsand der Tage» (1947), «Ausdrucksformen deutscher Geschichte. Eine Morphologie der Freiheit» (1952), «Abendlandfahrt» (1963), «Columbus Bluejeans oder Das Reich der falschen Bilder» (1965), «Torso Conny der Große» (1969), «Ein Yankee in der Mark. Wanderungen nach Fontane» (1970), «Nachtbücher. Gedanken über Tage» (1974).

10 Jean Villain, *13.6.1928, Reporter, Sachbuch-Autor, Kritiker. Übersiedelte 1961 aus der Schweiz in die DDR. «Meine Freundin Marianne» (1956), «Nacht über Spanien» (1957), «Brennender Maghreb» (1960), «Und so schuf Gott die Apartheid» (1961), «Die Kunst

der Reportage» (1965), «Die großen 72 Tage» (1971), «500 Millionen im Wettlauf gegen die Uhr. Indien zwischen Antike und Atomzeitalter» (1972), «Venedig. Tage und Jahrtausende» (1974).

11 Alan Winnington, * 16.3.1910, † 26.11.1983, Journalist, Korrespondent des «Daily Worker» in China und Korea, «Tibet» (1960), «Die Sklaven der Kühlen Berge» (1961), «Der Himmel muß warten» (1964), «Kopfjäger» (1969), «Silberhuf» (1971), «Berlin Halt» (1973), «Auf der Spur des Schneemenschen» (1974).

87. Treffbericht:
IMS «Hermann» über Reaktionen auf die Plenzdorf-Verfilmung der «Neuen Leiden» (29.10.75)

Hauptabteilung XX/7   Berlin, den 29.10.1975
                                      Ko

              Treffbericht[1]

Treff mit: IMS «Hermann»
am: 28.10.1975, 20.30–21.30 Uhr
durchgeführt: Hptm. Pönig

Verlauf des Treffs
Der IM erschien pünktlich zum vereinbarten Treff. Während des Treffs gab es keine Vorkommnisse.

Berichterstattung
(...)
Der IM berichtete weiter, daß es unter den Mitgliedern des Präsidiums des Schriftstellerverbandes der DDR starke Verärgerung gibt. So äusserte der Schriftsteller Max Walter Schulz, Hermann Kant, Günter Görlich, Erwin Strittmatter und Reiner Kerndl, Gerhard Holz-Baumert, daß sie kein Verständnis dafür aufbringen können, daß dem Schriftsteller Ulrich Plenzdorf durch die staatlichen Organe der DDR gestattet wurde seine Erzählung «Die neuen Leiden des jungen W.» in der BRD zu verfilmen.[2]

337

Umso unverständlicher wirkt diese Entscheidung, da sie getroffen wurde, nachdem die DEFA eine Verfilmung dieses Stoffes abgelehnt hatte.

Wenn es bei einer Verfilmung des Stoffes durch die DEFA evtl. noch möglich gewesen wäre entsprechenden Einfluß zu nehmen und negative Tendenzen abzubauen, so ist das ihrer Ansicht nach bei einer Verfilmung in der BRD unmöglich. Aus diesem Grunde sind die vorgenannten Schriftsteller der Ansicht, daß ihnen, wenn der Film eine negative oder feindliche Aussage gegen die DDR haben sollte, was ihrer Meinung nach jetzt schon abzusehen ist, niemand kommen soll, damit sie sich mit Plenzdorf auseinandersetzen. Sie sind nicht um Rat gefragt worden in Bezug auf die Entscheidungsfindung. Die Auseinandersetzung sollen die, die Verantwortung für die vorliegende Entscheidung tragen, durchführen.

Der IM berichtete, daß durch die Mitglieder des Vorstandes des Berliner Schriftstellerverbandes, Peter Edel, Eberhard Panitz, Harald Hauser und Gisela Steineckert sowie Rudi Strahl diese Meinung vertreten wird.

(...)

Pönig
Hauptmann

---

1 Das Dokument stammt aus der Akte Günter Görlich.
2 Ulrich Plenzdorf hatte die «Neuen Leiden des jungen W.» ursprünglich als Szenario für die DEFA entworfen. Als es dort nicht möglich war, das Projekt zu realisieren, machte er aus dem Stoff einen Prosatext («Sinn und Form», 2/1972, S. 254–310) und ein Bühnenstück (das am 18.5.1972 in Halle uraufgeführt wurde). Die Filmrechte wurden schließlich an den Münchner Produzenten Harald Müller und an den Südwestfunk vergeben. Ulrich Plenzdorf schrieb das Drehbuch, die Regie hatte Eberhard Itzenplitz, die Hauptdarsteller waren Klaus Hoffmann und Léonie Thelen. Die Zeitungen nannten das Projekt «das erste positive Beispiel deutsch-deutscher Zusammenarbeit auf kulturellem Gebiet, bei dem private Initiative, Produktionsmittel einer öffentlich-rechtlichen Anstalt, künstlerische Kräfte aus beiden Teilen Deutschlands und die Unterstützung der DDR-Institutionen zusammenwirkten» (Stuttgarter Zeitung, 12. März 1976). Die Uraufführung fand am 20. April 1976 in der ARD statt.

«Berliner Geschichten» –
Tod einer Anthologie

88. Treffbericht:
«Operativer Schwerpunkt ‹Selbstverlag›» –
Über Uwe Kant und Rolf Schneider (15.12.75)

Hauptabteilung XX/7   Berlin, den 15.12.1975
                                                  Pö/Ko

Treffbericht

Treff mit IMS «Martin»
am: 12.12.1975, 20.00 Uhr bis 21.15 Uhr
durchgeführt: Hptm. Pönig

Verlauf des Treffs
Während des Treffs gab es keine besonderen Vorkommnisse. Der IM machte einen offenen und aufgeschlossenen Eindruck. Unverändert leidet der IM an starken Schmerzen, so daß er starke schmerzlindernde Medikamente einnehmen muß.

Berichterstattung
Im Zusammenhang eines Auftrages zum operativen Schwerpunkt Selbstverlag[1] berichtete der IM über das Auftreten und die Verhaltensweisen der operativ angefallenen Schriftsteller während der Wahlberichtsversammlung der Parteigrundorganisation des Berliner Schriftstellerverbandes. Darüber wird ein gesonderter Bericht gefertigt. Der Bericht stimmte mit dem Bericht des IMS Hermann überein.

Zu ⟨Uwe Kant⟩[2] berichtete der IM, daß er mit diesem über die Anthologie «Berliner Geschichten» gesprochen hat. Im persönlichen Gespräch hat er ⟨Uwe Kant⟩ die politische Hinterhältigkeit und den feindlichen Charakter dargelegt. ⟨Uwe Kant⟩ äusserte in diesem Gespräch, daß er auch schon Bedenken bekommen hat. Die Ursache für seine Bedenken liegen insbesondere in der Kenntnis des Inhaltes der einzelnen Beiträge. ⟨Uwe Kant⟩ äusserte gegenüber dem IM, daß er den Beitrag von ⟨Heym⟩[3] für ausgesprochen feindlich halte und keinesfalls die Absicht hat, sich für die Veröffentlichung von ⟨Heyms⟩ Beitrag einzusetzen.

Diesen Umstand nutzte der IM, um von ⟨Uwe Kant⟩ das Versprechen zu erhalten, seinen Beitrag aus der Anthologie zurückzuziehen und sich von diesem Projekt sowie den Organisatoren zurückzuziehen.

Dies versprach ⟨Uwe Kant⟩ dem IM. Nachdem der IM das feste Versprechen von ⟨Uwe Kant⟩ hatte, erklärte er diesem, daß es zu wenig sei nur aus dem Unternehmen auszusteigen, sondern daß es darauf ankomme, noch andere zu beeinflussen, den gleichen Schritt zu gehen. ⟨Uwe Kant⟩ erklärte sich damit auch einverstanden. Er schlug vor, zu diesem Zweck bis zur nächsten Zusammenkunft des «Autorenkollektivs» still zu sein und bei der Zusammenkunft in Gegenwart der anderen Autoren auf die Feindlichkeit des Beitrages von ⟨Heym⟩ hinzuweisen und zu fordern, daß entweder der Beitrag von ⟨Heym⟩ aus der Anthologie entfernt wird, oder er sich von dem Vorhaben distanziert und seinen Beitrag zurückzieht. ⟨Uwe Kant⟩ ist der Ansicht, daß dieses Verhalten nach den Bedenken, die ⟨Kunert⟩ in der ersten Zusammenkunft äusserte, auf eine Reihe weiterer Autoren nachhaltig wirken wird.

Damit ⟨Uwe Kant⟩ keinen Fehler macht, hat der IM mit diesem vereinbart, sich vor dem weiteren Schritt in dieser Angelegenheit mit ihm zu beraten.

Dies ermöglicht, erklärte der IM beim Treff, jederzeit wenn es unser Organ oder die Partei für erforderlich erachtet, ⟨Uwe Kant⟩ eine andere den Erfordernissen entsprechende Verhaltenslinie zu geben.

Zu ⟨Rolf Schneider⟩ berichtete der IM, daß er diesen wegen seiner Beteiligung an der «Anthologie» «Berliner Geschichten» angesprochen hat. Er hat ⟨Schneider⟩ erklärt, daß er von ⟨Uwe Kant⟩ Kenntnis hat, daß ⟨Schneider⟩ sich auch an dieser Anthologie «Berliner Geschichten» beteilige.

⟨Schneider⟩ äusserte darauf, daß dieses stimme und er die Absicht hatte, sich daran zu beteiligen.

Wie er aber aus der Anspielung des IM entnehmen kann, würde

dies bedeuten, daß ihm der IM von einer Beteiligung abrate. Er könne dem IM versichern, daß er sich aus diesem Projekt zurückziehe.

An der Aufrichtigkeit dieses Unternehmes seien ihm ernste Zweifel gekommen. So habe er sich mit ⟨Kunert⟩, der an der [ersten Sitzung der an der] Anthologie beteiligten Autoren teilnahm, ausgetauscht. ⟨Kunert⟩ hat ihm berichtet, wie es in diesem Verein zuging. Schon an der Tonart hat man die Nase voll.

In diesem Verein soll sich ⟨Kunert⟩ und ⟨Schneider⟩ von Leuten, die selbst noch nicht wissen was Literatur ist,[4] erzählen lassen, wie eine Erzählung aussehen soll bzw. auszusehen hat. Mit diesen krummen Gestalten stellen sie sich nicht auf eine Stufe, abgesehen daß es Beiträge gibt, hinter die man sich nicht stellen kann. ⟨Schneider⟩ äusserte gegenüber dem IM weiter, daß er sich wegen dieser Anthologie nicht den Kopf zerbrechen brauche, durch seinen und ⟨Kunerts⟩ Austritt werde das Projekt sowieso in sich zusammenbrechen, da es an Substanz verliert und darüber hinaus werden einige sicherlich nachdenklich, wenn er und ⟨Kunert⟩ aus diesem Verein austritt.

Auf Grund der von ⟨Schneider⟩ dargelegten Situation verzichtete der IM sich bei ⟨Schneider⟩ nach den Motiven seiner Beteiligung am Projekt zu erkundigen sowie nach den Umständen, unter denen er von wem gewonnen wurde.

Auftrag:
Der IM hält mit ⟨Uwe Kant⟩ und ⟨Schneider⟩ weiter Kontakt, um ständig und rechtzeitig über Veränderungen der Situation zum Projekt Anthologie informieren zu können.

Nächster Treff
nach telefonischer Vereinbarung.

Pönig
Hauptmann

---

1 Klaus Schlesinger hat über dieses Thema ein längeres Manuskript verfaßt unter dem Titel «Anfang einer Affäre» (das mir dankenswerterweise vorliegt). Ihm zufolge planten er, Ulrich Plenzdorf und Martin Stade eine Anthologie unter dem Titel «Berlin, Hauptstadt der DDR,

Zeit: vom Kriegsende bis zur Gegenwart». Die Anthologie sollte sich von anderen dadurch unterscheiden, «daß ihre Teilnehmer Kenntnis bekamen von allen Texten, darüber beraten und, nach Einigung, sie als kollektive Herausgeber einem unserer Verlage zur Veröffentlichung anbieten sollten.» Die ersten Einladungen erfolgten ca. Februar 1974. Unter den Adressaten waren Günter de Bruyn, Elke Erb, Fritz Rudolf Fries, Paul Gratzik, Uwe Grüning, Stephan Hermlin, Stefan Heym, Bernd Jentzsch, Uwe Kant, Sarah Kirsch, Günter Kunert, Karl Mickel, Irmtraud Morgner, Rolf Schneider, Dieter Schubert, Helga Schubert, Christa Wolf.

Die ersten Texte gingen im Sommer 1974, die vorläufig letzten im Frühjahr 1975 ein. Das erste Treffen der Autoren fand am 10. September 1975 im Ost-Berliner Becher-Club statt. Es wurde beschlossen, das Manuskript noch keinem Verlag anzubieten, die Diskussion über die einzelnen Beiträge aufzuschieben und noch weitere Autoren einzuladen.

Wenig später wurde auch eine Einladung zu dieser Anthologie für die Veröffentlichung in den «Mitteilungen des Schriftstellerverbandes» formuliert. Wolfgang Kohlhaase informierte die Parteileitung des Schriftstellerverbands darüber – festgehalten in dem Protokoll der Parteileitungssitzung vom 13. 11. 1975.

2 Uwe Kant, der jüngere Bruder Hermann Kants.

3 Stefan Heym stellte für die Anthologie seine Erzählung «Mein Richard» zur Verfügung, eine Geschichte über zwei Jugendliche aus der DDR, die vierzehnmal über die Mauer klettern, um im Westen ins Kino zu gehn. Schließlich werden sie aufgrund eines westlichen Zeitungsartikels verhaftet und verurteilt. Pointe: der Verteidiger schlägt dem Staatsanwalt vor, einen Orden für die beiden Jungen zu beantragen: «Weil sie, wie jetzt gerichtsnotorisch, vierzehnmal hintereinander ihre absolute Treue zu unserer Republik unter Beweis gestellt haben.» Als die Berliner Anthologie in der DDR nicht erschien, nahm Heym den Text in seinen Band «Die richtige Einstellung und andere Erzählungen», München 1976, S. 146–165, auf.

4 Unter den potentiellen Beiträgern waren auch junge, in der DDR noch so gut wie unbekannte Autoren wie Heide Härtl und Gert Neumann, Hans Ulrich Klingler und Wolfgang Landgraf.

89. Treffbericht:
«Operativer Schwerpunkt ‹Selbstverlag›»
(22.12.75)

Hauptabteilung XX/7   Berlin, den 22.12.1975
                                   Pö/Ta

Treffbericht[1]

Quelle: IMS «Martin»
Zeit: 27.11.1975, 8.45–9.50 Uhr
MA: Hptm. Pönig

Treffverlauf
Während des Treffs gab es keine besonderen Vorkommnisse. Der IM verhielt sich offen und aufgeschlossen.

Der Treff diente der Instruierung des IM, um diesen zielgerichtet zum operativen Schwerpunkt «Selbstverlag» einzusetzen.

Durch Unterzeichner wurde der IM gefragt, ob er von dem Brief ⟨Schlesingers⟩, ⟨Plenzdorfs⟩ und ⟨Stades⟩ an ⟨Wolfgang Kohlhaase⟩[2] Kenntnis habe.

«Martin» erklärte dazu, daß er auf Grund dringender medizinischer Behandlung nicht an der letzten Beratung im Schriftstellerverband teilnehmen konnte. Aus diesem Grund weiss er nur, daß ⟨Kohlhaase⟩ die Parteileitung über ein Schreiben der drei Vorgenannten informiert hat, ohne den Inhalt zu kennen.

Daraufhin wurde «Martin» durch Unterzeichner über den Inhalt des Briefes ⟨Schlesingers⟩ an ⟨Kohlhaase⟩ informiert.

«Martin» wurde gebeten, sich trotz der Information durch Unterzeichner noch selbst offiziell zu informieren. Auf Grund des dargelegten Sachverhaltes erkannte «Martin» sofort den feindlichen Inhalt des Vorhabens von ⟨Schlesinger⟩, ⟨Plenzdorf⟩ und ⟨Stade⟩. Er äußerte dazu, als erstes, daß es eine Schweinerei von Verbands- wie Parteileitung sei, ihn nicht umgehend über ein solches feindliches Vorhaben von Schriftstellern zu informieren. Er frage sich, wie lange dort so etwas zur Kenntnis genommen werde, ohne festzulegen, was getan werden muß. Er werde sich entsprechend dem Rat durch

Unterzeichner informieren und dann fragen, was der Verband zu tun gedenkt. Die zweite Reaktion «Martins» war, daß er erklärte, daß wir voll mit ihm rechnen können, er werde sich ohne Vorbehalt mit seiner ganzen Persönlichkeit einsetzen, das Vorhaben der «Anthologie» zu zerschlagen. Durch Unterzeichner wurde «Martin» erklärt, daß es uns darauf ankommt, das Vorhaben «Anthologie» zum Scheitern zu bringen, in dem es in sich selbst zusammenbricht.

«Martin» äußerte, daß er uns in dieser Frage voll unterstütze. Er garantiere uns dafür, daß ⟨Uwe Kant⟩ sich von diesem Unternehmen distanziert. Er frage sich überhaupt, was diesem veranlaßt habe, sich an diesem fadenscheinigen Unternehmen zu beteiligen. Seiner Ansicht nach müsse ⟨Uwe Kant⟩ etwas am Kopf haben. Er werde ihn ordentlich Maß nehmen, da hier die Toleranz und Freundschaft aufhört.

«Martin» wurde gebeten, im Gespräch mit ⟨Uwe Kant⟩ gründlich nachfolgende Fragen zu klären:
– Wer hat ihm zur Mitarbeit an der Anthologie gewonnen
– wie, unter welchen Bedingungen wurde er zur Mitarbeit an der Anthologie gewonnen
– was sind seine Motive für seine Beteiligung an dem Vorhaben
– was weiß er über Differenzen unter den Beteiligten der Anthologie, insbesondere ⟨Kunert⟩ [3], ⟨Schneider⟩, ⟨de Bruyn⟩, ⟨Fries⟩
– was ist bekannt über die Rolle ⟨Heyms⟩ als Inspirator des Vorhabens? [4]

Auf Grund seines Einflusses auf ⟨Uwe Kant⟩ wurde er gebeten, mit diesem nachdem er ihn überzeugt hat, seinen Beitrag aus der Anthologie zurückzuziehen und von den 3 Organisatoren zu distanzieren, den offiziellen Bruch erst dann zu vollziehen, wenn er durch «Martin» dazu veranlaßt wird.

«Martin» wird bei dem Gespräch prüfen, ob ⟨Uwe Kant⟩ dazu genutzt werden kann, bei der nächsten Zusammenkunft der an der Anthologie beteiligten Autoren gegen das Projekt aufzutreten, um durch sein Beispiel noch andere beteiligte Autoren zu veranlassen, sich von dem Vorhaben zu distanzieren.

«Martin» erklärte weiter, daß er auch versuchen wird, mit ⟨Rolf Schneider⟩ zu sprechen. Er sieht günstige Voraussetzungen, daß ⟨Schneider⟩ seinen freundschaftlichen Rat, sich von diesem unseriösen Vorhaben zu distanzieren, folgen wird.

Zur Einschätzung der Persönlichkeit sowie seines Kontaktes zu ⟨Schneider⟩ berichtete «Martin» wörtlich:

«Vor ca einem Jahre wurde ich von ⟨Rolf Schneider⟩, den ich bis dahin nur flüchtig kannte, auf Grund einer Empfehlung von ⟨Stephan Hermlin⟩ angesprochen und um Rat und Hilfe gebeten. Die Ursache war ein schwerer Verkehrsunfall der Tochter des ⟨Schneider⟩. ⟨Schneider⟩ bat mich ihm zu helfen, damit seine Tochter, deren Zustand sehr ernst war, von entsprechenden Spezialisten behandelt wird. Auf Grund der von mir vorgenommenen Vermittlung wurde ⟨Schneiders⟩ Tochter umgehend von Spezialisten im Klinikum Buch behandelt und ist inzwischen weitestgehend wiederhergestellt.

Seit dieser Zeit ist mir ⟨Schneider⟩ außerordentlich dankbar, es ist manchmal sogar mehr als mir lieb ist. Trotz mehrfacher persönlicher Gespräche, die ich auf Grund des geschilderten Sachverhaltes mit ⟨Schneider⟩ hatte, ist er mir nach wie vor eine zwielichtige Person, weil er einerseits im Wort und Schrift zu erkennen gibt, daß er bestimmte Prinzipien des sozialistischen Verhaltens durchaus gut kennt und akzeptiert, andererseits aber ein Leben führt, daß man in der Tat als das Leben eines politisch-literarischen Grenzgängers bezeichnen kann. Von ihm werden viele Dinge im Westen verlegt[5] und er schreibt ständig und regelmäßig Literaturkritiken für ‹konkret›. Er reist sehr viel, nach seinen letzten Äußerungen beabsichtigt er demnächst eine Reise nach den USA zu unternehmen, um Vorträge über DDR-Literatur zu halten, ähnlich wie sie von ⟨Kunert⟩, ⟨Christa Wolf⟩ und ⟨Plenzdorf⟩ unternommen wurden. Er fährt einen ziemlich neuen Mercedes.

Er hat eine überaus große Menge von Verbindungen nach dem Westen, die mir offen gestanden mit seinen literarischen Veröffentlichungen allein nicht erklärbar sind.

Zu seiner Familiensituation habe ich den Eindruck, daß er an seinen beiden Kindern sehr hängt und daß seine Frau die «Literatur-Gattin» im alten Sinne ist, ohne die er wahrscheinlich schon untergegangen wäre. Daß er die Rolle in diesem Haushalt des absolut einsamen «Chefs» spielt, andererseits aber die Kinder sehr liebt, was deutlich wurde, als der Unfall mit seiner Tochter passiert war. Er war wirklich völlig durcheinander bis zur Hysterie und er war offensichtlich schwer geschockt. Über seine engeren persönlichen Verbindungen weiß ich kaum etwas. Ich habe nur festgestellt, daß er alle bekannten Leute kennt, was natürlich auch mit seiner Entwicklung zusammenhängt, da er schließlich mit einer der dienstältesten Literaturschaffenden in der DDR ist. Er war schon bei ⟨Bodo Uhse⟩ in der damaligen Zeitschrift ‹Aufbau› Redakteur und später Lektor im Aufbau Verlag.»[6]

Der IM erklärte, daß er uns sofort nach dem Gespräch mit ⟨Uwe Kant⟩, das er Anfang nächster Woche zu führen beabsichtigt, über das Ergebnis informiert.

Das Ergebnis dieses Gespräches wird er soweit dies möglich ist, als Grundlage für das Gespräch mit ⟨Schneider⟩ nehmen, welches er danach vereinbart.

Maßnahmen:
Auswertung operativer Schwerpunkt «Selbstverlag».

Nächster Treff:
nach telefonischer Vereinbarung.

Pönig
Hauptmann

---

1 Der Bericht über das Treffen mit IMS Martin vom 27.11.1975 wurde vom zuständigen Führungsoffizier Pönig aus unbekannten Gründen mit fast einmonatiger Verspätung (22.12.1975) abgefaßt, während der Bericht über das Treffen vom 12.12.1975 schon drei Tage später fertig war.
‹Realzeit› und ‹Berichtzeit› führen hier zu einer Überschneidung dieser beiden Dokumente.

2 Auch Wolfgang Kohlhaase war zur Mitarbeit an der von den Autoren selbstverantworteten Berliner Anthologie eingeladen worden.

3 Günter Kunerts «inneres Barometer» war, wie Schlesinger berichtet, nach dem ersten Zusammentreffen der ‹Anthologisten› am 10.9.1975 «sehr tief gefallen», er wollte nicht mehr mitmachen, Günther de Bruyn schienen nun manche Beiträge «nach erneuter Lektüre ... schwächer als zuvor».

4 Stefan Heym hatte nach Schlesingers Bericht zwar als einer der ersten, am 22.2.1974, seine Mitarbeit zugesagt, direkter «Inspirator» war er nicht.

346

5 Rolf Schneiders Bücher «Brücken und Gitter» (1965), «Die Tage in W.» (1965), «Der Tod des Nibelungen» (1970), «Pilzomelett und andere Nekrologe» (1974) kamen in Lizenz bei Piper in München heraus, «Die Reise nach Jaroslaw» (1975) bei Luchterhand.
6 Schneider war von 1955–1958 Redakteur der Zeitschrift «Aufbau».

90. MfS-interne Auskunft über Hermann Kant (16. 2. 76)

Hauptabteilung XX/7   Berlin, 16. 2. 1976
                                                      Pö/Dr

HA XX/AG RV   *Auskunft auf Kaderauftrag Nr. 1737*
im Hause   *ist vom ZK für eine wichtige Aufgabe*
                        vorgesehen.

Bei dem umseitig Genannten handelt es sich um den Vizepräsidenten des Schriftstellerverbandes der DDR.

Er vertrat in dieser Eigenschaft stets konsequent die Politik von Partei und Regierung.

K. setzte sich offensiv mit negativen und feindlichen Auffassungen auseinander.

Seine Familienverhältnisse sind geordnet.[1]

Ungesetzliches Verlassen der DDR erfolgte aus dem Familienkreis nicht. Seine Mutter lebt seit 1945 in Hamburg,[2] die vom Vorgenannten bei Reisen in die BRD besucht wird.

Da Vorgenannter als Vizepräsident des Schriftstellerverbandes der DDR für die Auslandsarbeit verantwortlich ist, bestehen umfangreiche Verbindungen zu Schriftstellern und Verlagen in das gesamte nichtsozialistische Ausland.

Beim MfS und der VP gibt es keine negativen Hinweise.

Gegen den vorgesehenen Einsatz bestehen keine operativen Einwände.

Reinhardt
Major

1 Hier irrt das MfS oder will sich irren.

Major Peter Reinhardt, der auch zu Kants Frau, Vera Oelschlegel, dienstliche Kontakte hatte, wußte nicht oder wollte nicht wissen (um die Unbedenklichkeitsbescheinigung für Kants weiteren Aufstieg nicht zu gefährden?), daß die Familienverhältnisse Kants seit geraumer Zeit alles andere als geordnet waren. Vera Oelschlegel war, wie sie in ihren Memoiren belegt, damals schon lange mit Konrad Naumann, dem 1. Sekretär der SED-Bezirksleitung in Ost-Berlin, liiert.

«Mißtrauisch gegen diese Liebe, trennte ich mich mehrfach, (...) Dann hoffte ich wieder verzweifelt, daß meine Ehe mit Hermann Kant doch noch zu retten sei. (...) Unsere Ehe war durch Mißtrauen und Eifersucht nur noch ein Schatten dessen was sie gewesen (...) Die Sekretärin [Naumanns] war längst eingeweiht, wir waren Stadtgespräch (...) Ich wußte, daß meine Liebesbriefe von der Stasi gelesen wurden (...)» (Vera Oelschlegel, «Wenn das meine Mutter wüsst ... », S. 56ff.)

2 Auch hier irrt das MfS bekanntlich. Wie Kant in seinem «Abspann» selbst dokumentierte, wurde seine Mutter in Zusammenhang mit der Verhaftung ihres zweiten Mannes, Ernst Steinbeiß, selbst für kurze Zeit in Untersuchungshaft genommen und floh dann nach der Entlassung nach West-Berlin. «Nach dem 17. Juni [1953] gab es eine Art Amnestie für Republikflüchtlinge. Sie bekämen ihre Wohnung zurück, hieß es, ihre Arbeit auch, und alles solle vergeben sein. Ich radelte eilends nach Lichterfelde und brachte meiner Mutter die Botschaft Grotewohls. Sie hat sie nur zu gern geglaubt und ist nach Parchim gefahren. Parchim lachte sie aus. Da ist sie ein zweites Mal davongelaufen, diesmal bis Hamburg, und all meine Parteilichkeit hat nicht vermocht, ihr das im geringsten zu verübeln.» («Abspann», S. 59)

91. Vermerk:
Information von IM «Hermann» zum
«Operativen Schwerpunkt ‹Selbstverlag›»
(23. 2. 76)

Hauptabteilung XX/7   Berlin, 23. 2. 1976
                                                       Pö/Dr

Vermerk[1]

zum op. Schwerpunkt «Selbstverlag»

Der IM «Hermann» teilte mit, daß er am 18. 2. 1976 ein persönliches
Gespräch mit dem Kandidaten des Politbüros und 1. Sekretär der Bezirksleitung der SED Berlin, Genossen Konrad Naumann, hatte.

In diesem Gespräch informierte Gen. Naumann, daß die Organisatoren der Anthologie «Berliner Geschichten» Klaus Schlesinger,
Ulrich Plenzdorf und Martin Stade einen gemeinsamen Brief an ihn
geschrieben haben.[2]

Nach den Äußerungen des Gen. Naumann soll der Brief in einer
äußerst frechen und provozierenden Form abgefaßt sein. Auf Ulrich
Plenzdorf anspielend, erklärte Gen. Naumann, daß für Lockenköpfe
kein Platz mehr in der Partei sei. Nach dem IX. Parteitag der SED[3]
müßte diese Frage umgehend geklärt werden.

Nähere Einzelheiten zum Inhalt des Briefes der Organisatoren der
Anthologie an Gen. Naumann wurden dem IM nicht bekannt.

Der IM äußerte dazu, daß ihm Gen. Naumann diese Worte aus dem
Herzen gesprochen hat und er einen solchen Schritt im Interesse der
Reinheit und Festigung der Kampfkraft der Partei als einzig richtigen
ansieht. Auch andere Schriftsteller, wie z. B. Hermann Kant, Harald
Hauser, Gerhard Holz-Baumert und Peter Edel vertreten die An-
sicht, daß es für die Partei an der Zeit ist, sich von solchen Leuten wie
Plenzdorf zu trennen.

Pönig
Hauptmann

1 Das Dokument stammt aus der Akte Günter Görlich.
2 Klaus Schlesinger und Ulrich Plenzdorf schrieben eine Darstellung der
   Vorgänge um ihre Berliner Anthologie und schickten sie an alle wichtigen Institutionen und Personen, an Anna Seghers, die Präsidentin des
   Schriftstellerverbandes, an das ZK der SED, Abt. Kultur, an die Bezirksleitung der SED Berlin, also an Konrad Naumann, und ans Ministerium für Kultur. «Sie trug auf vier Schreibmaschinenseiten die kurze
   Geschichte unserer Anthologie zusammen, benannte die Vorwürfe,
   die gegen uns gesammelt worden waren, und versuchte, sie im einzelnen durch Argumente zu widerlegen» (Klaus Schlesinger).
3 Der IX. Parteitag der SED fand vom 19.–22. 5. 1976 statt.

92. Information über die Aussprache mit den Organisatoren der Anthologie «Berliner Geschichten» mit Beauftragten der Parteileitung des Berliner Schriftstellerverbandes (20. 3. 76)

Hauptabteilung XX/7   Berlin, 20. 3. 1976
                                                Pö/Dr

Information

über die Aussprache mit den Organisatoren der Anthologie «Berliner
Geschichten» mit Beauftragten der Parteileitung des Berliner Schriftstellerverbandes

Entsprechend der in der Information vom 4. 3. 1976 dargelegten
Verfahrensweise fand das Gespräch planmäßig am 19. 3. 1976 in der
Zeit von 14.00 bis 16.50 Uhr in den Räumen des Berliner Schriftstellerverbandes in der Karl-Liebknecht-Straße statt. Seitens der Parteileitung des Berliner Schriftstellerverbandes waren anwesend:

Der Vizepräsident des Schriftstellerverbandes der DDR Hermann
Kant, Mitglied des Präsidiums des Schriftstellerverbandes der DDR
und Vorsitzende des Berliner Schriftstellerverbandes Günter Görlich, das Mitglied des Präsidiums des Schriftstellerverbandes der

DDR ⟨Rainer Kerndl⟩, der Sekretär des Schriftstellerverbandes der DDR, Genosse ⟨Gerhard Henniger⟩ und der Parteisekretär des Berliner Schriftstellerverbandes, Gen. ⟨Helmut Küchler⟩.[1] Der Mitorganisation der Anthologie «Berliner Geschichten», ⟨Martin Stade⟩, ließ sich wegen Krankheit entschuldigen. Es waren ⟨Klaus Schlesinger⟩ und ⟨Ulrich Plenzdorf⟩ allein zum Gespräch erschienen.

Zu Beginn des Gespräches wies Günter Görlich den ⟨Schlesinger⟩ und den ⟨Plenzdorf⟩ darauf hin, daß das Gespräch zur Klärung der in ihren Briefen an leitende Funktionäre der Partei- und Staatsführung und des Schriftstellerverbandes aufgeworfenen Probleme geführt werden sollen.

Günter Görlich wies gleichzeitig darauf hin, daß sie in diesem Gespräch offen und sachlich ihre Probleme darlegen sollen, daß es an der Zeit ist, davon abzukommen, die Sache zu bagatellisieren. Trotz dieser Aufforderung, ehrlich und offen ihre Meinung darzulegen, versuchte ⟨Schlesinger⟩ die bereits in vorangegangenen Gesprächen durch ⟨Plenzdorf⟩ und ⟨Stade⟩ erprobte Taktik, alles zu bagatellisieren, fortzuführen. Auf Grund dieses Bagatellisierungsversuches wurde dem ⟨Schlesinger⟩ durch den Vizepräsidenten des Schriftstellerverbandes, Hermann Kant entgegengehalten, daß er endlich aufhören soll damit. Er solle nicht glauben, daß er die Anwesenden hinters Licht führen könne. ⟨Schlesinger⟩ soll sich darüber bewußt sein, daß diese ganze Angelegenheit im Lichte seiner Darlegungen, die er gemeinsam mit ⟨Stefan Heym⟩ im November 1974 vor den Mitgliedern des Berliner Schriftstellerverbandes gab, gesehen werden muß. Als er forderte, daß es an der Zeit sei, in der DDR die Zensur abzuschaffen. Das Unternehmen deutet doch eindeutig darauf hin, die Arbeit der Verlage auszuschalten und ultimativ ein fertiges Manuskript durchzusetzen. Dies sei eine Methode, die möglicherweise in der kapitalistischen Gesellschaft richtig und notwendig sei, die aber in unserer sozialistischen Gesellschaft jeglicher Existenzgrundlage entbehre. Hermann Kant führte weiter aus, daß die von ⟨Plenzdorf⟩, ⟨Schlesinger⟩ und ⟨Stade⟩ gewählte Form zur Erarbeitung einer Anthologie durchaus als ein hochpolitischer Vorgang gewertet werden muß und von den Anwesenden als solcher gesehen wird. Sie sollen sich nicht einbilden, oder glauben, daß sie vor dem vorgenannten Gremium diese politische Bedeutung des Vorhabens herunterspielen können.

351

〈Plenzdorf〉 lenkte daraufhin ein und erklärte, daß er bei der von ihnen gewählten Form der Erarbeitung der Anthologie durchaus den Standpunkt der Anwesenden begreifen könne, daß er ihnen zwar nicht in allen Punkten zustimme, aber er versteht ihren Standpunkt.

Genosse 〈Henniger〉 wies 〈Plenzdorf〉 und 〈Schlesinger〉 darauf hin, daß es in diesem Gespräch nicht darum geht, daß die Anthologie nicht in der DDR veröffentlicht wird, sondern daß es darauf ankommt, darüber zu sprechen, und Klarheit zu verschaffen, daß die von 〈Plenzdorf〉, 〈Schlesinger〉 und 〈Stade〉 gewählte Form zur Erarbeitung und Herstellung der Anthologie falsch ist; daß es nicht in Ordnung ist, wenn der Schriftstellerverband von einzelnen Autoren erst auf ein solches Vorhaben aufmerksam gemacht wird und somit erfährt, daß bereits seit zwei Jahren an einer Anthologie gearbeitet wird. Es ist nicht angängig, daß über Erzählungen, die in der vorgenannten Anthologie enthalten sind, bereits durch westliche Massenmedien eingegangen wird, wie es z. B. in der Lesung von 〈Ulrich Plenzdorf〉 im Weimarer «Kasse-Turm»[2] mit seiner Erzählung «Kein Runter, kein Fern» der Fall war. Diese Verfahrensweise, führte Gen. 〈Henniger〉 weiter aus, drücke bereits einen Grad der Geheimhaltung vor dem Schriftstellerverband aus, da 〈Plenzdorf〉 nicht bereit war, trotz Aufforderung, seine Erzählung dem Schriftstellerverband zu übergeben und zur Diskussion zu stellen. Er frage 〈Schlesinger〉, mit welchem Grund diese Geheimhaltung?

〈Schlesinger〉 versuchte, in diesem Gespräch bei seinen Darlegungen zuerst die Geheimhaltung der Anthologie zu bestreiten. Auf weitere gezielte Zwischenfragen seitens Günter Görlich's, Hermann Kannt's und 〈Rainer Kerndls〉 versuchte sich 〈Schlesinger〉 damit zu rechtfertigen, indem er erklärte, daß sie als Organisatoren der Anthologie nicht ermächtigt gewesen seien, die Anthologie Personen zur Einsicht zur Verfügung zu stellen, die nicht an der Anthologie beteiligt sind. Ihr «demokratisches» Verfahren beinhalte, daß dazu die Zustimmung aller an der Anthologie beteiligten Autoren hätte vorliegen müssen und über diese Zustimmung habe 〈Schlesinger〉 nicht verfügt.

Darauf wurde 〈Schlesinger〉 und 〈Plenzdorf〉 von Hermann Kant vorgehalten, daß sie auf der einen Seite behaupten, keine Geheimniskrämerei aus ihrer Anthologie zu machen, auf der anderen Seite dieses Vorhaben abschirmen und mehrmals es abgelehnt haben, dem

Schriftstellerverband diese Anthologie bzw. einzelne Erzählungen dieser Anthologie zur Verfügung zu stellen. Das müsse doch einen Grund haben.

Gen. ⟨Henniger⟩ stellte an diesem Punkt gleichzeitig noch die Zwischenfrage, daß beide dazu Stellung nehmen sollen, inwieweit dieses Vorhaben im westlichen Ausland bzw. Vertretern westlicher Massenmedien und Verlagen bekannt ist.

Nachdem ⟨Schlesinger⟩ entschieden abgestritten hatte, trotz mehrmaligen Befragens, daß Vertretern westlicher Massenmedien und Verlagen die Anthologie und Zusammenhänge des Vorhabens bekannt seien, wurde ihm vorgehalten, daß dann wohl Herr Dr. ⟨Richard Zipser⟩[3], Dozent am Oberlin College in Oberlin/Ohio/USA, der mit Genehmigung des Schriftstellerverbandes eine Anthologie über DDR-Schriftsteller erstellt, gelogen hat. Dr. ⟨Zipser⟩ habe dem Schriftstellerverband mitgeteilt, daß ⟨Schlesingers⟩ Erzählung aus der Anthologie «Berliner Geschichten» ihm von ⟨Schlesinger⟩ zur Veröffentlichung übergeben wurde. ⟨Schlesinger⟩ fing darauf an, zu stammeln, daß ihm dies ganz entfallen sei.

Daraufhin fiel Hermann Kant ⟨Schlesinger⟩ ins Wort und erklärte, daß er endlich zugeben soll, welche westlichen Vertreter von Massenmedien noch von der Anthologie Kenntnis haben. Hermann Kant könne sich vorstellen, daß die Redakteurin des «Stern», ⟨Eva Höpcker-Windmöller⟩, diese Anthologie ebenfalls kennt. Er möchte nicht nach diesem Gespräch Hinweise über das Gespräch oder die Anthologie im «Stern» lesen.

Nachdem auch ⟨Schlesinger⟩ diese Frage zuerst bestritt, gab er dann zu, daß ⟨Eva Höpcker-Windmöller⟩ von dem Vorhaben der Anthologie «Berliner Geschichten» Kenntnis hat, daß sie das Manuskript kennt sowie Zusammenhänge und Probleme der Erarbeitung der Anthologie.

Als ⟨Schlesinger⟩ dies zugab, betonte er, daß er die ⟨Windmöller⟩ nur auf deren Anfrage hin über die Anthologie informiert habe.

Hermann Kant hielt dem ⟨Schlesinger⟩ an dieser Stelle entgegen, daß ⟨Schlesinger⟩ mit dieser Frage eindeutig beantwortet hat, daß es eine Geheimhaltung über das Vorhaben der Anthologie nur gegenüber der DDR gab, denn vor westlichen Vertretern von Massenmedien habe sich ⟨Schlesinger⟩ nicht an die Festlegungen seiner demokratischen Verfahrensweise gehalten.

Darauf äußerte ⟨Schlesinger⟩ spontan, daß er sich auf seine West-freunde verlassen könne, worauf ⟨Plenzdorfs⟩ Gesichtsausdruck äußerste Betroffenheit erkennen ließ.

Als weiteres grundsätzliches Problem wurde mit den Vorgenannten darüber gesprochen, das Vorhaben der Anthologie in einem Verlag der DDR anzubieten und mit diesem Verlag zusammenzuarbeiten, damit die Anthologie in der DDR erscheinen kann. ⟨Schlesinger⟩ und ⟨Plenzdorf⟩ erklärten dazu, daß sie vor 14 Tagen die Anthologie dem Verlag «Der Morgen» zur Veröffentlichung angeboten hätten. Es sei zwar noch kein Vertrag abgeschlossen und der Verlag habe noch nicht das Manuskript übergeben bekommen, es sei bereits ge-sprochen worden mit dem Verlag, und der Verlag sei an der Heraus-gabe der Anthologie interessiert.

Sie wurden in diesem Zusammenhang ernsthaft darauf hingewie-sen, in kürzester Zeit eine feste und in der DDR übliche Form der Zusammenarbeit mit dem Verlag anzustreben und einzugehen. Beide erklärten, daß das Manuskript gegenwärtig auf 350 Seiten angewach-sen sei und daß angeblich noch weitere Autoren, die sie namentlich noch nicht benannten, sich an diesem Vorhaben beteiligen.

⟨Plenzdorf⟩ und ⟨Schlesinger⟩ erklärten sich bereit, keinerlei weitere Publikationen oder Informationen an westliche Massenme-dien oder Verlage zu geben, bevor die Anthologie nicht in der DDR veröffentlicht wurde.

Die Aufforderung an ⟨Plenzdorf⟩, seine Erzählung «Kein Runter, kein Fern» dem Vorstand zur Verfügung zu stellen, um darüber zu diskutieren, lehnte ⟨Plenzdorf⟩ vorerst ab, da er diese Erzählung gegenwärtig überarbeite, nach Fertigstellung der neuen Fassung sei er jedoch bereit, sie zur Diskussion zu stellen.

Es wurde weiter die Festlegung getroffen, daß in der nächsten Vor-standssitzung des Berliner Schriftstellerverbandes am 22.4.1976 ⟨Plenzdorf⟩ den Vorstand über die Probleme der Erarbeitung der Anthologie «Berliner Geschichten» informiert. ⟨Plenzdorf⟩ wurde dazu beauftragt, in seinen Darlegungen vor dem Vorstand nur Fakten zu nennen und jegliche Kommentierung zu unterlassen. ⟨Plenzdorf⟩ betonte, daß er sich an diese Festlegung halten werde.

Während des gesamten Gespräches verhielt sich ⟨Schlesinger⟩ äußerst flegelhaft. So brachte er es u. a. auch fertig, damit zu drohen, daß die Probleme zur Erarbeitung der Anthologie bereits eine neue

Erzählung wert seien, worüber er auch schon eine Dokumentation erarbeitet habe.

Von Hermann Kant wurde ihm dazu entgegengehalten, daß dieser Gedanke nicht schlecht sei, daß er aber nur realisierbar ist, wenn ⟨Schlesinger⟩ bei der Realisierung des Vorhabens gewisse Kleinigkeiten nicht vergißt, auf die es gerade ankommt.

Von den inoffiziellen Quellen wurde übereinstimmend eingeschätzt, daß es einen sehr gravierenden Unterschied zwischen ⟨Plenzdorf⟩ und ⟨Schlesinger⟩ gab. ⟨Plenzdorf⟩ war das oft sehr unbeherrschte und flegelhafte Auftreten von ⟨Schlesinger⟩ sehr peinlich. Deshalb hielt sich ⟨Plenzdorf⟩ äußerst zurück.

Nach Einschätzung der inoffiziellen Quellen bedeutet dies jedoch nicht, daß ⟨Plenzdorf⟩ bereit ist, sich von ⟨Schlesinger⟩ und dem Vorhaben zu distanzieren, sondern daß er nur andere Formen und eine andere Argumentation bei der Schilderung des Sachverhaltes benutzt hätte. Auf Grund des spontanen Reagierens von ⟨Schlesinger⟩ hatte ⟨Plenzdorf⟩ dazu keine Gelegenheit.

Quellen: M Hermann[4] u. IM «Martin»   Original in Akte «Hermann»

---

1 Helmut Küchler, *1931, war bis 1990 1. Sekretär des Bezirksverbandes Berlin des Schriftstellerverbands der DDR.
2 Im Weimarer Kasseturm war ein Studentenclub untergebracht, in dem Plenzdorf ca. Anfang Februar 1976 seine später in Klagenfurt mit dem Bachmann-Preis gekrönte Berliner Geschichte «Kein runter kein fern» vorlas. Darüber erschien in der «Saarbrücker Zeitung» vom 12. 2. 1976 ein Artikel von Norbert Bauer unter dem Titel «. . . und Mick Jagger wartet im Westen». Darin hieß es: «Ein selbstgemachtes, winziges Plakat, blau, Schlagzeile ‹Jeans›, lud zur Diskussion mit Ulrich Plenzdorf in den Weimarer Studentenclub ‹Kasseturm› ein. Im Kulturspiegel der Stadt Weimar war wohl ein Treffen der Orchideenfreunde ausgedruckt, die Veranstaltung mit Plenzdorf jedoch nicht. Das hatte seine Gründe.»
3 Tatsächlich hat Schlesinger Richard Zipser am 20. 11. 1975 schriftlich die Erlaubnis erteilt, in sein Buch mit dem Arbeitstitel «DDR-Literatur in den 70er Jahren» bei Nordland Publishing Co., Belmont, Massachusetts, die Erzählung «Am Ende der Jugend» aufzunehmen.
4 IM Hermann = Günter Görlich.

93. Vorschlag, IMS «Martin» mit der «Medaille für Waffenbrüderschaft» in Silber zu ehren (24. 3. 76)

Hauptabteilung XX/7   Berlin, 24. 3. 1976

Bestätigt:

Vorschlag

Es wird vorgeschlagen, den
    IMS «Martin», Reg.-Nr. 5909/60,
anläßlich seines 50. Geburtstages am 14. 6. 1976 mit der
    «Medaille für Waffenbrüderschaft» in Silber
auszuzeichnen.

Begründung:
Der IM arbeitet seit 1957 auf der Basis der Überzeugung inoffiziell
mit dem MfS zusammen. In der Zusammenarbeit bewies der IM seine
Zuverlässigkeit, Verschwiegenheit sowie hohe Einsatzbereitschaft
und Ehrlichkeit. Der IM ist bei Aktionen zur Sicherung von Schwerpunkten im Rahmen der Hauptabteilung XX/7 eingesetzt. Er wurde
so qualifiziert, daß er an Vorgängen und OPK[1] arbeitete. Der IM
erarbeitete operativ wertvolle Informationen zu Situationen unter
den operativ angefallenen Personenkreisen. Er hält diszipliniert die
Treffs und die Regeln der Konspiration ein. Er ist immer einsatzbereit
und dem MfS treu ergeben.
    Die vorgesehene Auszeichnung soll die bisherige Gesamtleistung
des IM für das MfS würdigen.

Leiter der Abteilung   *Pönig*
i. V.   Hptm.
Brosche
Oberstleutnant

---

1 OPK = Operative Personenkontrolle.

94. Anweisung über die Beendigung der inoffiziellen Zusammenarbeit mit IM «Martin» (31. 3. 76)

Gen. Hptm. Pönig:

Der IM «Martin» wurde als Mitglied der B[ezirks-]L[eitung] der SED Berlin gewählt.[1]
Aus diesem Grunde ist die inoffizielle Zusammenarbeit mit ihm sofort einzustellen.
  Mit ihm sind:
– *keine konspirativen Treffs mehr durchzuführen*
– *keine konspirativen Wohnungen aufzusuchen*
– *keine inoffiziellen Aufträge zu erteilen und*
– *keine IM-Berichte von ihm zu fordern.*
  Die Benutzung des Decknamens ist zu unterlassen.
Bei Notwendigkeit können offizielle Gespräche mit ihm geführt werden, wenn er diese wünscht. z. B. zu Problemen der Einschätzung der Lage unter Schriftstellern und Verlagsmitarbeitern, zu Tendenzen des feindlichen ideologischen Angriffs in kulturellen Bereichen, zu Kontaktbestrebungen westlicher Journalisten, zu Einschätzungen literarischer Arbeiten und Tendenzen in der Literaturentwicklung u. ä.
  Diese Maßnahme ist so durchzuführen, daß der IM diese richtig versteht und sein Vertrauensverhältnis zum MfS nicht gestört wird.
  Ich werde zum nächsten Gespräch mit ihm selbst mitgehen.
31. 3. 1976   *Brosche*

---

1 Kant war laut «Abspann», S. 467, schon im Frühjahr 1974 in die Berliner SED-Bezirksleitung gewählt worden, während er noch wegen seines Autounfalls vom 6. 12. 1973 im Krankenhaus lag. Weshalb das MfS von dieser Wahl erst mit zweijähriger Verspätung Kenntnis nahm, ist rätselhaft.

95. Vermerk über die Verschiebung der Verleihung der «Medaille für Waffenbrüderschaft» (4. 4. 76)

HA XX/7   *Berlin, den 4. 4. 76*

Vermerk

Auf Grund eines Hinweises des Leiters der Abteilung wird es nicht möglich sein, den IM zu seinem 50. Geburtstag 1976 die vorgesehene Auszeichnung zu überreichen, da diese unsere DE[1] erst zum 27. Jahrestag der DDR im Oktober 1976 erhalten wird.

Da die inoffizielle Zusammenarbeit mit dem IM eingestellt wird, kann ihm die Auszeichnung im Oktober 1976 als Dank und Anerkennung für seine langjährige treue und ergebene inoffiz. Zusammenarbeit in einer würdigen Form überreicht werden.[2]

Pönig
Hpt.

---

1 DE = Diensteinheit.
2 In einem Gespräch mit dpa, einer Stellungnahme zum 9. November 1994, hat H. Kant die Prämiierung erstmals eingeräumt: «Es stimme, daß er Auszeichnungen des Ministeriums für Staatssicherheit (MfS) erhalten habe aus Anlässen wie zum 50. oder 60. Geburtstag, ‹irgendeine Ehrenmedaille, wie sie auch antifaschistische Widerstandskämpfer oder Bergbauassessoren erhalten haben.›»

Letzteres ist allerdings irreführend – es sei denn, die Bergbauassessoren waren inoffizielle Mitarbeiter des MfS. Die «Medaille für Waffenbrüderschaft» in Silber ist, wie die Pendants in Bronze und Gold, eine typische Auszeichnung für treue Dienste im Sold des MfS. Fast ein Dutzend der in Kants Akte auftauchenden MfS-Offiziere wurden mit eben der Medaille, die IMS Martin bekam, belobigt: Lothar Dreier (1974), Horst Krüger (1978), Wilhelm Distler (1973), Günter Pirschel (1970), Rolf Pönig (1980), Friedhold Riedel (1973), Edeltraud Sarge (1985), Hans Schiller (1981), Johannes Schindler (1973), Herbert Treike (1979).

96. Abschlußbeurteilung von IM «Martin» (8.4.76)

HA XX/7   *Berlin, den 8.4.76*

Abschlußbeurteilung

des IM «Martin»   *Reg. Nr. 5909/60*

Der IM arbeitet seit 1963 auf der Basis der Überzeugung mit dem MfS inoffiziell zusammen.

Unterzeichner arbeitet mit dem IM seit Oktober 1969 inoffiziell zusammen.

In der inoffiziellen Zusammenarbeit erwies sich der IM als zuverlässig, verschwiegen und Einsatzbereit. Bei der Durchführung von Aufträgen zur Aufklärung op. angefallener Schriftsteller, sowie der Klärung und Einschätzung von Sachverhalten entwickelte der IM nützliche Eigeninitiative. Der klare Klassenstandpunkt und das parteiliche Einschätzungsvermögen, sowie die Fähigkeit des IM größere und vielseitige Vorkommnisse in ihren inneren Zusammenhängen zu sehen, ermöglichten es dem IM eine Vielzahl opr. Bedeutsamer Informationen und Hinweise zu Personen zu erarbeiten.

Der IM war stets auf die Einhaltung der Konspiration bedacht. Er versuchte nie die Zusammenarbeit mit dem MfS zur Erlangung persönlicher Vorteile auszunutzen oder bei den Treffs Forderungen und Persönliche Wünsche vorzubringen.

Da die Einstellung der inoffiziellen Zusammenarbeit des IM auf Grund der Wahl des IM als Mitglied der Bezirksleitung der SED Berlin am 28.3.76 erfolgt, und es sich bei dem IM um einen der Partei und dem MfS treu ergebenen Genossen handelt, wird vorgeschlagen die Einstellung der inoffiz. Zusammenarbeit in einer würdigen Form zu vollziehen. Es erscheint angebracht, den IM für seine langjährige inoffizielle Zusammenarbeit mit der Überreichung einer Auszeichnung unseren Dank als MfS für seine geleistete Arbeit auszusprechen.

Bei Vorliegen besonderer sicherheitspolitischer Erfordernisse im kulturellen Bereich kann jederzeit offizieller Kontakt zu dem Genossen Kant gehalten werden.

Der IM Vorgang wird in der Abt. XII[1] des MfS als gesperrte Ablage registriert.

Pönig
Hpt.

---

1 Abt. XII = Zentrale Auskunft / Speicher.

97. Beschluß zum Einstellen des IM-Vorgangs (8. 4. 76)

Verw. / BV MfS   Berlin, den 08. 04. 1976
Diensteinheit HA XX / 7
Mitarbeiter Hptm. Pönig   Reg.-Nr. 5909/60

Beschluß

zum Einstellen eines   IM
                                    (Vorgangsart angeben)

IM-Vorlaufakte
1. Vorgesehene vorrangige
   Einsatzrichtung bzw. Tätigkeit IMS
2. Vorläufiger Deckname «Martin»
3. Wohnadresse 102 Berlin, Alexander Str. 12
(...)

Gründe für das Einstellen

Die inoffizielle Zusammenarbeit mit dem IM wurde auf Weisung des Leiters der HA XX eingestellt, weil der IM am 28.03.1976 zum Mitglied der Bezirksleitung Berlin der SED[1] gewählt wurde. Bei Vorliegen besonderer sicherheitspolitischer Erfordernisse in kulturellen Bereichen wird offizieller Kontakt zu dem Genossen K. gehalten.

Der Vorgang wird als gesperrt in der Abt. XII abregistriert.

(...)

Mitarbeiter *Pönig*
Leiter der Diensteinheit
i.V. Brosche

Bestätigt am *9.4.76*   von *Stange*[2]

---

1 Ein schwer begreiflicher, wiederholter Irrtum des MfS: Kant war schon seit 1974 Mitglied der Berliner Bezirksleitung.
2 Rudolf Stange, *5.6.1921, seit 1.2.1965 stellvertretender Hauptabteilungsleiter der MA XX.

98. Information: Über die Herausgeber der «Berliner Geschichten» (14.5.76)

Hauptabteilung XX/7   Berlin, 14.5.1976
                                                       Br/Dr

Information

Inoffiziell wurde über die Reaktion des Autors ⟨Ulrich Plenzdorf⟩ auf die seitens leitender Funktionäre im Schriftstellerverband der DDR erteilte Auflage, das Manuskript «Berliner Geschichten» einem DDR-Verlag anzubieten, folgendes bekannt:

⟨Plenzdorf⟩ informierte eine inoffizielle Quelle darüber, daß er mit ⟨Schlesinger⟩ und ⟨Stade⟩ übereingekommen ist, das Manuskript der Anthologie nicht weiter selbst gegenüber dem Verlag «Der Morgen» zu vertreten. Ihm sind die «widrigen Umstände» jetzt zu viel. Er will sich in dieser Sache nicht noch mehr engagieren. Mit ⟨Stade⟩ und ⟨Schlesinger⟩ habe er Übereinkunft erzielt, im Verlag «Der Morgen» nicht mehr für alle beteiligten Autoren zu sprechen. Der Verlag soll sich bezüglich ihrer Beiträge mit den einzelnen Autoren künftig selbst auseinandersetzen. In diesem Sinne habe sich ⟨Plenzdorf⟩ mit dem Verlag nach der Übergabe des Manuskripts an Dr. ⟨Tenzler⟩[1] geeinigt. Zu einem späteren Zeitpunkt wurde ⟨Plenzdorf⟩ von Dr. ⟨Tenzler⟩ darüber informiert, daß eine Reihe Erzählungen nicht in die Anthologie passen. Dr. ⟨Tenzler⟩ vertritt die Ansicht, daß der Titel «Berliner Geschichten» verpflichtet, dem Leser etwas über Berlin zu erzählen. Da dies bei einigen Beiträgen nicht der Fall ist, müßten diese Beiträge aus der Anthologie ausscheiden. Einzelne Beiträge bzw. Autoren, die hiervon betroffen werden, nannte ⟨Plenzdorf⟩ nicht. Dr. ⟨Tenzler⟩ legte ⟨Plenzdorf⟩ nahe, für die ausfallenden Beiträge andere geeignete Beiträge zu beschaffen. Nach eigener Darstellung entgegnete ⟨Plenzdorf⟩ Dr. ⟨Tenzler⟩, daß er momentan nicht wisse, woher er neue Beiträge nehmen soll. Außerdem habe er keine Lust mehr, sich in dieser Sache zu verwenden.

Durch eine andere inoffizielle Quelle wurde bekannt, daß sich ⟨Schlesinger⟩ nur sehr widerwillig der Forderung des Verlages beugt. Er ist der Meinung, daß der Verlag jetzt selbst sehen soll, wie er mit den einzelnen Manuskripten fertig wird.

IM «Martin»

---

1 Wolfgang Tenzler, *22.11.1930, nach Studium der Philosophie und Kunstgeschichte Journalist bei der Thüringischen Landeszeitung und Mitarbeiter im Sekretariat des Zentralvorstandes der LDPD. Seit August 1968 Leiter des Buchverlags «Der Morgen».

Der Präsident und
der Exodus der Schriftsteller

99. Information:
Über die Aufnahme von Bettina Wegner
in den Schriftstellerverband
(3.6.76)

Hauptabteilung XX/7   Berlin, den 3.6.1976
                                                Pö/Ko

Information

Auf der Präsidiumssitzung des Schriftstellerverbandes der DDR am 28.5.1976 erklärte der Vizepräsident des Schriftstellerverbandes der DDR, Hermann KANT, daß er festgestellt habe, daß das gegenwärtige Statut des Schriftstellerverbandes eine Lücke aufweist. Auf der Grundlage des vorliegenden Statuts sei es möglich, daß bei einer ungünstigen Zusammensetzung eines Bezirksvorstandes antisozialistische negative Elemente als Kandidaten in den Schriftstellerverband der DDR aufgenommen werden. Das gegenwärtige Statut lässt keine Möglichkeit einer Revision des Beschlusses des Bezirksvorstandes, wenn er beschlussfähig war, zu.

Auf diese Art und Weise sei es möglich gewesen, daß der Vorstand des Berliner Schriftstellerverbandes eine ⟨Bettina Wegner⟩, deren negatives Auftreten den Präsidiumsmitgliedern hinlänglich bekannt sei, als Kandidat in den Verband aufnahm.

Hermann KANT erklärte weiter, daß er sich intensiver mit den Umständen der Aufnahme der ⟨Bettina Wegner⟩ als Kandidat des Schriftstellerverbandes befaßt habe. Das Ergebnis seiner Feststellung möchte er dem Präsidium ebenfalls mitteilen.

Die Bürgschaften für ⟨Bettina Wegner⟩ haben Mitglieder des

Vorstandes des Berliner Schriftstellerverbandes, mit denen sich der Schriftstellerverband in der letzten Zeit ständig wegen ihrer negativen und feindlichen Aktivitäten befassen musste, übernommen. Es handelt sich dabei um ⟨Sarah Kirsch⟩ und ⟨Ulrich Plenzdorf⟩. Den Gipfel der Aufnahme der ⟨Wegner⟩ stellte jedoch die Bürgschaft von ⟨Plenzdorf⟩ dar, in der es u. a. wörtlich heißt:

«Ich will nicht unerwähnt lassen, daß ⟨Bettina Wegner⟩ die Autorin mehrerer Veranstaltungsreihen war und ist (darunter ‹Eintopp› und ‹Kramladen›). Sie hat damit einer ganzen Reihe von zumeist Berliner Autoren nicht nur ein ständiges Podium verschafft, sondern auch ein selten aufgeschlossenes Stammpublikum, daß sich zu großen Teilen aus arbeitenden Jugendlichen zusammensetzt».

Hermann KANT erklärte im Präsidium weiter, daß ⟨Plenzdorf⟩ die Frechheit besessen hat, bei einer Aufnahme der ⟨Wegner⟩ als Kandidat den ganzen Vorstand vorbehaltlos die Veranstaltungsreihen «Eintopp» und «Kramladen» als das literarische Betätigungsfeld der ⟨Wegner⟩ zu sanktionieren zu lassen. Er möchte das Präsidium daran erinnern, daß es in der letzten Zeit wohl genügend Ärger mit diesen Veranstaltungen gab.[1]

Wie er weiter feststellte, hat zur Überrumpelung der zuverlässigen Kräfte im Berliner Vorstand wesentlich die Bearbeitung des Antrages der ⟨Wegner⟩ durch den Sekretär des Berliner Verbandes, Genn. ⟨...⟩, beigetragen. In ihrem Schreiben vom 27. 1. 1976 an die ⟨Wegner⟩ teilt die ⟨...⟩ der ⟨Wegner⟩ mit, daß sie ihre Unterlagen bis zum 26. 2. 1976 an den Vorstand schicken soll, da zu diesem Termin die nächste Vorstandssitzung stattfindet, in der ihr Antrag behandelt wird. Durch das Mitteilen des Termins an die ⟨Wegner⟩ war diese in der Lage ihre Bürgen entsprechend zu informieren.

Die anderen Vorstandsmitglieder wurden erst in der Vorstandssitzung vom vorliegenden Antrag der ⟨Wegner⟩ durch die ⟨...⟩ informiert und ließen sich überrumpeln.

Nicht einer stellte die Frage, welche literarischen Arbeiten den Antrag der ⟨Wegner⟩ rechtfertigen.[2] Bei einer genauen Prüfung wäre dies bereits der Grund für eine Ablehnung des Antrages der ⟨Wegner⟩ gewesen.

Um die Wiederholung eines solchen Vorfalles zu verhüten, stellte Genosse KANT den Antrag, daß das Präsidium einen Beschluß zur Ergänzung des Statutes fasst.

Er schlägt folgende Formulierung vor:

«Aufnahmen von Kandidaten in den Schriftstellerverband der DDR sind nach Bestätigung des Bezirksverbandes durch die Nachwuchskommission des Schriftstellerverbandes der DDR zu bestätigen.»

Die Ausführungen des Genossen KANT wurden von den Mitgliedern des Präsidiums gebilligt und die Ergänzung des Statutes einstimmig zum Beschluß erhoben.

Quellen:
IM «Martin»
IM «Hermann»
Original in Akte Hermann Reg. Nr. 1247/61[3]

---

1 Die Veranstaltungsreihen wurden 1975 bzw. 1976 verboten.
2 Bettina Wegner konnte erst 1978 in der Bundesrepublik eine Langspielplatte und eine Buchveröffentlichung unter dem Titel «Sind so kleine Hände» vorlegen.
3 = in der Akte Günter Görlich.

100. Brief an Hermann Kant wegen der Ausbürgerung von Wolf Biermann (23.11.76)

Schriftstellerverband der DDR
zur Weiterleitung an
Herrn Hermann Kant
10 BERLIN

Betr.: Ihre Meinungsäusserung zum Thema ⟨Biermann⟩ in der soz. Presse[1]

Sie sehen sich als kritischen sozialistischen Schriftsteller? Sie halten sich etwas heraus aus dem «haut ihn» in der Presse durch Ihre gemässigten Formulierungen? Irrtum!!

Ihr Schreiben im Verband mit den anderen ist eine Ergebenheitsadresse an eine zu gern ihre Machtmittel gebrauchende Regierung. Sie fragen doch nicht im Ernst, warum sich soz. Künstler kapit. Verstärkeranlagen bedienen, wenn sie dieser Regierung eine unbequeme Mitteilung machen wollen? Was wäre, wenn sie es nicht gemacht hätten: Brief in Papierkorb, Künstler mundtod! Oder??

Ich bin zwar kein Künstler, aber doch ein wandelndes Beispiel dieser Praktiken: Seit einem Jahr Hilfsarbeiter – vorher als Chemieing. Abteilungsleiter in einem Produktionsbetrieb. Der Grund für diese Disqualifizierung liegt nicht in meiner Arbeitsqualität (ich habe viele Auszeichnungen erhalten) sondern in meiner «politischen Unzuverlässigkeit» begründet.

Ist das der rechte Sozialismus? Bin ich ein Klassenfeind? Oder hat ⟨Wolf Biermann⟩ doch recht in mancher seiner Ansichten?
Magdeburg, d. 23. 11. 76

D⟨...⟩ W⟨...⟩
309 Magdeburg

---

1 Kant hatte im Neuen Deutschland vom 20./21. 11. 1976 neben einer ganzen Reihe von DDR-Künstlern wie Ernst Busch, Willi Sitte, Fritz Cremer, Ekkehard Schall und Paul Dessau eine, nämlich folgende Erklärung zur Ausbürgerung Biermanns gegeben:

«Einige meiner Kollegen – darunter solche, denen ich seit langem befreundet bin, und darunter niemand, dessen künstlerischer Leistung ich meinen Respekt versage – haben es für angemessen oder erforderlich gehalten, sich in Sachen Biermann an die Regierung unseres Landes zu wenden, zu protestieren und gleichzeitig um gelassenes Bedenken anzusuchen.

Ich will nicht verhehlen, dies rasch zu sagen, daß ich Herrn Biermann ganz gut ausgehalten habe und auch weiterhin ausgehalten hätte; mich brauchte man nicht vor ihm zu schützen.

Meine Sorge geht anders: Wer oder was gewinnt, und wer oder was verliert etwas, wenn sozialistische Künstler, die ihrer sozialistischen Regierung eine Mitteilung zu machen wünschen, sich kapitalistischer Übermittlungs- und Verstärkeranlagen bedienen? wie behauptet sich Gelassenheit im Medienlärm? Wer kann etwas bedenken in diesem Triumphradau? Woran erkennt man seine Freunde, wenn sie dem Feinde Worte in den Mund legen, die ihm beinahe schon ausgegangen waren? (...)»

101. Information:
Über Christa Wolf
(10.1.77)

Hauptabteilung XX   Berlin, den *10. Januar 1977*
Streng geheim   gef. *5* Exemplare

Information

Inoffiziell wurde bekannt, daß ⟨Christa Wolf⟩ [1] in einem Gespräch mit Hermann KANT am 09.01.1977 diesem endgültig ihren Entschluß mitteilte, ihre Position im Parteiverfahren beizubehalten, d. h. von ihrer gemeinsamen Haltung mit ihrem Ehemann und anderen Schriftstellern, die gegen die Maßnahmen der DDR protestiert hatten, nicht abzurücken. Sie begründete ihre Haltung wiederum mehrfach damit, daß sie sich wegen der mit ihr gemeinsam zur Rechenschaft gezogenen Personen nicht anders als diese verhalten könne. Sie könne auch nachträglich keine Veränderung ihrer Position vornehmen und müsse dazu alle ihr gebotenen Chancen ausschlagen, weil die anderen Personen eine solche Chance auch nicht gehabt hätten.

Die geschaffenen Tatsachen, wo andere wegen der gleichen Sache aus der Partei ausgeschlossen wurden bzw. dadurch leiden müssen, würden ihr keine andere Möglichkeit geben.

---

1 Christa Wolf hatte am 17.11.1976 im Hause Stephan Hermlins zusammen mit Sarah Kirsch, Erich Arendt, Volker Braun, Stephan Hermlin, Stefan Heym, Günter Kunert, Heiner Müller, Rolf Schneider und Gerhard Wolf die Protestresolution gegen die Ausbürgerung Wolf Biermanns verfaßt – Franz Fühmann (vermutlich auf seiner Datsche in Märkisch-Buchholz) hatte Hermlin ermächtigt, in seinem Namen zu handeln, Jurek Becker gab seine telefonische Zustimmung, weil er in Jena auf Lesereise war.

   In der Folge versuchten SED und MfS, diese Gruppe durch differenzierte Strategien zu spalten. So hielt die HA XX/7 in einem «Sachstandsbericht» vom 18.9.1978 fest: «Der unterschiedliche Ausgang der Parteiverfahren gegen Christa Wolf (strenge Rüge, Verbleiben in der Partei) und Gerhard Wolf (Ausschluß aus der Partei), unterstützt durch von inoffiziellen Quellen ausgesprochene gezielte Vermutungen über mögliche interne Zustimmungserklärungen Christa Wolfs zur Politik der Partei, brachten vor allem Christa Wolf bei einem Teil der übrigen Erstunterzeichner Mißtrauen ein» (s. «Akteneinsicht Christa Wolf. Zerrspiegel und Dialog». Eine Dokumentation von Hermann Vinke. Hamburg 1993, S. 288).

102. Vermerk: Über eine Telefonstörung (18.3.77)

Hauptabteilung XX/7

Berlin, 18.3.1977
Pö/Wa

Vermerk

Am 17.3.1977 informiert der Sekretär des Schriftstellerverbandes, Genosse ⟨Henniger⟩, daß sich der Schriftsteller Genosse Hermann Kant stark verunsichert bzw. bedroht fühlt. Als Grund dafür teilte Genosse ⟨Henniger⟩ folgenden Sachverhalt mit:

Seit mehreren Wochen werden Telefongespräche, die Genosse Kant von seiner Wohnung aus führt, ständig unterbrochen bzw. hat er andere Fernsprechteilnehmer im Gespräch. Genosse ⟨Henniger⟩ bestätigte diesen Sachverhalt aus eigener Feststellung. Bei einem Telefongespräch, das er am 11.3.1977 nach der Vorstandssitzung mit Genossen Kant führte, wurde dieses Gespräch ebenfalls unterbrochen. Die darauf vom Genossen ⟨Henniger⟩ unternommenen Versuche, Genossen Kant erneut anzurufen, ergaben, daß Genosse ⟨Henniger⟩ im Hörer das Freizeichen vernahm, beim Genossen Kant jedoch kein Ruf ankam. Um das Gespräch fortzusetzen, begab sich Genosse Kant an einen öffentlichen Fernsprecher.

Auf Grund der angeführten Störungen hatte Genosse Kant in der Vergangenheit die zuständige Störungsstelle der Deutschen Post informiert, die einen Mechaniker in Kants Wohnung schickte. Die von der Deutschen Post durchgeführten Arbeiten erbrachten keine Beseitigung der Störung.

Durch ein zufälliges Zusammentreffen des Genossen Kant mit ⟨Rolf Schneider⟩ erzählte ⟨Schneider⟩, daß er an Kant mehrere Briefe geschrieben habe, sowohl an Kants Privatadresse als auch über den Schriftstellerverband an Kant adressiert, die er nicht erhalten hat.

Zu den Briefen von ⟨Schneider⟩, die dieser an Kant geschickt haben will, erklärte Genosse ⟨Henniger⟩, daß im Schriftstellerverband kein Brief von ⟨Schneider⟩ an Genossen Kant eingegangen ist. Aus diesem Grund hält es Genosse ⟨Henniger⟩ für möglich, daß ⟨Schneider⟩ überhaupt nicht an Kant geschrieben hat und daß es sich um eine gezielte Lüge handelt mit der Absicht, Genossen Kant zu verunsichern.

Pönig
Hptm.

103. Vermerk:
MfS-Recherche über die Telefonstörung (21.3.77)

Anm. zum Faksimile: Rudi Mittig, *26.1.1925, Schlüsselnr. 999900, Stellvertreter des Ministers für Staatssicherheit, Mielke. Als Adressat der Notiz zeichnete er am 23.3.77 mit Namenskürzel ab.
MPF = Ministerium für Post und Fernmeldewesen.

104. Information:
Über ein Gespräch von Hermann Kant
mit Stephan Hermlin
(26. 5. 77)

Hauptabteilung XX   Berlin, 26. 5. 1977

Information

(...)

Inoffiziell wurde bekannt, daß ⟨Stephan Hermlin⟩ im Gegensatz zu früheren Verhaltensweisen in letzter Zeit an Gesprächen mit Genossen Hermann KANT Interesse zeigt.

So äußerte sich ⟨Hermlin⟩ gegenüber Hermann KANT, daß er an einer Zuspitzung und Konfrontation der gegenwärtigen Situation unter den Schriftstellern keinesfalls interessiert sei. ⟨Hermlin⟩ sucht nach Möglichkeiten, um seine positive Haltung zur Partei und Staatsführung der DDR unter Beweis zu stellen, ohne dabei sein Gesicht verlieren zu müssen.

Ihm ist es am liebsten, wenn an die ⟨Biermann⟩-Geschichte und an den Protestbrief nicht mehr erinnert wird. Um einen positiven Beitrag zu leisten, hat sich ⟨Hermlin⟩ auf eine öffentliche politische Auseinandersetzung mit ⟨Reiner Kunze⟩[1] vorbereitet, indem er seinen Schriftverkehr mit ⟨Kunze⟩ durcharbeitet und für eine Polemik mit ihm zurecht gelegt hat.

⟨Hermlin⟩ ist daran interessiert, die Veröffentlichungen ⟨Kunzes⟩ in der BRD zu erhalten, in denen er mit hoher Wahrscheinlichkeit auch ⟨Hermlin⟩ erwähnen wird. In einem solchen Fall ist ⟨Hermlin⟩ bereit, seine «Geschütze» gegen ⟨Kunze⟩ auf der Grundlage seines Schriftverkehrs mit ihm abzufeuern.

Seine Absage zur Teilnahme an den Tagungen des PEN in Hamburg und des PEN-Zentrums in München begründete ⟨Hermlin⟩ in diesem Gespräch dahingehend, daß er sich bewußt nicht zu Provokationen gegen die DDR oder anderen sozialistischen Staaten ausnutzen lassen wollte.[2]

Zum Verhalten von ⟨Christa Wolf⟩ wurde inoffiziell bekannt, daß sie sich nach wie vor stark zurückzieht und es nur schwer gelingt, sie im Sinne der Partei zu beeinflussen. Sie zeigt kaum Ansatzpunkte, um in persönlichen Gesprächen eine gemeinsame Basis zu finden. Als Ursache wird eingeschätzt, daß sie Angst davor hat, selbst erkennen zu müssen, daß nicht sie, sondern die Partei in ihrem konkreten Fall recht behält.

Zu beachten ist, daß ⟨Christa Wolf⟩ von ⟨Gerhard Wolf⟩ negativ beeinflußt wird, wodurch ihre schwankende Haltung immer wieder genährt wird. Andererseits vermeidet es ⟨Christa Wolf⟩ auch, in das Blickfeld negativer Kräfte zu geraten. Sie befindet sich in einer Art innerer Emigration, die nur in einem längeren Zeitraum der positiven Einflußnahme überwunden werden kann.

Nach Einschätzung verschiedener inoffizieller Quellen ist die einzigste Person, die Einfluß auf ⟨Christa Wolf⟩ ausüben könnte, ⟨Anna Seghers⟩.

---

1 Das Verhältnis zwischen Reiner Kunze und Hermlin war zu Beginn der 70er Jahre immerhin so freundschaftlich, daß Kunze seinen Text «Fast ein frühlingsgedicht», das auf den hinteren Deckel seines Bandes «Brief mit blauem Siegel» (Leipzig 1973) gedruckt war, Hermlin widmete. Im November 1976 war das Verhältnis offenbar schon abgekühlt, so daß Kunze nicht eingeladen wurde, die Resolution zugunsten Wolf Biermanns zu unterschreiben.

Zu der öffentlichen Auseinandersetzung anhand des Briefwechsels kam es in der Folgezeit nicht.

2 Zum Zeitpunkt der Abfassung dieser Notiz fand in Hamburg gerade die Tagung des Internationalen PEN statt. In einem Bericht von Jürgen Schmidt in der Stuttgarter Zeitung vom 27.5.1977 hieß es («Unter Ausschluß der Öffentlichkeit»): «Noch öffentlichkeitsscheuer wird das Exekutivkomitee des P.E.N. da, wo die Rede von den schreibenden Kollegen im Osten und also auch von den Regierungen des Warschauer Paktes ist: Kein offizielles, aber auch kein privates Wort darüber, wie erbittert und hilflos sich die rund hundert anwesenden Delegierten aus einunddreißig Zentren gegenüber dem DDR-P.E.N.-Chef Kamnitzer und seiner Anti-Biermann-Kampagne gefühlt haben mögen.

Kein weiterer Hinweis auch auf die schwedischen Delegierten, die dagegen waren, daß diese Tagung überhaupt angesetzt worden war. Denn wie die bulgarischen und ungarischen Delegierten waren auch die DDR-Vertreter in Hamburg nicht erschienen, und ‹eine Tagung ohne die DDR ist eben keine gute Tagung›».

371

105. Information:
Über Volvos für Schriftsteller und
Wissenschaftler
(19.10.77)

Hauptabteilung II   Berlin, den 19. Oktober 1977

Streng geheim!

Information Nr.

Betr.: Stimmungen aus der Bevölkerung[1]

Es wurde aus zuverlässiger Quelle bekannt, daß an Persönlichkeiten
aus Wissenschaft und Kultur Berlins auf Anregung der Bezirksleitung der SED schwedische Pkw des Typs «Volvo» zum Preis von
⟨...⟩,– – Mark angeboten wurden. Unter anderem wurden über
den Schriftstellerverband Berlin auch Schriftstellern derartige Pkw
angeboten. Ungefähr 10 bis 15 Schriftsteller erklärten sich zum Kauf
bereit.

Die Schriftsteller Hermann Kant, Görlich, Panitz, Hauser, Kohlhaase, Rentsch[2], Bengsch[3] u. a. renomierte Schriftsteller des Vorstandes haben das Angebot angenommen.

Nachdem das bei anderen Schriftstellern bekannt wurde, kam es
zu demonstrativen Abwehrreaktionen.

Die Schriftsteller Gerhard Holtz-Baumert und Eduard Klein[4]
lehnten das Angebot ab. Klein spendete demonstrativ ⟨...⟩,– –
Mark für das Solidaritätskomitee.

Der Schriftsteller Peter Abraham[5] drohte, aus dem Vorstand aus-
zutreten, da diese Handlung seiner Meinung nach politisch ver-
antwortungslos und unvereinbar mit der Führungstätigkeit des Vorstandes gegenüber den Verbandsmitgliedern sei. Angesichts der
Devisenlage sei eine derartige Handlungsweise unverständlich.

Die Mehrheit der Verbandsmitglieder des Bezirksvorstandes Berlin ist darüber noch nicht informiert. Es wird jedoch bei Bekanntwerden mit Protestaktionen gerechnet.

In diesem Zusammenhang tauchte im Kreis der Beteiligten das Ge-

rücht auf, daß diese Pkw der DDR für den Ablaß von Fischereigebie-
ten an Schweden überlassen wurden.

Durch zufällige Gespräche der Quelle wurde bekannt, daß auch
Schauspielern und Wissenschaftlern Pkw des Typs «Volvo» über ihre
Verbände angeboten wurden.

HA II/7

---

1 Das Dokument stammt aus der Akte von Gerhard Holtz-Baumert (IM
«Villon»).
2 Gerhard Rentsch, *24.4.1926, Hörspiel- und Fernsehspiel-Autor:
«Ein Schiff fährt nach Marseille» (1952), «Straße der Soldaten» (1956),
«Altweibersommer» (1960), «Geschichte eines Mantels» (1963), «Das
Amulett» (1971).
3 Gerhard Bengsch, *24.11.1928, Erzähler, Film- und Fernseh-Autor:
«Institut Bodelsang unter Mordverdacht» (1955), «Hoffnung auf Kredit» (1961), «Schatten und Schemen» (1963), «Krupp und Krause»
(1969), «Eva und Adam» (1973).
4 Eduard Klein, *25.7.1923, Erzähler und Übersetzer: «Señor Contreras und die Gerechtigkeit» (1954), «Der Indianer» (1958), «Alchimi-
sten» (1967), «Salz der Gerechtigkeit» (1970).
5 Peter Abraham, *19.1.1936, Erzähler, Fernseh- und Kinderbuchautor: «Und das soll Liebe sein» (1970), «Die Schüsse der Arche Noah
oder Die Irrtümer und Irrfahrten meines Freundes Wensloff» (1970),
«Meine Hochzeit mit der Prinzessin» (1972), «Rotfuchs» (1973).

106. Information:
Bericht von Erich Mielke über ein Gespräch
von Erich Honecker mit dem Präsidium
des Schriftstellerverbandes
(24. 4. 78)

MINISTERRAT   Berlin, den 24. 4. 1978
DER DEUTSCHEN DEMOKRATISCHEN REPUBLIK
MINISTERIUM FÜR STAATSSICHERHEIT
Der Minister[1]

                              Vertrauliche Verschlußsache
                              MfS 008 Nr. 008-81/78
Persönlich   88. Ausf. Blatt
Diensteinheiten
Leiter

Information
über das Gespräch des Generalsekretärs des ZK der SED und Vorsitzenden des Staatsrates der DDR, Genossen Erich HONECKER, mit Mitgliedern des Präsidiums des Schriftstellerverbandes der DDR am 3. März 1978 und einige sich daraus ergebende politisch-operative Schlußfolgerungen

Am 3. März 1978 führte der Generalsekretär des ZK der SED, Genosse Erich HONECKER, mit Mitgliedern des Präsidiums des Schriftstellerverbandes der DDR ein Gespräch.
Daran nahmen teil:
Die Vizepräsidenten des Schriftstellerverbandes der DDR[2]
  Hermann KANT,
  Erwin STRITTMATTER,
  Jurij BREZAN und
  Max Walter SCHULZ
  Helmut SAKOWSKI, Mitglied des ZK der SED[3] und Mitglied des Präsidiums des Schriftstellerverbandes der DDR,
  Günter GÖRLICH, Kandidat des ZK der SED,[4] Mitglied des Präsidiums des Schriftstellerverbandes der DDR und Vorsitzender des Berliner Bezirksverbandes der Schriftsteller,

Gerhard HOLTZ-BAUMERT, Mitglied des Präsidiums und Sekretär der Parteigruppe des Vorstandes des Schriftstellerverbandes der DDR,

Gerhard HENNIGER, 1. Sekretär des Schriftstellerverbandes der DDR.

Das Gespräch fand in der Periode der Vorbereitung des VIII. Schriftstellerkongresses[5] der DDR statt. Die Ausführungen des Genossen HONECKER haben in diesem Zusammenhang nicht nur grundsätzlichen, orientierenden Charakter für die Vorbereitung und Durchführung des VIII. Schriftstellerkongresses. Sie waren zugleich richtungweisend für die zukünftige Schaffensperiode unserer Schriftsteller.

Folgende Aussagen in den Ausführungen des Genossen HONECKER sind für die politisch-operative Arbeit von besonderer Bedeutung:

– Hervorhebung, daß das Gespräch im engen Zusammenhang mit der Rede des Genossen HONECKER vor den 1. Kreissekretären[6] am 17. 2. 1978 zu betrachten ist.

Der Schriftstellerverband der DDR und die Bezirksverbände des Schriftstellerverbandes sollten sich darauf orientieren, diese Rede auszuwerten und daraus Aufgaben und Verantwortung der Schriftsteller abzuleiten.

– Betonung, daß bei der Einschätzung der DDR-Literatur von positiven Ergebnissen der letzten Jahre auszugehen ist.

Die politisch-ideologischen Auseinandersetzungen in den letzten zwei Jahren[7] haben den Schriftstellerverband der DDR gestärkt. Die überwiegende Mehrheit der Schriftsteller hat durch ihre Tätigkeit und ihr Verhalten das Vertrauensverhältnis zwischen Partei und den Schriftstellern im Sinne der Beschlüsse des VIII. und IX. Parteitages festigen und entwickeln helfen.

Dies ist charakteristisch für unsere literaturpolitische Entwicklung; nicht charakteristisch ist aber das Verhalten einiger Autoren, die sich gegen unsere gesellschaftliche Entwicklung gestellt haben.[8]

– Auf der Grundlage der positiven Bilanz sollten sachlich und realistisch neue und offene Fragen besprochen werden, wie sie in der Tätigkeit der Schriftsteller bei der Bewältigung vielfältiger neuer Probleme der entwickelten sozialistischen Gesellschaft auftreten.

Genosse HONECKER verwies dabei darauf, daß unsere Entwicklung nicht ohne Schwierigkeiten, Hemmnisse und Widersprüche verläuft, daß es aber darauf ankommt, von welcher Position der Schriftsteller noch bestehende Unzulänglichkeiten erfaßt und wie er sie charakterisiert.

Der Schriftsteller dürfe bei der Gestaltung der sozialistischen Wirklichkeit nicht aus seiner Verantwortung entlassen werden, aber er müsse die Wirklichkeit von einer Seite zeigen, die unserem Staat weiterhilft.

– Aufforderung an die Schriftsteller, Partei zu ergreifen für den realen Sozialismus in seiner Größe, wobei auch noch entwicklungsbedingte Unvollkommenheiten von einer sozialistischen, vorwärtsweisenden Position aus schriftstellerisch umgesetzt werden können. Als Kernfrage stellte Genosse HONECKER heraus, daß für den Schriftsteller die sozialistische DDR die einzigste Alternative ist.

– Von den vorgenannten Positionen aus seien politisch-ideologische Auseinandersetzungen mit der verhältnismäßig kleinen Anzahl von Schriftstellern zu führen, die im feindlich-negativen Sinn auftreten, sich gegen unsere gesellschaftliche Entwicklung stellen und sich dabei westlicher Massenmedien bedienen.[9]

– Vom Genossen HONECKER wurde beispielhaft das Problem der «Heldenentwicklung» in unserer Gegenwartsliteratur angesprochen, in der als «Helden» vereinzelt Menschen mit pessimistischen bis zu verzweifelten Haltungen dargestellt werden.

Er betonte, der Schriftsteller solle eine reale, vorwärtsweisende Bewertung der «Helden unserer Zeit» vornehmen.

Als «Helden unserer Zeit» charakterisierte Genosse HONEKKER schöpferisch tätige Menschen in unserer sozialistischen Gesellschaft, die in sich natürlich auch differenzierte Menschen, aber durchweg keine Pessimisten sind.

Genosse HONECKER wies in diesem Zusammenhang nach, daß unsere Zeit reich an Idealen geworden ist.

– Es komme darauf an, zu erkennen, daß sich gegenwärtig harter politisch-ideologischer Klassenkampf abspielt, und es sei zu erwarten, daß der Gegner die ideologische Diversion gegen die DDR weiter verstärkt. In diesem Kampf müsse der Schriftsteller seine Position kennen und unwiderruflich auf der Seite des Sozialismus stehen. Kompromisse seien nicht zulässig.

– Der Schriftstellerverband der DDR wurde vom Genossen HO-
NECKER darauf orientiert, bei der Vorbereitung des VIII. Schrift-
stellerkongresses um eine schöpferische Atmosphäre zu ringen, die
Vorbereitungen breit, offen und kritisch anzulegen.

Er verwies dabei auf die strikte Einhaltung der Statuten des Verbandes.[10] Die Verbandsfunktionäre sollten sich dafür einsetzen, daß
keine Delegierten zum Kongreß gewählt werden, die in der Verbandsarbeit inaktiv waren oder sich politisch-ideologisch gegen unsere gesellschaftliche Entwicklung stellten.[11]

In der nachfolgenden offenen, konstruktiven Diskussion, an der
sich alle anwesenden Schriftsteller mehrfach beteiligten, Fragen stellten und eigene Standpunkte äußerten, wurden vom Genossen HO-
NECKER weiter u. a. folgende Feststellungen getroffen und Orientierungen gegeben:

– Einen vorrangigen Platz müsse die Arbeit des Schriftstellerverbandes der DDR mit den Nachwuchsautoren einnehmen. Dabei sei wichtig, ihren politisch-ideologischen Standpunkt zu festigen und ihre Beziehungen zur sozialistischen Wirklichkeit zu vertiefen.

Es müsse Klarheit darüber bestehen, wer würdig ist, Mitglied des
Schriftstellerverbandes der DDR zu werden und wer nicht. Es sollten
nur wirkliche Talente gefördert werden, deren Ziel gleichzeitig darin
zu sehen ist, an der Weiterentwicklung des Sozialismus mitzuwirken.

– Hinsichtlich der Durchführung von Lesungen in nichtsozialistischen Ländern stimmte Genosse HONECKER dem Vorschlag zu,
in Vorbereitung des 30. Jahrestages der DDR[12] eine Reihe von politisch und literarisch progressiven Schriftstellern zu gewinnen. Es sei
wichtig, daß die DDR auch im nichtsozialistischen Ausland von solchen Schriftstellern repräsentiert werde, die unseren Staat würdig
und mit positiver Grundhaltung zum Sozialismus vertreten.

– Das Profil des Schriftstellerverbandes der DDR, seine Verantwortung für sachliche Probleme der Schriftsteller und Nachwuchsautoren
solle weiter erhöht werden, wobei die Verantwortlichkeit insbesondere durch Verbandsfunktionäre, aber auch durch jedes Mitglied
wahrgenommen werden sollte.

– Die sozialistische Presse sollte Literaturprobleme stärker behandeln und ausgehend von bewährten Traditionen, Schriftsteller in Reportagen einbeziehen oder bestimmte Probleme der Nachwuchsautoren aufgreifen.

Aus dem Gespräch des Genossen HONECKER mit Schriftstellern und den in diesem Zusammenhang entwickelten Aufgaben ergeben sich folgende grundsätzliche politisch-operative Schlußfolgerungen:

– Die politisch-operativen Maßnahmen müssen der Aufdeckung, Entlarvung und offensiven Zurückdrängung feindlicher Einflüsse und Kräfte unter den Schriftstellern Rechnung tragen. Der Einsatz der operativen Kräfte, Mittel und Möglichkeiten hat zielgerichtet und differenziert zu erfolgen, um hemmende Faktoren aufzuklären und zu beseitigen.

– Über die Reaktionen zum Gespräch und über die Durchsetzung der gegebenen Orientierung ist eine gründliche Übersicht und ein ständiger Informationsfluß zu gewährleisten, um eine systematische politisch-operative und analytische Arbeit zu sichern.

– Unter Beachtung der Gewährleistung einer störungsfreien Vorbereitung und Durchführung des VIII. Schriftstellerkongresses der DDR sind die politisch-operativen Kräfte, Mittel und Möglichkeiten so einzusetzen, daß insbesondere im Prozeß der Vorbereitung des Schriftstellerkongresses die positiven Kräfte weiter gestärkt und negative Kräfte zurückgedrängt werden.

In diesem Zusammenhang sind geeignete Maßnahmen einzuleiten, um ein öffentliches Auftreten feindlich-negativer Kräfte auf dem Schriftstellerkongreß der DDR zu unterbinden. Gleichzeitig sind alle beabsichtigten Aktivitäten feindlich-negativer Kräfte, die sich von außen gegen den Schriftstellerkongreß der DDR richten, rechtzeitig zu erkennen, aufzuklären und mit geeigneten Mitteln zu verhindern.

– Die operative Bearbeitung der feindlich-negativen Kräfte ist mit der Zielstellung zu organisieren, deren beabsichtigte feindlich-negativen Handlungen aufzuklären, zu dokumentieren und vorbeugend zu verhindern. Insbesondere sind herauszuarbeiten Verbindungen zu imperialistischen Geheimdiensten, Zentren und Institutionen des Gegners oder feindlich tätigen Einzelpersonen.

Alle Anzeichen und Hinweise über beabsichtigte Aktivitäten feindlich-negativer Kräfte, sich zusammenzuschließen und einheitlich aufzutreten, sind unverzüglich aufzuklären und in Abstimmung mit den zuständigen Organen zu unterbinden.

Politisch schwankende und verwirrte Kräfte sind von den feindlich-negativen Personen zu isolieren und zu gesellschaftsgemäßem Verhalten zurückzugewinnen, um damit gleichzeitig den Differenzierungsprozeß weiter zu vertiefen.

– Durch geeignete politisch-operative Maßnahmen ist der Prozeß der Ausbildung von Nachwuchsautoren zu unterstützen, um in politisch-ideologischer und literarischer Hinsicht positive Veränderungen herbeizuführen.

Mit spezifisch-operativen Kräften, Mitteln und Methoden ist der Prozeß ihrer Auswahl und Förderung, ihre Aufnahme in den Schriftstellerverband der DDR zu beeinflussen. Er muß bereits in den Ausbildungsstätten seinen Ausgangspunkt haben. In den Verantwortungsbereichen der Bezirksverwaltungen Leipzig, Halle, Rostock und Gera ist auf die Lösung vorgenannter Probleme besonderes Augenmerk zu legen. Aus dem Kreis der Nachwuchsautoren sind im verstärkten Maße inoffizielle Mitarbeiter zu werben.

– Der Informationsfluß in Vorbereitung und Durchführung des VIII. Schriftstellerkongresses der DDR ist – unabhängig von angewiesenen Berichterstattungen zu anderen politisch-operativen Problemen Linie XX – ständig zu gewährleisten. Über besondere Vorkommnisse ist sofort zu berichten.

Mielke
Generaloberst

---

1 Der Minister = Erich Mielke. Das Dokument stammt aus den Akten seines Büros.

2 Die Präsidentin Anna Seghers, 77 Jahre alt, war leidend und trat fünf Wochen später, Ende Mai 1978, von ihrem Amt zurück.

3 Helmut Sakowski war seit 1963 Kandidat und seit 1971 Mitglied des ZK der SED.

4 Günter Görlich war seit 1976 Kandidat des ZK der SED.

5 Der achte Schriftsteller-Kongreß der DDR fand vom 29. bis 31.5.1978 statt.

6 Die Rede Honeckers vor den 1. Sekretären der Kreisleitungen vom 17.2.78 wurde im ND vom 18./19.2.1978, S. 3ff. abgedruckt. Darin gab es auch einen Abschnitt über die «Allseitige Entfaltung der sozialistischen Kunst und Kultur». Es hieß dort u. a.: «Bei der verschärften Hetze des Klassengegners zeigt sich, daß einige Schriftsteller und Künstler den Klassencharakter unserer Politik nicht richtig verstehen, Irrtümern erliegen und politische Fehler begehen. Mit Auffassungen,

die dem wissenschaftlichen Sozialismus widersprechen, werden wir uns weiterhin offensiv und konsequent auseinandersetzen. Das sollte vor allem in den Künstlerverbänden erfolgen.»

7 Gemeint ist die Zeit seit Biermanns Ausbürgerung im November 1976.

8 Zahlreiche Autoren wie Thomas Brasch, Jürgen Fuchs, Bernd Jentzsch, Sarah Kirsch, Reiner Kunze, Hans Joachim Schädlich u. a. hatten nach Biermanns Ausbürgerung die DDR verlassen, waren nicht in sie zurückgekehrt oder waren aus der Untersuchungshaft abgeschoben worden.

9 Offensichtlich geht von diesen Ausführungen die Verschärfung der Kulturpolitik der DDR in der Folgezeit aus (s. dazu Joachim Walthers Satz «Das Jahr 1979 gehört in meiner Erinnerung zu den finstersten Kapiteln im kulturpolitischen Schwarzbuch der DDR-Geschichte» in dem von ihm und anderen herausgegebenen «Protokoll eines Tribunals», Reinbek 1991, S. 7). Im Frühjahr 1979 verschärfte die DDR das Strafrecht um die Tatbestände «Staatsfeindliche Hetze», «Öffentliche Herabwürdigung» und «Ungesetzliche Verbindungsaufnahme», sie bestrafte Stefan Heym für die Veröffentlichung seines Romans «Collin» im Westen und schloß im Juni die Autoren Kurt Bartsch, Adolf Endler, Stefan Heym, Karl-Heinz Jakobs, Klaus Poche, Klaus Schlesinger, Rolf Schneider, Dieter Schubert und Joachim Seyppel aus dem Schriftstellerverband aus.

10 Bei den Ausschlüssen der unter Nr. 9 genannten Autoren aus dem DSV beriefen sich Hermann Kant und Günter Görlich ebenso ausdrücklich wie – für die Betroffenen – verdeckt auf die von Honecker ausgegebenen Richtlinien hinsichtlich der Verletzung der Verbandsstatuten. Da Heym im Zusammenhang mit seinem «Collin» geklagt hatte, «Wir werden vor Gericht geschleppt, verurteilt und bestraft, wer sich weigert, sich freiwillig knebeln zu lassen», antwortete Kant: «Wie Sie diese Behauptung mit Ihren Pflichten gegenüber dem Verbandsstatut, in dem es heißt, die Mitglieder seien gehalten, das Ansehen des Verbandes zu wahren, vereinbaren wollen, geht mir nicht in den Kopf». Und Günter Görlich echote bei seinem Antrag auf die Verbandsausschlüsse: «Ein Statut ist keine formale oder bürokratische Angelegenheit. Im Statut sind Ziele, politische Fragen festgelegt, und das hat nichts mit Bürokratie und Formalismus zu tun. Umgekehrt wäre es seltsam, wenn wir willkürlich die Ziele unseres Statuts außer acht lassen würden» (s. Joachim Walther et al., Protokoll eines Tribunals, S. 88 und 91. Vgl. auch S. 38).

11 Aus diesem Grund wurde z. B. Stefan Heym nicht Delegierter des

achten Schriftstellerkongresses. Heym wies in seiner Rede unmittelbar vor dem Ausschluß aus dem DSV auf die Manipulationen hin, mit denen er und seine Gesinnungsgenossen an einer Delegierung gehindert wurden. Er verwies darauf, daß Hermann Kant «kurz vor dem Schriftstellerkongreß im NEUEN DEUTSCHLAND einen offenen Brief an zwei amerikanische Verleger drucken ließ, in dem er behauptete, ich wäre nicht zum Kongreß delegiert worden, weil in der Mitgliederversammlung des Berliner Verbandes kein entsprechender Antrag gestellt worden sei. Da wir aber, schrieb er weiter, in der DDR eine altmodische Demokratie hätten, könne er da leider nichts tun. Dabei wußte er natürlich, daß ein entsprechender Antrag sehr wohl gestellt worden war – aber in der Parteigruppe, dort erfuhren die Kollegen, daß ich nicht delegiert werden dürfe, und danach machte sich niemand die Mühe, den Antrag noch einmal im Plenum zu stellen. Ich habe darüber auch mit Kant gesprochen, (...) und mit einem charmanten Lächeln, das er bei solchen Gelegenheiten zeigt, stimmte er mir bei: Jawohl, das sei Demagogie gewesen» (s. Protokoll eines Tribunals, S. 46).

12 7. 10. 1979

107. «Operative Arbeitsvereinbarung» zwischen dem MfS und dem KGB zur Ausforschung des Internationalen PEN-Clubs (Mai 78)

«Operative Arbeitsvereinbarung»   Mai 1978

Zur Realisierung der im Plan der Zusammenarbeit konzipierten Aufgaben wurden die nachstehend aufgeführten politisch-operativen Maßnahmen festgelegt, die von der HA XX/7, XX/OG[2] und der 9. Abteilung der V. Verwaltung des KfS[3] einzuleiten sind.

1. Aufklärung und Einschränkung der subversiven Aktivitäten des Internationalen PEN-Clubs, Sitz London. Durch die Prüfung und Ausnutzung von Möglichkeiten, die sich aus der Mitgliedschaft der DDR im Internationalen PEN ergeben, sind Informationen über
– die Zusammensetzung und die differenzierte politische Interessenlage der politischen Gruppierungen im Internat. PEN
– Pläne, Absichten und Vorhaben insbesondere solcher Kräfte im

Internationalen PEN, den verschiedenen nationalen PEN-Zentren und den Exil-PEN-Gruppen, von denen antisozialistische, antikommunistische und antisowjetische Initiativen im internationalen Maßstab ausgehen

– die Wirksamkeit und inspirierenden Einflüsse sowie materielle Zuwendungen feindlicher Zentren, Geheimdienste und volksfeindlicher Organisationen auf das Internationale PEN oder einflußreichen Kräften dieser Organisation zu erarbeiten. Verantw.: HA XX/7

2. Durch die Mobilisierung und Nutzung von IM und patriotischen Kräften im nationalen PEN-Zentrum der DDR sind offensive Maßnahmen durchzusetzen und zu unterstützen, um gegnerische Aktivitäten und Kampagnen zur Einmischung in die inneren Angelegenheiten der sozialistischen Länder und antisozialistische/antisowjetische Verleumdungs- und Diskriminierungsaktionen rechtzeitig zu durchkreuzen, zurückzuweisen und nicht öffentlichkeitswirksam werden zu lassen. Es sind geeignete Protestresolutionen, Briefe und Presseveröffentlichungen anzuregen, um antisozialistische Verleumdungskampagnen feindlicher Kräfte im Internationalen PEN zurückzuweisen und ihre Verfasser bloßzustellen. Verantw.: HA XX/7

3. Im Prozeß der Arbeit des nationalen PEN-Zentrums der DDR, bei Kongressen und Tagungen sind solche Vertreter im Internationalen PEN zu ermitteln, die in positiver Weise beeinflußt und für die Zurückdrängung antisozialistischer Aktivitäten rechter Kräfte im Internationalen PEN gewonnen werden können. Es sind inoffizielle Möglichkeiten und Kanäle zu ermitteln und zu nutzen, um antisozialistische und antisowjetische Kräfte im internationalen PEN öffentlich zu kompromittieren. Durch die Nutzung von IM unter den Mitgliedern des nationalen PEN-Zentrums der DDR sind Möglichkeiten zu prüfen und zu nutzen, um durch das Einbringen entsprechender Resolutionen und Proteste Exilgruppen im Internationalen PEN zu liquidieren bzw. zu deren Auflösung beizutragen. Verantw.: HA XX/7

4. Die V. Verwaltung des KfS bittet um Unterstützung für die Erarbeitung von Informationen zur Einschätzung der politischen Situation im Internationalen PEN, um weitere Entscheidungen zum offensiven Vorgehen der UdSSR-Organe vorzubereiten. (…) Die V. Verwaltung übergibt zu vorgenanntem Komplex eine Aufstellung der sie interessierenden Fragen. Für die Realisierung vorgenannter Maßnahmen werden durch die HA XX/7 die IM/GMS der HA XX/7

«Heinz», Präsidiumsmitglied im PEN-Zentrum DDR[4]
«Henryk», Präsidiumsmitglied im PEN-Zentrum DDR[5]
«Dichter»[6]
«Thomas»[7]
«Martin», Präsidiumsmitglied im PEN-Zentrum DDR[8]
zum Einsatz gebracht.

5. Durch den IM «Heinz» der HA XX/7 wird auf den Vizepräsidenten des Internationalen PEN, Stephan HERMLIN, Einfluß ausgeübt, um ihn von der Mitarbeit an antisozialistischen Resolutionen reaktionärer Kräfte im Internationalen PEN zurückzuhalten und ihn zu gewinnen, gegen solche Vorhaben im Internationalen PEN Stellung zu nehmen.

---

1 Die Vereinbarung wurde zwischen dem MfS-General Kienberg und dem KGB-General Bobkow in Moskau geschlossen. Veröffentlicht wurde sie von Joachim Walther in seinem Artikel «Der Heinz hieß Georg. Über ein Kooperationsabkommen zwischen KGB und MfS zur Beeinflussung des DDR-PEN» (Frankfurter Rundschau, 28. April 1995, S. 9.). Der Text hier folgt dem vom Walther edierten Wortlaut.
2 OG = Operationsgebiet, d. h. das feindliche Ausland.
3 KfS = Komitee für Sicherheit, MfS-interne Übersetzung von KGB.
4 Nach J. Walther, a. a. O., ist «Heinz» Deckname des DDR-PEN-Präsidenten Heinz Kamnitzer.
5 Unter den Präsidiumsmitgliedern des DDR-PEN trag nur Keisch den Vornamen Henryk.
6 Deckname von Paul Wiens
7 Nicht identifiziert
8 Trotz der Anweisung vom 31. 3. 1976 wurde hier anscheinend ein weiteresmal der alte Deckname Hermann Kants verwendet!

108. Informationsbericht:
Gespräch von Hermann Kant mit Erich Loest (31. 8. 78)

3617 / I. /
Leipzig, 31. Aug. 1978 / Ka /
26 / A – 141 / 78 /

Informationsbericht
vom 23. 8. / 18.00–20.00 /
«AUTOR»

Herr Kant[1] und Herr ⟨Loest⟩[2] führen folgende
wörtliche Unterhaltung:

K.: Kollege ⟨Loest⟩, ich habe den Brief, den sie ans Präsidium gerichtet haben gesehen, wenn auch noch nicht den Durchschlag, den sie mir zugedacht haben, den habe ich noch nicht, aber es steht wohl in beiden das selbe und ich will doch zumindest im Voraus eine Telefon-Reaktion darauf zeigen.

⟨L.⟩: Ja!

K.: Also passen sie einmal auf.

1. verstehe ich voll und ganz ihre Ungeduld, wenn gleich ich nicht alle Zeichen dieser Ungeduld so ganz billigen kann, aber das ist eine Frage, die ist nicht ganz so wichtig, aber ich verstehe ihre Ungeduld.

2. hatte ich ihnen geschrieben, daß ich mich um die Sache kümmere und zwar hatte ich geschrieben seinerzeit, wo ich nicht so furchtbar voll da war.[3] Ich habe ein paar Wochen im Krankenhaus zugebracht.

Ich habe es ganz gern, daß ich die Dinge, um die ich mich kümmere, sehr genau kenne – sprich, wenn es sich um Bücher handelt, lese ich die erst – das habe ich getan. Dazu ist zu sagen, daß ich ihr Buch gut finde und das ich mich für dieses Buch, als ein Buch der DDR-Literatur verwendet habe und verwende.

4. sind die Stellen, die nun idiotische oder uneinsehbare oder wie immer sie es bezeichnen wollen, Vorstellungen von die Änderungen eines vorliegenden Buches haben, sind manchmal, ob mit saftigen oder nicht so saftigen Gründen, aber manchmal sind sie nicht ganz so zu haben, nicht ganz zu erreichen – wir haben Sommer, so, daß heißt

mit einem Wort, es hat sich das, was ich ihnen versprochen habe und was ich getan habe und was [s]ich unter anderem in mehreren, ich wiederhole in mehreren Sitzungen und Besprechungen, Telefonaten und Briefen ausgedrückt hat – es hat sich über diese letzten Wochen hingezogen, nach dem ich wieder auf freien Fuß aus dem Krankenhaus bin und ist noch nicht an dem Ende, daß uns alle zusammen befriedigt, aber es kommt an dieses Ende und ich möchte sie wirklich ganz herzlich bitten, ihre Ungeduld ein bißchen zu zügeln. Ich selbst bin ja Autor eines Buches, daß etwas länger gebraucht hat[4] und ich weiß, wie wenig Ungeduld da hilft, aber sie können sich darauf verlassen, daß sie in mir und anderen Kollegen jemanden haben, der sich darum kümmert und deswegen möchte ich sie ganz herzlich bitten, also sagen wir einmal, diese leisen Drohgebärden doch noch zu lassen, damit können sie immer noch kommen, wenn ihnen das nicht behagt.

Ich stehe voll auf ihrer Seite wenn es sich darum handelt, dem Verlag zu sagen, und das habe ich dem schon mitgeteilt, daß man natürlich nicht erst sein Buch nehmen, drucken, verbreiten kann, um es dann plötzlich ändern zu wollen – das ist ja alles Blödsinn und das kann überhaupt gar nicht in Frage kommen, aber sie machen es sich und mir, ich will das nur auf uns beide beschränken, nicht leicht mit solchen postalischen Vorgängen, in denen dann so nicht ganz, wie ich finde, passende Vergleiche mit ⟨Fallada⟩ und den Nazis[5] und solchen Dingen (??) – das hat wenig Sinn, da kommt nämlich früher oder später jemand auf den Trichter und erzählt mir, siehst du, was das für Leute sind, wegen denen du dich hier so einsetzt.

⟨L.⟩: Aha, ich kann mir das schon vorstellen. Sehen sie, als ich diesen Brief schrieb, da habe ich inzwischen vom Mitteldeutschen Verlag alle Rechte zurück, ich habe dann von ihnen nichts mehr gehört und der ⟨...⟩ hat mir gesagt, es ist sehr schwierig und es ist sehr geringe Hoffnung und dann wollte ich für mich einen Schlußstrich ziehen, hier kommt nun nichts mehr und dann wollte ich das nun aber einmal gesagt haben.

K.: Ja, daß war übereilt!

Ich finde, es war richtig übereilt, denn Bücher das geht alles nicht so fix und wo Verwaltungen drinnen hängen, da geht es noch viel weniger fix und halten sie noch einen Augenblick die Puste an.

⟨L.⟩: Ich habe inzwischen eine Einladung zu ⟨Klaus Höpcke⟩ für den 1.9.

K.: Ja, der zum Beispiel war auch in der Mongolei, also so kommt manches zu manches.

⟨L.⟩: Also, ich mache gar nichts mehr und ich fühle mich einmal durch ihren Anruf getröstet und gestärkt – darf ich das?

K.: Ja!

⟨L.⟩: Und ich mach bis zum 1.9. mal sowieso nichts mehr und dann will ich einmal sehen was der ⟨Klaus Höpcke⟩ mir erzählt.

K.: Genau, in Ordnung.

⟨L.⟩: Machen wir es so!

K.: Gut – einen schönen Abend noch.

⟨L.⟩: Ich danke ihnen für den Anruf – auf wiedersehen.

F. d. R.
Kapitza[6]
Oltn.

---

1 Kant war Ende Mai 1978 als Nachfolger von Anna Seghers zum Vorsitzenden des DDR-Schriftsteller-Verbands gewählt worden.

2 Erich Loest hatte im Frühjahr 1978 beim Mitteldeutschen Verlag in Halle seinen Roman «Es geht seinen Gang oder Mühen in unserer Ebene» veröffentlicht. Zehn Wochen nach Erscheinen des Buches wurde dem Autor mitgeteilt, weitere Auflagen des (sofort sehr erfolgreichen) Buches seien untersagt, obwohl für den Herbst eine Zweitauflage von 22 000 Exemplaren zugesagt war. Der Mitteldeutsche Verlag ventilierte Änderungen am gedruckten Text. Loest lehnte das ab – auch im Hinblick darauf, daß die Deutsche Verlags-Anstalt Stuttgart ja den Text der Erstauflage vorrätig hielt und peinliche Vergleiche ermöglichte. In einem Brief an den Verlagsleiter Eberhard Günther lehnte Loest sowohl Änderungsvorschläge als auch das Verbot der Nachauflage ab: «Ich willige nicht ein und melde gegen einen Auflagenstopp meinen Protest an. Die rechtlichen Mittel, die mir zur Verfügung stehen, werde ich ausschöpfen. Zunächst einmal ist mir eine Auflage von 22 000 Stück für den Herbst zugesichert.»

Einen Durchschlag dieses Schreibens schickte Loest auch an den Verbandspräsidenten Kant mit dem Zusatz:

«Vier Jahre Arbeit sind für die Katz, eine nervliche und seelische Anspannung, wie ich sie vermutlich nicht noch einmal aufbringen kann, scheint vertan. Meine Antwort auf unzumutbare Vorschläge schicke ich Ihnen. Wirklich, ich fürchte den Skandal. Ich suche die Konfrontation nicht, ich möchte friedlich leben und arbeiten, bin aber auch nicht bereit, mir selber einen Fuß abzuhacken. Vielleicht ist es dem Verband möglich, eine Eskalation abzuwenden? Ich bitte um Ihre Hilfe.» (Erich Loest, Der Zorn des Schafes. Aus meinem Tagewerk. Künzelsau und Leipzig 1990, S. 112f.)

3 Der Text von Kants Postkarte und mit der Zusage seiner Hilfe findet sich bei Loest, a. a. O., S. 113 f.

4 Gemeint sind die mehrjährigen Verzögerungen beim «Impressum».

5 In dem Brief an seinen Verleger Eberhard Günther hatte Loest dessen Absichten der Retusche folgendermaßen kommentiert: «Dieser Änderungsvorschlag für eine weitere Auflage ist für mich ohne Beispiel. Doch: Fallada änderte, als die Nazis kamen, in ‹Kleiner Mann, was nun?› einen SA-Schläger in einen Fußballflegel um. Man hat ihn später deswegen der Charakterlosigkeit gezogen. In meinem Fall hießen diese Änderungen, dem Buch den Konflikt zu entziehen (...) Ich würde damit dem Buch seine Grundlage nehmen.» (Loest, a. a. O., S. 112)

6 Günter Kapitza, * 20. 10. 40, Schlüsselnr. 132600 (Bezirksverwaltung Leipzig, Abt. 26, zuständig für die Telefonüberwachung).

109. Information: Gerhard Henniger über Rücktrittsabsichten von Hermann Kant und die Reaktion von Erich Honecker (2. 11. 78)

Hauptabteilung XX/7 Berlin, 2. 11. 1978

Information

Am 1. 11. 1978 gab der Sekretär des Schriftstellerverbandes der DDR, Gen. ⟨Henniger⟩, zum Präsidenten des Schriftstellerverbandes der DDR, Gen. Hermann Kant, nachfolgende äußerst interne Information:

Das Mitglied des Politbüros des ZK der SED, Gen. Prof. Kurt Hager, hatte am 31. 10. 1978 mit dem Präsidenten des Schriftstellerverbandes der DDR, Gen. Kant, ein Gespräch zur Erörterung der gegenwärtigen Situation im Schriftstellerverband der DDR vereinbart.

Entsprechend der vorausgegangenen Beratungen im Schriftstellerverband sowie in Abstimmung mit der Abteilung Kultur des ZK der SED sollte Gen. Kant im Gespräch beim Gen. Hager eine kurze Darlegung der Situation im Schriftstellerverband geben und auf das Für und Wider der Problematik zu dem Buch von ⟨Erich Loest⟩ «Es geht seinen Gang» eingehen.

Am Nachmittag des 1.11.1978 suchte Gen. Kant den Gen. ⟨Henniger⟩ auf und gab diesem folgende Darstellung seines Gespräches mit Gen. Kurt Hager sowie eines weiteren kurzfristig festgelegten Gespräches am 1.11.1978 mit dem Generalsekretär des ZK der SED, Gen. Erich Honecker.

Gen. Kant habe seinen Darstellungen zufolge in dem Gespräch mit Gen. Hager seinen Rücktritt als Präsident des Schriftstellerverbandes der DDR angeboten, wenn das Buch von ⟨Erich Loest⟩ in der DDR keine Nachauflage erhält.

Gen. ⟨Henniger⟩ äußerte dazu, daß Gen. Kant über diese Absicht vorher niemanden informiert hatte.

Zu dem Gespräch mit Gen. Hager erklärte Gen. Kant weiter:

Gen. Hager habe ihm den Ernst der gegenwärtigen politischen Lage ausführlich dargelegt, Kants Haltung nicht akzeptiert und ihm gesagt, daß er nicht verstehen kann, daß Kant wegen eines solchen Buches derartig weitreichende Konsequenzen zu ziehen beabsichtige.

Gen. Hager habe Kant nochmals ausführlich die schädlichen Auswirkungen des ⟨Loest⟩-Buches aufgezeigt und ihn auch darauf hingewiesen, daß Kant wegen dieses Buches kein schlechtes Gewissen zu haben braucht, da es doch nicht Kants Schuld sei, wenn kein DDR-Verlag bereit ist, eine Nachauflage zu bringen.

Gen. Hager habe Kants Rücktrittsabsicht verurteilt und ihm sehr ernst angeraten, von diesem Schritt Abstand zu nehmen. Gen. Kant erklärte, daß er sich in seiner Auffassung vom Gen. Hager nicht umstimmen läßt, da es ihm nicht schlechthin um das Buch von ⟨Loest⟩, sondern um seine Autorität als Präsident des Schriftstellerverbandes der DDR ginge.

Um Gen. Hager deutlich zu machen, daß seine Rücktrittserklärung als Präsident des Schriftstellerverbandes der DDR ernst gemeint und nicht aus einer spontanen Reaktion oder Laune geschehe, habe er am Morgen des 1.11.1978 im ZK der SED einen Brief abgegeben, in welchem er seine Auffassungen wie folgt formuliert hat:

Er, Kant, hätte versucht, Gen. Hager zu erklären, daß es ihm nicht um das Buch von ⟨Loest⟩ geht, sondern, daß er sich als ein Instrument der Partei fühle und als solcher die Politik der Partei im Schriftstellerverband durchzusetzen beabsichtige. Wenn das Buch von ⟨Loest⟩ jedoch keine Nachauflage erhält, würde er wie ein «Messer ohne Klinge» dastehen. In künftigen Auseinandersetzungen, wo es unter Umständen um grössere Probleme als ein ⟨Loest⟩-Buch gehen könne, würde dann niemand mehr auf ihn hören. Aus diesem Grund müsse er seine Funktion niederlegen.

Diese Gründe, führte Kant weiter aus, werde er, wie auch im Brief von ihm formuliert, nicht als offizielle Rücktrittserklärung angeben, sondern gesundheitliche Gründe anführen.

Aufgrund dieses Briefes sei Gen. Kant am 1.11.1978 in den Mittagsstunden zu einem Gespräch zum Generalsekretär des ZK der SED, Gen. Erich Honecker, gebeten worden. Nach den Darstellungen Kants gegenüber Gen. ⟨Henniger⟩ hat Gen. Honecker Kant folgendes gesagt:

Gen. Honecker wies Kant darauf hin, daß dessen Berufung zum Präsidenten des Schriftstellerverbandes der DDR als Parteiauftrag gelte. Die von Kant in seinem Brief geäußerten Rücktrittsabsichten fasse Gen. Honecker als eine Art Fahnenflucht auf. Nach den Äußerungen Kants habe es danach noch ein längeres Gespräch zwischen Gen. Honecker und ihm über das ⟨Loest⟩-Buch gegeben. Im Ergebnis dieses Gespräches habe Gen. Honecker Kant erklärt, er werde am 2.11.1978 Gen. Hager verständigen, daß das Buch von ⟨Loest⟩ eine Nachauflage von 10000 Exemplaren in einem Verlag der DDR erhalten soll.[1] Der Vertrieb dieser Bücher sei dann eine andere Sache.

Im Ergebnis dieses Gespräches habe Kant seinen Brief und damit seine Rücktrittserklärung als Präsident zurückgezogen.

Kant äußerte gegenüber Gen. ⟨Henniger⟩, daß er in seiner Amtsperiode als Verbandspräsident nie wieder einen solchen Brief schreiben werde.

Nach Meinung des Gen. ⟨Henniger⟩ hatte das Gespräch mit Gen. Honecker auf Kant einen starken Eindruck hinterlassen. Kant sei sehr niedergeschlagen gewesen. Am stärksten habe Kant der Vorwurf des Gen. Honecker getroffen, daß seine Rücktrittserklärung eine Art Fahnenflucht sei.

Nach den Darlegungen Kants, die für Gen. ⟨Henniger⟩ völlig überraschend kamen, hat Gen. ⟨Henniger⟩ Kant noch folgende Empfehlungen gegeben:
– über diese Angelegenheit mit niemanden zu sprechen, auch nicht mit seinen engsten Freunden, da sich ein Bekanntwerden dieser Gespräche zu seinen Ungunsten auswirken könne;
– des weiteren hat er Gen. Kant geraten, aus seinem falschen Verhalten Lehren zu ziehen, sich nicht vorschnell festzulegen und sich nicht von jedem Schriftsteller vor dessen Karren spannen zu lassen. Das sei bereits schon mehrfach durch solche Autoren wie ⟨Bettina Wegner⟩, ⟨Klaus Schlesinger⟩, ⟨Rainer Kirsch⟩ u. a. versucht worden.

---

1 Am 15.11.1978 teilte der Buch-Minister Klaus Höpcke Erich Loest bei einem Besuch in Leipzig mit, daß er seinen Roman «Es geht seinen Gang» dem Greifen-Verlag in Rudolstadt anbieten möge. Dem MfS erklärte Höpcke, «daß die Entscheidung über eine Nachauflage dieses Loest-Romans zwischen dem ZK der SED, dem Präsidium des Schriftstellerverbandes und dem Ministerium für Kultur getroffen wurde» (Loest, «Der Zorn des Schafes», S. 146).

110. Brief von Hermann Kant an Erich Honecker (19.4.79)

Verehrter Genosse Generalsekretär, lieber Erich![1]

Erstens möchte ich mich zurückmelden.

Zweitens möchte ich mich von Herzen bedanken.

Drittens möchte ich in aller Kürze sagen, was bei der Sache herausgekommen ist:

Für mich unermesslich viel. Ich bin den Schmerz noch längst nicht los, und es ist auch nicht gesagt, ob das jemals der Fall sein wird, aber – aber wenn ich in den zurückliegenden 5 ½ Jahren unausgesetzt vorm Schmerzenswahnsinn gewesen bin und mich nur mit schärfsten (und natürlich auch schädlichen) Medikamenten bei Leben halten konnte, so habe ich seit dem 19. Februar nicht eine einzige Tablette mehr genommen. Die Angelegenheit ist noch böse, aber sie ist aushaltbar geworden, und wenn es dabei bleibt, habt Ihr mich noch etwas länger.

Ich bin ja nicht gerade als übermässig pathetischer Mensch und Lobhudler bekannt, aber ich muss sagen, dass sich die Gruppe der sowjetischen Aerzte und Therapeuten – von der Schwester bis zum Chefarzt ausnahmslos – geradezu fabelhaft benommen hat. Man spricht manchmal etwas rasch von Hingabe – diese Genossen haben sich hingebungsvoll um die Verbesserung meines Zustands bemüht. Es ist fast ein wenig bedauerlich, dass ich schon ein Freund der Sowjetunion war, als ich dort ankam, denn sonst gäbe es jetzt einen mehr. Nun gut, dann bin ich es eben doppelt.

Da ich mich mit Protokollfragen nicht auskenne und auch nichts ohne Deine Zustimmung tun will, eine Frage: Soll, darf ich dem sowjetischen Botschafter (oder wem?) einen Dankesbrief schreiben?

Ich bin ein etwas spröder Kerl, lieber Erich, aber für das, was Du für mich in dieser Geschichte getan hast, möchte ich Dich umarmen.

Auch dies sei gesagt: Die Genossen, die Du mit der operativen Seite der Sache beauftragt hast, sind grossartig gewesen. Da solche Leute von Berufs wegen manchmal oder meistens ziemlich im Hintergrund bleiben, will ich einen doch namentlich nennen – den Genossen ⟨...⟩, der seinen Dienst an unserer Moskauer Botschaft macht und sozusagen mein Verbindungsmann zur Heimat gewesen ist.

Du weisst selbst, welche Unterschiede es zwischen anständiger Pflichterfüllung und anständiger Pflichterfüllung geben kann – Genosse ⟨...⟩ Rauch hat eine Bestnote verdient.

Schliesslich noch eine alberne Sache, von der ich Dir aber Kenntnis geben muss. Ich habe das notwendige Körpertraining etwas überzogen und mir einen Fuss gebrochen. Da ich mich nicht dramatisch mit Gipsbein an Rednerpulte schwingen will, werde ich bei dieser oder jener Veranstaltung in den nächsten Wochen fehlen; was vom Schreibtisch aus getan werden kann, wird getan.

Und ich glaube, ein paar Sachen müssen geschehen; ich habe mich deswegen bereits mit dem Genossen Kurt Hager (sozusagen: im Prinzip) verabredet.

Lieber Erich, ich grüsse Dich in von Herzen kommender Dankbarkeit als Dein Genosse und Freund

Berlin, 19. IV. 79   *Hermann Kant*

PS. Ich bitte Dich, auch jenen Genossen, die ich aus uns beiden bekannten Gründen nicht schriftlich benennen will, meinen herzlichen
Gruss und Dank zu sagen. – H. K.

---

1 Dankesbrief an Erich Honecker für die Vermittlung einer Behandlung
in Moskau gegen den Dauerschmerz seit dem Verkehrsunfall im Dezember 1973. «Erheblich ist gewesen, daß es seit dem Sturz auf den
Acker außer der Arbeit kaum ein Mittel gegen den schuftigen Brand in
meiner Pfote gab; das Medikament, mit dem ich die Scheußlichkeit für
Abendstunden drosseln konnte, setzte ich ab, als herauskam, man
reichte es rückkehrwilligen Heroinsüchtigen für den Übergang.» («Abspann», S. 467)

Über die Behandlung selbst schreibt Kant (ebda., S. 528): «Mir hat
er [Honecker], als mich meine Unfallschmerzen fast in den Wahnsinn
trieben, eine Spezialbehandlung im sowjetischen Regierungskranken-
haus vermittelt. Weil ihm das wohl noch nicht genügte, sorgte er, daß
ich mit der Kuriermaschine ein- und nach einem Vierteljahr aufwendig-
ster und auch hilfreicher medizinischer Bemühungen wieder ausgeflo-
gen wurde. Es war eine Art noblen Verschlusses, in den ich geriet, und
wenn mich zu beiden Enden der Flugreise Männer eskortierten, denen
ein Homburg ganz gut zu Gesicht gestanden hätte, paßte das zum Ge-
wahrsam.»

111. Information:
Gespräch von Hermann Kant mit Erwin Strittmatter (23. 4. 79)

Hauptabteilung XX   Berlin, 23. 4. 1979

Information

Inoffiziell wurde bekannt, daß der Präsident des Schriftstellerverban-
des der DDR, Genosse Hermann KANT, am 22. 4. 1979 mit dem
Schriftsteller ⟨Erwin Strittmatter⟩ ein Gespräch führte. In diesem
Gespräch zeigte sich ⟨Strittmatter⟩ stark verärgert und brachte sein

Unverständnis zum Ausdruck, daß die Herausgabe seines Buches «Der Wundertäter» Bd. 3 erneut auf die lange Bank geschoben wurde.[1]

So habe das Mitglied des Politbüros des ZK der SED, Genosse Prof. Kurt Hager, vor mehreren Wochen in einem persönlichen Gespräch ⟨Strittmatter⟩ versprochen, seine Vorstellungen zu Veränderungen bzw. zur Überarbeitung des Manuskriptes schriftlich zu übersenden. Da ⟨Strittmatter⟩ bis zum gegenwärtigen Zeitpunkt vom Genossen Hager die versprochenen Hinweise nicht erhielt, schlußfolgert er, daß die Veröffentlichung seines Manuskriptes evtl. doch verhindert werden soll.

⟨Strittmatter⟩ äußerte in diesem Gespräch, daß es deshalb gegenwärtig für ihn sinnlos sei, eine im Mai 1979 festgelegte Kur vorzunehmen, da er sich in einem Zustand ständiger Unruhe befinde, solange diese Probleme nicht geklärt sind.[2]

Genosse KANT hat von diesem Sachverhalt die Genossin ⟨...⟩ (ehem. ⟨...⟩) informiert mit der Bitte, diese Angelegenheit Genossen Prof. Hager vorzutragen.

---

1 Der zweite Band des «Wundertäter»-Romans war, offenbar ebenfalls mit gehöriger Verzögerung, 1973 erschienen. Der dritte Band erschien 1980.
2 Wie das Buch seiner Frau Eva Strittmatter, «Mai in Piest'any» (1986) zeigt, scheint Strittmatter die geplante Kur doch noch angetreten zu haben.

112. Information:
Gesprächstermin von Stefan Heym
mit Hermann Kant
(2.5.79)

Hauptabteilung XX   Berlin, 2.5.1979

Information

Durch den Sekretär des Schriftstellerverbandes der DDR, Genossen
⟨Gerhard Henniger⟩, wurde am 2.5.1979 folgendes mitgeteilt:

Der Schriftsteller ⟨Stephan Hermlin⟩ hat den Präsidenten des
Schriftstellerverbandes der DDR, Genossen Hermann KANT, gebeten, den Schriftsteller ⟨Stefan Heym⟩ zu einem Gespräch zu empfangen.[1]

Auf Anraten ⟨Hermlins⟩ meldete sich daraufhin ⟨Heym⟩ bei Genossen KANT. Beide vereinbarten für den 4.5.1979 nachmittags ein
Gespräch in der Wohnung des Genossen KANT.[2]

Genosse KANT setzte danach die Genossin ⟨...⟩, Leiterin des
Büros des Mitgliedes des Politbüros des ZK der SED, Genossen Prof.
Hager, von dem vereinbarten Gespräch mit ⟨Heym⟩ in Kenntnis und
bat darum, den Genossen Hager zu informieren. Gleichzeitig bat Genosse KANT die Genossin ⟨...⟩ darum, ihm Hinweise zu übermit-
teln, die er im Gespräch mit ⟨Heym⟩ möglicherweise zu berücksichtigen habe.

---

1 Anfang 1979 war bei Bertelsmann in München Heyms Stasi-Roman
«Collin» erschienen – ohne Genehmigung des Urheberrechtsbüros der
DDR. Dies führte zu einem Strafverfahren gegen Heym, das am 19.4.
zur Beschlagnahmung seines Kontos bei der Sparkasse der Stadt Berlin
führte. Sie wurde Heym am 20.4.1979 verkündet. (Der Autor wurde
im Lauf des Verfahrens zu einer Geldstrafe von 9000 Mark der DDR
verurteilt.) Im Rahmen dieser Auseinandersetzung suchte er den Kontakt mit dem Vorsitzenden des Schriftstellerverbands der DDR, Kant.
2 Das Treffen am 4.5.1979, einem Freitag, kam nicht zustande, weil
Kant länger als vorgesehen im Krankenhaus bleiben mußte und ein
neuer Termin nicht zustande kam.

Dazu Stefan Heym: «Ich hatte sogar eine Verabredung mit Kant zu einer Aussprache deswegen. Aber er ließ mir durch seine Sekretärin absagen und nannte auch keinen anderen Termin» (Joachim Walther et al., Protokoll eines Tribunals, S. 45). Eine andere Version bietet (ebda., S. 79) der Verbandssekretär Henniger, dem zufolge Heym und seine Frau es versäumten, einen neuen Termin zu vereinbaren.

Am 7. Juni 1979 wurde Heym zusammen mit acht Kollegen unter der Ägide von Kant aus dem Schriftstellerverband der DDR ausgeschlossen.

113. Vermerk:
Über einen Artikel Kants zu Stefan Heym
(10. 5. 79)

Hauptabteilung XX   Berlin, 10. 5. 1979

Vermerk

Intern wurde bekannt, daß der Präsident des Schriftstellerverbandes der DDR, Genosse Hermann KANT, vom Mitglied des Politbüros des ZK der SED, Genossen Prof. Hager, beauftragt wurde, für das «Neue Deutschland» einen Artikel über die Literaturentwicklung in der DDR nach dem VIII. Schriftstellerkongreß zu schreiben. Darin sollte Genosse KANT auch öffentlich gegen die in letzter Zeit forcierten Angriffe ⟨Stefan Heyms⟩[1] gegen die DDR Stellung nehmen.

Nach der Fertigstellung dieses Artikels und der danach erfolgten Zusendung an das Büro des Genossen Hager wurde Genosse KANT von der Genossin ⟨...⟩ (vormals ⟨...⟩) im Auftrage des Genossen Hager aufgesucht und um «Entschärfung» der gegen ⟨Heym⟩ gerichteten Passagen gebeten.

Diese Änderungen führte Genosse KANT wunschgemäß aus und übergab am 8. 5. 1979 seinen Artikel an die Redaktion des «Neuen Deutschland».

Der Chefredakteur des «Neuen Deutschland», Genosse ⟨Günter Schabowski⟩[2], stellte am 9. 5. 1979 Genossen KANT telefonisch die Frage, warum die in seinem Artikel enthaltenen einschlägigen Passagen zu ⟨Heym⟩ so milde und unkritisch formuliert seien. Das komme fast einem Lob für ⟨Heym⟩ gleich. Genosse ⟨Schabowski⟩ sei sich nicht im klaren, ob er deswegen den Artikel des Genossen KANT veröffentlichen könne.

Genosse KANT ist gegenwärtig ungehalten über diesen Sachverhalt und wisse nicht, wie er sich nun verhalten solle. Er beabsichtige, sich aus diesem Grunde an die Leiterin der Kulturabteilung des ZK der SED, Genossin ⟨Ursula Ragwitz⟩, zu wenden.

---

1 Als Stefan Heym, offenbar im Zusammenhang mit der Veröffentlichung seines stasi-kritischen Romans «Collin» die Ausreise zu einer Ausstellung über Flugblattpropaganda im II. Weltkrieg in Mainz und zu einem Vortrag über seine eigene Propagandatätigkeit bei der US-Armee 1944/45 verweigert wurde, äußerte er am 19. April 1979, dies sei «umso grotesker, als der Präsident und mehrere Mitglieder und Beamte des DDR-Schriftstellerverbands in der Nazi-Armee waren und so zu den Adressaten der Flugblätter gehörten», die er geschrieben habe.

Am 24. April 1979 äußerte Heym gegenüber der Nachrichtenagentur Reuter und der BBC, daß die Urheberrechts-Verordnung der DDR jetzt mit dem Devisengesetz gekoppelt werde. «Verstöße gegen das Devisengesetz würden nicht nur mit einer Ordnungsstrafe von 300 Mark geahndet, wie sie in der Urheberrechtsverordnung bei nicht genehmigten Veröffentlichungen im Ausland vorgesehen sei. Vielmehr drohten dem Autor nach dem Devisengesetz Geldstrafen bis zu 10000 Mark oder Gefängnis bis zu zwei, in schweren Fällen sogar bis zu zehn Jahren.» «Man kann also erwarten, daß in nächster Zeit ein trauriges Schauspiel vor den Gerichten der DDR ablaufen wird – die Verurteilung und Bestrafung von Schriftstellern, nur weil sie sich weigerten, sich freiwillig knebeln zu lassen.» «Man redet von Devisen, in Wirklichkeit aber geht es um die Freiheit des Wortes. Einen Menschen durch einen Paragraphentrick zu zwingen, Gesetze zu verletzen, wenn er seine demokratischen, nach der Verfassung garantierten Rechte wahrnehmen will, ist seit je ein probates Mittel.» Schließlich zog Heym eine Parallele zwischen der DDR des Jahres 1979 und dem Amerika «des berüchtigten Senators McCarthy»: «Daß die Justiz der DDR vorhat, sich ausgerechnet an den Methoden der USA-Justiz in den 50er Jahren ein Beispiel zu nehmen, ist bedauerlich, aber es mag vielleicht dazu dienen, die ganze Frage der Zensur in der DDR endlich offen auf die Tagesordnung zu setzen» (s. Bericht in der Frankfurter Rundschau vom 25.4.1979, «Heym vergleicht Einschüchterung mit Methoden McCarthys»).

Kant antwortete darauf in seinem Referat vor dem Vorstand des Schriftstellerverbands, das im Neuen Deutschland vom 31.5.1979 abgedruckt wurde. Darin hieß es: «Stefan Heym hat die Kollision mit dem Gesetz lauthals und keineswegs mundtot herbeigerufen, er hat den Fall, den er, anfangs ausschließlich er allein, haben wollte, bekommen.» Und weiter: «Was macht Stefan Heym, wenn er dem Westradio erzählt, die Leitung des Verbandes habe ihn gehindert, an einer Ausstellung seiner antifaschistischen Flugblätter teilzunehmen, weil Mitglieder dieser Leitung zu den Adressaten der Flugblätter gehört hätten? Ist es noch Kritik, wenn man die Verbandsleitung als ein Gremium malt, in dem offenbar unbelehrte Nazisoldaten einem aufrechten Antifaschisten das antifaschistische Leben schwer machen?»

2 Günter Schabowski, * 4.1.1929, Journalist und Politiker, 1968–74 stellvertretender Chefredakteur, 1974–78 1. stellvertretender Chefredakteur, 1978–85 als Nachfolger Joachim Hermanns Chefredakteur des «Neuen Deutschland».

114. Information:
Über die Reaktion Stephan Hermlins auf den drohenden Ausschluß von Stefan Heym (30.5.79)

Hauptabteilung XX   Berlin, 30.5.1979

Information

über Reaktionen von ⟨Stephan Hermlin⟩ auf die Aktivitäten feindlich-negativer DDR-Schriftsteller

Inoffiziell wurde bekannt, daß ⟨Stephan Hermlin⟩ am 28.5.1979 in einem Gespräch mit dem Präsidenten des Schriftstellerverbandes der DDR, Genossen Hermann KANT, und dem 1. Sekretär des Schriftstellerverbandes der DDR, Genossen ⟨Gerhard Henniger⟩, folgende Auffassungen vertrat:

397

Auf eine Einladung zu einer Parteiversammlung der GO des Berliner Schriftstellerverbandes am 5.6.1979 in der Bezirksleitung der SED und eine Einladung zu einer Mitgliederversammlung des Bezirksverbandes Berlin des Schriftstellerverbands am 7.6.1979 im Roten Rathaus verweisend, äußerte ⟨Hermlin⟩:

Wenn er sich an die Versammlungen im November/Dezember 1976 erinnert, so schlußfolgert er, daß es nur um den Ausschluß ⟨Stefan Heyms⟩ aus dem Schriftstellerverband der DDR gehen könne. Er, ⟨Hermlin⟩, sei der Auffassung, daß ⟨Heym⟩ einen Fehler gemacht habe, indem er nicht zum Büro für Urheberrechte zwecks Veröffentlichung seiner literarischen Arbeiten gegangen ist. Er hätte diesen Weg unbedingt einhalten müssen. Wer gegen die Gesetze der DDR wissentlich verstößt, muß sich auch die Strafe gefallen lassen. Im übrigen halte er von ⟨Heyms⟩ Buch «Collin» nichts, das sei ein schlechtes Buch.

⟨Hermlin⟩ äußerte weiter, daß er bereits bei Lesungen auf Anfrage in Bezug auf ⟨Heym⟩ geäußert habe, daß er ⟨Heyms⟩ Gesetzesverletzungen nicht billige und seine Bestrafung für gerechtfertigt halte.

Unabhängig von diesen Dingen sei ⟨Heym⟩ seit ihrer gemeinsamen Schulzeit sein Freund[1] und er könne einem Ausschluß ⟨Heyms⟩ aus dem Schriftstellerverband der DDR nicht zustimmen.[2] Seiner Auffassung zufolge würde ein Ausschluß ⟨Heyms⟩ aus dem Schriftstellerverband weitere Austritte nach sich ziehen und das könnten wir uns im 30. Jahr der DDR nicht erlauben. Er schlägt deshalb vor, jetzt nichts zu unternehmen.

Genosse KANT erläuterte daraufhin ⟨Hermlin⟩, daß wir unter den gegenwärtigen Bedingungen keinesfalls die ständigen feindlichen Angriffe einzelner Autoren unwidersprochen hinnehmen können. Die Verbandsmitglieder, die mit diesen Machenschaften nicht einverstanden sind, haben ein Recht, umfassend über diese feindlichen Aktivitäten informiert zu werden und auch ihre Meinung äußern zu können. Wer solche provokatorischen Angriffe gegen die DDR unternimmt, darf sich nicht wundern, wenn auch gegenteilige Meinungen laut werden.

⟨Hermlin⟩ äußerte, daß er diese Argumente in gewisser Hinsicht verstehen könne. Er überlege sich aber zur Zeit, ob er sich nicht zu einem Gespräch bei dem Generalsekretär des ZK der SED, Genossen Erich Honecker, anmeldet, um dem Genossen Honecker seine Auffassung persönlich vorzutragen und sich zu beraten.

⟨Hermlin⟩ äußerte weiter, daß er gegen einen Ausschluß von ⟨Joachim Seyppel⟩ aus dem Schriftstellerverband der DDR keine Einwände habe und diesen für gerechtfertigt halte.[3]

⟨Hermlin⟩ erwähnte, daß der Schriftsteller ⟨Franz Fühmann⟩ ihm den Durchschlag eines Briefes, den dieser an den Genossen Erich Honecker geschrieben hat, zuschickte. ⟨Franz Fühmann⟩ sei durch die Maßnahmen zu ⟨Stefan Heym⟩ stark beunruhigt.[4] Auch ⟨Christa Wolf⟩ sei in dieser Angelegenheit beunruhigt und habe in einem Brief an das PEN-Zentrum der DDR ihre Auffassungen dargelegt.[5]

⟨Günter Kunert⟩, erklärte ⟨Hermlin⟩, sei am Sonnabend, dem 26.5.1979, zur Geburtstagsfeier ⟨Herbert Sandbergs⟩[6] gewesen. Dort habe ⟨Kunert⟩ geäußert, daß er auf das Schlimmste gefaßt sei und damit rechne, gezwungen zu werden, die DDR zu verlassen.[7]

---

1 Heym und Hermlin stammen beide aus Chemnitz.
2 So verhielt sich Hermlin auch bei der Mitgliederversammlung des Berliner Schriftstellerverbands im Roten Rathaus am 7.6.1979. Am Schluß seiner Stellungnahme sagte er: «Liebe Kollegen, ich fordere Sie auf, niemanden auszuschließen und auch keine Bedingungen zu schaffen, die Ausschlüsse gewissermaßen automatisch nach sich ziehen. Dies wäre nicht das Ende unserer Sorgen, sondern vielmehr der Beginn der nächsten Schraubendrehung. Wir haben die Pflicht im dreißigsten Jahr der Republik nicht das zu tun, was unsere Gegner zufriedenstellen würde» (Walther et al., Protokoll eines Tribunals, S. 58).
3 In seiner Stellungnahme vom 7.6.1979 plaziert Hermlin eine Spitze gegen einen Anonymus, mit dem er Joachim Seyppel meinte: «Das ist jemand, der begreifliche Ambitionen mit sich herumträgt, nacheinander in West und Ost gescheitert – nun hat er plötzlich, was er so lange ersehnt hatte: die Zeitungen, die sich seiner Literatur verweigerten, öffnen sich seinen offenen Briefen» (a.a.O., S. 56).
4 Der Brief Fühmanns an Honecker vom 17. Mai 1979 findet sich in dem Band von Joachim Walther et al., «Protokoll eines Tribunals», S. 119ff.
5 Ein Brief Christa Wolfs gegen die Ausschlüsse der Kollegen aus dem Verband, datiert auf den 10.6.1979, findet sich ebda. auf der S. 116f.

6 Herbert Sandberg, * 18.4.1908, † März 1991, Graphiker und Karikaturist, schuf Zyklen wie «Eine Freundschaft» (1944/46) und «Der
Weg» (1958/65).
7 In seiner Stellungnahme im Roten Rathaus eine Woche später versuchte Hermlin deshalb eine Lanze für Kunert zu brechen: «Es ist
Hetze, wenn jemand die wunderbare Dichtung Günter Kunerts als
schädlich bezeichnet» (a.a.O., S.58). Kunerts Übersiedlung in die
Bundesrepublik meldeten westliche Zeitungen am 23.10.1979.
    Auf der Tagung wurde der Ausschluß der Autoren Kurt Bartsch,
Adolf Endler, Stefan Heym, Karl-Heinz Jakobs, Klaus Poche, Klaus
Schlesinger, Rolf Schneider, Dieter Schubert und Joachim Seyppel aus
dem Schriftstellerverband vollzogen.

115. Vermerk:
Über Zweifel Hermann Kants an der
Richtigkeit der Ausschlüsse
(11.6.79)

Hauptabteilung XX/7   Berlin, 11.6.1979

Vermerk

Der Sekretär des Schriftstellerverbandes der DDR, Genosse ⟨Henni-
ger⟩, informierte, daß ihm der Präsident des Schriftstellerverbandes
der DDR, Genosse KANT, vertraulich folgendes mitteilte:
    Genosse Kant ließ anklingen, daß er Zweifel habe, ob es tatsächlich
richtig war, auf der Versammlung des Berliner Schriftstellerverbandes alle Schriftsteller aus dem Verband auszuschließen.
    Durch Genossen ⟨Henniger⟩ eindringlich danach befragt, was ihn
plötzlich veranlasse, an der Richtigkeit dieser Maßnahmen zu zwei-
feln, erklärte Genosse Kant, daß man ihm über das Wochenende
tüchtig zugesetzt habe.
    Seine Freundin, ⟨...⟩, billige seine Haltung zu den Ausschlüssen
im Berliner Verband in keiner Weise. Sie vertrete die Auffassung,
daß er sich im Präsidium einsetzen solle, daß die Ausschlüsse durch
das Präsidium nicht bestätigt werden. Sie habe ihm weiter erklärt, daß

in der Akademie der Künste seine Haltung in der Vorstandssitzung des Schriftstellerverbandes der DDR und seine Veröffentlichungen im «ND» auf Unverständnis stoßen.

Als Genosse ⟨Henniger⟩ Genossen Kant vorsichtig darauf aufmerksam machte, daß er mit dieser Frau dann wohl auch in Zukunft Schwierigkeiten haben werde, da sich bei ihr andere politisch-ideologische Auffassungen andeuten, äußerte Genosse Kant, daß die ⟨...⟩ eng mit ⟨Bettina Wegner-Schlesinger⟩ befreundet sei. Aus dieser freundschaftlichen Verbundenheit zu der ⟨...⟩ resultiere ihr Unverständnis für die Ausschlüsse von Schriftstellern aus dem Berliner Bezirksverband.

Genosse ⟨Henniger⟩ versuchte, auf Genossen Kant weiter Einfluß zu nehmen und legte ihm nahe, diese Freundschaft nochmals ernsthaft zu überdenken. ⟨...⟩

Genosse ⟨Henniger⟩ ließ anklingen, ob die ⟨...⟩ Genossen Kant nicht evtl. zur Abschöpfung von Informationen ausnutzt. Genosse Kant äußerte dazu, daß er der ⟨...⟩ sehr ernst und eindringlich erklärt habe, daß alles, was sie, wenn sie bei ihm ist, hört und sieht, sie absolut für sich zu behalten habe. Daraufhin hätte sie eine Woche mit Genossen Kant nicht mehr gesprochen, da es für sie selbstverständlich ist, zu schweigen.

Genosse Henniger hatte den Eindruck, daß Genosse Kant bereit ist, über dieses Gespräch nachzudenken.

Darüber hinaus hatte Genosse Kant am 10.6.1979 ein Gespräch mit dem Schriftsteller ⟨Wolfgang Kohlhase⟩, der ihm gegenüber ebenfalls sein Unverständnis für die Ausschlüsse aus dem Schriftstellerverband zum Ausdruck brachte und Genossen Kant ebenfalls indirekt aufgefordert habe, seinen Einfluß im Präsidium geltend zu machen, daß die Ausschlüsse vom Präsidium nicht bestätigt werden.

Mit ⟨Wolfgang Kohlhase⟩ will sich Genosse Kant auseinandergesetzt und diesem die Notwendigkeit der Ausschlüsse erklärt haben.[1]

---

1 Der Ausschluß von Kurt Bartsch, Adolf Endler, Stefan Heym, Karl-Heinz Jakobs, Klaus Poche, Rolf Schneider, Klaus Schlesinger, Dieter Schubert und Joachim Seyppel wurde vom Präsidium des Schriftstellerverbands am 14.6.1979 bestätigt.

116. Information:
Besuch von Hermann Kant bei Günter Kunert
(17. 7. 79)

Hauptabteilung XX   Berlin, 17. Juli 1979

Information

über ein Gespräch des Präsidenten
des Schriftstellerverbandes der DDR,
Genossen Hermann KANT,
mit dem Schriftsteller Günter KUNERT[1]

Aufgrund der von Kunert geäußerten Absicht, die DDR zu verlassen, führte der Präsident des Schriftstellerverbandes der DDR, Gen. Hermann Kant, am 16. 7. 1979 von 16.30 Uhr bis 18.00 Uhr, mit Kunert in dessen Wohnung ein Gespräch.

Vom Genossen Kant nach der Begründung für seinen geplanten Schritt, die DDR zu verlassen, befragt, gab Kunert keine klare und konkrete Stellungnahme ab. Er führte nur immer wieder eine seiner Meinung nach ständig schlechter werdende kulturpolitische Atmosphäre in der DDR an, die ihm keine Möglichkeiten und keine dafür notwendige Ruhe zum Schreiben mehr biete.

Auf den Hinweis des Genossen Kant, daß Kunerts Bücher in der DDR sowohl als Neuerscheinungen als auch als Nachauflagen nach wie vor gedruckt werden reagierte Kunert mit folgendem Beispiel: Ein Bekannter von ihm (den Namen nannte Kunert nicht), der gegenwärtig in einem Krankenhaus liegt, habe sich aus der Krankenhausbibliothek ein Buch Kunerts ausgeliehen. Nach zwei Tagen sei der Bibliothekar bei dem Bekannten Kunerts erschienen und habe das ausgeliehene Buch mit der Begründung zurückverlangt, daß die Bücher Kunerts aus den Bibliotheken entfernt und eingestampft werden. Auf ausdrücklichen Wunsch des Bekannten von Kunert habe ihm der Bibliothekar dieses Buch belassen und lediglich die Seite herausgerissen, auf der der Stempel der Bibliothek aufgedruckt ist.[2]

Von diesem Vorgang sei Kunert durch seinen Bekannten in Kenntnis gesetzt worden. Dies sei für Kunert ein Beweis für die Nutzlosigkeit seines weiteren Verbleibens in der DDR. Durch die Versicherung des Genossen Kant, daß ein solcher Vorfall nicht der Linie der Kulturpolitik der Partei entspricht, war Kunert in seiner Meinung nicht umzustimmen.

Die beim Gespräch anwesende Ehefrau Kunerts äußerte unter Tränen, es würde ihr leid tun, dieses «schöne stille Haus» in Buch verlassen zu müssen.

Im Verlauf des Gespräches gelang es Gen. Kant, Kunert zunächst einmal zu bewegen, sich seinen geplanten Schritt reiflich zu überlegen. Dabei spielte Kunert auch mit dem Gedanken, einen ähnlichen Status zu erhalten, wie gegenwärtig Jurek Becker, indem er unter Beibehaltung der DDR-Staatsbürgerschaft längere Auslandsaufenthalte wahrnimmt.

Kunert deutete Genossen Kant weiterhin an, daß er gegenwärtig dabei ist, einen Brief an den Generalsekretär des ZK der SED, Genossen Erich Honecker, abzufassen, in welchem er seine derzeitige Situation schildern will. Mit der Versendung dieses Briefes wolle er jedoch warten, bis Genosse Erich Honecker aus dem Urlaub zurückgekehrt ist.

Kunert versprach Genossen Kant, keinerlei öffentliche Aktivitäten zur Bekanntgabe seiner Absichten zu unternehmen. Den Brief an Gen. E. Honecker will er vor seiner Versendung dem Genossen Kant zur Einsicht geben.

Kunert bedankte sich abschließend beim Genossen Kant für dieses Gespräch. In diesem Zusammenhang äußerte er, daß er Christa Wolf und Franz Fühmann nicht verstehe, die Angebote des Gen. Kant zu Gesprächen abgelehnt haben. Er, Kunert, sei jederzeit zu solchen und ähnlichen Gesprächen bereit.[3]

---

1 Das Dokument stammt aus der Opfer-Akte Günter Kunerts.
2 Der Vorfall ereignete sich nach Auskunft Günter Kunerts in einem Potsdamer Krankenhaus.
3 Bemerkenswert ein Nachtrag zu diesem Gespräch, der im ND vom 4.11.1991 überliefert ist (Joachim Pampel, Störte denn wirklich nur Kunerts Katze?). Dem Blatt zufolge sagte Kant am 3.11.91 in der Alt-Marzahner Bibliothek «Heinz Lüdicke»:
   «Von den vielen Wegen (‹mindestens ein Drittel meiner Arbeits-

zeit›), die er gegangen sei, um Schriftsteller dem Verband sowie den als solchen selbst zu erhalten, so Kant, erinnere er sich genau eines Abends bei Günter Kunert in Berlin-Buch. Gestört habe in der Aussprache lediglich, daß die Katze von draußen immer auf die Klinke der verschlossenen Tür gesprungen sei. Und schließlich wäre der sehr viel gelesene und oft verlegte Lyriker auch bis zuletzt Mitglied des Verbandes geblieben, ‹obwohl er es in der Kritik immer besonders schwer gehabt hat›.»

117. Information: Gespräch Kants mit Stephan Hermlin über die Ausreise von Günter Kunert (19. 7. 79)

HA XX   Berlin, d. 19. 7. 79

Information

Im Zusammenhang mit der bekanntgewordenen Absicht des Schriftstellers Günter Kunert, die DDR zu verlassen, vertrat Stephan Hermlin in einem Gespräch mit dem Präsidenten des Schriftstellerverbandes der DDR, Hermann Kant, die Auffassung, daß gegenwärtig in der DDR schwerwiegende Dinge vor sich gehen. Dies führe bis zu Buchvernichtungen.[1]

Hermlins Meinung nach sei es nicht mehr möglich, jetzt noch von einer absoluten Beibehaltung der Linie des VIII. und IX. Parteitages zu sprechen. Entsprechende öffentliche Versicherungen über die Beibehaltung dieser Linie seien eine völlig leere Worthülse, wo alles dagegen spricht.

Auf die Argumente Hermlins ging Hermann Kant in keiner Weise ein. Kant unternahm keinen Versuch, Hermlin von seiner Haltung zur Politik der Partei abzubringen.

---

1 Gemeint sind wohl Vorgänge wie die in der Bibliothek des Potsdamer Krankenhauses, die Günter Kunert schilderte. S. die «Information» vom 17. 7. 1979 und Anm. 2 dazu.

Der Präsident eckt an

118. Bericht:
Über eine Freundin Hermann Kants
(5.2.80)

Hauptabteilung XX/7   Berlin, 5.2.1980

Bericht

Wie durch eine zuverlässige inoffizielle Quelle bekannt wurde, besteht nach wie vor das enge Verhältnis zwischen dem Präsidenten des Schriftstellerverbandes der DDR, Gen. Hermann KANT, und der Mitarbeiterin der Akademie der Künste der DDR, ⟨...⟩. Wie die ⟨...⟩ gegenüber der Quelle äußerte, ist sie nach wie vor der Auffassung, sich nicht scheiden zu lassen. Dies auch deshalb, weil Kant nach ihrer Meinung kein Mann mit Charakter sei. Dies wäre besonders deutlich geworden im Zusammenhang mit der Kritik des Kant zum «Abendlicht» ⟨Hermlins⟩ im «Sonntag».[1] Nach Äußerungen des Kant habe er die Kritik zuvor mit ⟨Stephan Hermlin⟩ abgesprochen. Sie hätten in der Kritik das Buch deshalb so hochgelobt, damit es jeder andere Kritiker schwer hätte und nicht darunter könnte. Nun wollten sie sehen, wie die «kleinen Hunde» bellen. Es beunruhige sie jetzt, daß es keine Reaktion gibt.

Nach Angaben der ⟨...⟩ sei der Präsident des Schriftstellerverbandes der DDR, Hermann Kant, politisch ein Waschlappen, der schnell von jeder Seite zu beeinflussen sei. So habe er nach seiner Lesereise in die USA[2] zur ⟨...⟩ gesagt, daß er jetzt erst einmal gesehen habe, wie klein die DDR sei, die sich immer so wichtig tue und überall mitreden wolle.

In diesem Zusammenhang äußerte die ⟨...⟩, daß die Opposition in der DDR nach der letzten Auseinandersetzung im Schriftstellerverband und dem Ausschluß der Schriftsteller um ⟨Schlesinger⟩

so geschwächt sei, daß sie sich zur Taktik der Scheinanpassung entscheiden mußte, um sich halten und wieder sammeln zu können.

Selbst ein Schriftsteller wie ⟨Karl Mickel⟩ gebe sich den äußeren Anstrich, mit der Gesellschaft der DDR zu korrespondieren, um nicht den Anschluß zu verlieren. Auch die junge Autorin ⟨Gabriele Eckart⟩ [3], da sie durch die «erste und [zweite] Kulturrevolution» in der DDR steril geworden sei. Mit erster und zweiter Kulturrevolution bezeichnete die ⟨...⟩ die Auseinandersetzungen im Zusammenhang mit der Ausbürgerung ⟨Biermanns⟩ (1976/77) und die Auseinandersetzungen und den Ausschluß der 8 Schriftsteller aus dem Schriftstellerverband der DDR 1979.

(...)

Im Verlauf des Gespräches äußerte die ⟨...⟩ zu ihrer Haltung zur Hilfe der UdSSR in Afghanistan, [4] daß dies zaristischer Imperialismus sei, den ⟨Leonid Breschnew⟩ betreibe, der ihn aber auf lange Zeit unglaubwürdig machen würde. Bezeichnend für die DDR sei, daß sie sich auch dabei wieder betreibe. [5]

---

1 Die Rezension erschien in Heft 12/1979 von NDL.

2 Das ND vom 8.11.1979 meldete, daß Hermann Kant am 6.11. eine Lese- und Vortragsreise durch die USA an der Universität von West Virginia in Morgantown begonnen habe. Sie werde ihn auch nach San Francisco, Minneapolis, Washington und New York führen.

3 Gabriele Eckart, * 23.3.1954, veröffentlichte 1974 ein «Poesiealbum» (Nr. 80) in der von Bernd Jentzsch herausgegebenen Reihe, absolvierte 1979 einen Sonderkurs am Literaturinstitut «Johannes R. Becher», veröffentlichte ihr nächstes Buch («So sehe ick die Sache») erst 1984 in der Bundesrepublik.

4 Sowjetische Truppen waren am 27.12.1979 in Afghanistan einmarschiert.

5 Gemeint ist wohl, daß die DDR auch im Falle Afghanistan wieder «beitreibe».

119. Information:
Über Hermann Kants Situation
(27. 3. 80)

Hauptabteilung XX   Berlin, 27. 3. 1980

Information

Über ein vertrauliches Gespräch, das eine zuverlässige inoffizielle Quelle[1] mit dem Präsidenten des Schriftstellerverbandes der DDR, Genosse Hermann KANT, führte, gab die Quelle nachfolgenden Bericht:

Genosse KANT äußerte in diesem Gespräch u. a., daß, nachdem dem Schriftsteller ⟨Günter Kunert⟩ die langfristige Ausreise in die BRD gestattet worden sei,[2] seine einzigste Hoffnung der Schriftsteller ⟨Stephan Hermlin⟩ darstellt, den er dem Schriftstellerverband der DDR erhalten möchte. Um ⟨Hermlin⟩ nicht zu verärgern bzw. Kurzschlußreaktionen zu vermeiden, investiere er sehr viel Zeit und Kraft in seine Gespräche mit ⟨Hermlin⟩. In seinem Gesprächen mit ⟨Hermlin⟩ bemühe er sich ständig, diesem die Politik, insbesondere des Schriftstellerverbandes zu erläutern, was nicht immer einfach sei. Hierbei versuche er auch, ⟨Hermlin⟩ in die Verbandsarbeit einzubeziehen, indem er gute Gedanken und Vorschläge ⟨Hermlins⟩ aufgreife und gegebenenfalls im Präsidium zur Diskussion stelle.

Genosse KANT äußerte gegenüber der Quelle weiter, daß es für ihn vielfach sehr schwierig sei, politisch-ideologisch offensiv zu sein. Ihm würde in Gesprächen mit einzelnen Autoren immer wieder entgegengehalten, daß er ja so reden müsse und keine andere als die offizielle Meinung äußern dürfe. Dies ginge soweit sagte Genosse KANT, daß einzelne Kollegen sich die Argumentation der Westpresse zu eigen machen und ihn als einen «SED-Schleimer» bezeichnen.[3]

Zu seinen persönlichen Problemen äußerte Genosse KANT, daß ihm nach wie vor die Folgeerscheinungen seines Unfalls zu schaffen machen und er häufig unter starken Schmerzen leidet. Alle bisherigen Versuche der Ärzte sowie deren Behandlungsmethoden hätten nicht die gewünschte Wirkung gezeigt.

Die inoffizielle Quelle informierte weiter, daß sie durch die Äußerungen des Genossen KANT im Hinblick auf dessen Beziehungen zu ⟨Stephan Hermlin⟩ stark beunruhigt war und aus diesem Grunde zu einem persönlichen Gespräch die Leiterin der Abteilung Kultur des ZK der SED, Genossin ⟨Ursula Ragwitz⟩, auf diese Frage aufmerksam machte.

Genossin ⟨Ragwitz⟩ äußerte dazu gegenüber der inoffiziellen Quelle, daß sie die Sorgen und Bedenken der Quelle zu dem Verhältnis des Genossen Kant zu ⟨Stephan Hermlin⟩ durchaus verstehen könne. Ihr sei dieses Problem bekannt. ⟨Hermlin⟩ sei für KANT fast schon ein Trauma. Hinzu komme, daß es bei KANT noch zwei andere Probleme gibt, die ihn stark beschäftigen und evtl. teilweise sogar verunsichern. Dabei handele es sich einmal um die Angriffe und Verleumdungen der westlichen Massenmedien gegen Kant. Zum anderen seien es Kants private Beziehungen zu der ⟨...⟩, von der er sich nicht trennen könne und zur Zeit nicht in der Lage sei, klare Verhältnisse zu schaffen.

---

1 Dabei handelt es sich vermutlich um den Verbandssekretär Gerhard Henniger.
2 Die westdeutschen Zeitungen hatten Kunerts Ausreise aus der DDR am 23. 10. 1979 gemeldet.
3 Diesen Ausdruck gebrauchte in Zusammenhang mit Kant der bundesdeutsche Journalist Jörg Bernhard Bilke in einem Artikel in der WELT vom 28. 10. 1979 («Die Sorgen des Präsidenten»).

120. Information:
Reisen zum Ingeborg-Bachmann-Wettbewerb
(10. 4. 80)

Hauptabteilung XX   Berlin, 10. 4. 1980

Information

über einen Reiseantrag der Schriftstellerin Helga Schubert[1]
zum Ingeborg-Bachmann-Wettbewerb nach Klagenfurt/Österreich
und dazu bekanntgewordene Verhaltensweisen des Präsidenten
des Schriftstellerverbandes der DDR, Genossen Hermann KANT

Am 3. 4. 1980 stellte die Schriftstellerin Helga Schubert in der Aus-
landsabteilung des Schriftstellerverbandes der DDR einen Antrag auf
eine Reise nach Österreich in der Zeit vom 27. 6.–1. 7. 1980. Als
Reisegrund gab die Schubert an, aus Österreich eine Einladung zum
Ingeborg-Bachmann-Wettbewerb nach Klagenfurt im genannten
Zeitraum erhalten zu haben.

Durch den Auslandssekretär des Schriftstellerverbandes der DDR,
Genossen Scheibner, wurde der Schubert mitgeteilt, daß es einen Sekretariatsbeschluß des Schriftstellerverbandes der DDR gibt, wonach
sich keine DDR-Schriftsteller an diesem Ingeborg-Bachmann-Wettbewerb beteiligen, weil dieser Wettbewerb zur Manipulierung von
DDR-Autoren benutzt wird. Das komme schon darin zum Ausdruck,
daß den Vorsitz der Jury der berüchtigte Antikommunist Marcel
Reich-Ranicki inne hat. Aus diesem Grunde wurde die Schubert vom
Genossen Scheibner aufgefordert, von diesem Reiseantrag Abstand
zu nehmen und ihn zurückzuziehen. Die Schubert äußerte, daß sie
von diesem Reiseantrag nicht zurücktreten werde.

Am 6. 4. 1980 wandte sich die Schubert an (...) Stephan Hermlin,
informierte diesen über ihre Einladung zum Ingeborg-Bachmann-
Wettbewerb und die ablehnende Haltung des Auslandssekretärs des
Schriftstellerverbandes der DDR (...). Auf die Anfrage der Schubert
an Hermlin, wie sie sich in dieser Angelegenheit verhalten solle, versprach ihr Hermlin, sich an den Präsidenten des Schriftstellerverbandes der DDR, Genossen Kant, zu wenden.

Im Ergebnis des Gespräches Hermlins mit KANT wandte sich KANT an den Sekretär des Schriftstellerverbandes der DDR, Genossen Henniger, und forderte diesen auf, dem Reiseantrag der Schubert zuzustimmen. KANT habe sich in dieser Frage mit Hermlin beraten und beide seien der Ansicht, der Ingeborg-Bachmann-Wettbewerb sei doch eine ganz integre Sache, zu der man die Schubert ruhig fahren lassen könne.

Er habe Hermlin versprochen sich für die Reise der Schubert einzusetzen und die Angelegenheit zu klären.

Genosse Henniger stellte darauf Kant die Frage, ob er oder Hermlin Präsident des Schriftstellerverbandes der DDR sei und wer von beiden entscheide, was im Schriftstellerverband gemacht wird.

Weiterhin warf er Kant vor, wieso er dazu komme, Hermlin Zusagen zu geben, ohne sich vorher im Verband sachkundig zu machen.

Zum Sachverhalt stellte Genosse Henniger an Kant die Frage, ob ihm nicht der Sekretariatsbeschluß des Schriftstellerverbandes der DDR bekannt sei, wonach angesichts der mit politischen Ausfällen gegen die DDR verbundenen Verleihung des Ingeborg-Bachmann-Preises an Ulrich Plenzdorf[2] im Jahre 1979 festgelegt wurde, seitens der DDR keine Schriftsteller zu diesem Wettbewerb zu entsenden.

Genosse Henniger fragte Kant weiter, ob dieser immer noch auf seiner Meinung bestehe, wenn er ihm, Kant, mitteile, daß die Schriftsteller Karl-Heinz Jakobs[3], Martin Stade[4] und Fritz Rudolf Fries[5] persönliche Einladungen für diesen Wettbewerb erhalten haben, Stade in die Jury berufen wurde und Günter Kunert – ebenfalls als Mitglied der Jury – nicht als DDR-Bürger, sondern als BRD-Bürger[6] angekündigt wurde. Schließlich führe der berüchtigte Antikommunist Reich-Ranicki als führender Organisator des Ingeborg-Bachmann-Wettbewerbs den Vorsitz der Jury.

In Anbetracht dieser Zusammenhänge habe Fritz Rudolf Fries bereits Abstand von seinem Reiseantrag genommen.

Kant reagierte auf diese Fakten betroffen und erklärte, daß er dann wohl die Sache mit Hermlin selbst in Ordnung bringen müsse.

Im Ergebnis dieses Gesprächs mit Hermann Kant durch Genossen Henniger wurde in Abstimmung mit der Abteilung Kultur des ZK der SED eine Ergänzung zu einem Vorschlag der Leiterin der Abteilung Kultur des ZK der SED, Genossin Ursula Ragwitz, an das Mitglied des Politbüros des ZK der SED, Genossen Prof. Kurt Hager, erarbeitet und zur Entscheidung unterbreitet. Der bisherige Vorschlag der Genossin Ragwitz bezog sich auf die Reiseanträge der Schriftsteller Karl-Heinz Jakobs, Martin Stade und Fritz Rudolf Fries.

Genossin Ragwitz hatte vorgeschlagen, die Reiseanträge von Jakobs und Stade abzulehnen und Fries die Reise zu gestatten. Diese Vorlage der Genossin Ragwitz kam ohne Rücksprache mit dem Schriftstellerverband der DDR zustande, da die drei Vorgenannten ihren Reiseantrag zuerst bei der HV Verlage und Buchhandel gestellt hatten.

Die Ergänzung des Schriftstellerverbandes zu dieser Vorlage hat zum Inhalt, alle Reiseanträge abzulehnen,[7] da sich der Schriftstellerverband der DDR am Ingeborg-Bachmann-Wettbewerb in Klagenfurt aus folgenden Gründen nicht beteiligt:

1. Der Ingeborg-Bachmann-Wettbewerb ist offensichtlich keine österreichische Veranstaltung, sondern ein Unternehmen der BRD, was durch den Vorsitz der Jury durch Marcel Reich-Ranicki zum Ausdruck kommt. Es sind daher von österreichischer Seite keine diplomatischen Proteste zu erwarten.

2. Durch den Ingeborg-Bachmann-Wettbewerb soll das derzeitig von feindlichen Kräften betriebene Weiterbestehen einer einheitlichen deutschsprachigen Literatur weiter hochgespielt werden.

3. Es wird mit dem Ingeborg-Bachmann-Wettbewerb versucht, bestimmte Schriftsteller aus der DDR, die in Opposition zur DDR stehen, noch bekannter zu machen und in ihrer oppositionellen Haltung zu bestärken. Das wird besonders an der Wahl Stades in die Jury des Bachmann-Wettbewerbs sowie der Einladung von Jakobs deutlich.

4. In den vorliegenden Veröffentlichungen der Westpresse zum Ingeborg-Bachmann-Wettbewerb ist sowohl die Niveaulosigkeit dieser Veranstaltung als auch die Tatsache ersichtlich, daß damit in erster Linie eine Manipulierung von DDR-Schriftstellern erreicht werden soll.

---

1 Helga Schubert, * 7.1.1940, Erzählerin, Hörspiel- und Drehbuchautorin, debütierte 1975 mit dem Erzählungsband «Lauter Leben». Mit dem folgenden Erzählungsband «Das verbotene Zimmer», der schließlich 1982 bei Luchterhand herauskam, hatte sie erhebliche Probleme. Viele darin enthaltene Texte waren in der DDR nicht druckbar.

In ihrem Buch «Die Andersdenkende» (München 1994, S. 187 ff., «Was ich in Klagenfurt sah und hörte») hat Helga Schubert über die Vorgänge um ihre Einladung zum Bachmann-Preis berichtet und das hier vorliegende Dokument auf den Seiten 73–75 im Faksimile abgedruckt. Der hier vorgelegte Text, vom MfS in der Akte Helga Schubert wie in der Hermann Kants abgelegt, folgt dem Faksimile in Helga Schuberts o. g. Veröffentlichung.

2 Ulrich Plenzdorf hatte sich 1978 am Bachmann-Wettbewerb mit seiner Erzählung «Kein runter kein fern», die ursprünglich für die Berliner Autoren-Anthologie vorgesehen war, beteiligt und den ersten Preis gewonnen.

3 Jakobs war im Juni 1979 aus dem DDR-Schriftstellerverband ausgeschlossen worden.

4 Martin Stade war dem Kulturapparat aufgrund seiner Mitarbeit an der Berliner Autoren-Anthologie und seiner Freundschaft mit Plenzdorf und Schlesinger suspekt.

5 Fries war ebenfalls bereit gewesen, sich an der Berliner Autoren-Anthologie Schlesingers, Stades und Plenzdorfs zu beteiligen, hatte aber andererseits 1979 den Heinrich-Mann-Preis der Akademie der Künste der DDR erhalten.

6 Günter Kunert war mit einem Visum der DDR nach Itzehoe-Edendorf übersiedelt.

7 Die DDR beteiligte sich erst ab 1987, nach dem Abgang Marcel Reich-Ranickis, mit den Juroren Werner Liersch und Helga Schubert und jeweils vier Autoren am Bachmann-Wettbewerb.

121. Vermerk:
Hermann Kant über Stephan Hermlin
(12. 5. 80)

Hauptabteilung XX/7   Berlin, 12. 5. 1980

Vermerk

Weisungsgemäß wurde am 9. 5. 1980 mit dem Präsidenten des Schriftstellerverbandes der DDR, Gen. Dr. Kant, ein Gespräch geführt.

In diesem Gespräch informierte Gen. Dr. Kant, daß er mit dem

Schriftsteller ⟨Stephan Hermlin⟩ vor dessen Reise zur Internationalen PEN-Tagung in Bled/Jugoslawien[1] ein Gespräch hatte. Gen. Dr. Kant machte ⟨Hermlin⟩ im Verlauf des Gespräches auf einen Artikel in der BRD-Zeitung «Die Welt» vom 12. 4. 1980 von ⟨Günther Zehm⟩[2] aufmerksam. Dabei stellte Gen. Dr. Kant fest, daß ⟨Hermlin⟩ diesen Artikel bereits kannte.

⟨Hermlin⟩ habe zu diesem Artikel folgendes geäußert: Mit diesen Leuten von der Westpresse habe er so seine Erfahrungen. So habe er den ⟨Zehm⟩ aus einer Lesung in der BRD vor einigen Jahren entfernen lassen.[3] Das habe dieser natürlich nicht verziehen. Es sei nicht verwunderlich, daß die Westpresse so reagiert. Jahrelang hätten sie ⟨Hermlin⟩ in ihren Medien angegriffen, äußerte ⟨Hermlin⟩ weiter, «dann haben sie geglaubt, ich sei ihr Mann, besonders als ich meine Rede auf dem VIII. Schriftstellerkongreß hielt.[4] Nun arbeite ich aber im Vorstand mit, mein Buch ist in der DDR erschienen[5] und dann werde ich ausgezeichnet.[6] Das stößt auf ihren Widerwillen und sie möchten gern den alten Zustand wiederherstellen. Sie wollen, daß ich ihr Mann werde. «Nun ja», äußerte ⟨Hermlin⟩ weiter, «die denken vielleicht, sie kriegen mich auf diese Art mürbe.»

Gen. Dr. Kant äußerte, ⟨Hermlin⟩ habe ihm zu verstehen gegeben, daß es in noch schärferer Form einige Rundfunkkommentare westlicher Sender gegeben habe.

In diesem Gespräch gewann Gen. Dr. Kant den Eindruck, daß sich ⟨Hermlins⟩ Haltung weiter gefestigt hat und dieser auch weiterhin an keiner erneuten Konfrontation interessiert ist.

---

1 Der Internationale PEN-Kongreß in Bled endete am 9. 5. 1980.

2 Der Artikel anläßlich des 65. Geburtstages Hermlins trug den Titel «Auf der Suche nach dem Weg zurück».

3 Zehm erinnert sich, daß Hermlin in den frühen 60er Jahren in ein Hamburger Studentenheim zu einer Lesung eingeladen war. Vom Veranstalter wurde er informiert, daß unter den anwesenden Journalisten auch Zehm sein werde. Daraufhin habe Hermlin den Veranstalter vor die Alternative gestellt «Er oder ich». Zehm, darüber unterrichtet, habe dann von sich aus auf die Teilnahme verzichtet.

4 Auf dem VIII. Schriftstellerkongreß der DDR Ende Mai 1978 hatte Hermlin erklärt, er sei ein spätbürgerlicher Schriftsteller – «was könnte ich als Schriftsteller auch anderes sein».

5 Gemeint ist sein «Abendlicht» von 1979.
6 Hermlin wurde 1980 zum viertenmal (nach 1950, 1954 und 1975) mit
   dem Nationalpreis ausgezeichnet (in Gold).

122. Vermerk:
Eine Beschwerde Erwin Strittmatters
(14. 7. 80)

Hauptabteilung XX/7   Berlin, 14. 7. 1980

Vermerk

Der Sekretär des Schriftstellerverbandes der DDR, Genosse ⟨Henni-
ger⟩, informierte am 14. 7. 1980, daß der Schriftsteller ⟨Erwin Stritt-
matter⟩ sich am 11. 7. 1980 telefonisch mit folgendem Anliegen an
den Präsidenten des Schriftstellerverbandes der DDR, Gen. Kant,
wandte:

⟨Strittmatter⟩ äußerte, daß er über zuverlässige Informationen
verfüge, wonach in den Bezirken Cottbus, Potsdam, Erfurt, Gera und
Rostock sein Buch «Wundertäter III» zurückbehalten wurde und
nicht zur Auslieferung kommen dürfe.[1] Über diese Festlegungen sei
⟨Strittmatter⟩ zutiefst empört und wolle sich bei Gen. Kant beschweren. Gen. Kant versprach ⟨Strittmatter⟩, dessen Hinweise, an die er
persönlich nicht glaube, zu prüfen.

Gen. Kant setzte über dieses Gespräch mit ⟨Strittmatter⟩ am
11. 7. 1980 die Leiterin der Abteilung Kultur des ZK der SED, Genn.
⟨Ursula Ragwitz⟩, in Kenntnis, die ihrerseits Gen. Kant die Prüfung
dieser Angelegenheit zusicherte.

Am späten Nachmittag des 11. 7. 1980 teilte Genn. ⟨Ragwitz⟩ dem
Gen. Kant nach Prüfung des Sachverhaltes mit, daß es sich bei den
Informationen ⟨Strittmatters⟩ um Gerüchte handelt und dessen
Buch ausgeliefert wird.

Gen. Kant übermittelte dieses Prüfungsergebnis noch am Abend
des 11. 7. 1980 ⟨Erwin Strittmatter⟩.

⟨Strittmatter⟩ reagierte darauf in schroffer und abweisender Form
mit folgenden Argumenten:

414

– Die Prüfung seines Hinweises sei für ihn ein Beweis, daß seine Informationen der Wahrheit entsprechen.
– Er verbitte sich jede weitere Belehrung in dieser Angelegenheit.
– Er wisse, was er von seinen Informationen zu halten hat, diese sind sicherer als Kants Überprüfungen.

Danach beendete ⟨Strittmatter⟩ das Gespräch mit Kant und legte den Telefonhörer auf.

---

1 Der 3. Band des «Wundertäter»-Romans erschien 1980. Strittmatter war damals noch Vizepräsident des Schriftstellerverbands.

123. Information:
Urteil Kants über die Lage in Polen
(26. 8. 80)

Hauptabteilung XX/7   Berlin, 26. 8. 1980

Information

Am 20. 8. 1980 erschien gegen 14.30 Uhr die Mitarbeiterin der Akademie der Künste der DDR, ⟨...⟩, in der Wohnung einer zuverlässigen inoffiziellen Quelle. Sie kam nach ihren Angaben von einem Besuch beim Präsidenten des Schriftstellerverbandes der DDR, Hermann Kant.

Im Verlauf des Gespräches, in dem auch die gegenwärtige Situation in der VR Polen berührt wurde, äußerte die ⟨...⟩, sich dabei auf Hermann Kant und sich beziehend: «Wir meinen, daß das eine große Chance für die (Polen) [1] und uns ist, weil die Russen wegen Afghanistan [2] nicht einmarschieren können. Zwei solche Sachen können sie sich nicht leisten.»

---

1 Am 1. 7. 1980 hatten in Polen langanhaltende Streiks begonnen, am 24. 8. löste Pinkowski Babiuch als Regierungschef ab, es gab Veränderungen im Politbüro und ZK-Sekretariat der KP Polens, am 31. 8. kam

es in Danzig und Stettin zu Vereinbarungen zwischen den aufständischen Arbeitern und der Regierung, am 6.9. trat Parteichef Gierek zurück, am 10.11. wurde die unabhängige Gewerkschaft «Solidarität» mit Lech Walesa an der Spitze vom Obersten Gericht genehmigt.

2 Die Sowjetunion war am 27.12.1979 in Afghanistan einmarschiert (s. den «Bericht» vom 5.2.1980, Anm. 4).

124. Information:
Über «politisch-negative
Verhaltensweisen» von Hermann Kant
(30.10.80)

Hauptabteilung XX/7   Berlin, 30.10.1980

Information
über politisch-negative Verhaltensweisen des Präsidenten
des Schriftstellerverbandes der DDR, Hermann KANT

Während einer Lesung in der Akademie der Künste der DDR am 15.10.1980 stellte der Präsident des Schriftstellerverbandes der DDR, Hermann Kant, im Rahmen der Veranstaltungsreihe «Stunde der Akademie» bisher unveröffentlichte Prosa vor. Anwesend waren ca. 200 Personen. Inoffiziell wird eingeschätzt, daß die von Kant vorgetragene Erzählung mit dem Titel «Der dritte Nagel»[1] keine politisch negativen Aussagen enthält.

In der anschließenden Diskussion reagierte Kant auf die Frage eines namentlich nicht bekannten Teilnehmers der Veranstaltung, ob Literatur zu Veränderungen in der Gesellschaft beitragen könne, mit folgenden Auffassungen: In der DDR werde der Literatur etwas zugetraut, was sie gar nicht vermag, weder im Guten noch im Bösen. Vor allem negative Wirkungen würden der Literatur unterstellt, die sie aber nicht haben könne.

Aus diesem Grunde verstehe es Kant auch nicht, warum um das Buch «Wundertäter III» seines Freundes 〈Erwin Strittmatter〉 derzeit ein so großer Aufwand betrieben werde. Er finde das lächerlich.

416

In Redaktionen von Zeitungen und Zeitschriften kämen Redakteure in·Schwierigkeiten, wenn sie über dieses Buch etwas schreiben wollten.

Viel schlimmer sei es jedoch, daß bewaffnete Organe der DDR die Funktionäre unserer Partei auffordern, dieses Buch zu lesen, um nur herauszufinden, was schlecht daran ist. Nach Kants Auffassung dürfe Literatur keine Angelegenheit des Angriffs durch bewaffnete Organe sein.[2]

Die Geschichte der Literatur unseres Landes sei voll von Warnungen vor bestimmten literarischen Arbeiten und Stücken. Letzten Endes seien diese Warnungen fast ausnahmslos nicht aufgegangen.

Die genannte Veranstaltung wurde durch den IM «Dölbl»[3] unter op. Kontrolle gehalten.

Der IM hat die Äußerungen Kants wörtlich mitgeschrieben.

---

1 Später Titelgeschichte des Bandes «Der dritte Nagel», der 1982 erschien. – Hinsichtlich der politischen Anstößigkeit des Textes war der stellvertretende Kulturminister Höpcke anderer Meinung. S. den Vermerk vom 26. 11. 1980.

2 Vgl. dazu eine Notiz von Adolf Endler aus dem April 1982: «MILITÄRISCHER SPERRBEZIRK. / Nach Almuth Giesecke (Lektorin beim Aufbau-Verlag) werden zuweilen unliebsame Bücher bekannterer Autoren zwar u. U. zum Druck befördert, dann aber ‹im Notfall› sofort aufgekauft, und zwar direkt beim Kommissionsbuchhandel in Leipzig. ‹Und von wem? Von welcher Institution?› – ‹Von der Armee!› – ‹Im Ernst, von der Armee?› – ‹Ja, von der Armee!› – Als charakteristisches Beispiel nennt sie den 3. Teil der Romanreihe ‹Der Wundertäter› von Erwin Strittmatter ... (Daß ich das Buch, das ich zufällig in die Hände bekommen habe, für ein geradezu lachhaft kolportageartiges halte, dürfte in diesem Zusammenhang gleichgültig sein.) – Was dann mit den Büchern geschehe? – Achselzucken ... – In den Bibliotheken der Armee tauchen sie, geheimnisvolle oder fehlgeleitete U-Boote sozusagen, keinesfalls auf; sie tauchen nie wieder auf, wie es scheint. Bermudadreieck Volksarmee! ‹Wahrscheinlich werden sie vernichtet ...»» (Adolf Endler. Tarzan am Prenzlauer Berg. Sudelblätter 1981–1983. Leipzig 1994, S. 97).

3 Bei dem IM Dölbl handelt es sich nach Forschungsergebnissen von Hans-Jürgen Schmitt um die Literaturwissenschaftlerin Prof. Dr. An-

neliese Löffler. Sie taucht auch in den Akten von Franz Fühmann und Klaus Schlesinger auf (s. Hans-Jürgen Schmitt, «Der operative Vorgang ‹Filou›. Der Schriftsteller Franz Fühmann im Netz der DDR-Staatssicherheit». Deutschlandfunk, 5.10.1993, 19.15–20.00 h, Sendemanuskript S. 22).

125. Information:
Über einen «Tritt ins Fettnäpfchen»
(21.11.80)

Hauptabteilung XX   Berlin, 21.11.1980

Information

Wie der Präsident des Schriftstellerverbandes der DDR, Hermann KANT, gegenüber einer inoffiziellen Quelle äußerte, sei er bei dem Mitglied des Politbüros des ZK der SED, Genossen ⟨Joachim Hermann⟩[1], ins «Fettnäpfchen» getreten. Er habe Genossen ⟨Hermann⟩ einen Brief geschrieben, in dem er diesen aufgefordert habe, die Medien der DDR zu veranlassen, sich stärker mit ⟨Erwin Strittmatters⟩ Buch «Wundertäter III» zu befassen.[2]

Im persönlichen Gespräch habe Genosse Hermann Kant wissen lassen, daß er für dessen Ansinnen keinerlei Verständnis aufbringen könne und er von Kant erwartet hätte, dies selbst zu erkennen.

Wie inoffiziell weiter bekannt wurde, hat der Institutsdirektor an der Akademie für Gesellschaftswissenschaften beim ZK der SED, Genosse Prof. ⟨Hans Koch⟩[3], seinen Austritt aus dem Schriftstellerverband der DDR angedroht.

Als Grund führt Prof. ⟨Koch⟩ an, daß er sich vom Präsidenten des Schriftstellerverbandes, Kant, nicht über westliche Medien angreifen lasse. Genosse Prof. ⟨Koch⟩ bezieht sich auf ein Interview mit dem BRD-Journalisten ⟨Peter Pawlik⟩[4], das am 22.10.1980 um 20.15 Uhr im Deutschlandfunk gesendet wurde.

Wie weiter bekannt wurde, beabsichtigt die Leiterin der Abt. Kultur im ZK der SED, Genossin ⟨Ragwitz⟩, die Genossen Kant und ⟨Koch⟩ zu einer klärenden Aussprache zusammenzuführen.

418

1 Joachim Hermann, * 29. 10. 1928, † 30. 7. 1992, Journalist und Politiker, 1971–78 Chefredakteur des «Neuen Deutschland», 1973–78 Kandidat, dann Mitglied des Politbüros der SED, seit 1978 verantwortlich für Agitation und Propaganda.

2 Bis zum 21. 11. 1980 waren folgende Rezensionen über Strittmatters «Wundertäter», III. Band, erschienen:

Junge Welt, 17. 6. 1980 (Rulo Melchert)

Der Morgen, 6. 7. 1980 (Hans Braunseis)

Neues Deutschland, 29. 7. 1980 (Hermann Kähler)

Sonntag, 10. 8. 1980 (Günter Ebert)

Freie Presse, Zwickau, 15. 8. 1980 (Walther Kusche)

Neue Zeit, 18. 8. 1980 (Bernd Heimberger)

Freies Wort, Suhl, 22. 8. 1980 (Rita Weber)

Neuer Tag, 22. 8. 1980 (Wolfgang Predel)

Nationalzeitung, 28. 8. 1980 (Erich Fetter)

Tribüne, 29. 8. 1980 (Werner Herden)

Ostsee-Zeitung, Rostock, 5. 10. 1980 (Hans Jürgen Geerdts)

Wochenpost, 31. 10. 1980 (Klaus Jarmatz)

   Kant selbst veröffentlichte in Heft 6/1980 von NDL eine lange Rezension «Über den dritten Wundertäter» Strittmatters (wiederabgedruckt in Kants Band «Zu den Unterlagen. Publizistik 1957–1980», Auswahl Leonore Krenzlin, Berlin und Weimar 1981, S. 157–165).

3 Hans Koch, *17. 5. 1927, †Herbst 1986, Literaturwissenschaftler, 1963–66 1. Sekretär des Schriftstellerverbands, ab 1963 Abgeordneter der Volkskammer, 1966–69 Mitarbeiter im Ministerium für Kultur, ab 1969 Lehrstuhlinhaber am Institut für Gesellschaftswissenschaften beim ZK der SED, ab 1977 Direktor des Instituts für Kultur- und Kunstwissenschaften, 1976 Kandidat, ab 1981 Mitglied des ZK der SED.

4 Kant hatte sich in seinem Interview mit Peter Pawlik (Pseudonym von Gunther Schäble) im DLF auf die Frage nach antikommunistischer Denunziation in der DDR zu äußern:

   «Pawlik: Es ist doch so, daß wirklich jemand sehr rasch in den Verdacht kommt, Antikommunist zu sein, ohne daß er es ist. Ich meine, wenn ich den Kunert fragen würde, ob er Sozialist ist, würde er es selbstverständlich bejahen; wenn er von offiziöser Seite bestätigt bekommt, daß er Antikommunist wäre, dann ist es doch eine Überinterpretation, die ihm zu schaffen machen wird. – Kant: Ja, und das ist nicht nur eine Überinterpretation, sondern das ist eine impertinente Frechheit, die ich dem Urheber als solche bescheinigen würde.

Pawlik: Sie wissen, wer der Urheber ist?

Kant: Nee, aber sagen Sie's mal.

Pawlik: Hans Koch.

Kant: Na schön, dann muß Hans Koch gesagt werden, daß das also eine impertinente Frechheit ist.»

126. Brief von Klaus Höpcke an Hermann Kant (22.11.80)

MINISTERRAT

DER DEUTSCHEN DEMOKRATISCHEN REPUBLIK

MINISTERIUM FÜR KULTUR   108 BERLIN

STELLVERTRETER DES MINISTERS   Clara-Zetkin-Straße 90

22. November 1980

Genossen Hermann Kant
Präsident des Schriftstellerverbandes der DDR
1080 Berlin
Friedrichstr. 169

Lieber Hermann!

Vor einem Monat, am 22. Oktober 1980, ist im BRD-Sender Deutschlandfunk ein Interview ausgestrahlt worden, in welchem Du an einigen Stellen zu Fragen Stellung genommen hast, die mich mit betreffen bzw. Probleme berühren, die unser Zusammengehen und -wirken zum Inhalt haben: das Zusammengehen und -wirken zwischen Dir sowie dem Verband, dessen Präsident Du bist, und mir sowie dem staatlichen Organ, das ich leite. Es ging dabei

erstens   um einige Worte zur Problematik Anpassung – Nichtanpassung in der sozialistischen Gesellschaft,

zweitens um die Beratung der Publikationspläne unserer belletristischen Verlage im Präsidium des Schriftstellerverbandes der DDR und

drittens   um die zutreffende Beurteilung von ⟨Wolf Biermann⟩.

Leider hast Du Deine Antworten teilweise so ausfallen lassen, daß Einwände unvermeidlich sind.

Ich beginne mit der politisch brisantesten Frage, der nach ⟨Wolf Biermann⟩.

Was meine Äußerung in dieser Sache betrifft: Ich war auf eine Anthologie des ⟨Kindler⟩-Verlags[1] angesprochen worden, in welcher 33 Gedichte von DDR-Autoren nicht erschienen sind, weil «in den Bänden ⟨Biermann⟩ und ⟨Kunze⟩ vertreten sind». Daraufhin bat ich, nicht zu vergessen, wie der zuerst genannte Autor «zur Zerstörung der sozialistischen Machtstrukturen in der DDR aufrief, wobei er Blutvergießen eingeschlossen hat». Und ich fügte hinzu: «Auf solche Nachbarschaft legt niemand Wert bei uns.» Nachzulesen in: «Die Zeit», Hamburg, Ausgabe vom 16. Mai 1980, Seite 16.

Das nun nennt Dein Interviewpartner ⟨Pawlik⟩[2] eine «krasse Überinterpretation».

Und Du sagst: «Ja, ich hätte diesen Interview-Absatz nie von mir geben können und bitte Sie, das mit ⟨Klaus Höpcke⟩ aufzuklären.»

Gestatte, Dich daran zu erinnern, was ⟨Biermann⟩ selbst ausgesprochen hat, wie weit er ging. Er sagte: «... das stalinistisch-bürokratische System ist längst dermaßen etabliert und hat seine Bastionen ausgebaut und ist geronnen zu einer festen gesellschaftlichen Machtform und Lebensweise, das läßt sich nicht mehr nur in fließenden Übergängen überwinden. Da ist schon so etwas wie eine zweite Revolution nötig.» Nachzulesen in: «Konkret», Heft 1/1977, Seite 13. – Wenn das alles Blutvergießen nicht einschließen soll, frage ich mich, wie denn die Forderung auf «zweite Revolution», die Abgrenzung von «nur fließenden Übergängen», das Zielen gegen «Bastionen» und «feste gesellschaftliche Machtform und Lebensweise», wie denn all das, was ⟨Biermann⟩ noch über «feudal-sozialistische» Länder, «östliche Monopol-Bürokratie» usw. sagte, anders gelesen und verstanden werden kann. Derartige Möglichkeiten sehe ich nicht. Die Erfahrung der Geschichte hat uns in dieser Hinsicht doch einiges gelehrt.

Daß ⟨Pawlik⟩ und die, für die er Interviews macht, auf fälschende Verharmlosung solcher Sätze aus sind, versteht sich. Ich hätte es für gut gehalten, er hätte dafür von Dir anständig einen aufs Haupt bekommen.

Zu der Auskunft, die Du im Interview über das Zusammenwirken Kulturministerium – Schriftstellerverband bei der Beratung der Jahrespläne verlegerischer Tätigkeit und darüber hinaus beim Finden richtiger Entscheidungen in Einzelfragen gibst, möchte ich anmerken, daß ich einerseits damit übereinstimme, daß Du Hineinreden ablehnst und sagst: «Aber beeinflussen können wir uns gegenseitig schon.» Auch der Darstellung, daß ich in der Präsidiumssitzung den Plan «gewissermaßen verteidige», widerspreche ich nicht. Andererseits finde ich es schade, daß durch Wortwahl der Vorstellung Raum gegeben wird, als wirkten in unserem Verhältnis Beziehungen jener Art und Tonart, die gewisse bürgerliche Leute uns aufschwatzen möchten. «Ich habe noch keine Plandiskussion erlebt, die ohne rechtskräftige Änderung, die wir durchgesetzt haben, verlaufen wäre», sagst Du. Ich verstehe schon: Du wolltest den Herrschaften da drüben beibringen, wie groß die Rolle, wie stark der Einfluß des Verbandes der Schriftsteller ist. Und das halte ich für notwendig und gut. Es entspricht der Wahrheit. Zur Wahrheit gehört aber auch – und alle Beteiligten wissen es –, daß unsere Debatten per Argument und Einvernehmen fruchtbar waren und sind. Fruchtbar übrigens, denke ich, für beide Seiten, denn die Beratung über die verlegerischen Jahrespläne hat doch auch zu wachsendem Überblick, sachlicherem Urteilsvermögen bei den dem Präsidium des Verbandes angehörenden Schriftstellern beigetragen. Hättest Du es für abwegig gehalten, darüber gerechterweise ebenfalls ein Wort zu sagen?

Was das Drucken von Werken aus dem Verband ausgeschlossener Autoren betrifft, weißt Du so gut wie ich und hast es im Mai des Vorjahres selbst deutlich gesagt und jetzt wiederholt, daß das Gerede vom Mundtotsein[3] Lüge ist. Dank der Kulturpolitik unserer Partei, die in staatlicher und Verlagsarbeit sowie in der Tätigkeit des Verbandes verwirklicht wird. Siehst Du dabei wirklich Euch als diejenigen «Hinseher», die den Verlegern sagen: «... dann habt Ihr das jetzt auch zu drucken!»?

Zum Schluß, worauf Du im Hinblick auf mich als erstes in dem ⟨Pawlik⟩-Interview angesprochen worden bist: zur «blanken Nichtanpassung». Du sagtest, was «der stellvertretende Minister für Kultur unter dieser Formel verstanden wissen will, müßte man ihn mal fragen», hast aber, obwohl wir uns inzwischen sahen, auf direkterem Wege als über DLF nicht gefragt. Dennoch will ich antworten, schon um klarzustellen, was ich wirklich gesagt bzw. geschrieben habe. Ich zitiere:

«Allenthalben schärft sich bei fortschrittlichen Menschen der Sinn dafür, daß revolutionär zu sein bedeutet, sowohl das mit der Revolution Begonnene in jeder neuen Phase kritisch zu prüfen sowie konstruktiv und entschlossen weiterzuführen als auch das durch die Revolution Errungene und Erreichte nie wieder herzugeben, es mit aller verfügbaren Kraft zu sichern und zu verteidigen.

Revolutionäre Positionen sozialistischer Kunst können ausgebaut werden, wenn die vielfältigen Vorgänge von Festigung und Wandlung in unserer Gesellschaft mit großer Tiefenschärfe untersucht und dargestellt werden. Mit fauler Anpassung, die revolutionärem Veränderungswillen entgegensteht, haben wir nichts gemein. Aber auch blanke Nichtanpassung funktioniert nicht. In einem so widerspruchsvollen Organismus wie der menschlichen Gesellschaft bedarf es eines vielfältigen Wechselspiels von Einübung sowie Bewahrung neuer – bei uns: dem Sozialismus gemäßer – sozialer Gewohnheiten und ihrer fortschreitenden Entwicklung, wobei beides mit dem Kampf gegen dem Sozialismus Fremdes verbunden ist. Nichtanpassung ‹aus Prinzip› mag sich an der Oberfläche edel und erlesen ausnehmen. In Wahrheit wirkt sie menschen- und gesellschaftszerstörend.

Gegen diese, im Grunde bürgerliche Denkmuster kopierende Geisteshaltung setzen die Schriftsteller des sozialistischen Realismus ihr Konzept großer persönlicher Aktivität des einzelnen für den gesellschaftlichen Fortschritt.» Nachzulesen in: «Leipziger Volkszeitung», Ausgabe vom 8./9. März 1980, Seite 11.

Was Du dem Herrn ⟨Pawlik⟩ angesichts der absurden Schlüsse, die er aus meinen Worten herzuleiten versuchte, erwidert hast, findest Du wohl durch die zitierten Absätze als vollkommen richtig bestätigt. Es ging, wie Du vermutest, tatsächlich weder um die «Forderung, Träger einer solchen Haltung dürften nicht sein», noch um eine Verlautbarung, die «auf Abschaffen dieser Art von Literatur hinausliefe», sondern darum, besagte Haltung und ihre Kultivierung durch Literatur zu kritisieren.

In dem Punkt, scheint mir, besteht zwischen uns das größere Maß an Übereinstimmung, verglichen mit den beiden anderen. Ich werde froh sein, wenn es uns gelingt, auch im Hinblick auf das Zusammenwirken zwischen Organ der staatlichen Leitung der Kultur und gesellschaftlicher Organisation der Schriftsteller weitere Fort-Schritte im Sinne von: Schritte voran zu einer gemeinsamen Auffassung zu tun.

Was das Eigentliche betrifft, den Grund, der mir die Feder zu diesem Brief in die Hand gedrückt hat: die Einschätzung der Vorgänge, mit denen zu rechnen ⟨Biermann⟩ bereit war, so füge ich den am Anfang des Briefes erwähnten Äußerungen nur noch die hinzu, daß er sogar von der Gefahr eines «Rückrollens in die bürgerliche Gesellschaft» gesprochen hat – selbstverständlich in der Pose, daß er gegen ein solches Rückrollen sei. Aber beteuert nicht auch ein gewisser ⟨Walesa⟩ alle naselang, er interessiere sich nicht für Politik?!

In der Hoffnung, Du vergiltst Sachlichkeit mit Sachlichkeit, sodaß wir Querelen vermeiden, die unserer angestrengten Arbeit an Deinem wie an meinem Platz nur schaden könnten,

mit bestem Gruß –
Klaus Höpcke

---

1 Es handelt sich um eine dreibändige Anthologie von Bernd Jentzsch: «Ich sah das Dunkel schon von ferne kommen. Erniedrigung und Vertreibung in poetischen Zeugnissen», «Der Tod ist ein Meister aus Deutschland. Deportation und Vernichtung in poetischen Zeugnissen» und «Ich sah aus Deutschlands Asche keinen Phönix steigen. Rückkehr und Hoffnung in poetischen Zeugnissen». Im Vorwort zum erstgenannten Band (S. V) schreibt der Herausgeber: «Im ganzen wurden den drei Bänden vom Büro für Urheberrechte einundvierzig Gedichte entzogen», darunter Gedichte der IM Uwe Berger und Paul Wiens.

2 Wörtlich sagte Peter Pawlik: «Woher, Herr Kant, kommt das, was ich eine krasse Überinterpretation bestimmter Verhaltensweisen nennen würde, Verhaltensweise von Leuten, die weggehen. Wenn man zum Beispiel den (...) Wolf Biermann gleich zum totalen Feind des Sozialismus erklärt, der selbst Blutvergießen nicht scheuen würde, wenn er damit den Sozialismus in der DDR abschaffen könnte. Ein Wort von Höpcke wieder. Ist es tatsächlich nicht wirklich absurd, daß dieser Mann Blutvergießen propagieren würde, um den Sozialismus abzuschreiben?»

3 Anspielung auf das Referat Kants vor dem Vorstand des Schriftstellerverbands, abgedruckt im ND vom 31.5.1979: «Und ‹mundtot› ist wohl nicht die treffendste Bezeichnung für Autoren, die mit den DDR-Auflagenzahlen ihrer Bücher im Westen auf Bestsellerlisten gerieten.»

127. Vermerk:
Höpcke gegen weitere Amtsperiode
für Kant
(26.11.80)

Hauptabteilung XX   Berlin, 26. 11. 1980

Vermerk

Der stellvertretende Minister für Kultur, Genosse Höpcke, teilte am 21. 11. 1980 mit der Bitte um Diskretion mit, daß er persönlich immer mehr zu der Auffassung gelangt, daß Hermann KANT beim nächsten Verbandskongreß[1] nicht wieder als Präsident des Schriftstellerverbandes der DDR vorgeschlagen werden sollte.

Zu dieser Auffassung ist Genosse Höpcke durch eine Reihe von Begebenheiten und öffentliche Auftritte von Kant gelangt.

Dazu gehören vor allem

– seine Rede in Greifswald anläßlich der Verleihung der Ehrendoktorwürde, wo er seine oftmals praktizierte Haltung – auf der einen Seite steht der Staat, auf der anderen der Schriftsteller und er als Präsident mitten drin als Interessenvertreter und Beschützer der Autoren – zu einem bzw. seinem Programm erhob[2]

– seine vor der Akademie der Künste gelesene Geschichte «Der Nagel»[3], die ein Teil einer größeren Erzählung sein soll, in der Kant seine Ehescheidung von ⟨Vera Oelschlegel⟩[4] literarisch verarbeiten will – in der u. a. von «mörderischer Eifersucht»[5] die Rede sein soll

– sein Interview mit dem Vertreter des «Deutschlandfunks», ⟨Peter Pawlik⟩, vom 22. 10. 1980, das nach Einschätzung des Genossen Höpcke nicht nur eines Präsidenten unwürdig ist, sondern wo sich Kant auch sehr eindeutig von Äußerungen und Praktiken des Staatsapparates distanziert

– seine anmaßende Forderung gegenüber dem Sekretär des ZK der SED, Genossen ⟨Hermann⟩, in den DDR-Massenmedien eine breite öffentliche Diskussion zum dritten Band des Romans «Der Wundertäter» von ⟨Erwin Strittmatter⟩ zu organisieren.

Darüber hinaus gibt es noch eine ganze Reihe von Praktiken und

Verhaltensweisen von Kant, z. B. sein unkritisches Engagement für ⟨Loest⟩[6], ⟨Kunert⟩[7], ⟨Christa Wolf⟩[8] u. a. politisch-negative Schriftsteller, sein ständiges Beschwichtigen und Vermittelnwollen zwischen Schriftstellern und Staat bzw. Partei, sein «blinder» Einsatz für ⟨Erwin Strittmatters⟩ neuen Roman, die die berechtigte Frage aufkommen lassen, was für eine bzw. wessen Politik verfolgt Kant überhaupt.

Hinzu kommt, daß Kant augenblicklich keinerlei Bereitschaft zeigt, auf andere Genossen (z. B. auch nicht auf Genossen Prof. Hager oder Genossin ⟨Ursula Ragwitz⟩) zu hören oder über deren Argumente ernsthaft und mit persönlichen Schlußfolgerungen nachzudenken.

Bei der Betrachtung all dieser Dinge drängen sich Genossen Höpcke Überlegungen dahingehend auf, daß der Gegner nicht immer so vorgehen muß wie 1976[9] – er sucht auch ständig nach neuen Wegen, Mitteln und Methoden.

Dies alles seien Eindrücke, persönliche Gedanken von Genossen Höpcke, über die er bisher mit niemandem gesprochen hat.

In Absprache mit Genossin ⟨Ragwitz⟩ werde Genosse Höpcke in den nächsten Tagen einen Brief an Hermann Kant schreiben, in dem er ihn um Aufklärung über seine gegen Genossen Höpcke gerichteten Äußerungen im Interview mit dem Deutschlandfunk ersucht.

Von der Reaktion Kants auf diesen Brief wird es Genosse Höpcke abhängig machen, ob und bis zu welchem Punkt er sich mit Genossen Minister ⟨Hoffmann⟩[10] oder Genossin ⟨Ragwitz⟩ über seine Bedenken gegen Hermann Kant berät.

Genosse Höpcke übergab bei dieser Gelegenheit eine Kopie des Kant-Interviews mit dem Deutschlandfunk.

---

1 Der nächste, nämlich der IX. Schriftstellerverbandskongreß, fand Anfang Juni 1983 statt.
2 Die Rede ist abgedruckt in dem Band «Unterlagen. Zu Literatur und Politik». Darmstadt und Neuwied 1982, S. 108–123.
3 Gemeint ist «Der dritte Nagel», Titelgeschichte des Erzählungsbands, der 1981 bei Rütten und Loening in der DDR, 1982 bei Luchterhand in Darmstadt und Neuwied erschien.
4 Die Ehe Kants mit Vera Oelschlegel war laut «Abspann» (S. 463) im

August 1976 (aufgrund ihres Verhältnisses mit Konrad Naumann, dem 1. Sekretär der Berliner Bezirksleitung der SED) zu «unheilbarem Schaden» gekommen und im Winter darauf geschieden worden.

5 Die Erzählung «Der dritte Nagel» endet mit dem Satz: «Und manchmal ist Eifersucht noch so mörderisch, wie es sonst nur die alten Geschichten erzählen.»

6 Bekanntlich hatte Kant gegenüber Honecker mit seinem Rücktritt als Verbandspräsident gedroht, falls Loests Roman «Es geht seinen Gang» keine zweite Auflage bekomme.

7 S. die «Information» vom 17. 7. 1979.

8 S. die «Information» vom 10. 1. 1977.

9 Gemeint ist offenbar die Ausbürgerung Biermanns im November 1976.

10 Hans-Joachim Hoffmann, * 10. 10. 1929, † 19. 7. 1994, Politiker, 1971–73 Leiter der Abt. Kultur des ZK der SED, ab 1973 Minister für Kultur, ab 1976 Mitglied des ZK der SED.

128. Brief von Lutz Rathenow an Hermann Kant (24. 12. 80)

Lutz Rathenow   24. 12. 1980
1034 Berlin

Sehr geehrter Herr Kant,

Entschuldigen Sie, daß ich Sie mit einer Bitte belästige, die weder Ihre Arbeit als Autor noch Ihre amtlichen Aufgaben als Vorsitzender des Schriftstellerverbandes der DDR berührt.

Gegen mich läuft ein Ermittlungsverfahren (§ 219, Absatz 2, Ziffer 2) wegen der Veröffentlichung meines Buches «Mit dem Schlimmsten wurde schon gerechnet» im Westberliner Ullstein-Verlag.[1] Im Rahmen meiner Verteidigung versuche ich meine Unschuld zu beweisen, da ich nicht der Meinung bin, daß mein Buch bis zum Zeitpunkt meiner Verhaftung den Interessen der DDR geschadet hat. Außerdem versuchte ich ja intensiv eine Genehmigung vom Büro für Urheberrechte zu erhalten[2] und fühle mich von diesem Büro durch einen positiven Zwischenbescheid vom Juni und den Erhalt der endgültigen Nichtgenehmigung parallel zum Erscheinen des Buches quasi zur vermeintlichen Straftat verleitet. Doch ich will Sie hier nicht mit Details behelligen, auch will und soll ich keine konkreten Sachverhalte aus dem Ermittlungsverfahren schildern. Tatsache ist, daß sich der richterliche Haftbefehl allein auf mein Buch bezog und ich davon ausgehen muß, daß ich wegen der Herausgabe dieses Buches im ungünstigsten Fall eine Haftstrafe bis zu fünf Jahren zu erwarten habe. Nun hatten Sie sich im Herbst letzten Jahres in der bundesdeutschen Zeitschrift «Konkret» zu Fragen der Kulturpolitik und Literatur geäußert. Ich las damals das ausführliche Interview und habe noch Ihre Antwort auf Herrn Gremlizas Frage im Kopf, ob mit der seit August geltenden Ziffer 2 des § 219, Abs. 2 nicht das Erscheinen von Literatur der DDR im Ausland potentiell kriminalisiert werden solle. Sie antworteten sinngemäß, Ihres Erachtens beziehe sich diese neu eingeführte Ziffer nicht auf Literatur.[3]

Mir war damals diese Antwort eine wesentliche Ermunterung, mich um die Herausgabe meines Buches außerhalb der DDR zu bemühen. Sie bestätigte meine Auffassung, daß Literatur ohnehin die Interessen eines Staates nicht berührt, wenn sich keine außerliterarischen Sachverhalte dazugesellen. Nun weiß ich auch, daß es nicht Ihre Sache ist, Rechtsauskünfte zu geben, aber die Ausführungen des Vorsitzenden des Schriftstellerverbandes besitzen für mich natürlich einen gewissen Stellenwert, obwohl ich nicht Mitglied dieses Verbandes bin. Nun wird bei mir – ähnlich wie bei Frank Wolf Matthies[4] – meines Erachtens erstmals diese im letzten Jahr neu eingeführte Ziffer direkt auf ein Buch bezogen, das – ganz egal wie man es findet – zur Literatur zu zählen ist. Interviews zum Buch, politische Statements o. ä. habe ich nie gegeben.

Sie werden hoffentlich verstehen, daß es mir wichtig ist, eine Kopie Ihres damaligen «Konkret»-Interviews als Beweismittel vorlegen zu können. Ich bitte Sie um eine Kopie dieses Interviews oder der für mich wichtigen Passage. Da mir geraten wurde, für die Dauer des Ermittlungsverfahrens die Kontakte zu NichtDDRBürgern zu reduzieren und nicht über das Ermittlungsverfahren zu reden, wüßte ich nicht, wie ich mir dieses Beweismittel sonst beschaffen sollte. Eventuell genügt auch eine von Ihnen unterzeichnete Erklärung, in der Sie den Inhalt der von mir erwähnten Passage wiederholen. Wenn Sie diese nicht an mich schicken möchten, können Sie das Schriftstück natürlich auch direkt der Generalstaatsanwaltschaft (Staatsanwalt Gräsner) zukommen lassen.

Mit freundlichen Grüßen
Lutz Rathenow

---

1 Das Buch erschien im Herbst 1980 mit dem Untertitel «Prosa».
2 Seine Verhandlungen mit dem Urheberrechtsbüro schilderte Lutz Rathenow in einem Artikel «Das Gespräch» in der ZEIT vom 12. 8. 1983, S. 31.
3 Die Frage Hermann Gremlizas und die Antwort Kants lauten: «Nun kommt der Punkt, an dem Diskussionen nicht nur schwierig werden, sondern aufhören: Der neue Paragraph 219 des Strafgesetzbuches, in dem es heißt, daß mit Freiheitsstrafe bis zu 5 Jahren bestraft wird, ‹wer Manuskripte oder andere Materialien, die geeignet sind, die Interessen der Deutschen Demokratischen Republik zu schaden [sic], unter Umgehung von Rechtsvorschriften an Organisationen oder Einrichtungen oder Personen im Ausland übergibt oder übergeben läßt.› Ist, wer das tut, tatsächlich draußen aus der Literatur der DDR?»
   «KANT: Das würde ich in jedem einzelnen Fall sehr genau ansehen. Und ich sehe lieber hier in den ins Auge gefaßten Tatbeständen keine literarischen Vorgänge. Das kann damit nicht gemeint sein. Literatur schädigt einen Staat übrigens nicht. Sie kann ihn manchmal ärgern.» (Aus: «Die Ausschlüsse waren der gewünschte Endpunkt. Ein LITERATUR KONKRET-Interview mit Hermann Kant, dem Präsidenten des Schriftstellerverbandes der DDR/ Von Hermann L. Gremliza», literatur konkret 1979, S. 26)
4 Frank-Wolf Matthies veröffentlichte 1979 bei Rowohlt den Band «Morgen – Gedichte und Prosa» und (Anfang Dezember 1980) ebenda den Band «Unbewohnter Raum mit Möbeln». Als das zweite Buch erschien, war er zusammen mit Rathenow zehn Tage in Haft. Nach Intervention durch den österreichischen PEN-Club wurden beide wieder freigelassen.

129. Information:
Reaktion von Kant auf den Brief
von Rathenow
(ohne Datum)

HA XX/7   Bln. d.

Information.

Der Präsident des Schriftstellerverband der DDR erhielt am 9. 1. 1981 von dem opr. bekannten ⟨Lutz Rathenow⟩ einen vom 24. 12. 80 datierten Brief. (...)
  In diesem Brief bitte ⟨Rathenow⟩ Gen. Kant ihn ein Interview zur Verfügung zu stellen, daß Gen. Kant der BRD Zeitschrift «Konkret» gab. ⟨Rathenow⟩ interessieren die Äußerungen des Gen. Kant in diesem Interview zum § 219 Absatz 2 Ziffer 2 des StGB, die er im Ermittlungsverfahren gegen seine Person zu seiner Entlastung zu verwenden beabsichtigt.
  Gen. Kant beabsichtigt ⟨Rathenow⟩ in der Form zu antworten, daß zwischen seinen Äußerungen und den gegen ⟨Rathenow⟩ stattfindenden Ermittlungsverfahren kein Zusammenhang besteht und seine Äußerungen daher in diesem Ermittlungsverfahren Gegenstandslos sind.
  Bevor Gen. Kant dem ⟨Rathenow⟩ diese schriftliche Antwort übermittelt beabsichtigt er, sich nochmals mit der Leiterin der Abteilung Kultur im ZK der SED Gen. ⟨Ursula Ragwitz⟩ zu beraten.

130. Franz Fühmann über Hermann Kant
(8. 1. 81)

HA XX/7   Berlin, 8. 1. 81

In einem persönlichen Gespräch mit dem IM «Hans»[1] erklärte der Schriftsteller Franz Fühmann[2], daß er keinerlei Vertrauen mehr zum Präsidenten des Schriftstellerverbands der DDR Hermann Kant besitzt und auf dessen Bekanntschaft keinerlei Wert mehr legt. Ohne es näher zu begründen bezeichnete Fühmann den Kant als hinterhältig und in seiner Haltung und Rolle gegenüber den Autoren als doppelzüngig.

Fühmann sei zwar mit ⟨Stephan Hermlin⟩ befreundet, aber dessen enger Kontakt mit Kant störe ihn. Er werde deshalb die Rolle und Haltung ⟨Hermlins⟩ im Verband und gegenüber einzelnen Autoren genau beobachten. Fühmann halte es bereits jetzt für möglich, daß er mit ⟨Hermlin⟩ nicht mehr gemeinsam bei einer öffentlichen Veranstaltung auftreten werde.

---

1 IM Hans = Hans Marquardt, Leiter des Reclam-Verlags Leipzig.
2 Das Dokument stammt aus der Akte Franz Fühmanns. Franz Fühmann verschärfte seine Ablehnung noch über den Tod hinaus. In seinem Testament heißt es: «Die Herren H. Kant, D. Noll ersuche ich, von der Feier am Begräbnis abzustehn – falls sie diesen Wunsch verspüren. Ebenso G. Henniger oder einen Offiziellen des Schriftstellerverbands.» (Frdl. Mitteilung von Hans-Jürgen Schmitt)

131. Information: Über erneute Rücktrittsabsichten Hermann Kants (20. 3. 81)

Hauptabteilung XX/7   Berlin, 20. 3. 1981

Information
zu operativ interessierenden Fragen während der Sitzung
des Präsidiums des Schriftstellerverbandes der DDR
am 18. 3. 1981

Die vorgenannte turnusmäßige Sitzung des Präsidiums des Schriftstellerverbandes der DDR fand am 18. 3. 1981 in der Zeit von 13.00 bis 15.45 Uhr in den Räumen des Schriftstellerverbandes der DDR statt. Anwesend waren:

Hermann Kant	Hans Weber[1]
Rainer Kerndl	Rudi Strahl
Gerhard Holtz-Baumert	Irmtraud Morgner
Günter Görlich	Helmut Küchler
Gerhard Henniger	Werner Neubert
Eberhard Scheibner	Helmut Sakowski
Entschuldigt waren:	
Jurij Brezan	(...)
Max Walter Schulz	
Joachim Nowotny	
Horst Beseler[2]	

Zur Tagesordnung standen folgende Probleme:
- Information zum bevorstehenden Leitungstreffen der Schriftstellerverbände der sozialistischen Länder in Moskau[3]
- Bericht über die Teilnahme einer Delegation des Schriftstellerverbandes der DDR am 1. Österreichischen Schriftstellerkongreß[4]
- Diskussion über eine Grußadresse der Berliner Schriftsteller[5] und Künstler an den Generalsekretär des ZK der SED, Genossen Erich Honecker

Zum Verlauf des 1. Österreichischen Schriftstellerkongresses wurde in einer gesonderten Information vom 18.3.1981 informiert.

Wie inoffiziell bekannt wurde, befremdete das äußert zynische, ironische Auftreten Hermann Kants eine Reihe von Mitgliedern des Präsidiums. Eine Auseinandersetzung mit Kant wurde durch alle Präsidiumsmitglieder vermieden, da sie befürchten, daß diese Verhaltensweisen auf Kants Gesundheitszustand[6] zurückzuführen sind und es bei Widerspruch zu Kurzschlußhandlungen kommen könnte.

Kant verlas die gemeinsame Grußadresse der Berliner Schriftsteller und Künstler an den Generalsekretär des ZK der SED, Genossen Erich Honecker. In zynischer und zweideutig aufzufassender Weise äußerte Kant die Befürchtung, daß die Eigenartigkeit des Stils der Grußadresse seiner Auffassung nach keine Sympathie beim Kulturbund der DDR finden wird.

Wörtlich äußerte Kant weiter:

«Ich habe die sonst übliche Anrede, wie sie z. B. der Hallenser Bezirksverband gebrauchte, einmal absichtlich verändert. Ich bin nicht der Meinung, daß die Grußadresse unbedingt an den Generalsekretär des ZK der SED, Genossen Erich Honecker, zu richten ist. Sie müsse ausschließlich an die Delegierten des Parteitages gerichtet werden, denn der Parteitag ist ja nicht ein Parteitag des Genossen Erich Honecker, sondern der gewählten Delegierten.»

Auf die Frage einer inoffiziellen Quelle an den Sekretär des Schriftstellerverbandes der DDR, Gen. Henniger, daß sie den Eindruck habe, Kant sei doch etwas zu zynisch, äußerte Gen. Henniger, daß doch Kant immer so sei. In diesem Zusammenhang informierte die inoffizielle Quelle darüber, daß bereits in der Vergangenheit eine Reihe Präsidiumsmitglieder ihre Unzufriedenheit bei gelegentlichen Gesprächen über das Verhalten und Auftreten von Hermann Kant zum Ausdruck brachten.

So äußerten die Präsidiumsmitglieder Prof. Max Walter Schulz, Rudi Strahl, Rainer Kerndl und Jurij Brezan, es sei doch im großen und ganzen witzlos, was im Präsidium gemacht werde und schade um ihre Zeit, da Kant doch alle wesentlichen Entscheidungen allein trifft und sie ihm hinterher nur noch ihren Segen mit ihrer Zustimmung geben müßten.

Kant informierte in der bereits erwähnten zynischen Art das Präsidium darüber, daß es mit Erwin Strittmatter eine weitere Zuspitzung gebe. Der Grund dafür sei ein Artikel des Stellvertretenden Ministers für Kultur, Gen. Klaus Höpcke, im ND,[7] wo bei der Aufzählung vorgesehener Buchveröffentlichungen für das Jahr 1981 Erwin Strittmatter mit dem Sammelband Aphorismen fehlte.[8]

Kant äußerte, jetzt könnte der Punkt erreicht sein, wo Erwin Strittmatter den bereits mehrfach angekündigten Austritt aus dem Vorstand des Schriftstellerverbandes der DDR spektakulär vollzieht. Aus diesem Grund habe er von Gen. Höpcke Rechenschaft gefordert, weshalb der Name Erwin Strittmatter von ihm nicht genannt wurde. Gen. Höpcke habe ihm versichert, daß seinerseits der Name Strittmatter erwähnt wurde. Offensichtlich sei der Name Strittmatters im ND gestrichen worden.[9] Kant werde sich deshalb mit Gen. Hager in Verbindung setzen, um eine Klärung herbeizuführen.

Bei dieser Gelegenheit sagte Kant wiederum besonders ironisch und zynisch, schießlich habe auch er die Erfahrung gemacht, daß er aus der Sendung des Fernsehens der DDR über die Tagung der Akademie der Künste der DDR in Rostock[10] herausgeschnitten wurde.

Auf seine Frage, weshalb er nicht im Bild gewesen sei, wurde ihm die seltsame Erklärung gegeben, eine untergeordnete Sekretärin habe festgestellt, daß die ganze Sendung zu lang geworden wäre und nur aus diesem Grund habe man Kant aus dieser Sendung herausgenommen.

Inoffiziell wurde bekannt, daß Kant einen Brief an das Mitglied des Politbüros des ZK der SED, Gen. Prof. Kurt Hager, verfaßt hat, den er z. Z. noch mit sich herumträgt und noch nicht abgeschickt hat. Zum Inhalt dieses Briefes wurde bekannt: Kant ersucht Gen. Hager um die Benennung eines Termins für ein Gespräch, um im Ergebnis dieses Gespräches einen günstigen Termin für seinen Rücktritt von der Funktion des Präsidenten des Schriftstellerverbandes der DDR festzulegen. Als Gründe seiner Rücktrittsabsicht führt Kant in diesem Brief folgende Fakten an:

– Er werde von den Medien der DDR in diskriminierender Weise behandelt. So sei ihm z. B. zugesichert worden, daß seine Rede, die er im Dezember 1980 vor dem Vorstand des Schriftstellerverbandes der DDR hielt, im Januar 1981 im «Sonntag» veröffentlicht werde. Eine Veröffentlichung im «Sonntag» erfolgte nicht.

– Der Leiter des Aufbau-Verlages, Gen. Dr. Voigt, habe im Rahmen eines Fernsehinterviews seinen Namen im Zusammenhang mit Neuerscheinungen für 1981 nicht genannt.[11] Es habe sich aber herausgestellt, daß Dr. Voigt seinen Namen nannte und das Fernsehen der DDR den Namen Kant wegließ.

Ihm sei danach zugesichert worden, daß das Fernsehen der DDR über seine Rede zur Leipziger Messe berichten werde.[12] Da[s] sei aber nicht geschehen und nur das BRD-Fernsehen habe sich für ihn interessiert.

– Auch sei er verärgert, daß das von der Leiterin der Abteilung Kultur des ZK der SED, Genossin Ursula Ragwitz, vorgeschlagene klärende Gespräch mit Gen. Prof. Koch wegen seines Interviews in der BRD-Presse[13] nicht stattfand.

Weiterhin begründet Kant die Notwendigkeit seines Rücktritts als Präsident des Schriftstellerverbandes der DDR mit seinem schlechten Gesundheitszustand und arbeitsmäßiger Überlastung.

Wie inoffiziell bekannt wurde, beabsichtigt Kant, über diesen Brief noch mit dem Sekretär des Schriftstellerverbandes der DDR, Gen. Henniger zu sprechen.

1 Hans Weber, * 14. 7. 1937, Roman- und Kinderbuchautor, von Hör-
 und Fernsehspielen, «Sprung ins Riesenrad» (1968), «Folge einem\
 Stern» (1970), «Meine Schwester Tilli» (1972).
2 Horst Beseler, * 29. 5. 1925, Erzähler, Kinder- und Jugendbuch- und
 Drehbuchautor, «Die Moorbande» (1952), «Im Garten der Königin»
 (1957), «Käuzchenkuhle» (1965), «Auf dem Fluge nach Havanna»
 (1970), «Jemand kommt» (1972).
3 Ein Leitungstreffen der Schriftstellerverbände in Moskau läßt sich für
 Frühjahr 1981 nicht nachweisen. Das 17. Leitungstreffen von Funktionären der Schriftstellerverbände aus 10 sozialistischen Ländern fand
 im Oktober 1980 in Moskau statt – Kant war neben Gerhard Henniger
 und Martin Viertel unter den Teilnehmern (ND vom 22. 10. 1980).
 Das nächste Treffen sollte laut ND vom 25. 10. 1980 in der Mongo-
 lischen Volksrepublik stattfinden. Tatsächlich fand das 18. Leitungstreffen im Januar 1982 in Ulan-Bator statt (ND vom 28. 1. 1982). Kant
 war diesmal nicht unter den Teilnehmern. Die DDR wurde in der
 Mongolei von Marianne Schmidt, Günter Ebert und Martin Viertel
 vertreten.
4 Der erste Österreichische Schriftstellerkongreß fand vom 8.–10. 3.
 1981 statt. «Die Abordnung des Schriftstellerverbandes der DDR
 wurde von seinem Vizepräsidenten Max Walter Schulz geleitet», wie
 das ND vom 10. 3. 1981 meldete. In Wien kam es zu einer Resolution,
 in der es unter Punkt 2 hieß: «Internationale Entwicklungen haben
 ein bedrohliches Klima, die Gefahr eines neuen kalten Kriegs geschaffen. Deshalb fordern wir die österreichische Bundesregierung auf:
 Stellung zu nehmen gegen die Stationierung von Neutronenbomben
 und zusätzlichen Raketen neuen Typs in Europa, da Atomwaffen
 keine Grenzen kennen, auch nicht die neutraler Staaten» (Deutsche
 Volkszeitung, 26. 3. 1981).
5 Das ND veröffentlichte am 14. 4. 1981 unter dem Titel «All unsere
 Kraft für den Sozialismus. Die Voraussetzung aller Kultur ist Frieden
 – er hat nur Bestand, wenn er verteidigt wird» eine Grußadresse der
 Akademie der Künste und der Künstlerverbände der DDR an den
 X. Parteitag der SED. Das Schreiben, das vom Akademie-Präsiden-
 ten Konrad Wolf, von Kant, von Willi Sitte, dem Präsidenten des Verbandes Bildender Künstler, von Lothar Bellag, dem Präsidenten des
 Verbandes der Film- und Fernsehschaffenden, von Ernst Hermann
 Meyer, dem Präsidenten des Verbandes der Komponisten und Musik-
 wissenschaftler, und von Wolfgang Heinz, dem Präsidenten des Ver-
 bandes der Theaterschaffenden, unterzeichnet war, wurde zwar von
 Wolf an Honecker überreicht, war aber nicht an ihn direkt adressiert,

sondern an den Parteitag als ganzen: «Nehmt, liebe Genossinnen und Genossen, den Gruß der Kulturschaffenden unseres Landes entgegen.»

6 Gemeint sind die Folgen des Autounfalls.

7 Der Artikel Höpckes im ND erschien am 12.3.1981 anläßlich der Leipziger Buchmesse unter dem Titel «Unsere Republik – ein weltoffenes Buchland».

8 Strittmatters «Selbstermunterungen» erschienen bei Aufbau.

9 Strittmatters «Selbstermunterungen» wurden im ND auch nicht rezensiert.

10 Die Tagung stand unter dem Motto «Kunst und Gesellschaft im Jahr 2000». Kant wurde auch im Bericht des ND vom 14./15.3.1981 über die Akademietagung – im Unterschied zu Stephan Hermlin, Wilhelm Girnus und Erik Neutsch – ausdrücklich nicht erwähnt.

11 Gemeint ist der Band «Zu den Unterlagen. Publizistik 1957–1980», der 1981 bei Aufbau erschien.

12 Das ND berichtete erst am 28.3.1981 in einem Messe-Artikel über «Hermann Kants Bemerkungen zur Literatur der DDR» und nannte seine Rede einen «sehr schönen und mit viel Beifall bedachten Festvortrag».

13 Gemeint ist das Interview mit Peter Pawlik im DLF vom 22.10.1980, in dem Kant Hans Kochs Angriffe auf Günter Kunert eine «impertinente Frechheit» genannt hatte.

132. Information:
Gerhard Henniger / Erich Honecker zu
Kants Rücktrittsabsichten
(ohne Datum)

HA XX/7   *Bln. d.*

Information

Am 27.3.1981 informierte der Sekretär des Schriftstellerverbandes Gen. ⟨Henniger⟩, daß er gemeinsam mit dem Mitglied des Präsidiums des Schriftstellerverband der DDR Gerhard Holtz Baumert am 26.3.81 ein Gespräch mit dem Generalsekretär des ZK d. SED Gen.

Erich Honecker hatte. Gen. ⟨Henniger⟩ informierte, daß er am 20.3.81 Gen. Honecker in einem Brief um ein dringendes Gespräch ersuchte.

Noch während seines Aufenthaltes in Moskau mit der Delegation des Schriftstellerverband der DDR erhielt er Kenntnis, daß er am 26.3.81 von Gen. Honecker zum Gespräch erwartet wird.

Zum Grund des Gesprächs teilt Gen. ⟨Henniger⟩ mit, daß ihn der gegenwärtige Zustand des Präsidenten des Schriftstellerverband der DDR Gen. Kant beunruhigte und Entscheidungen in Bezug auf die Person von Kant keinen Aufschub mehr duldeten.

Gen. ⟨Henniger⟩ informierte, daß er und Holtz Baumert Gen. Honecker darlegten, daß Kant in der letzten Zeit eine Reihe von Fehlern gemacht habe, über die man sich mit Kant auch im Präsidium des Schriftstellerverbands auseinandersetzte, so z. Bsp. über Kants Interview in der BRD Presse, wo er Gen. ⟨Prof. Koch⟩ angreift.[1] Wie Gen. ⟨Henniger⟩ weiter äußerte habe er Gen. Honecker gesagt, daß Kant zu spontanen Reaktionen neigt und Sachen macht, die politisch nicht ausgereift sind. In dieser Haltung habe Kant auch einen Brief an Gen. Hager vorbereitet, in welchen er seinen Rücktritt als Präsident des Schriftstellerverband der DDR erklärt. Bisher sei es Gen ⟨Henniger⟩ und Holtz Baumert gelungen, Kant davon abzuhalten diesen Brief abzuschicken und ihn zu veranlassen über seine Position nachzudenken. Gen. ⟨Henniger⟩ habe auch Gen. Honecker über die Gründe informiert, die Kant in seinem Brief an Gen. ⟨Hager⟩ als Begründung für seinen Rücktritt angibt. Die Gründe wurden in einer Information vom 20.3.81 dargelegt.

Gen. Honecker äußerte dazu, daß er am 27.3.81 10 h 20 ein Gespräch mit Kant führen werde.

Er werde Kant klar machen, daß er Präsident zu bleiben hat, sagte Gen. Honecker. Er teile die Einschätzung der Gen. Holtz Baumert und ⟨Henniger⟩, daß es bei Kant Sachen gibt, die politisch nicht ausgereift sind. Bei allen Mängeln müsse Kant Präsident bleiben. Auch verstehe er, daß kleine Nadelstiche bei Kant politische Auswirkungen haben. Aus diesem Grund solle Gen. ⟨Henniger⟩ in Zukunft, wenn es Probleme zu Fragen der Veröffentlichungen Kants in den Massenmedien gebe sich direkt an das Mitglied des Politbüros des ZK der SED Gen. ⟨Joachim Hermann⟩ wenden, um diese Fragen sofort kurzfristig zu klären.

Zu der Frage, daß sich Kant durch seine Nichteinladung zur Lesung von Autoren am 26.3.81 im TIP[2] diskreditiert fühle entgegnete Gen. Honecker, daß er hierfür kein Verständnis aufbringe, er verstehe überhaupt nicht, welchen Wert die Autoren einer Lesung im TIP entgegenbringen, er, wenn er Schriftsteller wäre würde dort nicht lesen, der Verband habe doch genügend Möglichkeiten eigene Lesungen zu organisieren. Darüber hinaus informierte Gen. Honecker, Gen. ⟨Henniger⟩ u. Holtz Baumert über den Inhalt des Kulturteils des X. PT.[3]

---

1 Gemeint ist das Interview im Deutschlandfunk mit Peter Pawlik vom 22.10.1980.
2 Daß Kant nicht zu einer Lesung im «TIP» (Theater im Palast der Republik) eingeladen wurde, hängt möglicherweise mit der Intendantin dieser Spielstätte zusammen: Vera Oelschlegel, seiner früheren Frau.
3 PT = Parteitag.

133. Information:
Gespräch Honeckers mit Kant
(27.3.81)

Hauptabteilung XX   Berlin, 27.3.1981

Information
über Reaktionen des Präsidenten des
Schriftstellerverbandes der DDR, Hermann KANT,
auf ein Gespräch, das der Generalsekretär
des ZK der SED, Genosse Erich Honecker,
mit ihm am 27.3.1981 geführt hat

Inoffiziell wurde bekannt, daß Hermann Kant nach seinem Gespräch am 27.3.1981 beim Generalsekretär des ZK der SED, Genossen Erich Honecker, gegenüber Mitarbeitern des Schriftstellerverbandes der DDR äußerte, dieses Gespräch habe ihn optimistisch gestimmt.

   Genosse Erich Honecker habe ihm in einer sehr sachlichen Debatte beigebracht, daß man in einer solchen politisch wichtigen Funktion

438

überhaupt nicht mit dem Gedanken spielen dürfe, zurückzutreten. Die Funktion des Präsidenten des Schriftstellerverbandes der DDR sei mit einer hohen Verantwortung verbunden und Zeuge von großem Vertrauen, das die Partei in ihn, Kant, bei der Wahrnehmung der damit verbundenen Aufgaben setze. Kant habe Genossen Erich Honecker die Gründe für seine ursprünglichen Rücktrittsabsichten genannt, wie sie auch in dem von ihm geschriebenen und nicht abgeschickten Brief an das Mitglied des Politbüros des ZK der SED, Genossen Prof. Kurt Hager, formuliert sind.

Genosse Erich Honecker habe sich einiges notiert und Kant versprochen, dies prüfen zu lassen.

Kant äußerte, er sei während des Gespräches beim Genossen Erich, Honecker zu der Einsicht gekommen, daß er Fehler begangen habe. Genossen Erich Honecker habe er das Versprechen gegeben, seine Funktion weiter auszuüben, so, wie es die Partei von ihm verlangt.

134. Information:
Kant sieht sich auf der
«Abschußliste»
(13. 4. 81)

Hauptabteilung XX/7   Berlin, 13. 4. 1981

In einem Gespräch mit dem Präsidenten des Schriftstellerverbandes der DDR, Hermann Kant, wurde einer inoffiziellen Quelle folgendes bekannt:

Hermann Kant vertritt die Auffassung, daß Partei- und Staatsführung der DDR ihm als Präsidenten des Schriftstellerverbandes mißtrauen und er auf der «Abschußliste» stehe. Er könne sehen, wohin er will, überall habe er Feinde. Er sei nur noch eine «Gallionsfigur». Am liebsten wollten Partei- und Staatsführung den Vorsitzenden des Berliner Schriftstellerverbandes, Günter Görlich, als Präsidenten des Verbandes haben, «denn dann hätte man das Niveau, das man brauche».

Im Verlauf der Rostocker Plenartagung der Akademie der Künste der DDR[1] habe Kant feststellen müssen, daß sich neben solchen «Typen» wie Dieter Noll[2] und ⟨...⟩ auch ⟨...⟩ von ihm abgewandt und ihn geschnitten hätten. ⟨...⟩ habe ihn nicht einmal begrüßt.

Daß sich Kant in einer solchen Lage «wiederfinde» sei das «Verdienst» der Partei- und Staatsführung der DDR, die ihn von vornherein nicht genügend unterstützt hätten. So habe es kommen können, daß er heute nicht als Verbandspräsident akzeptiert werde und viele sich über ihn lustig machten.[3]

---

1 Die Tagung fand vom 12.–16.3.1981 in Warnemünde statt und stand unter dem Motto «Kunst und Gesellschaft im Jahre 2000».

2 Möglicherweise ist die Formulierung «Typen» eine distanzierende Anspielung auf Dieter Nolls Brief an Erich Honecker im ND vom 22.5.1979. Darin heißt es: «Einige wenige kaputte Typen wie die Heym, Seyppel oder Schneider, die da so emsig mit dem Klassenfeind kooperieren, um sich eine billige Geltung zu verschaffen, weil sie offenbar unfähig sind, auf konstruktive Weise Resonanz und Echo bei unseren arbeitenden Menschen zu finden, repräsentieren gewiß nicht die Schriftsteller unserer Republik.»

Neben Noll nahmen als Autoren u. a. Helmut Baierl, Wilhelm Girnus, Stephan Hermlin, Erik Neutsch, Günther Rücker, Max Walter Schulz und Christa Wolf an der Akademie-Tagung teil.

3 Das Dokument ist mit einem handschriftlichen Begleitzettel versehen: *«Aufheben für eine zusammenfassende Ifo mit Reaktionen von Kant zum P[artei]T[ag].»*

135. Information:
Über eine Freundin Hermann Kants 2
(13. 5. 81)

Hauptabteilung XX/7   Berlin, 13. 5. 1981

Information

Durch eine zuverlässige inoffizielle Quelle wurde zur Mitarbeiterin der Akademie der Künste der DDR, ⟨...⟩, und dem Präsidenten des Schriftstellerverbandes der DDR, Hermann Kant, folgendes bekannt:

(...)

Die ⟨...⟩ äußerte sich empört über den Beitrag von Prof. ⟨Klaus Jarmatz⟩[1] über Hermann Kant im ND vom 23. 4. 1981. Dies sei nach ihrer Meinung kein Artikel für sondern gegen Hermann Kant. Dies sei ein billiger Ausgleich dafür, daß Kant nicht mit ins ZK der SED gewählt wurde.[2] Der Artikel wolle in Wahrheit nachweisen, daß Hermann Kant nicht Schriftsteller, sondern Publizist, Journalist sei und ihn als Präsidenten abwerten. Dies habe sie auch dem Kant offen gesagt, so daß er überlege, was er dagegen machen könne.

Schiller
Hptm.

---

1 Es handelt sich um den Artikel «Bekenntnis und streitbares Wort für die Sache der Arbeiterklasse», eine Rezension der gesammelten Publizistik Hermann Kants «Zu den Unterlagen», hg. von Leonore Krenzlin, Aufbau-Verlag 1981. Der Artikel ist im ganzen sehr positiv, lediglich am Schluß macht er eine kleine Einschränkung: «Ich gebe zu, Kants poetisches Prinzip, das in seiner Publizistik formuliert ist, stellt nur eine Möglichkeit dar, heute mit Literatur wirksam zu werden. Sie ist an Kants spezifisches Vermögen gebunden. Mich spricht dieses Prinzip jedoch besonders an, weil es einer handhabt, der, seitdem er sein Wort einsetzt, in allen wichtigen Kämpfen wirkungsvoll für uns gestritten hat, weil es in einem überzeugenden Werk von Romanen, Erzählungen und literarischer Publizistik eine unverwechselbare Gestalt gefunden hat.»

2 Kant wurde erst 1986 ins ZK der SED gewählt. Dafür wurde er 1981 Abgeordneter der Volkskammer.

136. Information:
Über erneute Rücktrittsabsichten
Hermann Kants
(6. 10. 81)

Hauptabteilung XX   Berlin, 6. 10. 1981

Information
über die gegenwärtige Haltung des Präsidenten
des Schriftstellerverbandes der DDR,
Hermann KANT

Der Sekretär des Schriftstellerverbandes der DDR, Genosse ⟨Henniger⟩, erachtete es für notwendig, das MfS über die gegenwärtige Haltung des Präsidenten des Schriftstellerverbandes der DDR, Hermann Kant, zu informieren.

Während des Aufenthaltes einer Delegation des Präsidiums des Schriftstellerverbandes der DDR zu Verhandlungen mit dem Präsidium des Schrifstellerverbandes der CSSR in Prag in der Zeit vom 28. 9. bis 29. 9. 1981 kam es zu einer Auseinandersetzung mit Kant, an der folgende Genossen beteiligt waren:

Gen. Gerhard Holtz-Baumert – Vizepräsident des SV der DDR
Gen. Günter Görlich – Mitglied des Präsidiums des SV der DDR
Gen. ⟨Gerhard Henniger⟩ – Sekretär des SV der DDR
Genn. ⟨Gisela Klauschke⟩[1] – pers. Mitarbeiterin des Gen. ⟨Henniger⟩

Gegenstand der Auseinandersetzung mit Kant war dessen sinngemäße Äußerung vor dem genannten Personenkreis, daß er als Präsident des Schriftstellerverbandes der DDR zurücktreten werde, da er offensichtlich nicht das Vertrauen der Partei genieße.

Als Gründe dafür gab Kant folgendes an:

Im Gespräch mit dem Mitglied des Politbüros des ZK der SED, Genossen Prof. Kurt Hager, welches einen Tag vor der letzten Vorstandssitzung des Schriftstellerverbandes der DDR am 23. 9. 1981 stattfand, habe ihn Genosse Hager «wie einen dummen Jungen» behandelt und geschulmeistert. Der Ton, wie Genosse Hager mit ihm gesprochen habe, sei unmöglich gewesen.

Genosse ⟨Henniger⟩ äußerte zu diesem Sachverhalt, daß er bei diesem Gespräch des Genossen Hager mit Kant zugegen war und die Behauptung von Kant einer sachlichen Grundlage entbehre.

Die inhaltliche Kritik des Genossen Hager am Referat Kants, das dieser auf der Vorstandssitzung des Schriftstellerverbandes der DDR zu halten beabsichtigte,[2] sei voll berechtigt gewesen. Sie mußte durch Genossen Hager klar und prinzipiell ausgesprochen werden, da Kant die Hinweise des Genossen ⟨Henniger⟩ zur gleichen Frage nicht berücksichtigt hatte.

So hatte Genosse Kant sein Referat für den Vorstand des Schriftstellerverbandes der DDR so aufgebaut, daß er es auch auf dem Schriftstellerkongreß der BRD halten kann.

Genosse Hager legte aus diesem Grund Kant nahe, in seinem Referat vor dem Vorstand des Schriftstellerverbandes der DDR darauf einzugehen, daß es für die Erhaltung des Friedens in Europa wichtig ist, alles zur Stärkung und Festigung der DDR und zur Verteidigung des sozialistischen Staates zu tun, da eine sichere und feste Arbeiter-und-Bauern-Macht der wichtigste Beitrag für die Erhaltung des Friedens ist.[3]

Als einen weiteren Grund des «Mi[ß]trauens» gegen seine Person wertet Kant, daß ihm durch die Leiterin der Abt. Kultur des ZK der SED, Genossin ⟨Ragwitz⟩, zugesichert worden sei, eine Einladung zur Eröffnung des Gewandhauses in Leipzig zu erhalten. Da diese Einladung zum Zeitpunkt des Gespräches noch nicht vorlag, hatte Genosse Kant Bedenken, daß er in der Zwischenzeit möglicherweise eine unerwünschte Person sei.

(Genosse Kant hat diese Einladung am 5. 10. 1981 erhalten).

Genosse Gerhard Holtz-Baumert und Genosse Günter Görlich erwiderten Kant, daß seine Gründe an den Haaren herbeigezogen sind und er schließlich bei seinem letzten Gespräch mit dem Generalsekretär des ZK der SED, Genossen Erich Honecker, gespürt haben muß, welches große Vertrauen ihm die Parteiführung entgegenbringt. Sie rieten Genossen Kant, mit derartigen Äußerungen nicht zu spielen, da er dadurch einerseits seine Glaubwürdigkeit und Persönlichkeit als Präsident untergräbt, andererseits bei vielen Genossen der Verdacht der «Fahnenflucht» des Präsidenten des Schriftstellerverbandes entsteht, der vor Schwierigkeiten kapituliert.

Wie zu diesem Sachverhalt inoffiziell noch bekannt wurde, sind u. a. als Ursache für diese Verhaltensweisen Kants zwei Probleme anzusehen.

So hat Kant die Probleme seiner Scheidung mit ⟨Vera Oelschlegel⟩ noch nicht überwunden.[4]

Andererseits übt auf Kant auch dessen Freundin, ⟨...⟩, einen negativen Einfluß aus, die in ihm ständig Zweifel an der Richtigkeit seiner Haltung weckt und ihm immer wieder zu bedenken gibt, sich als Präsident nicht mißbrauchen zu lassen.

Wie inoffiziell weiter bekannt wurde, äußerte die Mitarbeiterin der sowjetischen Literaturzeitschrift «Literaturnaja Gaseta», ⟨...⟩, gegenüber einer inoffiziellen Quelle, daß Kant ihr gegenüber geäußert habe, zum nächsten Schriftstellerkongreß der DDR nicht wieder als Präsident kandidieren zu wollen.

Genosse ⟨Henniger⟩ wird sich über die Haltung Kants mit Genossin ⟨Ragwitz⟩ beraten, da diese andeutete, daß Kant auch ihr gegenüber wieder Rücktrittsabsichten geäußert habe.

---

1 Gisela Klauschke, * 7. 4. 1932, zugleich IMS «Aline». Sie taucht u. a. in der Akte Sarah Kirsch auf.
2 Das Referat Kants findet sich im «Neuen Deutschland» vom 24. 9. 1981 abgedruckt unter dem Titel «Schriftsteller der DDR gegen NATO-Hochrüstung. Wir waren und sind zur Stelle, wenn es um den Frieden geht».
3 Möglicherweise hat Kant in sein Referat noch einige Passagen eingearbeitet, die Hagers Forderungen nachkamen. Gegen Schluß des Referats heißt es nämlich:
   «Wenn man Schriftsteller in einem sozialistischen Land ist, kommt man herum und weiß: Überlegenheitsanmaßung und nukleare Gewaltandrohung finden hier keinen Beifall, und vor allem bringen sie nichts. Sie bringen nur einen Zuwachs an Bereitschaft – auch bei uns, auch bei den Schriftstellern – sich mit allen Mitteln seiner Haut zu wehren, sich, sein Land, sein Leben und anderer Menschen Leben zu verteidi-

gen.(...) Wir sind geübt in Solidarität und Wachsamkeit, und wenn von Friedenskampf die Rede ist, dann meinen wir Frieden und meinen auch den Kampf darum, darauf können sich unsere Freunde verlassen und unsere Feinde ebenso.»

4 In ihrem Buch «Wenn das meine Mutter wüsst...» (S. 107) veröffentlicht Vera Oelschlegel einen Brief Kants an sie aus dem Juni 1975, ein Jahr vor ihrer Trennung, in dem es heißt: «Ich habe mich mit dem Gedanken nicht befreundet, sondern tief feindlich vertraut gemacht, daß ich Dich verlieren könnte, und das ist ein Denken wie an den Tod. Es ist nicht kleiner zu haben: Du bist mein Leben.»

137. Information:
Über eine Vorstandssitzung des Schriftsteller-Verbandes nach der «Berliner Begegnung» (21. 1. 82)

Hauptabteilung XX/7   Berlin, 21. Januar 1982
                                                       ti-brü

Information
zu operativ interessierenden Fragen im Zusammenhang
mit der am 20. 01. 1982 durchgeführten Sitzung
des Vorstandes des Schriftstellerverbandes der DDR

In den Räumen des Schriftstellerverbandes der DDR fand am 20. 01. 1982 in der Zeit von 10.30 Uhr bis 15.00 Uhr die turnusmäßige Sitzung des Vorstandes des Schriftstellerverbandes der DDR statt.

Thema dieser Veranstaltung waren folgende Tagesordnungspunkte:

– Bericht des Präsidiums durch den Sekretär des Schriftstellerverbandes der DDR, Gen. ⟨Henniger⟩
– zu Aspekten unserer Literatur – Referat des Vizepräsidenten des Schriftstellerverbandes der DDR, Gen. ⟨Brezan⟩
– Information für die Vorstandsmitglieder über die «Berliner Begegnung»[1] durch den Präsidenten des Schriftstellerverbandes der

445

DDR, Hermann KANT, und das Vorstandsmitglied ⟨Stephan Hermlin⟩.

Zu dieser Vorstandssitzung waren ca. 65 Vorstandsmitglieder erschienen. Die operativ-interessierenden Schriftsteller ⟨Volker Braun⟩ und ⟨Jürgen Rennert⟩ [2] waren nicht anwesend.

Gen. ⟨Henniger⟩ informierte die Anwesenden Schriftsteller im Rahmen des Berichts über die Arbeit des Präsidiums. Das Präsidium habe im Interesse der weiteren Stärkung aller Friedenskräfte einen Beschluß gefaßt, wonach im März 1982 in Berlin eine zentrale Veranstaltung des Schriftstellerverbandes der DDR unter dem Motto «Schriftsteller für den Frieden» [3] durchgeführt wird. Da an dieser zentralen Veranstaltung nicht alle Mitglieder des Schriftstellerverbandes teilnehmen können, aber jeder mit in diese Friedensinitiative mit einbezogen werden soll, wurde empfohlen, in den Bezirken ebenfalls derartige Veranstaltungen zu organisieren. Dieser Beschluß des Präsidiums fand die Zustimmung aller Anwesenden.

Die Ausführungen zum Tagesordnungspunkt 2. durch ⟨Iuri Brezan⟩ fanden allgemein Zustimmung. Sie waren parteilich und gingen von einem klaren Klassenstandpunkt aus.

In seinen Ausführungen zur «Berliner Begegnung» betonte Hermann Kant, daß es in der DDR nur einen einzigen Mann gebe, der eine derartige wichtige und bedeutsame Veranstaltung mit solch international profilierten Leuten durchzuführen in der Lage war: Das sei ⟨Stephan Hermlin⟩. Nur ein so renommierter Friedenskämpfer wie ⟨Hermlin⟩ habe mit Erfolg international bekannte Kapazitäten für diese Veranstaltung einladen können.

In diesem Zusammenhang erwähnte Kant, daß der Vorschlag zu dieser Begegnung, die ein Erfolg für die DDR wurde, durch den Generalsekretär des ZK der SED, Gen. Erich Honecker, ausdrücklich gebilligt und unterstützt wurde.

Kant äußerte weiter, daß es natürlich im Schriftstellerverband der DDR wegen dieser Veranstaltungen zahlreiche Verärgerungen gebe, weil sich viele benachteiligt fühlten, die nicht eingeladen wurden. Aber man könne zu einer solchen Veranstaltung nicht alle einladen.

Weitere Verärgerungen habe es darüber gegeben, daß Leute eingeladen wurden, die vor Jahren aus dem Schriftstellerverband der DDR ausgeschlossen werden mußten. Wenn es aber um den Frieden gehe, äußerte Kant weiter, müsse man auch «Kröten fressen können».

Danach sprach ⟨Stephan Hermlin⟩. ⟨Hermlin⟩ äußerte sich, daß der Vorschlag zu dieser Veranstaltung von ihm kam. Angesichts der immer stärkeren Bedrohung des Friedens und der zunehmenden Aggressivität imperialistischer Kreise sei er zu der Einsicht gekommen, etwas mehr als bisher für die Erhaltung des Friedens zu tun. Da sein Vorschlag die Zustimmung der Partei fand, wurden die Akademie der Künste der DDR und die Akademie der Wissenschaften für dieses Vorhaben mit verantwortlich gemacht.

⟨Hermlin⟩ ging auf die Frage des Teilnehmerkreises ein und erklärte, daß natürlich noch weitaus mehr Schriftsteller hätten eingeladen werden können. Aber es sei beabsichtigt gewesen, den Teilnehmerkreis zu beschränken und nicht zu umfangreich werden zu lassen. Bezüglich der Teilnehmerauswahl habe ein Beschluß der Akademie der Künste der DDR vorgelegen, wonach alle Mitglieder der Sektion «Literatur und Sprachpflege» der Akademie einzuladen sind. Mit dieser Festlegung sei die Frage der Teilnehmer größtenteils bereits entschieden gewesen.

Im Zusammenhang mit der Auswahl der Teilnehmer sei auch an den bevorstehenden Besuch von ⟨Helmut Schmidt⟩[4] in der DDR gedacht worden. Es sei doch klar, daß Gen. Honecker und Bundeskanzler ⟨Schmidt⟩ in vielen Fragen nicht übereinstimmen, aber im Interesse der Erhaltung des Friedens in Europa das Gespräch miteinander suchten.

Die «Berliner Begegnung» sollte die Möglichkeit bieten, mit Leuten zu sprechen, die nicht unserer Auffassung sind, um nach Wegen der Erhaltung des Friedens zu suchen. Aus diesem Grund habe er auch Leute eingeladen, die von uns weg nach dem Westen gegangen sind. Auch wolle er darauf aufmerksam machen, daß diese «Berliner Begegnung» von Beginn ihrer Organisierung an dem Druck und den Angriffen feindlicher und reaktionärer Kräfte in der BRD – einschließlich deren Medien – ausgesetzt war. Es sei versucht worden, Teilnehmer dieser Tagung wie ⟨Jurek Becker⟩ und ⟨Thomas Brasch⟩[5] unter Druck zu setzen und sie zu veranlassen, dieser «Berliner Begegnung» fernzubleiben.

Er rechne es deshalb beiden hoch an, daß sie ihre Teilnahme nicht zurückzogen.

Im Hinblick auf die letzten Reaktionen reaktionärer westlicher Politiker befürchte er, daß diese «Berliner Begegnung» in Frage gestellt

447

werde und dieser Weg möglicherweise nicht weiter gangbar ist. Es komme aber darauf an, mit Schriftstellern der NATO-Länder, insbesondere der BRD, in Sachen Frieden weiter im Gespräch zu bleiben.

Das solle natürlich nicht zu Gemeinsamkeiten führen, die außerhalb eines noch nicht bestehenden Kulturabkommens zwischen der DDR und der BRD, gewissermaßen als gesamtdeutsche Aktivitäten, angesehen werden können.

Es komme aber darauf an, alle Gemeinsamkeiten, die im Kampf um den Frieden möglich sind und die Friedenskräfte stärken, zu beschließen und zu nutzen.

In der anschließenden Diskussion sprachen die Schriftsteller ⟨Uwe Berger⟩[6], ⟨Helmut Baierl⟩[7], ⟨Heinz Knobloch⟩[8], ⟨Hanna-Heide Kraze⟩[9], ⟨Klaus Küchenmeister⟩[10], ⟨Willi Meinck⟩[11], Ioachim Nowotny[12], ⟨Schulz⟩, ⟨...⟩, ⟨...⟩ und ⟨Wogatzki⟩.

Die Schriftsteller ⟨...⟩, ⟨Uwe Berger⟩, ⟨Willi Meinck⟩, ⟨Hanna-Heide Kraze⟩, ⟨Klaus Küchenmeister⟩, Prof. ⟨Sommer⟩ und setzten sich mit Problemen der Widerspiegelung der Wirklichkeit in der Literatur, des Klassenstandpunktes des Schriftstellers bei der Gestaltung der Wirklichkeit, der Frage der Parteilichkeit als leninistische Definition, der künstlerischen Methode in der Literatur, der Verantwortung des Schriftstellers und seines Engagements für den Frieden auseinander.

Der Schriftsteller ⟨Heinz Knobloch⟩ machte darauf aufmerksam, daß wir 1987 ein Jubiläum, 750 Jahre Berlin, haben.

1937 sei das letzte Jubiläum gefeiert worden.

Es komme daher jetzt darauf an, daß Schriftsteller parteilich zur Geschichte Berlins schreiben und damit einen anderen Geist verbreiten als 1937.

Nach Einschätzungen mehrerer inoffizieller Quellen waren nachfolgende Diskussionsbeiträge politisch-ideologisch zwiespältig und unklar.

⟨Helmut Baierl⟩ äußerte u. a., nachdem er sich von der Haltung ⟨Thomas Braschs⟩ distanzierte, zur Geschichte der DDR-Dramatik folgendes: Er, ⟨Baierl⟩, und ⟨Heiner Müller⟩ hätten in den 50er bzw. Anfang der 60er Jahre sehr parteiliche Theaterstücke geschrieben. In dieser Zeit sei die DDR auf diesem Gebiet führend im ganzen sozialistischen Lager gewesen. Durch die Kulturpolitik der DDR sei diese progressive Entwicklung abgebrochen worden und Dramatiker und Autoren wie ⟨Heiner Müller⟩ hätten sich in die «innere Emigration» zurückgezogen. Seit dieser Zeit schreibe ⟨Müller⟩ im wesentlichen nur Stücke über Probleme und Stoffe aus der Antike.

Diese Politik habe dazu geführt, daß heute ein Zustand erreicht ist, der ein Gespräch mit dem literarischen Nachwuchs nur noch ermöglicht, wenn man sich als Autor der Kategorie des Widerspruchs zur offiziellen Politik bezeichne. In einer anderen Form werde man von diesen jungen Leuten überhaupt nicht akzeptiert. Es komme darauf an, daß dieser sehr ernste Zustand endlich einmal zur Kenntnis genommen und begriffen wird.

Prof. ⟨Max Walter Schulz⟩ äußerte, auf ⟨Juri Brezan⟩ eingehend, daß man seiner Erfahrung zufolge mit jungen Autoren überhaupt nicht über solche Probleme wie die Würde des Menschen reden könne. Wenn man bei diesen Leuten das Problem Menschenwürde erwähne, sagen sie, daß man sie damit in Ruhe lassen solle. Er sehe die Frage der Würde der Schriftsteller darin, das Schicksal anderer mit zu erleiden.

Prof. ⟨Schulz⟩ wurde durch ⟨Benito Wogatzki⟩ und Prof. ⟨Sommer⟩ parteilich widersprochen.

⟨Joachim Nowotny⟩ brachte u. a. zum Ausdruck, daß es richtig sei, über Probleme der Nachwuchsförderung zu sprechen. Einerseits verlangen wir von den jungen Autoren, daß sie parteilich schreiben und in diesem Sinne handeln.

Er verstehe nicht, wie dies im Zusammenhang mit der «Berliner Begegnung», von der Wirkungen auf diese jungen Leute ausgehen, zu sehen ist. Diese jungen Leute sehen doch ihre «Würde» darin, gegen den Sozialismus zu schreiben. Wenn das, was sie schreiben, noch große Literatur wäre, gebe es eigentlich kaum etwas einzuwenden. Aber gerade das sei es nicht, sondern sie reflektieren nur darauf, sich selbst in Szene zu setzen und widerzuspiegeln.

Er befürchte, daß diese Leute in ihrer Haltung oder zumindest teilweise durch die «Berliner Begegnung» bestärkt werden konnten.

Wie durch mehrere inoffizielle Quellen übereinstimmend berichtet wurde, äußerten sich eine Vielzahl von Vorstandsmitgliedern im individuellen Gespräch entsetzt und empört über die Ausführungen des Präsidenten des Schriftstellerverbandes der DDR, Hermann Kant.

Sie vertraten die Auffassung, daß sich Kant bei ⟨Hermlin⟩ auf eine penetrante Weise «angeschmiert» und in Szene gesetzt habe. In seiner politischen Aussage sei er verwaschen unklar und von der Sprache intellektuell versponnen wie immer gewesen.

Im Gegensatz dazu habe ⟨Hermlin⟩ mit seinen Darlegungen eine bestimmte Haltung und auch einen Standpunkt erkennen lassen.

Unter dem Gesichtspunkt, daß Kant die besondere Unterstützung des Generalsekretärs des ZK der SED, Genossen Honecker, und dessen Wertschätzung für die «Berliner Begegnung» hervorhob, sei es wohl zwecklos, Bedenken und Einwände zur «Berliner Begegnung» geltend zu machen.

In diesem Sinne äußerten sich z. B. ⟨Klaus Küchenmeister⟩, ⟨Reiner Kerndl⟩, ⟨Juri Brezan⟩, ⟨Wolfgang Joho⟩, ⟨Heinz Knobloch⟩.

---

1 Die von Stephan Hermlin organisierte «Berliner Begegnung zur Friedensförderung» fand am 13./14. 12. 1981 statt. Das Protokoll mit dem vollständigen Text aller Beiträge aus Ost und West wurde für die Bundesrepublik vom Luchterhand-Verlag (1982) publiziert.

2 Jürgen Rennert, * 12. 3. 1943, Lyriker, Erzähler, «Poesiealbum 75» (1973), «Märkische Depeschen» (1976), «Ungereimte Prosa» (1977).

3 Die Veranstaltung «Schriftsteller für den Frieden» fand am 23. 3. 1982 in der Kongreßhalle am Alexanderplatz in Ost-Berlin statt. Daran beteiligt waren laut Bericht im «Tagesspiegel» vom 25. 3. 1982 Benito Wogatzki («der in seiner Geschichte ohne größere Umschweife den Übergang vom Misthaufen zu NATO-Raketen fand»), Stephan Hermlin, der «ein Gedicht aus dem Jahr 1957» vorlas, Volker Braun, der sich mit dem Prometheus-Thema beschäftigte, Henry-Martin Klemt, der in der Uniform der NVA sich gegen das Umschmieden von Waffen zu Pflugscharen wandte («Das Werkzeug zur Waffe zu erheben, erschiene ihm überzeugender») und Hermann Kant, der einen Text «über die Rolle des Plattdeutschen in seinem Leben und bei seinem Schreiben» vortrug und «zu Beginn immerhin angedeutet» hatte, «daß das Thema Friedenssicherung differenzierter Behandlung bedürfe, als er davon sprach, daß man dem Krieg nur entkommen könne, wenn alle die Zurüstung auf ihn verminderten».

4 Ein Besuch Helmut Schmidts in der DDR fand im Frühjahr 1982 nicht statt. Vom 11. bis 13. Dezember 1981 hatte er am Werbellin-See Gespräche mit Honecker geführt.

5 Thomas Brasch, * 19. 2. 1945, Lyriker, Erzähler, Dramatiker, Drehbuchautor, im Dezember 1976 nach Unterzeichnung der Protestreso-

lution für Wolf Biermann aus Ost- nach West-Berlin übersiedelt. «Poesiealbum 89» (1975), «Vor den Vätern sterben die Söhne» (1977), «Kargo. 32. Versuch auf einem untergehenden Schiff aus der eigenen Haut zu kommen» (1977), «Rotter Und weiter Ein Tagebuch, Ein Stück, Eine Aufführung» (1978), «Der schöne 27. September» (1980).

6 Uwe Berger, *29. 9. 1928, Lyriker, Essayist, Erzähler (IM «Uwe»), «Der Dorn in dir» (1958), «Der Erde Herz» (1960), «Mittagsland» (1965), «Bilder der Verwandlung» (1971).

7 Helmut Baierl, *23. 12. 1926, Dramatiker, Filmautor, «Die Feststellung» (1958), «Frau Flinz» (1961), «Johanna von Döbeln» (1964), «Unterwegs zu Lenin» (1970).

8 Heinz Knobloch, *3. 3. 1926, Feuilletonist, Erzähler, «Herztöne und Zimmermannssplitter» (1962), «Die guten Sitten» (1964), «Bloß wegen der Liebe» (1971), «Herr Moses in Berlin» (1979).

9 Hanna-Heide Kraze, *22. 9. 1920, Erzählerin, Lyrikerin, «Weiß wird die Welt zur Ernte» (1959), «Heimliche Briefe» (1960), «Üb immer Treu und Redlichkeit» (1965).

10 Entweder Klaus Küchenmeister, *7. 9. 1930, Dramatiker, Film- und Hörspielautor, Kinderbuchautor («Die Stunde Null», 1964, «Wer bürgt für Deutschland?», 1962, «Aus dem Leben eines Taugenichts», Drehbuch nach Eichendorff, 1973)
oder
Wera Küchenmeister, *18. 10. 1929, Erzählerin, Film- und Kinderbuchautorin («Damals 18/19», 1958, «Sie nannten ihn Amigo», 1959, «Die Stadt aus Spaß», 1966, «KLK an PTX – Die Rote Kapelle», 1971).

11 Willi Meinck, *1. 4. 1914, Prosaist, Jugendbuchautor, «Der Herbststurm fegt durch Hamburg» (1954), «Das verborgene Licht» (1959), «Das zweite Leben» (1961), «Die schöne Madana» (1974).

12 Joachim Nowotny, *16. 6. 1933, Erzähler, Kinderbuch- und Hörspielautor, «Hochwasser im Dorf» (1963), «Labyrinth ohne Schrecken» (1967), «Sonntag unter Leuten» (1972).

138. Information:
Aktivitäten zur Fortsetzung der
«Berliner Begegnung»
(29. 1. 82)

Hauptabteilung XX/7   Berlin, 29. Januar 1982
                                              ti-ta

Information
über Aktivitäten im Zusammenhang mit der beabsichtigten
Fortsetzung der «Berliner Begegnung» im März 1982
in Rotterdam/Niederlande

Durch den Sekretär des Schriftstellerverbandes der DDR, Genossen ⟨Gerhard Henniger⟩, wurde am 28. 1. 1982 zum obengenannten Sachverhalt folgendes mitgeteilt:

Zur Gewährleistung einer den Interessen der DDR nützenden Vorbereitung und Durchführung der als Fortsetzung der «Berliner Begegnung» gedachten erneuten Zusammenkunft von Schriftstellern in Rotterdam/Niederlande,[1] erhielt der Präsident des Schriftstellerverbandes der DDR, Hermann KANT, von der Partei den Auftrag, den Vorsitzenden des BRD-Schriftstellerverbandes, ⟨Bernt Engelmann⟩[2], und dessen Ehefrau in die DDR einzuladen. KANT wollte demzufolge in der vergangenen Woche ein Telefongespräch mit ⟨Engelmann⟩ führen, erreichte aber nur dessen Ehefrau, die er bat, ihrem Mann auszurichten, bei KANT zurückzurufen.

⟨Bernt Engelmann⟩ meldete sich jedoch nicht bei KANT, sondern bei ⟨Stephan Hermlin⟩. Er teilte mit, daß die geplante weitere Zusammenkunft von Schriftstellern Ende März 1982 in Rotterdam/Niederlande stattfinden soll. Den Hauptteil der organisatorischen Arbeit für diese Veranstaltung trägt der BRD-Schriftstellerverband in Abstimmung mit dem Schriftstellerverband der Niederlande.

Angaben ⟨Engelmanns⟩ zufolge sollen zu dieser Veranstaltung ca. 20[3] Schriftsteller aus der DDR eingeladen werden. Über den Anruf ⟨Engelmanns⟩ informierte ⟨Hermlin⟩ am 27. 1. 1982 Hermann KANT, der diese Tatsache als Affront ⟨Engelmanns⟩ gegen ihn, KANT, und dem Schriftstellerverband der DDR wertete.

Nach Auffassung des Genossen ⟨Henniger⟩, der sich mit der Leiterin der Abteilung Kultur des ZK der SED, Genossin ⟨Ursula Ragwitz⟩, konsultierte, sind seitens des BRD-Schriftstellerverbandes Bemühungen im Gange, den Schriftstellerverband der DDR als Partner für die Veranstaltung im März 1982 in Rotterdam auszuschalten und durch gezielte Einladungen eine DDR-Delegation zu diesem Treffen «zusammenzustellen», der fast ausschließlich feindlich-negative Schriftsteller angehören. (…)

Genosse ⟨Henniger⟩ äußerte weiterhin die Befürchtung, daß in Rotterdam weilende negative DDR-Schriftsteller im Zusammenhang mit der Lage in der VR Polen[4] antisozialistische Erklärungen abgeben und mit solchen und ähnlichen Aktivitäten die von der «Berliner Begegnung» ausgehende Friedensbewegung gespalten wird.

Aus diesem Grunde wurde durch die Genossin ⟨Ursula Ragwitz⟩ der Vorschlag unterbreitet, daß KANT und Genosse ⟨Henniger⟩ zu ⟨Bernt Engelmann⟩ in die BRD fahren. Da KANT das aus den bereits geschilderten Gründen ablehnte, soll Genosse ⟨Henniger⟩ allein fahren.

Genosse ⟨Henniger⟩ soll dabei im Gespräch mit ⟨Engelmann⟩ folgende Fragen behandeln:

1. Prüfen, ob die Initiative für die gegenwärtige Entwicklung der Vorbereitungsmaßnahmen für Rotterdam wirklich von ⟨Engelmann⟩ ausgeht oder ob dieser von anderen Kräften bedrängt wird.
2. ⟨Engelmann⟩ aufmerksam machen, welche Gefahren für seinen «Friedensappell der Schriftsteller Europas» erwachsen, wenn er böswilligen Kräften in Rotterdam die Initiative überläßt.
3. ⟨Engelmann⟩ darauf hinzuweisen, sich nicht zum «Laufburschen» von ⟨Heym⟩ und anderen zu machen, sondern die von ihm mit initiierte Friedensbewegung durch neue Initiativen und Aktionen im Sinne eines wirklichen Fortschritts noch attraktiver zu machen.

---

1 Die Tagung fand in Den Haag bzw. Scheveningen vom 24.–26. 5. 1982 statt.
2 Bernt Engelmann, * 20. 1. 1921, Journalist und Schriftsteller, von 1977 bis 1984. Vorsitzender des Schriftstellerverbands der Bundesrepublik (VS), «Meine Freunde – die Millionäre» (1963), «Meine Freunde – die Waffenhändler» (1963), «Meine Freunde – die Manager» (1966),

«Deutschland ohne Juden – eine Bilanz» (1970), «Großes Bundesverdienstkreuz» (1974), «Wie wir wurden, was wir sind» (1980), «Weißbuch: Frieden» (1982).

3 Teilnehmer aus der DDR waren u. a. Jurek Becker, Günther de Bruyn, Gerhard Henniger, Stephan Hermlin, Stefan Heym, Hermann Kant, Erik Neutsch, Benito Wogatzki, Christa Wolf, Gerhard Wolf.
   Vgl. dazu einen Vermerk der HA XX vom 5. 5. 1982 (Brosche): «In Abstimmung mit zentraler Stelle wurde verbindlich entschieden, daß am obengenannten Treffen folgende Schriftsteller teilnehmen: Jurij Brezan, Peter Edel, Günter Görlich, Stephan Hermlin, Gerhard Henniger, Gerhard Holtz-Baumert, Hermann Kant, Wolfgang Kohlhaase, Rudi Strahl, Christa Wolf.»

4 Tatsächlich kam es in Scheveningen zu einer Auseinandersetzung zwischen Ost und West, weil Günter Grass verlangte, es solle etwas «für die polnischen Kollegen getan werden, die nicht nach Den Haag hätten kommen können, weil sie in Lagern oder sonstwo festsäßen. Den Vorschlag von Grass hielt keineswegs jeder für angebracht. Die Fraktion der aufrechten DDR-Sozialisten, Hermann Kant, Erik Neutsch und Benito Wogatzki, mauerte stumm und drohend. Daraufhin Grass: ‹Ich bin beschämt und betroffen, daß unsere Solidarität nicht so weit reicht, die Unterdrückung von Kollegen in Polen und in der UdSSR zu benennen›» (s. «Unfriedlich zum Frieden. Die Friedenskonferenz der Schriftsteller in Den Haag» von Ulrich Greiner. In: ZEIT vom 4. 6. 1982).

139. Information:
Reaktion «parteitreuer» Schriftsteller
auf die «Berliner Begegnung»
(16. 2. 82)

Hauptabteilung XX   Berlin, 16. 2. 1982

Information
zur gegenwärtigen Situation im Schriftstellerverband
der DDR

Der IME «Uwe»[1] machte beim Treff darauf aufmerksam, daß sich unter den Mitgliedern des Schriftstellerverbandes der DDR eine starke Unzufriedenheit bemerkbar mache und auf immer mehr Mitglieder des Verbandes übergreife.

Durch die sich gegenwärtig verbreitende Unzufriedenheit wird es immer komplizierter, die wirkliche politisch-ideologische Situation einzuschätzen. So gewann die inoffizielle Quelle aus Gesprächen mit Berufskollegen den Eindruck, daß es indirekt zu einer gewissen Polarisierung der Kräfte unter den Schriftstellern kommt.

Auf der einen Seite stehen Schriftsteller, die bisher stets in komplizierten politischen Situationen und politisch-ideologischen Auseinandersetzungen, die Interessen der Partei offensiv vertraten. Diese Autoren haben das Gefühl, gegenwärtig – daß sie aufgrund ihrer bisherigen klaren politischen Haltung – von der Parteiführung nicht mehr die nötige Beachtung und den Rückenhalt erhalten, sondern sich die Parteiführung mehr für ehemalige Oppositionelle, wie z. B. ⟨Stephan Hermlin⟩, ⟨Christa Wolf⟩ u. a. interessiere, da deren «Wort» jetzt für den Friedenskampf bedeutsamer sei, als daß ihre. Nach Einschätzung der inoffiziellen Quelle zählen zu diesen Genossen Schriftsteller, u. a. ⟨Peter Edel⟩[2], ⟨Rainer Kerndl⟩, ⟨Henryk Keisch⟩, ⟨Wera⟩ und ⟨Klaus Küchenmeister⟩. In Gesprächen mit diesen Autoren äußerten sie resigniert, daß sie sich an die Wand gedrückt vorkommen.

Darüber hinaus artikulierten sie ihren Unwillen gegenüber dem Präsidenten des Schriftstellerverbandes der DDR, Hermann Kant. Sie sind der Auffassung, daß sich Hermann Kant zu wenig um die Interessen und Probleme der Mitglieder kümmere und einem echten parteilichen Meinungsstreit ausweiche. So vermied es Kant in letzter Zeit, mit einfachen Worten eine klare politische und parteiliche Stellungnahme zu aktuellen Problemen abzugeben. Alle seine Reden seien intellektuell geschraubt und verwaschen. Es mache sich ein stärkeres Anbieten Kants bei ⟨Hermlin⟩ und ein Einschwenken auf dessen Haltung deutlich. Als Beweis, daß Kant nicht bereit sei, mit bewährten Genossen Schriftstellern ein offenes Wort zu sprechen, wird sein Auftreten in verschiedenen Veranstaltungen des Schriftstellerverbandes der DDR zur «Berliner Begegnung» gewertet.

So stellte Kant bei seinen Ausführungen stets zu Beginn die Feststellung voran, daß das Verdienst ⟨Hermlins⟩ um diese «Berliner Begegnung» auch vom Generalsekretär des ZK der SED, Genossen Erich Honecker, persönlich geschätzt werde.[3] Damit, äußerte z. B. ⟨Peter Edel⟩ und ⟨Klaus Küchenmeister⟩, seien alle Meinungen und Probleme, die andere Autoren im Zusammenhang mit dieser Veranstaltung bewegten und auf die sie eine deutliche Antwort der Partei erwartet haben, auf elegante Weise unterdrückt worden. Denn welcher dieser disziplinierten Genossen sollte es noch wagen, Bedenken und Probleme öffentlich zu äußern, wenn der Generalsekretär des ZK der SED, Gen. Erich Honecker, diese Veranstaltung als einen Erfolg wertet. Es gibt schließlich ein Statut und eine Parteidisziplin. Nur geklärt werden damit diese Fragen nicht, denn das provokative Auftreten einiger oppositioneller Kräfte um ⟨Stefan Heym⟩ und ⟨Günther de Bruyn⟩ sei doch als Aufforderung zu werten, in der DDR eine pazifistisch-oppositionelle Bewegung ins Leben zu rufen. Wie wollen wir zukünftig derartigen Bestrebungen begegnen, fragen sich die vorgenannten Autoren.

Auf der anderen Seite stehen Autoren wie ⟨Franz Fühmann⟩, ⟨Christa Wolf⟩, ⟨Günter de Bruyn⟩, ⟨Volker Braun⟩ u. a., welche von einer schwer zu bestimmenden Anzahl von stillen Sympathisanten umgeben sind, die aus verschiedenen Motiven verärgert bzw. politisch-ideologisch schwankend sind.

Das sind Autoren, die sich je nach Entwicklung des Kräfteverhältnisses von der einen auf die andere Seite schlagen. Gefährlicher aber ist noch nach Einschätzung der Quelle, daß sie, wie z. B. ⟨Franz Fühmann⟩, als eine Art Leitbilder oder Förderer junger sich mit Schreiben befassender Personen wie ⟨Uwe Kolbe⟩[4], ⟨Sascha Anderson⟩[5] usw. auftreten.

456

Der Schriftsteller ⟨Horst-Ulrich Wendler⟩[6], Bezirksverband Berlin, äußerte, daß seiner Einschätzung zufolge die Unzufriedenheit und Unstimmigkeiten seit der «Berliner Begegnung» in einem derartigen Maße zugenommen haben, daß er glaube, mit ruhigem Gewissen behaupten zu können: «Wenn er sich als Schriftsteller hinstellen würde und verkünde, daß er einen zweiten Schriftstellerverband in der DDR zu gründen beabsichtige, der sich damit befassen wird, die wirklichen Interessen und Probleme der Autoren zu vertreten und zu diskutieren.» Ihm würden zwei Drittel der Mitglieder des jetzigen Schriftstellerverbandes zulaufen. Zum besseren Verständnis betonte er, er meine keinen Schriftstellerverband im Sinne von ⟨Heym⟩, sondern einen Schriftstellerverband, der sich auf der Grundlage der Politik unserer Partei und Staates bewege, aber mit den Problemen der Mehrzahl der Schriftsteller und nicht einiger «Auserwählter» befasse.

Seiner Einschätzung zufolge trägt Hermann Kant einen großen Teil der Schuld an den derzeitigen Zustand im Verband selbst. Das Ansehen, was er bei der Übernahme der Funktion des Präsidenten hatte bzw. das Vertrauen, was ihm entgegengebracht wurde, hat er nicht ausgebaut, sondern durch seine persönliche Art und Umgangsweise mit Autoren, die keinen Namen wie ⟨Hermlin⟩ oder ⟨Strittmatter⟩ tragen, verschenkt. Er sei der Ansicht, daß Kant keine Persönlichkeit im Sinne der politisch-ideologischen Einflußnahme und des Gespräches ist. Mit abfälligen Bemerkungen persönlicher Art oder über das Werk eines Autors bzw. dessen «Nichtbeachtung» stößt er die Schriftsteller vor dem Kopf, anstatt daß er sie gewinnt.

In bezug auf den Sekretär des Schriftstellerverbandes ⟨Henniger⟩ verschlechtere sich seine Meinung immer mehr. Er beobachte seit langem, daß sich der Sekretär ⟨Henniger⟩ im wesentlichen nur um die Probleme des Präsidenten und der anderen Präsidiumsmitglieder kümmere, aber für persönliche Gespräche mit Autoren kaum noch Zeit habe.

---

1 Bei dem IME Uwe (IME = Inoffizieller Mitarbeiter für einen besonderen Einsatz) handelt es sich um den Schriftsteller Uwe Berger, *29.9. 1928.
2 Peter Edel, *12.7. 1921, †8.5. 1983, Romancier, Essayist und Kriti-

ker, «Schwester der Nacht» (1974), «Die Bilder des Zeugen Schattmann» (1972).

3 S. die «Information» vom 21. 1. 1982.

4 Uwe Kolbe, * 17. 10. 1957, Lyriker. Seinen ersten Gedichtband «Hineingeboren. Gedichte 1975–1979» (Aufbau 1980) versah Franz Fühmann mit einer «Nachbemerkung».

5 Sascha Anderson, * 24. 8. 1953, Lyriker, IM «David Menzer», «Fritz Müller», «Peters».

6 Horst-Ulrich Wendler, * 5. 3. 1926, Dramatiker, Hörspiel- und Fernsehautor, «Der Fall Merzbach» (1952), «Don Quijote oder Das Gastspiel auf dem Lande» (1963), «Kirschen in Nachbars Garten» (1973).

140. Information:
Hermann Kant und andere zur
Friedensbewegung in der DDR
(5. 3. 82)

5. 3. 1982

über Meinungen und Reaktionen von Mitgliedern des Schriftstellerverbandes der DDR zu Fragen der Friedensbewegung in der DDR

Während der Diskussion in der Wahlversammlung der APO I[1] des Schriftstellerverbandes der DDR am 1. 3. 1982 wurden inoffiziell folgende politisch-operativ interessierende Meinungen zur obengenannten Problematik festgestellt:

Die Genn. ⟨...⟩ (Übersetzerin – bisher politisch-operativ nicht in Erscheinung getreten) erwähnte in ihrem Diskussionsbeitrag, daß sie kürzlich Besuch von einem chilenischen Genossen hatte. Dieser Chilene habe die Auffassung vertreten, in der DDR sei die Friedensbewegung nicht spontan genug. Sie komme zu wenig aus dem inneren Bedürfnis der Menschen bei uns, etwas für den Frieden zu tun.

Die Schriftstellerin ⟨Charlotte Wasser⟩[2] ging in ihrem Beitrag auf die Ausführungen der ⟨...⟩ ein und äußerte, in der DDR dürfe sich das Volk im Sinne der Durchführung von Friedensdemonstrationen nicht rühren. Das werde völlig der Kirche überlassen. Da sie spüre, daß die Partei in den Friedensangelegenheiten schweige und nichts mehr tue, dürfe man Entscheidungen darüber nicht mehr allein der Parteiführung überlassen. Die Wasser hoffe, daß die Parteiführung endlich eine Konzeption für den Friedenskampf in der DDR ausarbeite.

Danach sprach der Präsident des Schriftstellerverbandes der DDR, Hermann Kant. Seiner Auffassung nach sei bei uns in der DDR zu wenig Spontanität und in Chile zu viel. Kant forderte dazu auf, mehr auf die Meinung der Jugend zu achten, die spontan handeln wolle.

Wörtlich äußerte Kant weiter: «Knallpunkt der gegenwärtigen Diskussion ist, immer wieder mal das verkrustete Bett zerreißen und Platz schaffen für Spontanitäten.»

Der Schriftsteller ⟨Wolfgang Kohlhase⟩ vertrat die Auffassung, in der DDR laufe die Politik Gefahr, leer zu werden. Wir müßten die Gefahr erkennen, daß unser Gesellschaftssystem auf Außenstehende zu geschlossen wirkt, daß wir uns immer nur selbst befriedigen und nicht mehr die Gedanken anderer aufnehmen können.

Selbst wenn es um den Frieden geht, bevorzugten wir in der DDR nur routinehafte Formen, anstatt uns vom Impuls des Volkes leiten zu lassen. Diese Formen machten stumpf. Auf jeden Fall sollte nach Meinung Kohlhases als erstes die Routine in der DDR in Frage gestellt werden, auch dann, wenn sie uns sehr teuer ist.

Der Schriftsteller ⟨Stephan Hermlin⟩, der ebenfalls zur APO I des Schriftstellerverbandes der DDR gehört, nahm an der Wahlversammlung nicht teil. Er speiste die Partei mit dem als Entschuldigung gedachten Hinweis ab, daß an diesem Tage Mitarbeiter des französischen Fernsehens bei ihm seien.

---

1 APO = Abteilungsparteiorganisation.
2 Charlotte Wasser, *Breslau, Literaturwissenschaftlerin, Lektorin im Schriftstellerverband und im Jugendbuchverlag «Neues Leben», ab 1960 freischaffend, schrieb Porträts von Picasso, Chagall, Dalí u. a.

141. Information: Zur Lage im Präsidium des Schriftstellerverbandes (22. 3. 82)

22. März 1982

zur Lage im Präsidium des Schriftstellerverbandes der DDR

Nach einer fast dreijährigen Arbeitsperiode des auf dem VIII. Schriftstellerkongresses der DDR gewählten Präsidiums des Schriftstellerverbandes der DDR (SV) ergibt sich folgende Situation.

In den ersten vier bis sechs Monaten nach der Wahl des Präsidiums herrschte im Kollektiv dieses Gremiums die Erwartung, daß der Verbandspräsident, Hermann KANT, sich um eine konstruktive Arbeit mit allen Präsidiumsmitgliedern bemühen würde. Die zu dem damaligen Zeitpunkt anzutreffende persönliche Haltung der einzelnen Präsidiumsmitglieder kam dieser Erwartung entgegen. Es gab ausnahmslos bei allen Präsidiumsmitgliedern eine ausgesprochene Bereitschaft, den Präsidenten des Verbandes, Hermann KANT, bei der Lösung seiner komplizierten Aufgaben in allen Situationen zu helfen. Diese Haltung der einzelnen Präsidiumsmitglieder wurde vom Präsidenten nicht immer in der notwendigen Weise beachtet.

So wurde den Mitgliedern des Präsidiums bekannt, daß H. KANT einseitig in Konfliktsituationen die Absicht geäußert hat, seine Funktion als Präsident niederzulegen und er von diesem Schritt nur durch persönliche Einflußnahme des Generalsekretärs des ZK der SED, Gen. Erich Honecker, von der Realisierung dieser Absicht zurückgehalten wurde.[1]

Die unentschiedene bzw. unparteiliche Haltung KANTS im Zusammenhang mit Entscheidungen zu dem Schriftsteller ⟨Erich Loest⟩ [2] erweckte gleichfalls bei den Mitgliedern des Präsidiums den Eindruck, daß KANT mit ungenügender Konsequenz und politischer Klarheit Konflikte und Probleme angeht und mehr oder weniger versucht, in solchen Situationen die eigene Person in Szene zu setzen.

Die Mitglieder des Präsidiums nehmen auch gewisse negative charakterliche Eigenschaften KANTs in Kauf bzw. brachten Verständnis auf, da sie nicht zu ändern sein würden, wie zum Beispiel seine betonte Eigenliebe. Das Präsidium war aber nicht bereit, ausgesprochen eigenwillige und subjektive Entscheidungen KANTs hinzunehmen, ohne die Mitglieder des Präsidiums in die Entscheidungsfindung einzubeziehen. So sind die Mitglieder des Präsidiums äußerst verärgert, daß KANT in komplizierten Fragen nicht sie als Präsidium zu Entscheidungsfindungen konsultiert, sondern seinen Freund ⟨Stephan Hermlin⟩. Die Überbewertung ⟨Hermlins⟩ durch KANT, wie sie auch in der Rezension KANTs zu ⟨Hermlins⟩ Buch «Abendlicht» zum Ausdruck kam,[3] führte zu einem Abbruch des Vertrauens der Mitglieder des Präsidiums gegenüber KANT. Diese Handlungsweise KANTs wird um so kritischer gesehen, weil KANT andererseits bei Buchveröffentlichungen von Präsidiumsmitgliedern nicht das gleiche Engagement, Aufmerksamkeit und Interesse an den Tag legt. Eine weitere Aktivität KANTs, die von den Präsidiumsmitgliedern nicht gebilligt wurde und die Vorbehalte der Präsidiumsmitglieder gegenüber KANT verstärkte, löste KANTs unkritische Stellungnahme gegenüber Strittmatters Buch «Wundertäter» Band III aus.[4] So waren sich alle Präsidiumsmitglieder darüber einig, daß KANT hier nicht das entsprechend nötige parteiliche Maß in der Bewertung einer durchaus kritikwürdigen Publikation ⟨Strittmatters⟩ an den Tag gelegt hat.

Insgesamt zeigte sich bereits im ersten Jahr nach der Neuwahl des Präsidiums, daß sich der Verbandspräsident nicht als die integrierende Persönlichkeit weder für die Leitungsorgane des Verbandes, Präsidiums und Vorstandes, noch für den Gesamtverband erwies. Dazu trug bei, daß KANT sowohl in den Leitungsorganen als auch gelegentlich in der Öffentlichkeit sich zu abfälligen Äußerungen über andere Verbandsmitglieder hinreißen ließ. In dieser Hinsicht wurden auch die negierenden Bemerkungen von KANT über das Buch von ⟨Dieter⟩ NOLL «Kippenberg»[5] oder das Buch «Der Soldat und die Frauen» von ⟨Max Walter Schulz⟩[6] aufgefaßt. Das Abwerten dieser literarischen Arbeiten rief besonders bei den Präsidiumsmitgliedern ⟨Rainer Kerndl⟩, Gerhard HOLTZ-BAUMERT, Günter GÖRLICH und ⟨Helmut Sakowski⟩ starke Empörung hervor.

Auch die Arbeitsmethoden des Verbandspräsidenten KANT stoßen auf immer stärkeres Mißfallen, da KANT weniger im Präsidium langfristige Orientierungen, Probleme der Literaturpolitik und der

Verbandsarbeit zur Diskussion stellte, sondern mehr oder weniger von Präsidiumssitzung zu Präsidiumssitzung Kurzinformationen gab. Dabei wuchs besonders in den letzten zwei Jahren das Bedürfnis, im Präsidium über die Strategie des Schriftstellerverbandes im Gesamtzusammenhang mit der Politik der Partei gründlich und ausführlich zu sprechen und dies auch in langfristigen Arbeitsplänen der Verbandsleitung auszudrücken.

Der Verlauf der Präsidiumssitzungen zeigt, daß es während der ganzen Arbeitsperiode nicht zu solchen langfristigen Problemdiskussionen und Festlegungen gekommen ist. Dazu gehört auch, daß die grundlegenden Entwicklungstendenzen der DDR-Literatur vor allem, was den ideologischen Gehalt der Gegenwartsliteratur betrifft, im Präsidium nicht zum Gegenstand klärender Diskussion gemacht werden konnte. Sich einen gemeinsamen Standpunkt im Präsidium zu den Haltungen von ⟨Christa Wolf⟩[7], ⟨Franz Fühmann⟩ u. a. zu erarbeiten, wich KANT aus.

In bezug auf ⟨Christa Wolf⟩ lehnte KANT zum Beispiel jede Einschätzung und Diskussion des Präsidiums ab, was das Auftreten ⟨Christa Wolfs⟩ anläßlich ihrer Entgegennahme des sogenannten «Friedenspreises des Deutschen Buchhandels» betraf. KANT lehnte Diskussionen zu ⟨Christa Wolf⟩ mit der Begründung ab, dies sei ausschließlich Sache der Parteiorganisation der Akademie der Künste, der ⟨Christa Wolf⟩ angehört. Diese Haltung KANTs erscheint den Präsidiumsmitgliedern als ein Ausweichen KANTs, auch persönlich eine Meinung zu ⟨Christa Wolf⟩ äußern zu müssen. Andererseits wird es unabhängig von möglichen Auseinandersetzungen mit ⟨Christa Wolf⟩ in ihrer eigenen Parteiorganisation für erforderlich gehalten, daß die Verbandsleitung, insbesondere die Mitglieder des Präsidiums, zu den teilweise negativen, das DDR-Ansehen schädigenden und diskriminierenden Verhaltensweisen einzelner Autoren, wie in diesem Falle ⟨Christa Wolf⟩, ⟨Franz Fühmann⟩ u. a. eine einheitliche Meinung erarbeiten und dann auch gegenüber anderen Verbandsmitgliedern vertreten sollten. Im Gegensatz zu dieser Meinung des Präsidiums vertrat KANT immer wieder die Auffassung, daß sich jeder eine eigene Meinung zu diesen Dingen erarbeiten solle, die er dann auch vertritt. KANT ignorierte hier dringende Forderungen von den Präsidiumsmitgliedern HOLTZ-BAUMERT und ⟨Brezan⟩, sich unbedingt einen einheitlichen Standpunkt zu erarbeiten.

Ein ernstes Problem in der politischen Führungstätigkeit des Schriftstellerverbandes der DDR besteht darin, daß der erste Sekretär des Schriftstellerverbandes, Gen. ⟨Gerhard Henniger⟩ einen großen Teil seiner Kraft und Energie aufbringen muß, um den Präsidenten KANT auf die dringendsten Erfordernisse des ideologischen Klassenkampfes einzustellen und diesen auch dazu zu bringen, seinen Parteiauftrag – Präsident des Schriftstellerverbands zu sein – in vollem Maße bis zum nächsten Kongreß wahrzunehmen, da KANT auch gegenüber Gen. ⟨Henniger⟩ des öfteren mit dem Gedanken spielte, vorzeitig sein Amt niederzulegen.

So war es zum Beispiel nur dem persönlichen Einsatz des Gen. ⟨Henniger⟩ zu verdanken, daß KANT bei Auftritten im Rahmen von Dienstreisen in die BRD,[8] u. a. im Frühjahr 1981, mit der gebotenen Konsequenz im Sinne der Parteibeschlüsse auftrat und sich nicht in allgemeinen Verbindlichkeiten verlor. Gen. ⟨Henniger⟩ schätzte danach selbst ein, daß KANT ohne Konzeption in die BRD fuhr und erst im Laufe der Auseinandersetzungen Stabilität und Form in seinem Auftreten und Verhalten gewann.

Die Kandidaten und Mitglieder des ZK der SED, die dem Präsidium des Schriftstellerverbandes der DDR angehören, sind im wesentlichen bei Auseinandersetzungen im Präsidium u. a. auch mit dem Präsidenten KANT sehr zurückhaltend und vertreten nach Einschätzung der inoffiziellen Quellen nicht offensiv genug im Präsidium des Verbandes die Politik der Partei. Das betrifft die Schriftsteller Gerhard HOLTZ-BAUMERT, Günter GÖRLICH, ⟨Helmut Sakowski⟩.[9]

Obwohl alle drei Genannten bei Präsidiumssitzungen offensiver auftreten sollten, muß man ihre gesellschaftlichen Aktivitäten differenziert sehen. So verwendet zum Beispiel Genosse Gerhard HOLTZ-BAUMERT viel individuelle Zeit und persönliches Engagement darauf, durch individuelle Einflußnahme den Verbandspräsidenten zur Weiterführung seiner Arbeit als Präsident zu bewegen und von einem vorzeitigen Rücktritt abzuhalten.[10] Günter GÖRLICH widerum entwickelt eine große Aktivität, um die Parteibeschlüsse im Berliner Bezirksverband umzusetzen. So ist es Gen. GÖRLICH im wesentlichen zu danken, daß die notwendigen politisch-ideologischen Auseinandersetzungen in diesem Bezirksverband mit großer Konsequenz aller Beteiligten geführt werden. Nach Äußerungen des Gen.

GÖRLICH hat er dabei nicht immer die mögliche und notwendige Unterstützung des Verbandspräsidenten besessen. Wie ⟨Helmut Sakowski⟩ gegenüber einer inoffiziellen Quelle äußerte, versuche er sich soweit es möglich ist, von der Arbeit im Präsidium des Schriftstellerverbandes fernzuhalten. Er könne die teilweise opportunistischen Verhaltensweisen von KANT, dessen Eitelkeit und Selbstüberschätzung nicht mehr ertragen. Als Genosse ist er gezwungen, wenn er aufrichtig handeln will, sich mit KANT über dessen Inkonsequenz gegenüber oppositionellen Kräften auseinanderzusetzen. Da er im Falle einer harten Auseinandersetzung damit rechnen müsse, daß KANT seinen angekündigten Rücktritt als Verbandspräsident verwirklicht, möchte er auf derartige Auseinandersetzungen verzichten, da er einerseits nicht als Sündenbock für KANTs Rücktritt dastehen und andererseits nicht zum Versöhner gegenüber KANT werden möchte.

Die derzeitig allgemeine Stimmung unter den Mitgliedern des Schriftstellerverbandes gegenüber KANTs ist äußerst reserviert. Im Urteil vieler Verbandsmitglieder, die hier nicht alle aufgezählt werden können, wird er als überheblich, abweisend, wenig kameradschaftlich und unverbindlich geschildert.

Die Tätigkeit der Sekretäre im Schriftstellerverband der DDR, vor allem des Sekretärs für Internationale Verbindungen, Gen. ⟨Eberhard Scheibner⟩, und des Gen. ⟨Dr. Hannemann⟩ [11], Sekretär für Literatur, wird auch außerhalb des Präsidiums und Vorstandes als blaß eingeschätzt. Sie sind keine von den Schriftstellern anerkannten Autoritäten des Verbandslebens und treten im Verbandsleben wie auch im Präsidium kaum als Verantwortung wahrnehmende politische Funktionäre in Erscheinung. In beiden Fällen, sowohl bei Gen. ⟨Scheibner⟩ als auch bei Gen. ⟨Hannemann⟩ ist charakteristisch, daß sie sich weitgehendst scheuen, verantwortungsvolle politische Gespräche mit Autoren, insbesondere mit komplizierten Autoren, zu suchen und zu führen. Sie klammern sich eher an einen bürokratischen Verwaltungs-Arbeitsstil, als an einer aktiven Beteiligung an der ideologischen Auseinandersetzung und Erziehungsarbeit des Schriftstellerverbandes teilzunehmen.

Zu beachten ist noch, daß es zum Beispiel bei den Vizepräsidenten ⟨Jurij Brezan⟩ und ⟨Rainer Kerndl⟩ unter vier Augen gegenüber einer inoffiziellen Quelle Äußerungen gab, entweder KANT nicht wieder als Präsidenten zu wählen oder selbst nicht mehr für das Präsidium zu kandidieren.

1 S. die «Information» vom 2. 11. 1978.
2 Im Fall von Erich Loests Roman «Es geht seinen Gang oder Mühen in unserer Ebene» hatte Kant mit seinem Rücktritt als Schriftstellerverbandspräsident gedroht, falls das Buch keine zweite Auflage bekomme.
3 Kants Rezension von Hermlins «Abendlicht» erschien in Heft 12/ 1979 von NDL.
4 Kant war von Strittmatter über die angeblich behinderte Auslieferung seines «Wundertäter III» informiert worden (s. «Information» vom 14. 7. 1980) und versuchte daraufhin, dem Buch eine größere Öffentlichkeit zu verschaffen und Angriffe abzuwehren (s. «Information» vom 30. 10. 1980 und 21. 11. 1980).
5 Dieter Nolls Roman «Kippenberg» erschien 1979.
   Eine negative Äußerung Kants über das Buch ist nicht überliefert.
6 Max Walter Schulz' Werk «Der Soldat und die Frau» erschien 1978.
   Auch in diesem Fall ist keine negative Äußerung Kants dokumentiert.
7 Christa Wolf erhielt niemals den Friedenspreis des Deutschen Buchhandels. Gemeint ist wahrscheinlich ihre Auszeichnung mit dem Georg-Büchner-Preis der Darmstädter Akademie für Sprache und Dichtung 1980.
8 Gemeint ist wohl eine Reise zu Verhandlungen mit dem VS wegen des «Appells der Schriftsteller Europas», mit dem im August 1981 150 Autoren einen Stopp des Wettrüstens verlangten, darunter auch 24 Schriftsteller aus der DDR, z. B. Peter Hacks, Stefan Heym und Hermann Kant.
9 Gerhard Holtz-Baumert war Mitglied des ZK der SED.
   Günter Görlich war seit 1976 Kandidat, seit 1981 Mitglied des ZK der SED.
   Helmut Sakowski war von 1963 bis 1989 Kandidat bzw. Mitglied des ZK der SED.
10 S. z. B. die «Information» vom 6. 10. 1981.
11 Dr. Joachim Hannemann arbeitete zehn Jahre lang in dieser Funktion im Schriftstellerverband.

142. Information:
Zu einem Brief von Kant und Hermlin an Honecker
(6. 5. 82)

Hauptabteilung XX/7   Berlin, 06. Mai 1982
                                                       ti-ta

Information
über weitere bekanntgewordene Zusammenhänge zum Brief
der Schriftsteller KANT und ⟨Hermlin⟩ an den
Generalsekretär des ZK der SED, Genossen Erich HONECKER

Gegenüber einer inoffiziellen Quelle äußerte Hermann KANT, Präsident des Schriftstellerverbandes der DDR, in einem vertraulichen Gespräch, daß er gegenwärtig in einer gewissen «Drucksituation» lebt. Nach seiner Rückkehr von einer BRD-Lesereise habe er bereits für ihn unangenehme Gespräche mit der Leiterin der Abteilung Kultur des ZK der SED, Genossin ⟨Ursula Ragwitz⟩, und dem 1. Sekretär des Schriftstellerverbandes der DDR, Genossen ⟨Henniger⟩, wegen des Briefes an den Generalsekretär des ZK der SED, Genossen Erich HONECKER, gehabt.

Zum Zustandekommen des Briefes gab KANT der Quelle folgende Darstellung:

Während der Geburtstagsfeier bei ⟨Hermlin⟩ am 13. 04. 1982 erzählte dessen Tochter, ⟨...⟩, den Vorfall mit der Entfernung des Aufnähers «Schwerter zu Pflugscharen» bei einem Schüler aus ⟨Hermlins⟩ Wohngebiet. Darüber hätten sich KANT und ⟨Hermlin⟩ spontan erbost und durch ⟨Hermlin⟩ sei der Vorschlag gemacht worden, gemeinsam zum Genossen HONECKER zu gehen und dagegen zu protestieren, daß gegen DDR-Bürger, die eine pazifistische Haltung vertreten, so vorgegangen wird.[1]

Zunächst sei KANT mit ⟨Hermlins⟩ Vorschlag einverstanden gewesen, habe nach längerem Überlegen aber den Eindruck gewonnen, daß er von ⟨Hermlin⟩ in eine Sache hineingezogen wird, deren Ausgang ungewiß ist.

Um negative Wirkungen größeren Ausmaßes zu verhindern, habe

466

KANT deshalb den Entschluß gefaßt, einen Brief an Genossen HO-NECKER zu dieser Problematik zu schreiben und ⟨Hermlin⟩ mit unterzeichnen zu lassen. Außerdem habe KANT damit verhindern wollen, mit ⟨Hermlin⟩ gemeinsam zum Genossen HONECKER zu gehen, da sich KANT – wie ⟨Konrad Wolf⟩ mit der «Berliner Begegnung» – nicht vor den Karren ⟨Hermlins⟩ spannen lassen will.

Nach Einschätzung der Quelle wollte sich KANT mit dieser Schilderung seines Vorgehens nur rechtfertigen. Daß sich KANT mit ⟨Hermlin⟩ zur Frage der pazifistischen Friedensbewegung nicht parteilich auseinandergesetzt, sondern diesem zugestimmt habe, mache seine ideologischen Unklarheiten deutlich und zeige, daß er sich doch «vor den Karren» ⟨Hermlins⟩ spannen lasse.

Kopie des Briefes von Kant u. Hermlin befindet sich
mit Orig. dieser Inf. im OV «Leder»

Pö[nig]

---

1 Bei der Schriftstellerbegegnung in Den Haag bzw. Scheveningen vom 24. bis 26. 5. 1982, also wenige Wochen später, wurde Kant explizit auf solche Vorgänge in der DDR angesprochen. Wenn er dort auf den Vorschlag, eine Art Clearing-Stelle für derartige Fälle in der DDR einzurichten – s. die folgende «Information» vom 15. 6. 1982 –, ziemlich allergisch reagierte, hängt das wahrscheinlich damit zusammen, daß es schon im Vorfeld des Haager Autorentreffens wegen des Aufnähers «Schwerter zu Pflugscharen» in Ost-Berlin zu Schwierigkeiten mit dem Partei-Apparat gekommen war.

143. Information:
Ein Brief an Hermann Kant:
«Schwerter zu Pflugscharen»
(15. 6. 82)

Hauptabteilung XX   Berlin, 15. 6. 1982
                                                     pö

Information

Am 11. 6. 1982 ging im Schriftstellerverband der DDR ein an den
Präsidenten des Schriftstellerverbandes der DDR, Hermann Kant,
gerichteter Brief ein.

Als Absender dieses Briefes wurde angegeben:
⟨S...⟩, ⟨K...⟩, wh.: Dresden, ⟨...⟩.

In dem genannten Brief, der das Datum des 28. 5. 1982 trägt, teilt der
Absender Kant mit, daß er auf dem Wege zu seiner Wohnung von der
VP aufgefordert wurde, den auf seiner Jacke angebrachten Aufnäher
«Schwerter zu Pflugscharen» abzutrennen.

Da es für diese Handlungsweise der VP nach Meinung des
S⟨...⟩ kein Gesetz gebe, habe er sich geweigert, diesen Aufnäher
abzutrennen. Daraufhin sei er zum VP-Revier gebracht worden, wo
ihm mitgeteilt wurde, daß seine Jacke beschlagnahmt werde, falls er
den Aufnäher nicht selbständig von dieser entfernt.

S⟨...⟩ erinnert in diesem Schreiben Kant an dessen Ausführungen
während des «Haager Treffens» vom 24. 5. – 26. 5. 1982 und fordert
ihn aus diesem Grunde auf, Unterstützung in dieser Angelegenheit zu
gewähren.

In der Auseinandersetzung zu Problemen der pazifistischen Friedensbewegung in der DDR mit ⟨...⟩ und ⟨Heym⟩ auf dem «Haager
Treffen» hatte Kant u. a. geäußert: «Natürlich gibt es auch bei uns ab
und zu eine Dummheit, aber wir sind Mann's genug, um damit selbst
zurecht zu kommen.» Darauf hatte ⟨Heym⟩ Kant entgegnet: «Also
werde ich jetzt Friedensfreunde, die in der DDR Schwierigkeiten haben, zu Ihnen schicken.»

Hermann Kant hat vom Inhalt dieses Briefes Kenntnis. Er beabsichtigt, darauf nicht zu reagieren, ist aber der Meinung, daß das Problem der «Pazifistischen Friedensbewegung in der DDR» einer Lösung zugeführt werden müsse. Seine Gedanken dazu habe er gemeinsam mit ⟨Hermlin⟩ in einen Brief an den Generalsekretär des ZK der SED, Gen. Erich Honecker, dargelegt.

144 Information:
Über «Unzuverlässigkeiten» Hermann Kants (9. 7. 82)

Hauptabteilung XX/7   Berlin, 09. Juli 1982
ti-brü

Information
über die gegenwärtige politisch-ideologische Situation
des Präsidenten des Schriftstellerverbandes der DDR,
Hermann KANT

Am 07. 07. 1982 machte der Sekretär des Schriftstellerverbandes der DDR, Gen. ⟨Gerhard Henniger⟩, darauf aufmerksam, daß sich die Situation um den Präsidenten des Schriftstellerverbandes der DDR, Hermann KANT, immer weiter zuspitze. Aus diesem Grunde werde Gen. ⟨Henniger⟩ in nächster Zeit mit der Leiterin der Abteilung Kultur des ZK der SED, Genossin ⟨Ursula Ragwitz⟩, ein Gespräch mit der Zielstellung führen, zu prüfen, ob eine Verlängerung der Amtszeit KANTs als Präsident des Schriftstellerverbandes der DDR für den nächsten Schriftstellerkongreß 1983 noch politisch zweckmäßig und für den Schriftstellerverband der DDR ein Gewinn ist.

Genosse ⟨Henniger⟩ führte dafür folgende Gründe an:

1. Durch seine wiederholten Äußerungen gegenüber einer nicht mehr zu überschauenden Anzahl von Schriftstellern, seine Funktion als Präsident des Schriftstellerverbandes der DDR niederlegen zu wollen, wirke KANT bei einer erneuten Kandidatur für diese Funktion in den Augen vieler Autoren unglaubwürdig.

Letztmalig äußerte KANT diese Absicht gegenüber dem Vizepräsidenten des Schriftstellerverbandes der DDR, ⟨Juri Brezan⟩, während der gemeinsamen Teilnahme an «Interlit» vom 18. 06. bis 25. 06. 1982 in Köln/BRD.

2. KANT wird immer unzuverlässiger bei der Durchsetzung und Einhaltung getroffener Festlegungen und immer unberechenbarer in seinen Handlungen. Obwohl er Gen. ⟨Henniger⟩ zusicherte, sich im Zusammenhang mit der Nichtgenehmigung der Einreise für den österreichischen Schriftsteller ⟨Robert Jungk⟩[1] am 27. 06. 1982 nicht weiter zu engagieren, hat KANT die zu den Arbeiterfestspielen in Neubrandenburg weilende Leiterin der Abteilung Kultur des ZK der SED, Genn. ⟨Ursula Ragwitz⟩, belästigt, um die Einreise von ⟨Jungk⟩ in die DDR zu erzwingen.

Da der Einreise des ⟨Jungk⟩ nicht stattgegeben wurde, lehnte KANT die Wahrnehmung einer auf der Grundlage des Kulturabkommens zwischen der DDR und der Republik Österreich zustandegekommene Lesereise mit der Begründung ab, daß er dem österreichischen Publikum nicht erklären könne, weshalb ⟨Robert Jungk⟩ keine Einreise in die DDR erhalten hat.

3. Entgegen der Empfehlung des Gen. ⟨Henniger⟩ ist KANT während «Interlit»[2] in Köln mit dem zur Zeit sich in der BRD aufhaltenden Schriftsteller ⟨Klaus Poche⟩[3] zusammengetroffen. Im Ergebnis dieses Zusammentreffens mit ⟨Poche⟩ hat sich KANT gegen die von zentraler Stelle getroffene Festlegung ausgesprochen, das Visum ⟨Poches⟩ nicht wieder zu verlängern.

4. Die bei KANT schon immer vorhandene Eigenliebe und Selbstsucht steigert sich in der letzten Zeit ins Maßlose. KANT reagiert ständig verärgert darüber, daß seine Person und seine «bedeutsamen Reden und Äußerungen» von den Massenmedien der DDR zu wenig beachtet würden. Aus dieser Eigenliebe und Selbstüberschätzung resultiert KANTs Bestreben, politische Entscheidungen zu erzwingen, die ihm überhaupt nicht zustehen.

5. KANT spekuliert nebenbei darauf, die Funktion des Chefredakteurs der Zeitschrift «Sinn und Form» zu übernehmen, die nach dem Tode von ⟨Paul Wiens⟩[4] zu besetzen ist.

Gen. ⟨Henniger⟩ hält KANT für die Übernahme dieser Funktion auch für ungeeignet, da aufgrund der Charaktereigenschaften und der bisherigen Verhaltensweisen KANTs damit zu rechnen ist, daß er

«Sinn und Form» für oppositionelle Kräfte zum Publikationsorgan macht.

6. KANT hat bei einer Vielzahl von Mitgliedern des Schriftstellerverbandes der DDR Vertrauen verloren, weil er wenig oder keine Zeit für ihre Probleme hat, dafür aber umso mehr um die Gunst oppositioneller Kräfte buhlt.

Aufgrund dieses Sachverhaltes beabsichtigt Gen. ⟨Henniger⟩, der Genossin ⟨Ragwitz⟩ vorzuschlagen, KANT zu einem Gespräch zu bestellen und ihm die Frage vorzulegen, ob er bereit ist, auf dem nächsten Schriftstellerkongreß der DDR wieder als Präsident zu kandidieren.[5] Ist KANT dazu bereit, sollte ihm eindeutig gesagt werden, daß er ab sofort jegliche Form von Rücktrittsäußerungen zu unterlassen hat.

Für den Fall der Ablehnung einer erneuten Kandidatur für diese Funktion sollte KANT mitgeteilt werden, daß diese Position als offiziell betrachtet und die Genn. ⟨Ragwitz⟩ die Parteiführung über diese Entscheidung KANTs informieren wird.

---

1 Robert Jungk, * 11. 5. 1913, † 14. 7. 1994, Publizist, Aktivist der Friedensbewegung, «Die Zukunft hat schon begonnen», «Heller als tausend Sonnen» (1956), «Strahlen aus der Asche» (1959), «Der Jahrtausendmensch» (1973), «Der Atomstaat» (1977).

Jungk war Teilnehmer der ersten, von Hermlin organisierten «Berliner Begegnung zur Friedensförderung» vom 13./14. 12. 1981, er war sogar der erste westliche Redner. Allerdings sagte er Dinge, die dem Sicherheitsapparat der DDR sehr mißfallen haben dürften: «... ich wünsche mir, und das ist ein ganz persönlicher Wunsch, den ich ausspreche, den ich aber auch ausspreche im Namen der großen Friedensbewegung, die heute in den USA, in Holland, in der Bundesrepublik, in Schweden, in der Schweiz, in Frankreich endlich wirkliche Kraft erlangt hat. Bitte gestatten Sie auch in Ihren Ländern nichtdirigierte, spontane Kundgebungen für den Frieden!»

2 Die INTERLIT in Köln fand vom 18.–25. 6. 1982 statt.

3 Klaus Poche, * 18. 11. 1927, Drehbuchautor, Erzähler, «Der Zug hält nicht im Wartesaal» (1965), «Rottenknechte» (1970), «Mein lieber Robinson», «Atemnot» (1978).

Poche war im Juni 1979 zusammen mit acht weiteren Kollegen aus dem Schriftstellerverband der DDR ausgeschlossen worden und hatte bald darauf die DDR mit einem dreijährigen Visum verlassen. Da Poche und seine Frau aus familiären Gründen keine sechs- bis siebenjährige Einreisesperre in der DDR akzeptieren konnten, trat er in Verhandlungen mit dem Staatssekretär Kurt Löffler ein. Daraufhin verlängerte man sein Visum unter der Bedingung, daß er 12,5 Prozent seines Jahreseinkommens an die Künstleragentur der DDR abführte.

4 Paul Wiens war am 6. 4. 1982 gestorben. Nachfolger als Chefredakteur von «Sinn und Form» wurde 1983 Max Walter Schulz.

5 Der nächste (IX.) Schriftstellerkongreß der DDR fand Anfang Juni 1983 statt. Kant kandidierte erneut.

145. Information: Vorbereitung eines Treffens mit Bernt Engelmann (20. 7. 83)

Hauptabteilung XX/7   Berlin, 20. 7. 1983

Information

In einem vertraulichen Gespräch informierte der 1. Sekretär des Schriftstellerverbandes der DDR, Gen. ⟨Gerhard Henniger⟩ daß am 4. 8. 1983 ein Gespräch zwischen dem Präsidenten des Schriftstellerverbandes der DDR, Gen. Hermann Kant, und dem Vorsitzenden des westdeutschen Schriftstellerverbandes, ⟨Bernt Engelmann⟩ in Rottach in der BRD stattfinden wird. An diesem Gespräch wird der Gen. ⟨Henniger⟩ zugegen sein.

Gegenstand des Gespräches wird der Vorschlag des Schriftstellerverbandes der DDR über die Durchführung eines Treffens der Leitungen der Schriftstellerverbände Europas gegen den NATO-Raketenbeschluß von Brüssel[1] bilden.

Durch dieses geplante Treffen soll den Vorstellungen des stellv. Vorsitzenden des westdeutschen Schriftstellerverbandes, ⟨Lodemann⟩[2] von einem sogenannten deutsch-deutschen Schriftstellertreffen entgegengewirkt werden.

Ferner ist vorgesehen, den ⟨Engelmann⟩ in geeigneter Weise darauf aufmerksam zu machen, daß sein Stellvertreter ⟨Lodemann⟩ aufgrund seines widersprüchlichen Auftretens nicht der geeignete Partner für den Schriftstellerverband der DDR ist.

Das geplante Treffen mit ⟨Engelmann⟩ ist mit der Partei abgestimmt.

In Vorbereitung dieses Treffens erfolgt eine Konsultation mit der Leitung des Schriftstellerverbandes der UdSSR.

---

1 Die *FAZ* meldete am 3. Juni 1983: «Die Nato hält daran fest, sowohl Marschflugkörper als auch Pershing-II-Raketen in Westeuropa zu stationieren, falls die Verhandlungen in Genf zwischen Moskau und Washington bis Ende des Jahres zu keinem Ergebnis führen.»

2 Jürgen Lodemann, * 28. 3. 1936, Lyriker, Erzähler, Essayist, von März bis November 1983 stellvertretender Vorsitzender des VS, «Anita Drögemöller und Die Ruhe an der Ruhr» (1976), «Phantastisches Plastikland und Rollendes Familienhaus. Ein amerikanisches Tagebuch» (1977), «Im deutschen Urwald» (1978).

Lodemann hatte für den 10. März 1984 im Schauspielhaus Bochum ein deutsch-deutsches Schriftstellertreffen unter dem Motto «Unsere Republiken. Von den Freiheiten des Schreibens / Deutsch-deutsche Momentaufnahme» geplant – mit Autoren, «die noch und die nicht mehr in ihren Schriftstellerverbänden» waren. Dabei hatte er an Namen wie Heiner Müller, Erich Loest, Volker Braun, Jurek Becker, Franz Fühmann, Irmtraud Morgner, Reiner Kunze und Gerhard Zwerenz gedacht. –

Zu dem angeblich widersprüchlichen Verhalten Lodemanns s. die «Information» vom 10. 8. 1983.

146. Information:
Über das Treffen mit Bernt Engelmann
(10. 8. 83)

Hauptabteilung XX/7   Berlin, 10. 8. 1983

Information
über politisch-operativ interessierende Probleme
während eines Gespräches von leitenden Mitarbeitern
des Schriftstellerverbandes der DDR
mit dem Vorsitzenden des BRD-Schriftstellerverbandes,
⟨Bernt Engelmann⟩

Am 4. 8. 1983 führten der Vorsitzende des Schriftstellerverbandes der
DDR, Genosse Hermann KANT, und der Sekretär des Verbandes,
Genosse ⟨Henniger⟩, ein ca. 5-stündiges Gespräch mit dem Vorsit-
zenden des Schriftstellerverbandes (VS) der BRD, ⟨Bernt Engel-
mann⟩, in dessen Wohnung in Rottach-Egern/BRD. Über dessen
Inhalt wurde folgendes bekannt:

Ziel des Gespräches war, ausgehend von einer Zwischenbilanz
über die Friedensinitiative der Schriftsteller beider deutscher Staaten
und ihrer Verbände seit dem «Appell der Schriftsteller europäischer
Länder» vom August 1981, angesichts der drohenden Gefahren im
Falle der Verwirklichung des NATO-Raketenbeschlusses neue Maßnahmen im Friedenskampf zu beraten.

Im Gespräch mit ⟨Engelmann⟩ wurde Übereinstimmung erzielt,
daß neue Initiativen gegen die für Herbst 1983 angekündigte Stationierung von USA-Raketen in der BRD notwendig sind. ⟨Engel-
mann⟩ wurde von der DDR-Seite der Vorschlag unterbreitet, aus
Anlaß des 44. Jahrestages des faschistischen Überfalls auf Polen und
des Beginns des 2. Weltkrieges, sich in einer von Hermann KANT
und ⟨Engelmann⟩ unterzeichneten Erklärung an die Öffentlichkeit
und an die Schriftsteller aller europäischen Länder zu wenden.

Im ersten Teil der Erklärung soll der Wortlaut des Friedensappells
vom August 1981 wiederholt werden. Dem schließt sich ein Text an,
der auf die gegenwärtige aktuelle Aufgabenstellung im Zusammenhang mit der beabsichtigten Raketenstationierung in der BRD ein-

geht. Darüber wurde mit ⟨Engelmann⟩ Übereinstimmung erzielt. (Anlage)

Im Gespräch wurde von beiden Seiten der Wunsch geäußert, daß die Schriftstellerverbände beider deutscher Staaten und ihre Leitungen stärker darauf einwirken sollten, in den Gesprächen zu Fragen des Kampfes um die Erhaltung des Friedens Sachlichkeit und Ernsthaftigkeit zu gewährleisten.

Die von bestimmten Kräften praktizierte Methode, als «Repräsentanten» sozialistischer Staaten sogenannte Dissidenten einzuladen, für die nicht der Frieden, sondern der Antikommunismus das Wesentliche ist, wurde abgelehnt.

Beide Seiten hielten es für notwendig, noch in diesem Jahr eine Zusammenkunft von Leitungsmitgliedern der Schriftstellerverbände europäischer Staaten durchzuführen. Darin soll – ausgehend vom Friedensappell europäischer Schriftsteller vom August 1981 – über nächste gemeinsame Schritte für Frieden und Abrüstung beraten werden.

Durch die Genossen ⟨Henniger⟩ und Kant wurde gegenüber ⟨Bernt Engelmann⟩ Befremden über das Auftreten des stellv. Vorsitzenden des BRD-Schriftstellerverbandes, ⟨Lodemann⟩, geäußert. Dieser hatte sich einerseits in einem Schreiben an den Schriftstellerverband der DDR überschwenglich für seine Teilnahme am IX. Schriftstellerkongreß der DDR bedankt und den Kongreß in höchsten Tönen gelobt, während er andererseits in einem Rundfunkkommentar in der BRD das Gegenteil behauptete.[1] Außerdem versuche ⟨Lodemann⟩ ein deutsch-deutsches Schriftstellertreffen zustande zu bringen, «auf dem einmal nicht über den Frieden gesprochen werden soll.»[2]

⟨Engelmann⟩ bemerkte dazu, daß ⟨Lodemann⟩ vom Vorstand keine besonderen Aufträge dazu habe, sondern im Rahmen der Arbeitsteilung im Vorstand verantwortlich für die Öffentlichkeitsarbeit ist. ⟨Engelmann⟩ sei über die Aktivitäten ⟨Lodemanns⟩ trotzdem verwundert. Er habe ⟨Lodemann⟩ bis zu dessen Wahl zum stellv. Vorsitzenden des BRD-Verbandes im März 1983 kaum gekannt. Sein Name sei ihm eigentlich bis dahin nur durch die «Bestseller-Liste» des Südwestfunks aufgefallen.[3]

Im Verlauf des Gespräches äußerte sich ⟨Engelmann⟩ noch zu folgenden Problemen:

Seiner Auffassung nach werde es mit der Stationierung der NATO-

Mittelstreckenraketen in der BRD und anderen westeuropäischen Ländern nicht so schnell wie ursprünglich geplant gehen.

Aus Prestig[e]gründen würden vielleicht ein bis zwei Abschußbasen mit den dazugehörigen Raketen in der BRD errichtet. Dabei werde es vorläufig bleiben.

⟨Engelmann⟩ äußerte weiter, daß vom Schriftstellerverband der BRD im Zusammenwirken mit der Friedensbewegung der BRD geplant sei, im September/Oktober 1983 an den Stätten der vorgesehenen Raketenstationierung in der BRD große Protestaktionen durchzuführen.

Es sei abgesprochen worden, körperlichen Widerstand gegen Personen und Handlungen, die dem Aufbau der Atomraketen dienen, zu leisten.[4]

Eine weitere Aktion sei während der vom 12. bis 17. 10. 1983 stattfindenden Internationalen Buchmesse in Frankfurt/Main geplant. Es sei vorgesehen, während der Hauptgeschäftszeit die Messe für fünf Minuten lahmzulegen und damit schweigenden Protest gegen die Atomraketenstationierung in der BRD zum Ausdruck zu bringen.

Der Erfolg dieser Aktion könne nur gewährleistet werden, wenn es gelingt, die Beschallungszentrale der Frankfurter Buchmesse in der Hand zu haben. Dies sei jetzt gewährleistet. Diese geplante Friedensaktion laufe parallel zu der zum gleichen Zeitpunkt stattfindenden Veranstaltung in der Frankfurter Paulskirche, wo der «Friedenspreis des deutschen Buchhandels» verliehen wird.[5] Nach bisher vorliegenden Hinweisen findet die Veranstaltung in der Frankfurter Paulskirche am 16. 10. 1983 statt.

⟨Engelmann⟩ äußerte sich weiterhin zum Besuch des CSU-Vorsitzenden ⟨Strauß⟩ in der CSSR, der VR Polen und der DDR.[6]

Nach Auffassung von ⟨Engelmann⟩ habe ⟨Strauß⟩ mit diesen Besuchen hauptsächlich das Ziel verfolgt, ⟨Genscher⟩ und die FDP in der BRD endgültig zur Strecke zu bringen.

Andererseits glaube ⟨Engelmann⟩, daß ⟨Strauß⟩ mit diesen Reisen in sozialistische Länder seine Wähler überfordert habe. Ein Teil der CSU-Wähler wende sich von ⟨Strauß⟩ ab, weil ihnen durch solche Handlungsweisen das Feindbild genommen würde.

Nach Einschätzung von ⟨Engelmann⟩ bekäme die SPD jetzt wieder größere Chancen. Jeder Tag der ins Land gehe, ohne daß die CDU/CSU in der BRD eine Wende in der gegenwärtigen wirtschaft-

476

lichen und politischen Situation zuwege bringe, koste ihr Wählerstimmen. Allerdings sei zu großer Optimismus diesbezüglich noch fehl am Platze.

---

1 Lodemann hatte lediglich in einem VS-internen Bericht über den Schriftstellerkongreß in Ost-Berlin von «überschwenglich erwiesener Gastlichkeit» gesprochen. Einen Brief an den DSV mit «überschwenglichem» Dank fand er nicht in seinen Unterlagen – ebensowenig einen Rundfunk-Kommentar. Allerdings gab er bundesdeutschen Sendern mehrere Interviews über seine Teilnahme am Kongreß in Ost-Berlin, in denen er auch Kritik äußerte.
2 S. Anm. 2 zur «Information» vom 20. 7. 1983.
3 Gemeint ist die «Bestenliste» des Südwestfunks.
4 Gegen die Raketenbasis Mutlangen wurden vom 1. September an Sitzblockaden durchgeführt unter Teilnahme von Persönlichkeiten wie Heinrich Böll, Rolf Hochhuth, Helmut Gollwitzer, Heinrich Albertz, Erhard Eppler, Robert Jungk, Dorothee Sölle.
5 Laut Messebericht der Geschäftsführung an den Aufsichtsrat der Ausstellungs- und Messe-GmbH aus Anlaß der 35. Frankfurter Buchmesse 1983 konstituierte sich am Eröffnungstag ein Messerat, dem u. a. der Verband Deutscher Schriftsteller (VS) angehörte. «In seiner konstituierenden Sitzung beschloß der Messerat, nach Zustimmung durch den Aufsichtsrat der Frankfurter Buchmesse während der Buchmesse 1983 eine Schweigeminute für den Frieden auszurufen. Die Durchsage wurde jedoch nur in den deutschsprachigen Hallen gemacht, da die Befürchtung herrschte, daß eine im ausländischen Hallenteil nicht zu verstehende Durchsage Unsicherheiten und Unruhe schafft. Die Reaktion fiel relativ gering aus.»
  Den Friedenspreis des Deutschen Buchhandels 1983 erhielt in absentia Manès Sperber.
6 Franz Josef Strauß hatte am 16. 7. 1983 mit Frau und Sohn Max Josef eine zunächst als privat deklarierte Reise in die CSSR und Polen angetreten, wo er in Warschau eine Schwägerin besuchen wollte; die Rückreise führte über die DDR. Über die Hintergründe der Reise spottete Strauß unmittelbar vor der Abfahrt: «Ich bestätige allen, die das Gras wachsen hören: Strauß nach Prag geflüchtet. Von Prag nach Polen ausgeliefert und anschließend an Honecker weitergereicht ... Unter Honecker verstehe ich aber nicht eine Einladung oder ein Gespräch, sondern darunter verstehe ich das Land, symbolisiert durch diesen Namen» (s. «Strauß zu Privatbesuch in Prag», *SZ* vom 18. 7. 1983).

147. Vermerk:
Über ein Telefonat von Rolf Schneider
mit Hermann Kant
(5. 9. 83)

Hauptabteilung XX/7   Berlin, 5. 9. 1983

Vermerk

Der Präsident des Schriftstellerverbandes der DDR, Gen. Hermann Kant, informierte die Leiterin der Abt. Kultur im ZK der SED, Genn. ⟨Ursula Ragwitz⟩, sowie den Unterzeichner über nachstehendes Telefongespräch mit dem Schriftsteller ⟨Rolf Schneider⟩:

Am 4. 9. 1983 gegen 13.00 Uhr meldete sich ⟨Rolf Schneider⟩ telefonisch beim Hermann Kant. ⟨Schneider⟩ äußerte, es sei wieder «ein Fall von Katakomben-Christen» eingetreten.

Um üble Schlagzeilen zu vermeiden, möchte er Hermann Kant davon informieren, daß am 1. 9. 1983 ein Dr. ⟨Martin Böttger⟩[1], wohnhaft in Berlin, ⟨...⟩, im Zusammenhang einer pazifistischen Aktivität von DDR-Organen inhaftiert worden sei. ⟨Schneider⟩ kenne das aus pazifistischen Kreisen.

Der Mann sei kein Schriftsteller, sondern ein Ingenieur oder Bau-Ingenieur, habe 3 Kinder und die Familie wäre außer sich wegen der Festnahme.

⟨Schneider⟩ wolle dies Kant mitteilen, es kann ja sein, daß sich die Sache wie bei anderen regelt, wo Festgenommene nach kurzer Zeit wieder entlassen wurden.

Hermann Kant schätzt ein, daß ihn ⟨Schneider⟩ für evtl. diesbezügliche Anfragen von Pressevertretern in Österreich vorbereiten wolle.[2]

Brosche
Oberstleutnant

---

1 Martin Böttger, * 14. 5. 1947, Physiker, Programmierer, 1970–72 Bausoldat, ab 1972 Teilnahme an der kirchlichen Friedensarbeit, beteiligte sich an Demonstrationen zum 1. Mai wiederholt mit selbstgefertigten

Transparenten und wurde anschließend durch das MfS ‹zugeführt›. Am 1. 9. 1983 Verhaftung wegen versuchter Teilnahme an einer Menschenkette zum Weltfriedenstag, am 15. 9. Freilassung nach Intervention Richard von Weizsäckers bei Erich Honecker. Siehe auch die folgende (undatierte und überschriftslose) Information.

2 Kant war am 6. und 7. 9. 83 auf Einladung des österreichischen Ministers für Unterricht und Kunst, Helmut Zilk, in Wien und sprach auf einer Veranstaltung der österreichischen Gesellschaft für Kulturpolitik im Wiener «Haus des Buches» über die gesellschaftliche Rolle des Schriftstellers in der DDR und beantwortete in einer Live-Sendung des ORF Hörerfragen. Dabei ging es auch um den Friedensappell europäischer Schriftsteller.

148. Information:
Über Dr. Martin Böttger
(ohne Datum)

⟨Böttger, Martin⟩
geb. am 14. 5. 1947 in Eberfrankenhain
Diplom-Physiker; ohne Beschäftigung, bis 30. 6. 1983 wissenschaftlicher Mitarbeiter an der Bauakademie der DDR
wohnhaft: Berlin, (…)
⟨Gribbek, Elisabeth⟩
geb. am 24. 4. 1960 in Berlin
Studentin/Slawistik, Humboldt-Universität zu Berlin
wohnhaft: Jena-Lobeda, (…)
NW: Berlin, (…)
festgenommen am 1. 9. 1983
Ermittlungsverfahren gemäß § 214 (1) (3) (5) StGB eingeleitet
Bearbeitung durch BV Berlin
Festnahme auf frischer Tat durch VP

Die Beschuldigten wurden festgenommen, als sie am 1. 9. 1983 gegen 20.30 Uhr in der Höhe der Botschaft der UdSSR in Berlin, Unter den Linden, bei einer Personenkontrolle demonstrativ ihre mitgeführten Kerzen entzündeten.

Die Beschuldigten, die sich im Juli 1983 im Rahmen kirchlicher Veranstaltungen kennengelernt hatten, wollen sich ihren Aussagen zufolge im Anschluß an eine Veranstaltung der «GOLGATHA»-Gemeinde spontan dazu entschlossen haben, vor dem Gebäude der genannten diplomatischen Einrichtung, durch das Tragen von angezündeten Kerzen als Symbol des Friedens in der Öffentlichkeit in Erscheinung treten. Bisher bestreiten die Beschuldigten, mit ihrer Handlung eine Provokation der Staatsorgane der DDR beabsichtigt zu haben.

⟨Böttger⟩ ist Gemeinderat der «GOLGATHA»-Gemeinde. In dieser Funktion war ihm bekannt, daß Mitglieder seiner sowie weiterer Gemeinden beabsichtigten, am Weltfriedenstag um 6.30 Uhr und gegen 20.00 Uhr Unter den Linden in Berlin eine Demonstration durchzuführen, bei der brennende Kerzen als Symbolik getragen werden sollten. Weiterhin war beiden durch westliche Medien bekannt, daß derartige Personengruppen am Morgen des 1. 9. 1983 vor der Botschaft der UdSSR und der USA durch die Sicherheitskräfte aufgelöst worden waren, was sie jedoch nicht vom eigenen Handeln abhielt.

Schwerpunkt der Bearbeitung bildet die Erarbeitung von Hinweisen auf Inspiratoren, Organisatoren und Teilnehmer der Provokationen sowie Angaben zu weiteren derartigen geplanten Aktionen.

149. Information:
Über ein Gespräch mit Jürgen Lodemann (22. 9. 83)

Hauptabteilung XX/7   Berlin, 22. 9. 1983

Information
über das Ergebnis des Gespräches mit dem
stellv. Vorsitzenden des
«Verbandes Deutscher Schriftsteller» (VS) der BRD,
⟨Jürgen Lodemann⟩, im Schriftstellerverband der DDR

Zur Führung dieses Gespräches, das auf Drängen von ⟨Jürgen Lodemann⟩ durch den Auslandssekretär des Schriftstellerverbandes der

DDR, Gen. ⟨Scheibner⟩, eigenmächtig vereinbart wurde, beauftragte der 1. Sekretär des Schriftstellerverbandes der DDR nach Konsultation mit der Abteilung Kultur im ZK der SED, Gen. ⟨Scheibner⟩ auch mit der Führung dieses Gespräches.

An dem Gespräch, das am 14. 9. 1983 in den Räumen des Schriftstellerverbandes stattfand, nahm noch die Mitarbeiterin der Auslandsabteilung des Schriftstellerverbandes der DDR, die Genn. ⟨...⟩, teil.

In diesem Gespräch unterbreitete ⟨Lodemann⟩ den Vorschlag, eine gemeinsame Veranstaltung unter der Teilnahme von Schriftstellern der Schriftstellerverbände der DDR und der BRD am 10. 3. 1984 im Bochumer Schauspielhaus als «Ost-West-Gespräch» unter dem Motto «Unsere Republiken» zu organisieren.

Es sei vorgesehen, sagte ⟨Lodemann⟩, zu dieser 12 Schriftsteller einzuladen, wobei 6 aus der DDR und 6 aus der BRD teilnehmen werden. Die Schriftsteller sollen in alphabetischer Reihenfolge auftreten und in 15 bis 20 Minuten über ihre Erfahrungen beim Schreiben berichten.[1] Am Abend sei eine anschließende Diskussion zu dieser Veranstaltung vorgesehen, die als 90-Minuten-Sendung im III. Programm des BRD-Fernsehens vorgesehen sei. ⟨Lodemann⟩ behauptete, daß dieser von ihm unterbreitete Vorschlag auch im Sinne des Vorsitzenden seines Verbandes, ⟨Bernt Engelmann⟩, sei.

⟨Lodemann⟩ wurde durch Gen. ⟨Scheibner⟩ mitgeteilt, daß er diesen Vorschlag zur Kenntnis nehme, aber ⟨Lodemann⟩ aufgrund dessen verleumderischen Äußerungen in westlichen Massenmedien zu dem IX. Schriftstellerkongreß[2] der DDR keine positive Grundlage für eine von seiner Seite ernstzunehmende Zusammenarbeit sein kann. Gen. ⟨Scheibner⟩ machte in diesem Zusammenhang auf die Bedeutung der gemeinsamen Friedensinitiativen aufmerksam und die es auch in Zukunft angesichts der gegenwärtigen Bedrohung durch NATO-Raketen weiterzuführen und zu verstärken gelte. Solche Fragen der Zusammenarbeit, wie sie der Vorschlag ⟨Lodemanns⟩ beinhalte, setzen die Klärung grundsätzlicher Fragen einer kulturellen Zusammenarbeit zwischen der DDR und der BRD voraus, die aber gegenwärtig noch nicht gegeben sind.[3]

⟨Lodemann⟩ entgegnete, daß auf dieser Veranstaltung unter der «Tarnkappe» eines fachlichen Arbeitsgespräches natürlich auch die

Politik ins Spiel gebracht und die Friedensproblematik diskutiert werden könne.

⟨Lodemann⟩ wurde nochmals darauf aufmerksam gemacht, daß sich in der Problematik der Zusammenarbeit in Friedensfragen der direkte Kontakt zwischen dem Vorsitzenden des Verbandes Deutscher Schriftsteller, ⟨Bernt Engelmann⟩ und den Präsidenten des Schriftstellerverbandes der DDR, Hermann Kant, bewährt habe. ⟨Lodemann⟩ wurde aus diesem Grund durch Gen.⟨Scheibner⟩ empfohlen, seinen Vorschlag ⟨Bernt Engelmann⟩ zu unterbreiten, womit ⟨Lodemann⟩ einverstanden war.

---

1 Gedacht war u. a. an Jurek Becker, Volker Braun, Franz Fühmann, Reiner Kunze, Erich Loest, Irmtraud Morgner, Heiner Müller und Gerhard Zwerenz.
2 S. Anm. 1 zur «Information» vom 10. 8. 1983.
3 Anzunehmen ist eher, daß Namen wie Reiner Kunze, Erich Loest und Gerhard Zwerenz für die DDR nicht akzeptabel waren.

150. Bericht:
Gespräch von Kant und Henniger mit Engelmann und Dieter Lattmann über die politische Lage im westdeutschen VS (14. 3. 84)

Schriftstellerverband der DDR   Berlin, den 14. März 1984

Bericht
über die Reise der Genossen Hermann Kant und
⟨Gerhard Henniger⟩
nach München vom 6.–9. 3. 1984

I

Die Genossen Hermann Kant und ⟨Gerhard Henniger⟩ führten in München
– ein Gespräch mit ⟨Bernt Engelmann⟩ und ⟨Dieter Lattmann⟩[1]

über die Lage im VS der BRD und über die Friedensaktivitäten der Verbände;
– ein Gespräch in der Redaktion «Kürbiskern» zur gleichen Thematik;
– ein Gespräch mit dem Brückenverlag über das Auftreten von DDR-Schriftstellern in den Collektiv-Buchhandlungen in der BRD;
– Hermann Kant las in einer öffentlichen Veranstaltung eine Erzählung; an die Lesung schloß sich eine Diskussion über literaturpolitische Fragen an.

II

1. Seitens ⟨Bernt Engelmanns⟩ und ⟨Dieter Lattmanns⟩ wird die gegenwärtige politische Lage im VS als nicht bedrohlich eingeschätzt. Die Landesverbände (außer Westberlin) hätten sich mit der bisherigen Linie des alten VS-Vorstandes solidarisiert. Im westberliner Landesverband waren durch eine Art «Putsch» rechte Kräfte in die Leitung gekommen (Buch[2], Fuchs[3]), die die bevorstehende Bundesdelegiertenkonferenz des VS Ende März in Saarbrücken benützen wollen, um einen anderen Kurs durchzusetzen bzw. den VS zu spalten. Dieser Versuch bekomme nur dadurch Gewicht, da einige namhafte BRD-Autoren, die im Verband seit Jahren inaktiv sind – wie ⟨Böll⟩, ⟨...⟩ und ⟨Lenz⟩ – sich an den Angriffen gegen die politische Linie des alten VS-Vorstandes maßgeblich beteiligen würden. Beide Gesprächspartner schätzen ein, daß aller Wahrscheinlichkeit nach ⟨Ingeborg Drewitz⟩ zur Vorsitzenden des VS gewählt werden wird.[4] Sie sei eine zuverlässige Kollegin, die im Sinne der alten Vorstandsarbeit weiter wirken würde. (In einem anschließenden persönlichen Gespräch mit ⟨Bernt Engelmann⟩ äußerten wir in diesem Punkte besondere Zweifel.) ⟨Engelmann⟩ und ⟨Lattmann⟩ glauben, daß man den rechten Kräften noch mehr Wind aus den Segeln nehmen würde, wenn man einer Kandidatur von ⟨Erich Loest⟩ als Beisitzer im Vorstand zustimmen würde. (Auch in diesem Punkt haben wir im anschliessenden Gespräch gewarnt und anhand einiger Fakten zu belegen versucht, warum man ⟨Drewitz⟩ und ⟨Loest⟩[5] im Hinblick auf Konzessionen an die rechten Kräfte nicht unterschätzen darf.) Die Bereitschaft von ⟨Chotjewitz⟩[6], für den VS-Vorsitz zu kandidieren, wurde von beiden als ein belustigender Gag abgetan.

Als Vorsitzender des VS käme nach beider Meinung ⟨Loest⟩ auf keinen Fall in Frage.

Im Zentrum des Gespräches stand die Absicht von ⟨Engelmann⟩, ⟨Lattmann⟩ und ihren Freunden, in Saarbrücken immer wieder die zentrale Frage – der Aktivitäten für Frieden, Abrüstung und Verständigung – in den Vordergrund zu stellen und sie zum Prüfstein für die Haltung jedes einzelnen zu machen.

In diesem Zusammenhang erklärte ⟨Engelmann⟩, daß eine neue Erklärung der Initiatoren des Friedensappells europäischer Schriftsteller angesichts der neuen Lage wichtig und im Hinblick auf die Konferenz in Saarbrücken sehr nützlich sein könne. Eine solche Erklärung könne es den linken Kräften erleichtern, in Saarbrücken offensiv aufzutreten.

2. In einer weiteren Zusammenkunft mit ⟨Bernt Engelmann⟩ wurde der Wortlaut einer solchen Erklärung formuliert. Dabei einigten wir uns darauf, diese Erklärung als «Offenen Brief an die Unterzeichner des Appells europäischer Schriftsteller für Frieden und Abrüstung» abzufassen. Dieser Brief wird allen VS-Delegierten vor Saarbrücken vorliegen und es ermöglichen, in Saarbrücken diese Fragen in den Vordergrund zu rücken. (Seitens der rechten Kräfte wird erwartet, daß in Saarbrücken vor allem Kontakte zu «oppositionellen» Kräften in den sozialistischen Ländern gefordert werden, weitere gemeinsame Aktivitäten mit den Schriftstellerverbänden sozialistischer Länder abgelehnt werden, der Austritt des VS aus der IG Druck und Papier betrieben wird und – falls diese Ziele nicht erreicht werden – an die Gründung eines neuen Verbandes gegangen wird.

Der Wortlaut des Offenen Briefes wurde an die Nachrichtenagenturen DPA und PPA gegeben. Nach unseren Informationen wurde er bisher in der BRD nur in der «Volkszeitung» und der «UZ» veröffentlicht.

In den Gesprächen mit ⟨Engelmann⟩ und ⟨Lattmann⟩ legten wir auch anhand einiger Beispiele dar, wie ehemalige DDR-Bürger in der BRD zu Schriftstellern hochstilisiert werden, nur wenn sie sich öffentlich gegen die DDR erklären. So teilten wir ⟨Engelmann⟩ mit, was wir von einem gewissen ⟨Dieter Schulze⟩[7] halten, der auf der letzten Frankfurter Buchmesse von dem westberliner ⟨Hannes Schwenger⟩ als verfolgter DDR-Autor präsentiert wurde.

⟨Schwenger⟩ wurde von ⟨Engelmann⟩ als ein professioneller Kalter Krieger eingeschätzt.[8]

An der öffentlichen Veranstaltung nahmen ca. 120 Besucher teil. Hermann Kant las eine neue Erzählung, die mit viel Beifall aufgenommen wurde. In der anschließenden Diskussion ging es vor allem um Fragen wie:

– Welche interessanten Werke sind in letzter Zeit in der DDR erschienen?
– Welche Gründe gibt es dafür, daß Schriftsteller die DDR verlassen?
– Warum erscheinen Bücher in der DDR von DDR-Autoren nicht mit gleichem Text wie in der BRD?
– Wie arbeitet der Schriftstellerverband mit jungen Autoren; wie wird man Schriftsteller?

Auch bei dieser Gelegenheit konnten einige Falschmeldungen über die Literaturentwicklung in der DDR zurückgewiesen werden. An der Veranstaltung nahm auch ein Vertreter von DPA teil; Veröffentlichungen über diese Veranstaltung in der bürgerlichen Presse sind uns bis jetzt nicht bekannt geworden.

III

Die Reise gab die Möglichkeit eines Gedankenaustausches mit den linken Kräften im VS in Vorbereitung der für diesen Verband wichtigen Delegiertenkonferenz in Saarbrücken.

⟨Engelmann⟩ und ⟨Lattmann⟩ bedankten sich für die Gespräche, die sie als «ermutigend» bezeichneten. Gleichzeitig zeigten die Gespräche, daß bei den sozialdemokratischen VS-Mitgliedern offensichtlich die Schwere des Angriffes der rechten Kräfte in verschiedenen konkreten Punkten und Zusammenhängen unterschätzt wurde.

⟨G. Henniger⟩
1. Sekretär

---

1 Dieter Lattmann, von 1968–1974 erster Vorsitzender des «Verbands Deutscher Schriftsteller» (VS), gehörte innerhalb der SPD zu den Befürwortern der Friedensbewegung. Im Mai 1981 verfaßte er zusammen mit dem Bundestagsabgeordneten Karl-Heinz Hansen und anderen linken Sozialdemokraten eine Erklärung, die den «Krefelder Appell»

als «Kristallisationspunkt der Friedensbewegung» bezeichnete. Nach dem Beginn der Stationierung neuer amerikanischer Mittelstreckenraketen in der Bundesrepublik gehörte Lattmann im Dezember 1983 neben Grass, Albertz, Jungk, Luise Rinser und Härtling zu den Mitautoren des «Heilbronner Aufrufs».

2 Hans Christoph Buch, * 13. 4. 1944, Erzähler, Essayist, «Unerhörte Begebenheiten» (1966), «Parteilichkeit der Literatur oder Parteiliteratur? Materialien zu einer undogmatischen marxistischen Ästhetik» (1972), «Lu Hsün. Der Einsturz der Lei-feng-Pagode. Essays über Literatur und Revolution in China» (1973), «Literaturmagazin 1. Für eine neue Literatur – gegen den spätbürgerlichen Literaturbetrieb» (1973), «Aus der neuen Welt. Nachrichten und Geschichten» (1975), «Die Scheidung von San Domingo. Wie die Negersklaven von Haiti Robespierre beim Wort nahmen» (1976), «Tintenfisch 12. Natur oder warum ein Gespräch über Bäume kein Verbrechen mehr ist» (1977), «Tintenfisch 15. Deutschland. Das Kind mit den zwei Köpfen» (1978), «Bericht aus dem Inneren der Unruhe. Gorlebener Tagebuch» (1979), «Zumwalds Beschwerden. Eine schmutzige Geschichte» (1980).

3 Jürgen Fuchs, * 19. 12. 1950, Schriftsteller und Psychologe, «Gedächtnisprotokolle» (1977), «Vernehmungsprotokolle» (1978), «Tagesnotizen» (1979), «Pappkameraden» (1981), «Fassonschnitt» (1984).

Fuchs zählte aufgrund seiner Freundschaft mit Reiner Kunze, Robert Havemann und Wolf Biermann sowie aufgrund seiner DDR-kritischen Aktivitäten beim SED-Kultur- und Sicherheitsapparat zu den bestgehaßten Autoren der jüngeren Generation. Nach Biermanns Ausbürgerung wurde er am 19. 11. 1976 verhaftet, monatelang verhört und im August 1977 nach West-Berlin abgeschoben. Im Unterschied zu seiner Einschätzung durch die SED-Apparatschiks siedelt sich Fuchs keinesfalls auf der politischen Rechten an: «Die authentische Linke, das waren wir, die wir uns gewehrt, die wir gelitten haben.» (SZ, 24. 9. 1990).

4 Ingeborg Drewitz, * 10. 1. 1923, † 26. 11. 1986, Erzählerin, Biographin, Essayistin, «Berliner Salons» (1965), «Adam Kuckhoff, ein deutscher Widerstandskämpfer» (1968), «Bettine von Arnim. Romantik, Revolution, Utopie. Eine Biographie» (1969), «Wer verteidigt Katrin Lambert?» (1974), «Das Hochhaus» (1975), «Mit Sätzen Mauern eindrükken – Briefwechsel mit einem Strafgefangenen» (1979).

Ingeborg Drewitz unterlag beim VS-Kongreß in Saarbrücken im März 1984 gegen Hans-Peter Bleuel, der mit einer Stimme Mehrheit zum Vorsitzenden gewählt wurde.

5 Erich Loest war seit seiner Übersiedlung in die Bundesrepublik und der

Veröffentlichung seines autobiographischen Buches «Durch die Erde ein Riß» (1981) für die DDR-Funktionäre persona non grata. Beim VS-Kongreß in Saarbrücken wurde er tatsächlich zum Beisitzer gewählt.

6 Peter O. Chotjewitz, * 14. 6. 1936, Schriftsteller und Rechtsanwalt, «Hommage à Frantek» (1966), «Die Insel. Erzählungen auf dem Bärenauge» (1968), «Roman – Ein Anpassungsmuster» (1968), «Abschied von Michalik» (1969), «Vom Leben und Lernen – Stereotexte» (1969), «Die Trauer im Auge des Ochsen» (1972), «Malavita. Mafia zwischen gestern und morgen» (1973), «Reden ist tödlich, schweigen auch» (1974), «Der 30jährige Friede» (1977), «Die Herren des Morgengrauens» (1978), «Saumlos» (1979). Bis März 1983 war er stellvertretender Bundesvorsitzender der IG Druck und Papier.

7 Dieter Schulze, * 1958, wurde in der DDR eine Zeitlang von Heiner Müller, Christa Wolf und Franz Fühmann unterstützt. Fühmann schrieb über ihn: «Dieter Schulze ist ein Genie. Ich habe dies Wort bewußt gewählt. Seine Gedichte sind nicht bloß ‹Freitzeitbeschäftigung› … Sie sind vielmehr Hervorbringungen hohen und höchsten poetischen Ranges». Nach mehreren Untersuchungsverfahren wegen Bummelantentum, Widerstands gegen staatliche Maßnahmen u. ä. übersiedelte Schulze am 11. Juli 1983 nach West-Berlin und trat einige Monate später bei einer Pressekonferenz der DDR während der Frankfurter Buchmesse als ungeladener Gast auf und attackierte die DDR-Kulturpolitik.

8 Hannes Schwenger, * 26. 12. 1941, Essayist, Feature-Autor, «Das Weltbild des katholischen Vulgärschrifttums» (1966), «Antisexuelle Propaganda. Sexualpolitik in der Kirche» (1969), «Für eine IG Kultur. Die Gewerkschaftsfrage eine Bündnisfrage» (1971), «Solidarität mit Rudolf Bahro» (1978), «Literaturproduktion zwischen Selbstverwirklichung und Vergesellschaftung» (1979).

Nach Akten-Einsicht in der Gauck-Behörde schrieb Schwenger an Andreas W. Mytze über die Diffamierungskampagnen seitens des MfS: «Schließlich ein geradezu bilderbuchhaftes Exempel für Infiltration in die SPD. Es wird genau geschildert, mit welcher Kampagne ich in der SPD isoliert, meine Wahl als Delegierter verhindert und Gerüchte in Partei, Universität, Verbänden ausgestreut wurden. Die Techniken werden genau geschildert, Erfolge buchmäßig festgehalten und in klarer Sprache ausgesprochen, was gewollt ist: mich zu ‹kriminalisieren› usw.» (s. «europäische ideen», Heft 86, 1994, S. 41).

151. Information:
Über Hermann Kants Erzählung «Plexa»
(13. 6. 84)

Hauptabteilung XX   Berlin, 13. 6. 1984

Information
über die Veröffentlichung eines Beitrages von
Hermann KANT unter dem Titel «Plexa»
in der Literaturzeitschrift der DDR «Sinn und Form»

Wie operativ bekannt wurde, ließ der Präsident des Schriftstellerverbandes der DDR, Hermann KANT, in der Zeitschrift der Akademie der Künste der DDR «Sinn und Form», Heft Mai/Juni 1984, auf den Seiten 576 bis 592 vorgenannten Beitrag veröffentlichen (siehe Anlage).

Darin schildert KANT angebliche Vorgänge und Erlebnisse, die der Held der Erzählung, Farßmann, während eines Aufenthaltes im Warteraum einer VP-Meldestelle hatte.

Im Ergebnis einer SU-Reise beabsichtigt Farßmann, zwei Bürgerinnen der UdSSR zum Besuch in die DDR einzuladen. Zu diesem Zweck begibt sich Farßmann auf das zuständige Meldeamt der VP, um die entsprechenden Formulare auszufüllen und durch die VP beglaubigen zu lassen. Während der Zeit des Aufenthaltes im Warteraum des Meldeamtes begegnet Farßmann verschiedenen Bürgern mit sehr unterschiedlichen Anliegen.

In der Darstellung dieser Problematik im Warteraum der Meldestelle schildert KANT u. a. ein Gespräch mit einem Mitarbeiter des «Staatskomitees für Mittel und Wege», welcher sich ein polizeiliches Führungszeugnis zu holen beabsichtigt. Als Grund für die Notwendigkeit des polizeilichen Führungszeugnisses schildert dieser Mitarbeiter des «Staatskomitees für Mittel und Wege» nachfolgenden Sachverhalt: Er wollte die defekte Geige seiner Tochter mit zur Arbeit nehmen, um sie einem Arbeitskollegen des «Staatskomitees für Mittel und Wege», der die Reparatur in die Wege leiten sollte, zu übergeben. Als Farßmann die Geige mit zur Arbeit nahm, wurde er nicht vorgelassen, da «höchster Besuch» im «Staatskomitee für öffentliche Mittel und Wege» angesagt war. Den «eingesetzten sich an ihren Taschenschirmen festhaltenden Sicherungskräften» erschien er mit Geigenkasten verdächtig und wurde abgedrängt. Auf Grund mehrerer «Aussprachen» mit diesen Sicherheitskräften, denen er seine Harmlosigkeit beweisen wollte, erscheint er diesen in zunehmendem Maße politisch verdächtig, was ihn jetzt veranlasse, sich durch die VP mit einem politischen Führungszeugnis seine Harmlosigkeit und Rechtschaffenheit bestätigen zu lassen.

Diese Erzählung von KANT ist laut vorliegenden Einschätzungen objektiv geeignet, feindlich-negativen Kräften bei ihren Angriffen gegen die Schutz- und Sicherheitsorgane, gegen die staatlichen Beziehungen zwischen der UdSSR und der DDR und den provokatorischen Forderungen dieser Personen nach «Reisefreiheit» Vorschub zu leisten.

So werden von KANT auf ironische Art die Maßnahmen des MfS zum Schutz führender Repräsentanten lächerlich gemacht (S. 589/590), in abwertender Form die Arbeit des VP-Meldewesens beschrieben (S. 576, 579, 582), die staatlichen Vereinbarungen zwischen der UdSSR und der DDR über Verfahrensfragen bei Privatbesuchen ironisiert (S. 576, 586) und in zynischer Form die Haltung der DDR zu privaten Westreisen in Frage gestellt (S. 582).

Intern bekanntgewordenen Äußerungen des stellvertretenden Ministers für Kultur und Leiter der Hauptverwaltung Verlage und Buchhandel, Genossen ⟨Klaus Höpcke⟩, zufolge ist dieser über die von KANT veröffentlichte Erzählung empört.

Genosse ⟨Höpcke⟩ beabsichtigt, KANT zur Rede zu stellen und von diesem eine Erklärung darüber zu fordern, was er damit bezwecken wollte.

Genosse ⟨Höpcke⟩ ist der Auffassung, daß diese Erzählung von KANT die Auseinandersetzung staatlicher Organe mit oppositionellen Schriftstellern und Kulturschaffenden erschwert und von diesen Kräften als Alibi mißbraucht werden kann.

Laut vorliegenden Informationen hat Genosse ⟨Höpcke⟩ die Leiterin der Abteilung Kultur des ZK der SED, Genossin ⟨Ursula Ragwitz⟩, über diese Veröffentlichung in «Sinn und Form» informiert.

Der Chefredakteur dieser Zeitschrift, Genosse ⟨Max Walter Schulz⟩, äußerte in einem internen Gespräch, daß er sich bei dieser Veröffentlichung nicht wohl fühle und dem Präsidenten des Schriftstellerverbandes, Hermann Kant, in der Auseinandersetzung nicht gewachsen sei.[1]

---

1 Die Erzählung «Plexa» eröffnete trotz all dieser Vorbehalte Kants Erzählungsband «Bronzezeit. Geschichten aus dem Leben des Buchhalters Faßmann», der 1986 bei Rütten und Loening in Ost-Berlin und bei Luchterhand in Darmstadt und Neuwied erschien.

152. Information: Vorbereitungen auf eine Demonstration von «Kunst- und Kulturschaffenden» (November 1989)

Information[1]
über die für den 4. November 1989
in der Hauptstadt der DDR, Berlin,
initiierte Demonstration von Kunst- und Kulturschaffenden

(...)
Progressive Kräfte unter Theaterschaffenden, wie der Intendant des Maxim-Gorki-Theaters Berlin, HETTERLE[2], befürchten, daß feindliche Kräfte die vorgesehene Demonstration für die antisozialistischen Ziele mißbrauchen könnten. Verwiesen wird auf die von der BOHLEY[3] ausgesprochene Einladung von Wolf BIERMANN.[4]
(...)
Es wird vorgeschlagen:
– Gespräch mit den in verantwortlichen Funktionen im künstlerisch-schriftstellerischen Bereich tätigen Mitgliedern des ZK der SED
KANT, Hermann (Schriftstellerverband der DDR)
WEKWERTH, Manfred[5] (Akademie der Künste der DDR)
GÖRLICH, Günter (Schriftstellerverband der DDR)
HOLTZ-BAUMERT, Gerhard[6] (Schriftstellerverband der DDR)
durch beauftragte Genossen des ZK der SED. Durch die Genannten

490

sollte Einfluß auf die Leitungen ihrer Verbände und Einrichtungen genommen werden, alle Mitglieder zu einem dem Anlaß angemessenen Verhalten zu bewegen und sich möglichen Provokationsversuchen verbandsfremder Kräfte entgegenzustellen.

---

1 Das Dokument ist abgedruckt in dem Band «Ich liebe euch doch alle! Befehle und Lageberichte des MfS Januar–November 1989», herausgegeben von Armin Mitter und Stefan Wolle, Berlin 1990, S. 242–245. Die Information ohne Datum, versehen mit «Streng geheim! Um Rückgabe wird gebeten», war von der ZAIG, der Zentralen Auswertungs- und Informationsgruppe des MfS, erarbeitet worden (Nr. 484/89), wurde aber nicht mehr verschickt.

2 Albert Hetterle, * 31. 10. 1918, Schauspieler, Regisseur, Theaterleiter, 1968–1989 Intendant des Maxim-Gorki-Theaters.

3 Bärbel Bohley, * 24. 5. 1945, Malerin, 1985/86 Mitbegründerin der Initiative Frieden und Menschenrechte, Mitherausgeberin und Autorin von Samisdat-Publikationen, Jan. 1988 Verhaftung wegen der Protestaktionen bei der Liebknecht-Luxemburg-Demonstration, Abschiebung, Aufenthalt in England, 3. 8. 1988 Rückkehr nach Berlin, September 1989 Initiatorin der illegalen Gründungsveranstaltung des Neuen Forums.

4 Biermann nahm an der Demonstration vom 4. 11. 89 auf dem Alexanderplatz nicht teil.

5 Manfred Wekwerth, * 3. 12. 1929, Regisseur, von 1977–1991 Intendant des Berliner Ensembles, von 1982 bis 1990 Präsident der Akademie der Künste, von 1982–1986 Mitglied des ZK der SED.

6 Bemerkenswert, daß von vier Kandidaten, die zur Steuerung der Demonstration vorgesehen waren, immerhin drei ehemalige inoffizielle Mitarbeiter des MfS waren nämlich Kant, Görlich und Holtz Baumert.

III. ANHANG

Inhaltsverzeichnis der Dokumente

501

Namenregister

508